FRENCH WRITERS OF TODAY

French Writers
of Today

HENRI CLOUARD

ROBERT LEGGEWIE

New York   OXFORD UNIVERSITY PRESS   1965

PREFACE

This anthology has been prepared for college students of French at the intermediate and advanced levels as an introduction to some of the best writing produced in France from the publication of Sartre's *La Nausée* up to the present day.

The twenty-four writers we have selected are grouped in four sections: novelists, poets, playwrights, and essayists. While some of them definitely belong to their group, such as Anouilh, who heads the playwrights, others, like Sartre or Malraux, could have represented another genre. Our choice in such cases has been purely arbitrary. Since we wanted existentialism as a point of departure for our book, we decided that a selection from *La Nausée* would be most appropriate. Malraux is a well-known novelist, but we felt that an extract from his *Voix du silence* would provide an interesting and challenging selection. Marcel Pagnol, the famous playwright, has delighted France also with his book *La Gloire de mon père*, and the inclusion of a chapter from it provides a humorous addition to the section on the novel.

Within each section, we have ranked the authors in recognition of importance except when we have had to consider variety, as in placing Camus between Simone de Beauvoir and Françoise Sagan, and Pagnol before the novelists of the "nouveau roman."

We have endeavored to give selections that would be of significant value both in meaning and in length and, except for some of the poets, we have limited our choice to one selection per writer. In some cases our choice of material or its length has been influenced by difficulties in obtaining permission to reprint.

For each author there is a short introduction in French covering his life and his important works, followed by a selected bibliography of critiques. Sufficient footnotes are given in English, clarifying difficult passages or translating idiomatic expressions, to obviate too frequent reference to a French dictionary. A general introduction in French covers the literary trends of the period presented, and a selective general bibliography of works of criticism appears at the end of the book.

We hope that the material and its presentation will please our colleagues and entice our young readers to delve further into the works of the authors presented.

In conclusion we would like to express our sincere gratitude to all those who have been involved in the publication of this book at Oxford University Press and particularly to Mr. Byron S. Hollinshead, Jr., Executive Editor of the Educational Department; Mr. George Allen, the Humanities Editor; Mr. Frederick Schneider, who is responsible for the design of the book; and Miss Mary Ollmann, copy editor, whose close reading of the manuscript, suggestions, and corrections have been invaluable.

H.C. & R.L.

ACKNOWLEDGMENTS

The editors would like to thank the publishers who granted permission to reprint passages from works under copyright: to Éditions Gallimard for the texts by Aymé, Beauvoir, Caillois, Camus, Char, Cocteau ("Bombita"), Genêt, Giono, Ionesco, La Tour du Pin, Malraux, Michaux, Montherlant, Sarraute, Sartre, and Saint-John Perse; to René Julliard for the text by Sagan; to Éditions de Minuit for those by Butor and Robbe-Grillet; to Librairie Plon for Gabriel Marcel; to Éditions du Rocher for Cocteau ("Plus que la chair . . ."); to Éditions Seghers for Ponge; to Éditions du Seuil for Teilhard de Chardin; to La Table Ronde for Anouilh. We would also like to thank Marcel Pagnol for his personal permission to reprint the selection from *La Gloire de mon père*.

The etchings and drypoints which illustrate this book are from the work of the French artist Jacques Villon (1875-1963). They are reproduced by the kind permission of the Light-Seiferheld Gallery, New York.

TABLE DES MATIÈRES

Introduction   xiii

I   ROMANCIERS

JEAN-PAUL SARTRE   3
  La Nausée: Les Notables de Bouville   6

MARCEL AYMÉ   22
  La Carte: Extraits du journal de Jules Flegmon   24

JEAN GIONO   33
  Le Hussard sur le toit: Une Épidémie de choléra   35

SIMONE DE BEAUVOIR   58
  Les Mandarins: Un Dernier Amour   60

ALBERT CAMUS   83
  La Chute: Misère morale née de l'égoïsme et
  de la lâcheté (fragments)   85

FRANÇOISE SAGAN   94
  Bonjour Tristesse: Les Troubles d'une mauvaise conscience   96

MARCEL PAGNOL   108
  La Gloire de mon père: Souvenirs d'enfance   109

MICHEL BUTOR   122
  La Modification: Quelques images d'une
  révolution psychologique   123

ix

ALAIN ROBBE-GRILLET   149
   Dans le labyrinthe: La Visite du soldat   151

NATHALIE SARRAUTE   163
   Les Fruits d'or: Gloire et pitié à un livre   165

II POÈTES

SAINT-JOHN PERSE   175
   Vents: 6 (extraits)   177

JEAN COCTEAU   180
   Plus que la chair . . .   182
   Bombita   182

HENRI MICHAUX   186
   Clown   188
   Qu'il repose en révolte   189

FRANCIS PONGE   191
   La Guêpe (extrait)   193

RENÉ CHAR   196
   Feuillets d'Hypnos: L'Alerte au maquis   198
   Pour un violon, une flûte et un écho   200

PATRICE DE LA TOUR DU PIN   203
   La Ville   205
   Légende   206
   Le dernier lever du jour   207

III DRAMATURGES

JEAN ANOUILH   213
   Ornifle ou le courant d'air (Acte I)   215

HENRY DE MONTHERLANT   243
   Le Cardinal d'Espagne (Acte II, scène iii)   246

JEAN GENÊT   262
   Les Bonnes (extrait)   264

EUGÈNE IONESCO   278
   La Leçon (extrait)   280

IV ESSAYISTES

ANDRÉ MALRAUX 295
  Les Voix du silence: L'Art est un anti-destin 297

GABRIEL MARCEL 307
  Le Déclin de la sagesse: L'Éclatement de la
  notion de sagesse 309

ROGER CAILLOIS 326
  Le Mythe et l'homme: Mythe littéraire de Paris 328

PIERRE TEILHARD DE CHARDIN 337
  L'Avenir de l'homme: Quelques réflexions sur le
  retentissement spirituel de la bombe atomique 339

  Bibliographie générale 347

INTRODUCTION

Le panorama de la littérature française que nous présentons dans ce livre s'étend de la publication de *La Nausée* de Jean-Paul Sartre en 1938 à nos jours. La défaite de 1940 n'a pas empêché la France de continuer et même de renouveler la production de son théâtre, de ses romans, de ses poèmes et de ses essais. Certaines œuvres importantes ont même vu le jour sous l'occupation ennemie. Tandis que Paul Claudel donnait en 1943 devant une salle où les officiers allemands abondaient le spectacle de son œuvre suprême, *Le Soulier de satin*, Sartre faisait jouer la même année mais avec plus de discrétion sa première pièce, *Les Mouches*.

La littérature d'un pays suit toujours des directions générales, elle s'oriente selon des doctrines quelquefois purement psychologiques et esthétiques, comme celles de la Pléiade et du romantisme, d'autres fois touchant à la métaphysique, comme celle du symbolisme. Tel fut le cas également de l'existentialisme qui s'est épanoui dès le lendemain de la dernière guerre comme avait fait le surréalisme au lendemain de la guerre précédente, et avec lequel la littérature française de l'époque est entrée dans l'âge métaphysique. Comme toutes les influences que la philosophie exerce sur la littérature, celle de l'existentialisme a été directe sur quelques écrivains et diffuse sur d'autres plus nombreux. Elle s'est répandue très largement tantôt en totalité, tantôt en certains de ses éléments.

La vue existentialiste de l'homme né sans raison d'être, livré à l'abandon, n'ayant point de Dieu en qui croire et par conséquent condamné à vivre dans un monde absurde, a pénétré l'esprit de plusieurs générations qu'a représentées Albert Camus et que représente encore

Simone de Beauvoir; cette vue a engendré tristesse et désespoir qui
durent encore, entretenus par les événements politiques, sociaux, scientifiques qui désolent la planète. Beaucoup de romans récents, par
exemple *Le Faussaire* de Jean Blanzat, roman couronné par le jury
Femina en 1964, sont de véritables réquisitoires prononcés contre la vie.

D'autre part, la vue existentialiste de l'homme obligé de prouver sa
liberté en prenant position dans la société, en « se faisant », en
s'engageant, a rejoint la pensée générale d'un initiateur, André Malraux,
qu'on a le droit de considérer comme le véritable créateur de l'existentialisme en littérature: car si Jean-Paul Sartre, philosophe, a nommé et
défini l'existentialisme, Malraux l'a fait vivre avant lui. Sartre et
Malraux ont suscité toute une littérature d'« engagés », c'est-à-dire
dont les œuvres tendent à favoriser tel ou tel parti politique, à faire
propagande pour telle ou telle position vis-à-vis de la croyance ou de
l'athéisme, de l'occident ou de l'orient, du colonialisme ou de l'anti-
colonialisme. C'est par admiration pour Malraux qu'un nombre important d'intellectuels se sont engagés dans la Résistance et y ont trouvé
les uns la mort, les autres une belle publicité pour leur œuvre, notamment René Char, le plus connu d'entre eux.

De l'existentialisme sartrien se détacha bruyamment Albert Camus à
l'occasion de son livre *L'Homme révolté* (1951). Camus a été de ces
esprits qui, n'ayant aucune croyance religieuse, voudraient trouver
cependant une foi à laquelle se dévouer. Ils sont en quête d'une
sainteté laïque. Cela le mit sur la voie d'un stoïcisme parallèle à celui
de Saint-Exupéry. Camus et Saint-Exupéry ont été la conscience d'une
multitude de jeunes gens, conscience avide de fraternité. Tous deux
s'attristaient au spectacle de l'époque; mais Camus, plus cultivé, luttait
contre le découragement en se composant peu à peu, dans les derniers
temps de sa vie, une sagesse éclairée par celle qu'Homère prête à
Ulysse. Il était allé chercher des leçons en Grèce. C'est ce qu'ont fait
à son exemple pas mal de jeunes écrivains de Déon à Thierry Maulnier.

La séparation d'avec Sartre avait attiré à Camus la sympathie de
beaucoup de non-engagés que l'existentialisme sartrien laissait froids
ou même rebutait. En philosophie un adversaire de taille s'est dressé
et se dresse toujours contre l'auteur de *L'Être et le néant*: Gabriel
Marcel, qui défend la spiritualité humaine et travaille à sauver les
valeurs morales que nie la philosophie de Sartre. D'autres, sans être
philosophes, ont vu dans la pensée existentialiste une force de corruption et de destruction, responsable d'une partie de la littérature
d'aujourd'hui qui s'attache à montrer la condition humaine sous ses
pires aspects.

On sait en effet que le mérite indispensable exigé par Sartre d'une œuvre littéraire est ce qu'il appelle son authenticité: l'auteur ne doit rien dissimuler de la vérité qu'il croit avoir découverte en lui ou autour de lui: ce qui conduit le romancier pressé d'attirer l'attention à peindre les horreurs d'une basse humanité, ses plus honteux instincts. Un homme est un malade, un vicieux, un gibier de prison; qu'il devienne romancier ou dramaturge, il devra dire « Voilà ce que je suis » et le montrer. Ainsi a fait Jean Genêt dans une œuvre que Sartre donne en modèle, et nous lui avons fait une place dans notre anthologie parce qu'il rayonne sur une littérature qui, à son exemple, se donne pour axe psychologique une morale renversée, un envers de morale. Nombre de romanciers et de romancières s'enfoncent dans l'étude purement physiologique de l'être humain, notamment dans un érotisme dont le véritable amour a honte: ils sont sur la voie du sadisme.

Par bonheur, la littérature française contemporaine bien qu'elle prenne souvent les couleurs de l'existentialisme, est loin de se confondre avec lui. En face des romans et des essais existentialistes paraissent des essais dont nous donnons quelques exemples et des romans dont nous ne rassemblons que très peu de représentants parce que nous aurions l'embarras du choix et parce qu'ils restent fidèles à une tradition trop connue. Mais il faut savoir que ce roman traditionnel, qui a d'ailleurs une sœur dans la poésie, existe et se porte bien, qu'il compte des œuvres nombreuses; on ne doit pas juger le roman français sur ses cérébraux; seulement ces cérébraux, tentant des voies nouvelles, font des découvertes. Et c'est pourquoi il fallait bien les accueillir ici.

De ce roman de tradition nous avons choisi des spécimens particulièrement significatifs. Giono représente l'art du récit; bien d'autres, Troyat, Hériat, Bazin, l'auraient représenté aussi bien; Marcel Aymé représente le récit à intention satirique; Pagnol représente la drôlerie du conte comme jadis Alphonse Daudet. L'extrême jeunesse de Françoise Sagan nous ramène mélancoliquement à un désarroi du siècle.

Au théâtre, le public demande qu'on l'émeuve ou le fasse rire. Les auteurs qui le font rire ne manquent pas, d'Achard à Roussin. Tout à l'opposé, Camus a échoué avec des pièces où les personnages représentent des idées et où l'intrigue est conçue de façon à faire valoir certaines idées aux dépens des autres. C'est pourtant un théâtre d'idées que l'on doit à Sartre et il a réussi. C'est que Sartre a traité des thèmes très généraux, familiers à tout le monde, et que ses personnages, une fois présentés, agissent par eux-mêmes et ne sont plus dirigés par l'auteur. Encore faut-il dire que ses dernières pièces exagèrent leur caractère idéologique et qu'elles ont déçu le public.

L'auteur dramatique le plus estimé du public cultivé est Jean
Anouilh. Même à ses débuts, quand il affichait sa haine de la vie
et en faisait une doctrine, il subordonnait son parti-pris de pessimisme à la vérité des caractères et à la vraisemblance des situations. Et, dans la suite, ses meilleures pièces se partagent entre une
psychologie générale de l'homme et la satire des milieux. Il est, en
somme, un classique. N'est-il pas d'ailleurs un de ceux qui ont refait
à la moderne des pièces antiques? Armand Salacrou est un classique
comme lui ainsi que beaucoup d'autres. Montherlant maintient magni-
fiquement la beauté du langage, il soigne la grandeur des péripéties.
Par là, il s'apparente aux grands siècles. Il est trop évident que le
théâtre français de cette après-guerre honore la littérature.

Mais qu'en sera-t-il demain? Déjà il faut noter que les Anouilh, les
Montherlant se voient contestés, attaqués par la « nouvelle vague »
littéraire. Un jeune théâtre connait le succès en prenant des directions
tout autres. La pièce d'Ionesco dont nous donnons un extrait est un
spécimen de ce théâtre auquel attachent leurs noms Eugène Ionesco,
Samuel Beckett, Arthur Adamov. Ces auteurs s'enfoncent plus profondément que les existentialistes dans la misère de l'humanité. Ils lui
retirent toute pensée et tout sentiment. Les êtres ne sont plus avec eux
que des fantoches qui s'agitent dans des situations insolites, fantastiques, ridicules ou atroces. Ce théâtre est une caricature de notre
destinée mortelle; il exagère tout, au point de détruire le réel et de
glisser au néant.

Il se passe quelque chose d'analogue dans le roman. Les auteurs
que rassemble la doctrine du « nouveau roman », quoique très dif-
férents entre eux, ne croient plus à la solidité du monde et à l'avenir
de l'esprit humain, qui a selon eux perdu son pouvoir; dès lors, à quoi
bon créer des caractères et les engager dans des aventures ayant
un commencement et une fin? Il vaut mieux les noyer dans les apparences les plus superficielles d'un monde dont la réalité est douteuse.
L'humanité est ainsi réduite à une vie élémentaire.

Il s'accomplit donc un mouvement général contre la littérature telle
qu'elle s'est développée jusqu'à ce jour. Théâtre et roman sont en
rupture de ban. Et il en va de même chez les poètes. La poésie de
tradition n'a pas abdiqué, elle a ses associations, ses auteurs, ses œuvres,
mais se tient comme sur une voie de garage. Le train attendu, le train
qu'on prend est tout différent. On trouvera ici des poèmes en clair,
aisés à comprendre; mais il faut avouer qu'ils sont une rareté, même
dans les œuvres d'où nous les avons extraits. Tous les poètes
d'aujourd'hui qui font parler d'eux tendent à l'hermétisme, c'est-à-dire

à l'obscurité voulue. Même quand une grande inspiration les porte comme Saint-John Perse, ou quand ils rendent compte d'une destinée, comme La Tour du Pin, ils s'expriment par l'entremise de légendes très mystérieuses ou par les moyens d'un symbolisme dont l'intelligibilité est des plus voilées.

Le mot *rupture* s'impose. Rupture non seulement avec les habitudes de l'esprit français, mais avec la logique, avec la réalité communément reconnue, avec même le langage, auquel sont cherchées maintes querelles. Rupture évidemment provoquée par le dégoût de la vie présente, par la colère contre le sort humain tel qu'il est fait, par un désespoir qui paraissait sans remède jusqu'à hier, et dont les écrivains restés fidèles à la tradition, à l'ordre, au plaisir d'écrire semblaient ne pas vouloir connaître les raisons. Mais aujourd'hui un grand nombre d'esprits se rassemblent autour de l'œuvre du Père Teilhard de Chardin, dont la vaste théorie élargit l'humanisme, crée un humanisme collectif, en décrivant une ascension spirituelle de tout le cosmos. L'homme peut se voir ainsi emporté dans une aventure universelle qui aurait enfin un but. Dès lors, arrêt à l'absurde! Reste à savoir si la personne individuelle aurait part satisfaisante dans cette mouvante communauté. Mais enfin l'œuvre de Teilhard de Chardin a été saluée comme une raison de vivre inespérée.

I
ROMANCIERS

JEAN-PAUL SARTRE

Jean-Paul Sartre, né à Paris en 1905, perdit son père tout jeune et fut élevé par sa mère. Lorsqu'elle se remaria, il alla vivre avec ses grands-parents à La Rochelle. Éduqué au lycée de la ville, puis au lycée Henri IV à Paris, Sartre fut reçu à l'École normale supérieure puis à l'agrégation de philosophie en 1929. Tour à tour professeur de lycée en plusieurs grandes villes, il passa l'année 1933-34 à l'Institut français de Berlin où il étudia la philosophie de Hüsserl et de Heidegger. A son retour, il enseigna la philosophie au Havre, à Laon et à Neuilly, jusqu'au moment de la guerre, en 1939, qu'il fit comme infirmier, et qui lui valut une année de captivité.

Depuis lors, la vie de Sartre a coïncidé avec son œuvre. Vie et œuvre auront été mouvementées, puisque Sartre a fondé un parti politique d'ailleurs mort-né, le « Rassemblement démocratique et révolutionnaire », et qu'il dirige depuis 1945 une revue de combat, *Les Temps modernes*. Il n'a jamais réussi à toucher les milieux populaires, et son théâtre n'a intéressé qu'un public bourgeois. Ses disciples ont été et sont encore des intellectuels. Longtemps les plus connus se réunirent autour de lui au Café de Flore, centre du quartier de Saint-Germain-des-Prés. Depuis plusieurs années, il vit retiré dans son travail, habitant avec sa mère un appartement qui fait face à l'église du célèbre quartier. Il coupe cette existence laborieuse par des voyages, en compagnie de son amie de toujours, Simone de Beauvoir. Son dernier livre, *Les Mots* (1964), raconte sa jeunesse et sa vie avec une telle franchise que cette autobiographie a été comparée aux *Confessions* de Jean-Jacques Rousseau.

Sartre paraît présentement occupé à construire la morale qui manque encore à son œuvre de philosophe et à laquelle son livre récent, *La Critique de la raison dialectique* (1959) pourra servir d'introduction. L'œuvre de Sartre est essentiellement philosophique, la philosophie la commande tout entière, même dans sa partie romanesque et dramatique. Cette philosophie

3

s'appelle « l'existentialisme », parce qu'elle part de ce principe: que l'existence précède l'essence. Il n'existe donc pas pour l'existentialisme de valeurs pré-établies, il n'existe ni nature humaine, ni Dieu, ni bien ni mal. Aussi chacun de nous doit-il se choisir ses raisons et ses buts, dans la situation historique et sociale où il se trouve, chacun de nous doit créer sa destinée. Telle est la liberté sartrienne. Elle permet à l'homme d'agir et par là d'échapper à l'angoisse qu'il apporte en naissant et qui vient de ce qu'il ne possède pas les moyens d'étreindre l'absolu auquel il aspire, cette angoisse qu'a jadis éprouvée Pascal et qu'ont mise en formules le Danois Kierkegaard et l'Allemand Heidegger. L'Esquisse d'une théorie des émotions (1940), L'Imaginaire (1940), L'Être et le Néant (1943) exposent cette conception de l'homme et du monde, qui reflète les idées non seulement de ces deux grands penseurs mais aussi celles de Hüsserl et de Jaspers. L'Existentialisme est un humanisme (1946) en présente un résumé simple et clair.

Les ouvrages de Sartre romancier, essayiste et dramaturge consistent à fournir des exemples qui éclairent la doctrine de Sartre philosophe. Un roman comme La Nausée (1938), tout en faisant vivre un homme minutieusement analysé dans une ville exactement décrite, veut surtout illustrer l'existentia-lisme en montrant cet homme en proie à l'angoisse, saisi de nausée devant le réel sous toutes ses formes, le réel des villes, des êtres humains, des racines d'arbres, parce que tout objet dit réel « est là » sans aucune raison d'être: c'est la recherche d'une raison d'être qui cause notre tourment, mais fait notre dignité.

Les hommes qui échappent à l'angoisse par la satisfaction d'eux-mêmes et par la conquête des biens et des honneurs sont ce que Sartre appelle des « salauds », tel est le sujet d'un des chapitres de La Nausée, celui même que nous donnons ci-après. Les bourgeois salauds sont aussi les personnages des nouvelles qui composent le recueil du Mur (1939). L'Âge de raison (1945), Le Sursis (1945), La Mort dans l'âme (1949), qui forment le cycle romanes-que intitulé Les Chemins de la liberté, suivent quelques destins individuels mêlés au destin général du monde que ravage la guerre, avec l'intention de montrer que les humains vivent dans la mauvaise conscience et l'angoissant désarroi tant qu'ils n'ont pas conquis leur liberté, c'est-à-dire tant qu'ils n'ont pas choisi une attitude à l'égard de la vie et ne se sont pas engagés dans une action.

Ainsi donc Sartre conçoit la littérature comme une exhortation à adopter un programme d'homme et de citoyen. S'engager, se rendre utile à l'hu-manité, contribuer à faire l'histoire, cette inspiration des romans est également celle des essais groupés sous le titre de Situations (1947-49), de l'étude Baudelaire (1947) et du gros ouvrage consacré à l'écrivain Jean Genêt, lequel avait fait de la prison pour vol: Saint Genêt, comédien et martyr (1952), comédien, aux yeux de Sartre, parce qu'il joue un rôle imposé par sa nature, martyr parce qu'il se voit traité en bouc émissaire par la société, saint parce qu'il ose se glorifier du sort dangereux et infamant qu'il a choisi.

Mais c'est au théâtre que Jean-Paul Sartre a le mieux illustré ses thèses existentialistes. *Les Mouches* (1943), c'est le difficile éveil de la liberté dans une ville de la Grèce antique; *Huis-clos* (1944), c'est l'horreur de la condition humaine qui tient chacun de nous sous le regard d'autrui comme un joug: ce que souligne une autre pièce, *Morts sans sépulture* (1946), où le conflit des consciences s'aggrave sous l'action des tortures du temps de guerre. *Les Mains sales* (1948), c'est la lutte de la liberté contre les compromis que toute action politique nécessite. *Le Diable et le Bon Dieu* (1951), c'est l'absurdité de l'existence qui pose la terrible question de la responsabilité de l'homme abandonné et perdu dans un univers incompréhensible: ce que confirme le drame des *Séquestrés d'Altona* (1960).

On voit que les pièces de Sartre, tout comme le reste de ses ouvrages, appartiennent à la littérature d'idées, mais elles n'en sont pas moins du bon, très bon théâtre. Les personnages vivent avec intensité, les dialogues sont naturels et forts, et l'auteur a puissamment tendu les ressorts dramatiques.

Telle est l'œuvre d'un écrivain qui aura marqué sa place dans l'histoire de la philosophie et qui aura en même temps imposé à ses contemporains, au moyen de l'essai, du roman et du drame, ses problèmes qui sont les nôtres, problèmes moraux, sociaux, politiques. Est-il besoin de dire que les solutions qu'il propose se heurtent à toutes sortes d'objections, et que son art n'est pas sans défaut? Cet art montre trop de laisser-aller et se salit de trop d'obscénités; les solutions aboutissent à une dangereuse anarchie. Mais le monde a reconnu l'ampleur et la puissance de son œuvre en lui décernant, en 1964, le prix Nobel de littérature. Sartre, toutefois, a refusé cet honneur, voulant conserver, a-t-il dit, son indépendence de penseur et d'écrivain.

BIBLIOGRAPHIE

Alberès, R. M. *Jean-Paul Sartre*. Paris: Éditions universitaires, 1953.
Champigny, Robert. *Stages on Sartre's Way*, 1938-52. Bloomington: Indiana University Press, 1959.
Desan, Wilfred. *The Tragic Finale: An Essay on the Philosophy of Jean-Paul Sartre*. Cambridge: Harvard University Press, 1954.
Murdoch, Iris. *Sartre: Romantic Rationalist*. New Haven: Yale University Press, 1953.
Thody, Philip. *Jean-Paul Sartre*. New York: Macmillan, 1960.

LA NAUSÉE

Les Notables de Bouville

Antoine Roquentin, le héros de *La Nausée*, est un intellectuel parisien qui, après avoir beaucoup voyagé, est venu se fixer pour plusieurs années à Bouville (ville inventée, mais qui ressemble au Havre, où Sartre a été professeur) pour y faire des recherches sur un personnage historique de l'endroit. C'est pendant ce séjour qu'il a la révélation de ce que l'existence a de non-justifié, de sans raison-d'être, d'inutile et d'absurde. Dès lors, comment peut-il juger les gens satisfaits et fiers de leur vie? On trouvera la réponse dans le texte que nous avons choisi et qui raconte une visite au musée de la ville. Tous les noms du récit sont ceux des notables dont la ville s'enorgueillit.

L'an dernier, quand je fis ma première visite au Musée de Bouville, le portrait d'Olivier Blévigne [1] me frappa. Défaut de proportions? De perspective? Je n'aurais su dire, mais quelque chose me gênait: ce député n'avait pas l'air d'aplomb [2] sur sa toile.

Depuis, je suis revenu le voir plusieurs fois. Mais ma gêne persistait. Je ne voulais pas admettre que Bordurin, prix de Rome et six fois médaillé, eût fait une faute de dessin.

Or, cet après-midi, en feuilletant une vieille collection du *Satirique Bouvillois,* feuille de chantage [3] dont le propriétaire fut accusé, pendant la guerre, de haute trahison, j'ai entrevu la vérité. [4] Aussitôt j'ai quitté la Bibliothèque et je suis allé faire un tour au Musée.

Je traversai rapidement la pénombre du vestibule. Sur les dalles blanches et noires, mes pas ne faisaient aucun bruit. Autour de moi, tout un peuple de plâtre [5] se tordait les bras. J'entrevis en passant, par deux grandes ouvertures, des vases craquelés, des assiettes, un satyre bleu et jaune sur un socle. C'était la salle Bernard-Palissy, consacrée à la céramique et aux arts mineurs. Mais la céramique ne me fait pas rire. Un monsieur et une dame en deuil [6] contemplaient respectueusement ces objets cuits.

Au-dessus de l'entrée du grand salon — ou salon Bordurin-Renaudas, — on avait accroché, depuis peu sans doute, une grande toile que je ne

1. This is one of a number of fictitious names of people in the story. Names of real people will be identified in footnotes.
2. did not appear to sit right on the canvas   3. blackmail sheet
4. I caught a glimpse of the truth   5. Meaning the statues   6. in mourning

connaissais pas. Elle était signée Richard Séverand et s'appelait *La Mort du Célibataire*. C'était un don de l'État.

Nu jusqu'à la ceinture, le torse un peu vert comme il convient aux morts, le célibataire gisait sur un lit défait. Les draps et les couvertures en désordre attestaient une longue agonie. Je souris en pensant à M. Fasquelle.[7] Il n'était pas seul lui: sa fille le soignait. Déjà, sur la toile, la bonne, une servante maîtresse aux traits marqués par le vice, avait ouvert le tiroir d'une commode et comptait des écus. Une porte ouverte laissait voir, dans la pénombre, un homme à casquette qui attendait, une cigarette collée à la lèvre inférieure. Près du mur un chat lapait du lait avec indifférence.

Cet homme n'avait vécu que pour lui-même. Par un châtiment sévère et mérité, personne, à son lit de mort, n'était venu lui fermer les yeux. Ce tableau me donnait un dernier avertissement: il était encore temps, je pouvais retourner sur mes pas. Mais, si je passais outre, que je sache bien ceci: dans le grand salon où j'allais entrer, plus de cent cinquante portraits étaient accrochés aux murs; si l'on exceptait quelques jeunes gens enlevés trop tôt à leurs familles et la mère Supérieure d'un orphelinat, aucun de ceux qu'on avait représentés n'était mort célibataire, aucun d'eux n'était mort sans enfants ni intestat, aucun sans les derniers sacrements. En règle, ce jour-là comme les autres jours, avec Dieu et avec le monde, ces hommes avaient glissé doucement dans la mort, pour aller réclamer la part de vie éternelle à laquelle ils avaient droit.

Car ils avaient eu droit à tout: à la vie, au travail, à la richesse, au commandement, au respect, et, pour finir, à l'immortalité.[8]

Je me recueillis un instant[9] et j'entrai. Un gardien dormait près d'une fenêtre. Une lumière blonde, qui tombait des vitres, faisait des taches sur les tableaux. Rien de vivant dans cette grande salle rectangulaire, sauf un chat qui prit peur à mon entrée et s'enfuit. Mais je sentis sur moi le regard de cent cinquante paires d'yeux.

Tous ceux qui firent partie de l'élite bouvilloise entre 1875 et 1910 étaient là, hommes et femmes, peints avec scrupule par Renaudas et par Bordurin.

Les hommes ont construit Sainte-Cécile-de-la-Mer.[10] Ils ont fondé, en 1882, la Fédération des Armateurs et des Négociants de Bouville « pour grouper en un faisceau puissant toutes les bonnes volontés, coopérer à l'œuvre du redressement national et tenir en échec les partis de désordre... ». Ils ont fait de Bouville le port commercial français

7. manager of a café where Roquentin goes
8. Their portraits give them immortality.   9. I took a moment to collect myself
10. A church of the city

le mieux outillé pour le déchargement des charbons et des bois. L'allongement et l'élargissement des quais a été leur œuvre. Ils ont donné toute l'extension désirable à la gare Maritime et porté à 10 m. 70, par des dragages persévérants, la profondeur d'eau de mouillage à marée basse.[11] En vingt ans le tonnage des bateaux de pêche, qui était de 5.000 tonneaux en 1869, s'est élevé, grâce à eux, à 18.000 tonneaux. Ne reculant devant aucun sacrifice pour faciliter l'ascension des meilleurs représentants de la classe travailleuse, ils ont créé, de leur propre initiative, divers centres d'enseignement technique et professionnel qui ont prospéré sous leur haute protection. Ils ont brisé la fameuse grève des docks en 1898 et donné leurs fils à la patrie en 1914.

Les femmes, dignes compagnes de ces lutteurs, ont fondé la plupart des Patronages, des Crèches, des Ouvroirs.[12] Mais elles furent, avant tout, des épouses et des mères. Elles ont élevé de beaux enfants, leur ont appris leurs devoirs et leurs droits, la religion, le respect des traditions qui ont fait la France.

La teinte générale des portraits tirait sur le brun sombre.[13] Les couleurs vives avaient été bannies, par un souci de décence. Dans les portraits de Renaudas, toutefois, qui peignait plus volontiers les vieillards, la neige des cheveux et des favoris tranchait sur les fonds noirs;[14] il excellait à rendre les mains.[15] Chez Bordurin qui avait moins de procédé, les mains étaient un peu sacrifiées, mais les faux cols [16] brillaient comme du marbre blanc.

Il faisait très chaud et le gardien ronflait doucement. Je jetai un coup d'œil circulaire sur les murs: je vis des mains et des yeux; çà et là une tache de lumière mangeait un visage. Comme je me dirigeais vers le portrait d'Olivier Blévigne, quelque chose me retint: de la cimaise [17] le négociant Pacôme faisait tomber sur moi un clair regard.

Il était debout, la tête légèrement rejetée en arrière il tenait d'une main, contre son pantalon gris-perle, un chapeau haut de forme [18] et des gants. Je ne pus me défendre d'une certaine admiration: je ne voyais rien en lui de médiocre, rien qui donnât prise à la critique: [19] petits pieds, mains fines, larges épaules de lutteur, élégance discrète, avec un soupçon de fantaisie. Il offrait courtoisement aux visiteurs la netteté sans rides de son visage; l'ombre d'un sourire flottait même

11. the depth of anchorage at low tide
12. guilds, nursery schools, charity workshops   13. bordered on dark brown
14. the snowy hair and side whiskers stood out well against the black backgrounds   15. in painting hands   16. detachable collars   17. molding
18. top hat   19. nothing to lay him open to criticism

sur les lèvres. Mais ses yeux gris ne souriaient pas. Il pouvait avoir cinquante ans: il était jeune et frais comme à trente. Il était beau. Je renonçai à le prendre en défaut.[20] Mais lui ne me lâcha pas. Je lus dans ses yeux un jugement calme et implacable.

Je compris alors tout ce qui nous séparait: ce que je pouvais penser sur lui ne l'atteignait pas; c'était tout juste de la psychologie, comme on en fait dans les romans. Mais son jugement me transperçait comme un glaive et mettait en question jusqu'à mon droit d'exister. Et c'était vrai, je m'en étais toujours rendu compte: [21] je n'avais pas le droit d'exister. J'étais apparu par hasard, j'existais comme une pierre, une plante, un microbe. Ma vie poussait au petit bonheur [22] et dans tous les sens. Elle m'envoyait parfois des signaux vagues; d'autres fois je ne sentais rien qu'un bourdonnement sans conséquence.

Mais pour ce bel homme sans défauts, mort aujourd'hui, pour Jean Pacôme, fils du Pacôme de la Défense Nationale,[23] il en avait été tout autrement: les battements de son cœur et les rumeurs sourdes de ses organes lui parvenaient sous forme de petits droits instantanés et purs. Pendant soixante ans, sans défaillance, il avait fait usage du droit de vivre. Les magnifiques yeux gris! Jamais le moindre doute ne les avait traversés. Jamais non plus Pacôme ne s'était trompé.[24]

Il avait toujours fait son devoir, tout son devoir, son devoir de fils, d'époux, de père, de chef. Il avait aussi réclamé ses droits sans faiblesse: enfant, le droit d'être bien élevé, dans une famille unie, celui d'hériter d'un nom sans tache, d'une affaire prospère; mari, le droit d'être soigné, entouré d'affection tendre; père, celui d'être vénéré; chef, le droit d'être obéi sans murmure. Car un droit n'est jamais que l'autre aspect d'un devoir. Sa réussite extraordinaire (les Pacôme sont aujourd'hui la plus riche famille de Bouville) n'avait jamais dû l'étonner. Il ne s'était jamais dit qu'il était heureux et lorsqu'il prenait un plaisir, il devait s'y livrer avec modération, en disant: « Je me délasse. » [25] Ainsi le plaisir, passant lui aussi au rang de droit, perdait son agressive futilité. Sur la gauche, un peu au-dessus de ses cheveux d'un gris bleuté, je remarquai des livres sur une étagère. Les reliures étaient belles; c'étaient sûrement des classiques. Pacôme, sans doute, relisait le soir, avant de s'endormir, quelques pages de « son vieux Mon-

20. I gave up finding fault with him.   21. I had always been aware of it
22. in a haphazard manner (He compares the growth of his life to that of a plant.)   23. Apparently a high official, perhaps secretary of defense
24. This passage and the following ones are written, of course, with great sarcasm and irony.   25. "I am relaxing."

taigne » [26] ou une ode d'Horace [27] dans le texte latin. Quelquefois, aussi, il devait lire, pour s'informer, un ouvrage contemporain. C'est ainsi qu'il avait connu Barrès et Bourget.[28] Au bout d'un moment il posait le livre. Il souriait. Son regard, perdant son admirable vigilance, devenait presque rêveur. Il disait: « Comme il est plus simple et plus difficile de faire son devoir! »

Il n'avait jamais fait d'autre retour sur soi: c'était un chef.[29]

Il y avait d'autres chefs qui pendaient aux murs: il n'y avait même que cela. C'était un chef, ce grand vieillard vert-de-gris dans son fauteuil. Son gilet blanc était un rappel heureux de ses cheveux d'argent. (De ces portraits, peints surtout aux fins de [30] l'édification morale et dont l'exactitude était poussée jusqu'au scrupule, le souci d'art n'était pas exclu.) Il posait sa longue main fine sur la tête d'un petit garçon. Un livre ouvert reposait sur ses genoux enveloppés d'une couverture. Mais son regard errait au loin.[31] Il voyait toutes ces choses qui sont invisibles aux jeunes gens. On avait écrit son nom sur son losange de bois doré,[32] au-dessous de son portrait: il devait s'appeler Pacôme ou Parrottin, ou Chaigneau. Je n'eus pas l'idée d'aller voir: pour ses proches,[33] pour cet enfant, pour lui-même, il était simplement le Grand-Père; tout à l'heure s'il jugeait l'heure venue de faire entrevoir à son petit-fils l'étendue de ses futurs devoirs, il parlerait de lui-même à la troisième personne.

« Tu vas promettre à ton grand-père d'être bien sage, mon petit chéri, de bien travailler l'an prochain. Peut-être que, l'an prochain, le grand-père ne sera plus là. »

Au soir de la vie, il répandait sur chacun son indulgente bonté. Moi-même s'il me voyait — mais j'étais transparent à ses regards — je trouverais grâce à ses yeux: il penserait que j'avais eu, autrefois, des grands-parents. Il ne réclamait rien: on n'a plus de désirs à cet âge. Rien sauf qu'on baissât légèrement le ton quand il entrait, sauf qu'il y eût sur son passage une nuance de tendresse et de respect dans les sourires, rien, sauf que sa belle-fille dît parfois: « Père est extraordinaire; il est plus jeune que nous tous »; sauf d'être le seul à pouvoir

26. Montaigne (1533-92), French moralist, author of the famous *Essais*
27. Horace (65-8 B.C.), Roman poet and satirist
28. Maurice Barrès (1862-92), French novelist whose writings expressed a strong nationalism; Paul Bourget (1852-1935), French writer of essays and psychological novels
29. Ironic remark of the writer: a leader does not need to reflect on his own life.
30. for the purpose of   31. strayed in the distance
32. plaque of gilded wood   33. close relatives

calmer les colères [34] de son petit-fils en lui imposant les mains sur la tête et de pouvoir dire ensuite: « Ces gros chagrins-là, c'est le grand-père qui sait les consoler », rien, sauf que son fils, plusieurs fois l'an, vînt solliciter ses conseils sur les questions délicates, rien enfin sauf de se sentir serein, apaisé, infiniment sage. La main du vieux monsieur pesait à peine sur les boucles de son petit-fils: c'était presque une bénédiction. A quoi pouvait-il penser? A son passé d'honneur, qui lui conférait le droit de parler sur tout et d'avoir sur tout le dernier mot. Je n'avais pas été assez loin [35] l'autre jour: l'Expérience était bien plus qu'une défense contre la mort; elle était un droit: le droit des vieillards.

Le général Aubry, accroché à la cimaise, avec son grand sabre, était un chef. Un chef encore, le Président Hébert, fin lettré, ami d'Impétraz. Son visage était long et symétrique avec un interminable menton, ponctué, juste sous la lèvre, par une impériale; [36] il avançait un peu la mâchoire, avec l'air amusé de faire un distinguo,[37] de rouler une objection de principe, comme un rot léger. Il rêvait, il tenait une plume d'oie: lui aussi, parbleu, se délassait, et c'était en faisant des vers. Mais il avait l'œil d'aigle des chefs.

Et les soldats? J'étais au centre de la pièce, point de mire [38] de tous ces yeux graves. Je n'étais pas un grand-père, ni un père, ni même un mari. Je ne votais pas, c'était à peine si je payais quelques impôts: je ne pouvais me targuer [39] ni des droits du contribuable, ni de ceux de l'électeur, ni même de l'humble droit à l'honorabilité que vingt ans d'obéissance confèrent à l'employé. Mon existence commençait à m'étonner sérieusement. N'étais-je pas une simple apparence? [40]

« Hé, me dis-je soudain, c'est moi, le soldat! » [41] Cela me fit rire, sans rancune.

Un quinquagénaire potelé [42] me retourna poliment un beau sourire. Renaudas l'avait peint avec amour, il n'avait pas eu de touches trop tendres pour les petites oreilles charnues et ciselées, pour les mains surtout, longues, nerveuses, avec des doigts déliés: de vraies mains de savant ou d'artiste. Son visage m'était inconnu: j'avais dû souvent passer devant la toile sans la remarquer. Je m'approchai, je lus: « Rémy Parrottin, né à Bouville, en 1849, professeur à l'École de Médecine de Paris ».

34. temper tantrums   35. I did not express it strongly enough
36. a short beard
37. Latin word meaning "I distinguish" (make a subtle distinction)
38. target, center of attention   39. I could not boast
40. specter, an insubstantial thing   41. the poor guy without any privileges
42. chubby

Parrottin: le docteur Wakefield [43] m'en avait parlé: « J'ai rencontré, une fois dans ma vie, un grand homme. C'était Rémy Parrottin. J'ai suivi ses cours pendant l'hiver de 1904 (vous savez que j'ai passé deux ans à Paris pour étudier l'obstétrique). Il m'a fait comprendre ce que c'est qu'un chef. Il avait le fluide,[44] je vous jure. Il nous électrisait, il nous aurait conduits au bout du monde. Et avec cela, c'était un gentleman: il avait une immense fortune dont il consacrait une bonne part à aider les étudiants pauvres. »

C'est ainsi que ce prince de la science, la première fois que j'en entendis parler, m'avait inspiré quelques sentiments forts. A présent, j'étais devant lui et il me souriait. Que d'intelligence et d'affabilité dans son sourire! Son corps grassouillet reposait mollement au creux d'un grand fauteuil de cuir. Ce savant sans prétention mettait tout de suite les gens à leur aise. On l'eût même pris pour un bonhomme [45] sans la spiritualité de son regard.

Il ne fallait pas longtemps pour deviner la raison de son prestige: il était aimé parce qu'il comprenait tout; on pouvait tout lui dire. Il ressemblait un peu à Renan,[46] somme toute, avec plus de distinction. Il était de ceux qui disent:

« Les socialistes? Eh bien, moi, je vais plus loin qu'eux! » Lorsqu'on le suivait sur ce chemin périlleux on devait bientôt abandonner, en frissonnant, la famille, la Patrie, le droit de propriété, les valeurs les plus sacrées. On doutait même une seconde du droit de l'élite bourgeoise à commander. Un pas de plus et, soudain, tout était rétabli, merveilleusement fondé sur de solides raisons, à l'ancienne. On se retournait, on apercevait derrière soi les socialistes, déjà loin, tout petits, qui agitaient leur mouchoir en criant: « Attendez-nous. »

Je savais d'ailleurs, par Wakefield, que le Maître aimait comme il disait lui-même avec un sourire « d'accoucher les âmes ».[47] Resté jeune, il s'entourait de jeunesse: il recevait souvent les jeunes gens de bonne famille qui se destinaient à la médecine. Wakefield avait été plusieurs fois déjeuner chez lui. Après le repas, on passait au fumoir. Le Patron [48] traitait en hommes ces étudiants qui n'étaient pas bien loin encore de leurs premières cigarettes: il leur offrait des cigares. Il s'étendait sur un divan et parlait longuement, les yeux mi-clos, entouré de la foule

43. a friend of Roquentin   44. personal magnetism
45. simple, good-natured man
46. Ernest Renan (1823-92), French historian, Hebrew scholar, philologist, and critic
47. to bring forth, shape, influence young minds like a doctor who delivers children   48. Title given to the chief doctor by his students

avide de ses disciples. Il évoquait des souvenirs, racontait des anec-
dotes, en tirait une moralité piquante et profonde. Et si, parmi ces
jeunes gens bien élevés, il en était un pour faire un peu la forte tête,[49]
Parrottin s'intéressait tout particulièrement à lui. Il le faisait parler,
l'écoutait attentivement, lui fournissait des idées, des sujets de méditation. Il arrivait forcément qu'un jour, le jeune homme tout rempli
d'idées généreuses, excité par l'hostilité des siens, las de penser tout
seul et contre tous, demandait au Patron de le recevoir seul, et, tout
balbutiant de timidité, lui livrait ses plus intimes pensées, ses indigna-
tions, ses espoirs. Parrottin le serrait sur son cœur. Il disait: « Je vous
comprends, je vous ai compris du premier jour. » Ils causaient. Parrottin allait loin, plus loin encore,[50] si loin que le jeune homme avait peine
à le suivre. Avec quelques entretiens de cette espèce on pouvait constater une amélioration sensible chez le jeune révolté. Il voyait clair
en lui-même, il apprenait à connaître les liens profonds qui l'attachaient
à sa famille, à son milieu; il comprenait enfin le rôle admirable de
l'élite. Et pour finir, comme par enchantement, la brebis égarée,[51]
qui avait suivi Parrottin pas à pas, se retrouvait au Bercail,[52] éclairée,
repentante. « Il a guéri plus d'âmes, concluait Wakefield, que je n'ai
guéri de corps. »

Rémy Parrottin me souriait affablement. Il hésitait, il cherchait à
comprendre ma position, pour la tourner doucement et me ramener à
la bergerie. Mais je n'avais pas peur de lui: je n'étais pas une brebis.
Je regardai son beau front calme et sans rides, son petit ventre, sa main
posée à plat sur son genou. Je lui rendis son sourire et le quittai.

Jean Parrottin, son frère, président de la S. A. B.,[53] s'appuyait des
deux mains sur le rebord d'une table chargée de papiers; par toute son
attitude il signifiait au visiteur que l'audience avait pris fin. Son regard
était extraordinaire; il était comme abstrait et brillait de droit pur. Ses
yeux éblouissants dévoraient toute sa face. Au-dessous de cet embrase-
ment j'aperçus deux lèvres minces et serrées de mystique.[54] « C'est
drôle, me dis-je, il ressemble à Rémy Parrottin. » Je me tournai vers le
Grand Patron: en l'examinant à la lumière de cette ressemblance, on
faisait brusquement surgir sur son doux visage je ne sais quoi d'aride
et de désolé, l'air de la famille. Je revins à Jean Parrottin.

Cet homme avait la simplicité d'une idée. Il ne restait plus en lui
que des os, des chairs mortes et le Droit Pur. Un vrai cas de posses-

---

49. there was one who seemed headstrong
50. pursued the subject further, and still much further, . . .   51. the lost sheep
52. back in the fold   53. initials of a firm
54. I noticed the thin, set lips of a mystic

sion,[55] pensai-je. Quand le Droit s'est emparé d'un homme, il n'est pas d'exorcisme qui puisse le chasser; Jean Parrottin avait consacré toute sa vie à penser son Droit: rien d'autre. A la place du léger mal de tête que je sentais naître, comme à chaque fois que je visite un musée, il eût senti à ses tempes le droit douloureux d'être soigné. Il ne fallait point qu'on le fît trop penser, qu'on attirât son attention sur des réalités déplaisantes, sur sa mort possible, sur les souffrances d'autrui. Sans doute, à son lit de mort, à cette heure où l'on est convenu, depuis Socrate,[56] de prononcer quelques paroles élevées, avait-il dit à sa femme, comme un de mes oncles à la sienne, qui l'avait veillé [57] douze nuits: « Toi, Thérèse, je ne te remercie pas; tu n'as fait que ton devoir. » Quand un homme en arrive là, il faut lui tirer son chapeau.[58]

Ses yeux, que je fixai avec ébahissement, me signifiaient mon congé. Je ne partis pas, je fus résolument indiscret. Je savais, pour avoir longtemps contemplé, à la bibliothèque de l'Escurial,[59] un certain portrait de Philippe II, que, lorsqu'on regarde en face un visage éclatant de droit,[60] au bout d'un moment, cet éclat s'éteint, qu'un résidu cendreux demeure: c'était ce résidu qui m'intéressait.

Parrottin offrait une belle résistance. Mais, tout d'un coup, son regard s'éteignit, le tableau devint terne. Que restait-il? Des yeux aveugles, la bouche mince comme un serpent mort et des joues. Des joues pâles et rondes d'enfant: elles s'étalaient sur la toile. Les employés de la S. A. B. ne les avaient jamais soupçonnées: ils ne restaient pas assez longtemps dans le bureau de Parrottin. Quand ils entraient, ils rencontraient ce terrible regard, comme un mur. Par-derrière, les joues étaient à l'abri,[61] blanches et molles. Au bout de combien d'années sa femme les avait-elle remarquées? Deux ans? Cinq ans? Un jour, j'imagine, comme son mari dormait à ses côtés, et qu'un rayon de lune lui caressait le nez, ou bien comme il digérait péniblement, à l'heure chaude, renversé dans un fauteuil, les yeux mi-clos, avec une flaque de soleil sur le menton, elle avait osé le regarder en face: toute cette

55. mentally possessed by some evil force; here le Droit (right, privilege)
56. Socrates (470?-399 B.C.), Greek philosopher who was condemned by his enemies to drink poison. He accepted the unjust verdict, held no grudge against anyone. His last words were: "Crito, we owe a cock to Asclepius; we must not forget to pay it." (Asclepius was the god of medicine; Socrates was grateful to him for the freedom his soul was gaining on being released from the body.) The last day of Socrates' life is related by Plato in Phaedo.
57. watched beside him   58. take your hat off to him
59. Famous Spanish palace and monastery near Madrid, built in 1562-84 by Philip II (1556-98)   60. a face glaring with righteousness
61. sheltered, hidden

chair était apparue sans défense, bouffie, baveuse, vaguement obscène.
A dater de ce jour, sans doute, Mme Parrottin avait pris le commandement.[62]

Je fis quelques pas en arrière, j'enveloppai d'un même coup d'œil
tous ces grands personnages: Pacôme, le président Hébert, les deux
Parrottin, le général Aubry. Ils avaient porté des chapeaux hauts de
forme; le dimanche, ils rencontraient, dans la rue Tournebride,[63] Mme
Gratien, la femme du maire, qui vit sainte Cécile en songe. Ils lui
adressaient de grands saluts cérémonieux dont le secret s'est perdu.

On les avait peints très exactement; et pourtant, sous le pinceau,
leurs visages avaient dépouillé [64] la mystérieuse faiblesse des visages
d'hommes. Leurs faces, même les plus veules, étaient nettes comme
des faïences: [65] j'y cherchais en vain quelque parenté avec les arbres
et les bêtes, avec les pensées de la terre ou de l'eau. Je pensais bien
qu'ils n'avaient pas eu cette nécessité, de leur vivant. Mais, au moment
de passer à la postérité, ils s'étaient confiés à un peintre en renom pour
qu'il opérât [66] discrètement sur leur visage ces dragages, ces forages,
ces irrigations, par lesquels, tout autour de Bouville, ils avaient transformé la mer et les champs. Ainsi, avec le concours de Renaudas et de
Bordurin, ils avaient asservi toute la Nature: hors d'eux et en eux-
mêmes. Ce que ces toiles sombres offraient à mes regards, c'était
l'homme repensé par l'homme,[67] avec, pour unique parure, la plus
belle conquête de l'homme: le bouquet des Droits de l'Homme et du
Citoyen. J'admirai sans arrière-pensée le règne humain.

Un monsieur et une dame étaient entrés. Ils étaient vêtus de noir et
cherchaient à se faire tout petits. Ils s'arrêtèrent, saisis, sur le pas de la
porte, et le monsieur se découvrit machinalement.

« Ah! Ben! » [68] dit la dame fortement émue.

Le monsieur reprit plus vite son sang-froid. Il dit d'un ton respec-
tueux:

« C'est toute une époque! »

« Oui, dit la dame, c'est l'époque de ma grand-mère. »

Ils firent quelques pas et rencontrèrent le regard de Jean Parrottin.

---

62. had taken charge (of the business and household)
63. the street where, on Sunday, the notables of Bouville promenaded
64. had lost   65. Their faces, even the weakest ones, were as clear as porcelain
66. show
67. That is to say, man as he wanted to be remembered; and the artist had
portrayed him thus on the canvas.
68. *Ben* a familiar form of *bien,* used as an expression of surprise, such as
"good grief!"

La dame restait bouche bée,[69] mais le monsieur n'était pas fier: il avait
l'air humble, il devait bien connaître les regards intimidants et les
audiences écourtées. Il tira doucement sa femme par le bras:
« Regarde celui-ci », dit-il.
Le sourire de Rémy Parrottin avait toujours mis les humbles à leur
aise. La femme s'approcha et lut, avec application.
« Portrait de Rémy Parrottin, né à Bouville, en 1849, professeur de
l'École de Médecine de Paris, par Renaudas. »
« Parrottin, de l'Académie des Sciences, dit son mari, par Renaudas,
de l'Institut. C'est de l'Histoire! »
La dame eut un hochement de tête, puis elle regarda le Grand
Patron.
« Ce qu'il est bien,[70] dit-elle, ce qu'il a l'air intelligent! »
Le mari eut un geste large.[71]
« C'est tous ceux-là qui ont fait Bouville », dit-il avec simplicité.
« C'est bien [72] de les avoir mis là, tous ensemble », dit la dame atten-
drie.
Nous étions trois soldats à faire la manœuvre dans cette salle im-
mense. Le mari qui riait de respect, silencieusement, me jeta un coup
d'œil inquiet et cessa brusquement de rire. Je me détournai et j'allai
me planter en face du portrait d'Olivier Blévigne. Une douce jouis-
sance m'envahit: eh bien! j'avais raison. C'était vraiment trop drôle!
La femme s'était approchée de moi.
« Gaston, dit-elle, brusquement enhardie, viens donc! »
Le mari vint vers nous.
« Dis donc, poursuivit-elle, il a sa rue, celui-là: Olivier Blévigne.
Tu sais, la petite rue qui grimpe au Coteau Vert juste avant d'arriver
à Jouxtebouville. » [73]
Elle ajouta, au bout d'un instant:
« Il n'avait pas l'air commode.» [74]
« Non! Les rouspéteurs devaient trouver à qui parler. » [75]
La phrase m'était adressée. Le monsieur me regarda du coin de l'œil
et se mit à rire avec un peu de bruit, cette fois, d'un air fat et tâtillon,[76]
comme s'il était lui-même Olivier Blévigne.
Olivier Blévigne ne riait pas. Il pointait vers nous sa mâchoire con-
tractée et sa pomme d'Adam saillait.

69. openmouthed   70. How handsome he is!   71. made a sweeping gesture
72. It's right   73. In the novel, an industrial suburb of Bouville
74. He didn't look easy to get along with.
75. No! Gripers must have found their master.
76. with a conceited and meddlesome air

Il y eut un moment de silence et d'extase.

« On dirait qu'il va bouger », dit la dame.

Le mari expliqua obligeamment:

« C'était un gros négociant en coton. Ensuite il a fait de la politique, il a été député. »

Je le savais. Il y a deux ans, j'ai consulté, à son sujet, le « petit dictionnaire des Grands Hommes de Bouville », de l'abbé Morellet. J'ai copié l'article.

« Blévigne Olivier-Martial, fils du précédent, né et mort à Bouville (1849-1908), fit son droit [77] à Paris et obtint le grade de licencié en 1872. Fortement impressionné par l'insurrection de la Commune, qui l'avait contraint, comme tant de Parisiens, de se réfugier à Versailles sous la protection de l'Assemblée nationale,[78] il se jura, à l'âge où les jeunes gens ne songent qu'au plaisir, « de consacrer sa vie au rétablissement de l'Ordre ». Il tint parole: dès son retour dans notre ville, il fonda le fameux club de l'Ordre, qui réunit chaque soir, pendant de longues années, les principaux négociants et armateurs de Bouville. Ce cercle aristocratique, dont on a pu dire, par boutade, qu'il était plus fermé que le Jockey,[79] exerça jusqu'en 1908 une influence salutaire sur les destinées de notre grand port commercial. Olivier Blévigne épousa, en 1880, Marie-Louise Pâcome, la fille cadette du négociant Charles Pâcome (voir ce nom) et fonda, à la mort de celui-ci, la maison Pacôme-Blévigne et fils. Peu après il se tourna vers la politique active et posa sa candidature à la députation.

« Le pays, dit-il dans un discours célèbre, souffre de la plus grave maladie: la classe dirigeante ne veut plus commander. Et qui donc commandera, Messieurs, si ceux que leur hérédité, leur éducation, leur expérience ont rendus les plus aptes à l'exercice du pouvoir, s'en détournent par résignation ou par lassitude? Je l'ai dit souvent: commander n'est pas un droit de l'élite; c'est son principal devoir. Messieurs, je vous en conjure: restaurons le principe d'autorité! »

Élu au premier tour le 4 Octobre 1885, il fut constamment réélu depuis. D'une éloquence énergique et rude, il prononça de nombreux

---

77. studied law

78. *La Commune* (March–May 1871), the council established by the insurrectionists who seized power in Paris in March 1871; the *Assemblée nationale,* strongly monarchist in character, was elected in 1871 by the people and decided to sit in Versailles.

79. The Jockey Club, founded in 1833, became the most exclusive social club in France. In Proust's *A la recherche du temps perdu,* it was a sign of Swann's brilliant social position that he was a member.

et brillants discours. Il était à Paris en 1898 lorsque éclata [80] la terrible
grève. Il se transporta d'urgence à Bouville, où il fut l'animateur de la
résistance. Il prit l'initiative de négocier avec les grévistes. Ces négo-
ciations, inspirées d'un esprit de large conciliation, furent interrompues
par l'échauffourée [81] de Jouxtebouville. On sait qu'une intervention
discrète de la troupe fit rentrer le calme dans les esprits.

La mort prématurée de son fils Octave entré tout jeune à l'École
polytechnique et dont il voulait « faire un chef » porta un coup terrible
à Olivier Blévigne. Il ne devait pas s'en relever [82] et mourut deux ans
plus tard en février 1908.

Recueils de discours: *Les Forces Morales* (1894. Épuisé),[83] *Le
Devoir de Punir* (1900. Les discours de ce recueil ont tous été prononcés à propos de l'affaire Dreyfus.[84] Épuisé), *Volonté* (1902.
Épuisé). On réunit après sa mort ses derniers discours et quelques
lettres à ses intimes sous le titre *Labor improbus* [85] (chez Plon, 1910).
Iconographie: « il existe un excellent portrait de lui par Bordurin au
musée de Bouville. »

Un excellent portrait, soit. Olivier Blévigne portait une petite
moustache noire et son visage olivâtre ressemblait un peu à celui de
Maurice Barrès. Les deux hommes s'étaient assurément connus: ils
siégeaient sur les mêmes bancs. Mais le député de Bouville n'avait pas
la nonchalance du Président de la ligue des Patriotes.[86] Il était raide
comme une trique et jaillissait de la toile comme un diable de sa boîte.
Ses yeux étincelaient: la pupille était noire, la cornée rougeâtre. Il pin-
çait ses petites lèvres charnues et pressait sa main droite contre sa
poitrine.

Comme il m'avait tracassé,[87] ce portrait! Quelquefois Blévigne
m'avait paru trop grand et d'autres fois trop petit. Mais aujourd'hui,
je savais à quoi m'en tenir.[88]

J'avais appris la vérité en feuilletant le *Satirique Bouvillois*. Le
numéro du 6 novembre 1905 était tout entier consacré à Blévigne. On

80. broke out (in Bouville)   81. clash of mobs
82. He never got over it   83. out of print
84. Alfred Dreyfus (1859-1935), a captain in the French army, was unjustly
accused of having sold military secrets to Germany. Convicted, he was later
rehabilitated. The "Affaire Dreyfus" (1894-1906) split France into two camps,
arousing religious and political passions, breaking friendships, dividing families.
85. *Labor omnia vincit improbus.* (cf. Virgil, *Georgics* I, 146) Persistent toil
conquers all.
86. During the war of 1914-18 and for some time afterwards, Barrès (see note
28) was president of the *Ligue des patriotes* and wrote daily patriotic articles
in the *Écho de Paris*.   87. bothered me   88. I knew what to expect

le représentait sur la couverture, minuscule, accroché à la crinière du père Combes,[89] avec cette légende: Le Pou du Lion. Et dès la première page, tout s'expliquait: Olivier Blévigne mesurait un mètre cinquante-trois.[90] On raillait sa petite taille et sa voix de rainette, qui avait fait, plus d'une fois, pâmer la Chambre tout entière.[91] On l'accusait de mettre des talonnettes de caoutchouc dans ses bottines. Par contre Mme Blévigne, née Pacôme, était un cheval. « C'est le cas de dire, ajoutait le chroniqueur, qu'il a son double pour moitié. » [92]

Un mètre cinquante-trois! Eh oui: Bordurin, avec un soin jaloux, l'avait entouré de ces objets qui ne risquent point de rapetisser; un pouf, un fauteuil bas, une étagère avec quelques in-douze,[93] un petit guéridon persan. Seulement il lui avait donné la même taille qu'à son voisin Jean Parrottin et les deux toiles avaient les mêmes dimensions. Il en résultait que le guéridon, sur l'une, était presque aussi grand que l'immense table sur l'autre et que le pouf serait venu à l'épaule de Parrottin. Entre les deux portraits l'œil faisait instinctivement la comparaison: mon malaise [94] était venu de là.

A présent, j'avais envie de rire: un mètre cinquante-trois! Si j'avais voulu parler à Blévigne, j'aurais dû me pencher ou fléchir sur les genoux. Je ne m'étonnais plus qu'il levât si impétueusement le nez en l'air: le destin des hommes de cette taille se joue toujours à quelques pouces au-dessus de leur tête.

Admirable puissance de l'art. De ce petit homme à la voix suraiguë, rien ne passerait à la postérité, qu'une face menaçante, qu'un geste superbe [95] et des yeux sanglants de taureau. L'étudiant terrorisé par la Commune, le député minuscule et rageur; voilà ce que la mort avait pris. Mais, grâce à Bordurin, le président du club de l'Ordre, l'orateur des Forces Morales était immortel.

« Oh! Le pauvre petit Pipo!» [96]

La dame avait poussé un cri étouffé: sous le portrait d'Octave Blévigne, « fils du précédent », une main pieuse avait tracé ces mots: « Mort à Polytechnique en 1904. »

« Il est mort! C'est comme le fils Arondel. Il avait l'air intelligent. Ce que sa maman a dû avoir de la peine! Aussi ils en font trop dans ces

89. Émile Combes (1835-1921), prime minister of France (1902-05)
90. five feet tall
91. *sa voix ... entière* his squeaking voice which had, more than once, thrown the whole Chamber of Deputies into hysterics
92. his better half is twice his size   93. a bookcase with small books
94. discomfort   95. proud
96. Nickname given to students from the École polytéchnique

grandes Écoles. Le cerveau travaille, même pendant le sommeil. Moi,
j'aime bien ces bicornes, ça fait chic. Ces casoars,[97] ça s'appelle? »
« Non: c'est à Saint-Cyr, les casoars. »

Je contemplai à mon tour le polytechnicien mort en bas âge. Son
teint de cire et sa moustache bien pensante auraient suffi à éveiller
l'idée d'une mort prochaine. D'ailleurs il avait prévu son destin: une
certaine résignation se lisait dans ses yeux clairs, qui voyaient loin.
Mais, en même temps, il portait haut la tête; sous cet uniforme, il
représentait l'Armée française.

Tu Marcellus eris! Manibus date lilia plenis . . .[98]

Une rose coupée, un polytechnicien mort: que peut-il y avoir de plus
triste?

Je suivis doucement la longue galerie, saluant au passage, sans
m'arrêter, les visages distingués qui sortaient de la pénombre: M.
Bossoire, président du tribunal de commerce, M. Faby, président du
conseil d'administration du port autonome de Bouville, M. Boulange,
négociant, avec sa famille, M. Rannequin, maire de Bouville, M. de
Lucien, né à Bouville, ambassadeur de France aux États-Unis et poète,
un inconnu aux habits de préfet, Mère Sainte-Marie-Louise, supérieure du Grand Orphelinat, M. et Mme Théréson, M. Thiboust-
Gouron, président général du conseil des prud'hommes,[99] M. Bobot,
administrateur principal de l'Inscription maritime, MM. Brion, Mi-
nette, Grelot, Lefèbvre, le Dr et Mme Pain, Bordurin lui-même, peint
par son fils Pierre Bordurin. Regards clairs et froids, traits fins, bouches
minces, M. Boulange était économe et patient, Mère Sainte-Marie-
Louise d'une piété industrieuse, M. Thiboust-Gouron était dur pour
lui-même comme pour autrui. Mme Théréson luttait sans faiblir contre
un mal profond. Sa bouche infiniment lasse disait assez sa souffrance.
Mais jamais cette femme pieuse n'avait dit: « J'ai mal. » Elle prenait
le dessus:[100] elle composait des menus et présidait des Sociétés de
bienfaisance. Parfois, au milieu d'une phrase, elle fermait lentement
les paupières et la vie abandonnait son visage. Cette défaillance ne
durait guère plus d'une seconde; bientôt Mme Théréson rouvrait les

97. Red and white feathers which have decorated the military headgear of the
students of Saint-Cyr since 1855
98. Thou shalt be Marcellus! Bring me lilies with full hands. (Virgil, *Aeneid* VI,
883) The gods had granted Aeneas permission to visit his father Anchises in
the underworld. Anchises is talking to his son about the future Marcellus who
was destined to succeed his uncle Augustus but died young and did not reign.
99. Tribunal established to settle business differences, made up in equal number
of representatives from labor and management
100. She would overcome her illness

yeux, reprenait sa phrase. Et l'on chuchotait dans l'ouvroir: « Pauvre Mme Théréson! Elle ne se plaint jamais. »

J'avais traversé le salon Bordurin-Renaudas dans toute sa longueur. Je me retournai. Adieu, beaux lys tout en finesse dans vos petits sanctuaires peints, adieu, beaux lys, notre orgueil et notre raison d'être, adieu, Salauds.[101]

La Nausée, pp. 111-26.
Librairie Gallimard, tous droits réservés

101. Bastards. This is the injurious name given by Sartre to people who are well off, completely satisfied with their own lives, and unconcerned about anything else.

MARCEL AYMÉ

Né à Joigny dans l'Yonne en mars 1902, d'une mère qui mourut quand il avait deux ans et d'un père maréchal-ferrant qui ne se soucia jamais beaucoup de lui, Marcel Aymé fut élevé par ses grands-parents dans leur village du Jura. Il commença ses études au Collège de Dôle et les acheva au lycée de Besançon dans la classe de mathématiques spéciales. Une maladie se déclara et il dut renoncer à devenir ingénieur.

Il fit cependant son service militaire, puis gagna Paris et y travailla, tour à tour journaliste, étudiant en médecine, employé de banque. Un esprit d'indépendance inouï ne lui permettait pas de garder longtemps une même occupation.

Au terme d'une nouvelle maladie, la convalescence le gratifia d'un repos dont il profita pour lire et écrire, et il eut la chance que son premier livre, *Brûlebois* (1926), roman âprement jurassien et populiste, obtînt un prix de la Société des gens de lettres. Le jury populiste allait d'ailleurs lui décerner en 1930 son prix littéraire pour *La Rue sans nom*, où Aymé peint la passion sensuelle ravageant un quartier ouvrier, comme toutes les passions ravagent deux hameaux paysans dans *La Table aux crevés* (1929).

C'est avec *La Jument verte*, en 1933, que Marcel Aymé atteignit le grand public. Dans ce roman joyeux, sensuel, truculent qui fait penser à un tableau de Teniers par son réalisme de farce, l'auteur peint une fois de plus les rustiques de son pays de Franche-Comté, qu'il peuple de personnages extrêmement drôles, originaux et pourtant vrais, d'une savoureuse vérité campagnarde. Tel est le premier pilier de l'œuvre.

Autre pilier: les contes. Aymé en a publié plusieurs recueils: *Le Puits aux images* (1932), *Le Nain* (1934), *Derrière chez Martin* (1938), *Le Passemuraille* (1943). Il s'y révèle un conteur remarquable. Chaque conte a son point de départ dans une donnée purement imaginaire et même invraisemblable: par exemple, le pouvoir dont jouit un honorable fonctionnaire de traverser les murs sans en être incommodé; mais les conséquences se déroulent avec naturel, les épisodes se développent et courent au dénouement sous un aspect tout à fait réaliste: n'est-il pas normal que le singulier passe-muraille puisse défier la police ou qu'un beau jour, perdant soudain son pouvoir, il reste pris dans les pierres? Bien entendu, la part d'humour est considérable. Ce mélange d'irréel féerique, de réalisme logique et d'humour ne pouvait manquer de faire merveille dans *Les Contes du chat perché* (1939) qui s'adressent aux enfants.

Un troisième pilier soutient l'œuvre de Marcel Aymé: les romans de satire sociale, qui sont éclatants de santé et montrent en pleine animosité, en pleine indignation, une certaine bonne humeur. C'est avec *Travelingue* (1941), où les snobs sont moqués, qu'Aymé est passé de la satire humoristique des paysans à la satire tout de même acerbe des bourgeois. Il a déployé à cœur joie, dans *Uranus* (1948), une ironie presque féroce pour dénoncer les grandes peurs de l'Occupation allemande et de la Libération.

Quatrième pilier de l'édifice: les pièces de théâtre. Aymé leur doit la plus grande part de sa réputation, surtout depuis *Clérambard* (1950). Cette comédie haute en couleur semble vouloir montrer, à l'occasion de la conversion d'un hobereau, que la vraie foi n'est point celle des « bien-pensants », ni même celle des prêtres. D'autres pièces, *Lucienne et le boucher* (1948), satire de la petite ville, *La Tête des autres* (1952), satire de la justice telle que la rendent les magistrats, offrent de violentes drôleries. *Les Oiseaux de lune* (1956), *La Mouche bleue* (1957), *Patron* (1960) n'ont guère qu'une valeur de divertissement.

Pièces de théâtre, contes, romans, ainsi que l'essai *Le Confort intellectuel* (1949), diatribe spirituelle contre la littérature qui se croit à la pointe du progrès parce qu'elle est la plus éloignée de la raison, présentent deux caractères communs: d'abord l'esprit de fronde, puis le désir d'orner notre existence au moyen d'une infinité de songes qui font s'épanouir même les douleurs et les calamités en un optimisme de gars pleins de sève et amis du rire.

BIBLIOGRAPHIE

Cathelin, Jean. *Marcel Aymé*. Paris: Debresse, 1958.
Vandromme, Pol. *Aymé*. Paris: Gallimard, 1960.

LA CARTE [1]

Extraits du journal de Jules Flegmon

Le texte que nous avons choisi de Marcel Aymé est une satire amusante à laquelle il a donné la forme d'un journal intime tenu par un écrivain.

La Carte est une des nouvelles qui composent *Le Passe-muraille*. Le sujet en a été fourni par les restrictions de guerre qu'ont coutume d'imposer les ennemis victorieux qui occupent un pays (les Allemands en France, de 1940 à 1944).

Cette nouvelle, comme la plupart des nouvelles d'Aymé, part d'une donnée tout à fait imaginaire et invraisemblable, puisqu'elle suppose qu'un gouvernement a le pouvoir de priver périodiquement des êtres humains d'une partie de leurs jours, donc une sorte de mort temporaire. Ce qui intéresse Aymé et l'amuse, c'est d'imaginer les suites et les conséquences qu'aurait cette action si elle pouvait s'accomplir.

10 février. — Un bruit absurde court dans le quartier à propos de nouvelles restrictions. Afin de parer à la disette [2] et d'assurer un meilleur rendement [3] de l'élément laborieux de la population, il serait procédé à la mise à mort des consommateurs improductifs: vieillards, retraités, rentiers, chômeurs, [4] et autres bouches inutiles. Au fond, [5] je trouve que cette mesure serait assez juste. Rencontré tout à l'heure, devant chez moi, mon voisin Roquenton, ce fougueux [6] septuagénaire qui épousa, l'an passé, une jeune femme de vingt-quatre ans. L'indignation l'étouffait: « Qu'importe l'âge, s'écriait-il, puisque je fais le bonheur de ma poupée jolie! » En des termes élevés, je lui ai conseillé d'accepter avec une joie orgueilleuse le sacrifice de sa personne au bien de la communauté.

12 février. — Il n'y a pas de fumée sans feu. Déjeuné aujourd'hui avec mon vieil ami Maleffroi, conseiller à la préfecture de la Seine. Je l'ai cuisiné adroitement, [7] après lui avoir délié la langue avec une bouteille d'arbois. [8] Naturellement, il n'est pas question de mettre à mort les inutiles. On rognera [9] simplement sur leur temps de vie. Maleffroi m'a

---

1. the ration book   2. to guard against the want of food   3. output
4. pensioners, retired people, people out of work   5. after all
6. impetuous   7. I pumped him skillfully
8. after having loosened his tongue with a bottle of Jura wine   9. will curtail

expliqué qu'ils auraient droit à tant de jours d'existence par mois, selon leur degré d'inutilité. Il paraît que les cartes de temps [10] sont déjà imprimées. J'ai trouvé cette idée aussi heureuse que poétique. Je crois me souvenir d'avoir dit là-dessus des choses vraiment charmantes. Sans doute un peu ému par le vin, Maleffroi me regardait avec de bons yeux, tout embués [11] par l'amitié.

13 février. — C'est une infamie! un déni de justice! un monstrueux assassinat! Le décret vient de paraître dans les journaux et voilà-t-il pas que parmi « les consommateurs dont l'entretien [12] n'est compensé par aucune contre-partie réelle », figurent les artistes et les écrivains! A la rigueur,[13] j'aurais compris que la mesure s'appliquât aux peintres, aux sculpteurs, aux musiciens. Mais aux écrivains! Il y a là une inconséquence, une aberration, qui resteront la honte suprême de notre époque. Car, enfin, l'utilité des écrivains n'est pas à démontrer, surtout la mienne, je peux le dire en toute modestie. Or, je n'aurai droit qu'à quinze jours d'existence par mois.

16 février. — Le décret entrant en vigueur [14] le 1er mars et les inscriptions devant être prises dès le 18, les gens voués [15] par leur situation sociale à une existence partielle s'affairent à la recherche d'un emploi [16] qui leur permette d'être classés dans la catégorie des vivants à part entière. Mais l'administration, avec une prévoyance [17] diabolique, a interdit tout mouvement de personnel avant le 25 février.

L'idée m'est venue de téléphoner à mon ami Maleffroi pour qu'il m'obtienne un emploi de portier ou de gardien de musée dans les quarante-huit heures.[18] J'arrive trop tard. Il vient d'accorder la dernière place de garçon de bureau dont il disposait.

— Mais aussi, pourquoi diable avoir attendu jusqu'à aujourd'hui pour me demander une place?

— Mais comment pouvais-je supposer que la mesure m'atteindrait? Quand nous avons déjeuné ensemble, vous ne m'avez pas dit ...

— Permettez. J'ai spécifié, on ne peut plus clairement, que la mesure concernait tous les inutiles.

17 février. — Sans doute ma concierge me considère-t-elle déjà comme un demi-vivant, un fantôme, une ombre émergeant à peine des enfers, car ce matin, elle a négligé de m'apporter mon courrier. En descendant,

10. time ration books   11. dimmed with tears   12. support, upkeep
13. If need be   14. into effect   15. doomed
16. busy themselves seeking a job   17. foresight   18. within forty-eight hours

je l'ai secouée d'importance.[19] « C'est, lui ai-je dit, pour mieux gaver [20] les paresseux de votre espèce qu'une élite fait le sacrifice de sa vie. » Et, au fond, c'est très vrai. Plus j'y pense, plus ce décret me parait injuste et inique.

Rencontré tout à l'heure Roquenton et sa jeune femme. Le pauvre vieux m'a fait pitié. En tout et pour tout,[21] il aura droit à six jours de vie par mois, mais le pis est que Mme Roquenton, en raison de sa jeunesse, ait droit à quinze jours. Ce décalage [22] jette le vieil époux dans une anxiété folle. La petite paraît accepter son sort avec plus de philosophie.

Au cours de cette journée, j'ai rencontré plusieurs personnes que le décret n'atteint pas. Leur incompréhension et leur ingratitude à l'égard des sacrifiés me dégoûtent profondément. Non seulement cette mesure inique leur apparaît comme la chose la plus naturelle du monde, mais il semble bien qu'ils s'en réjouissent. On ne flétrira jamais assez cruellement l'égoïsme des humains.[23]

18 février. – Fait trois heures de queue à la mairie [24] du dix-huitième arrondissement pour retirer ma carte de temps.[25] Nous étions là, distribués en une double file, environ deux milliers de malheureux dévoués à l'appétit des masses laborieuses. Et ce n'était qu'une première fournée.[26] La proportion des vieillards m'a paru être de la moitié. Il y avait de jolies jeunes femmes aux visages tout alanguis de tristesse et qui semblaient soupirer: *Je ne veux pas mourir encore.* Les professionnelles de l'amour étaient nombreuses. Le décret les a durement touchées en réduisant leur temps de vie à sept jours par mois. Devant moi, l'une d'elles se plaignait d'être condamnée pour toujours à sa condition de fille publique. En sept jours, affirmait-elle, les hommes n'ont pas le temps de s'attacher. Cela ne me paraît pas si sûr. Dans les files d'attente, j'ai reconnu, non sans émotion, et, je dois l'avouer, avec un secret contentement, des camarades de Montmartre, écrivains et artistes: Céline, Gen Paul, Daragnès, Fauchois, Soupault, Tintin, d'Esparbès et d'autres. Céline était dans un jour sombre. Il disait que c'était encore une manœuvre des Juifs, mais je crois que sur ce point précis, sa mauvaise humeur l'égarait.[27] En effet, aux termes du décret,

19. I gave her a good drubbing   20. to gorge   21. All in all   22. difference
23. The selfishness of human beings will never be condemned in a cruel enough manner.   24. Stood in line for three hours at the city hall
25. in order to get my time ration book   26. batch
27. led him astray, led him to say things that he did not mean

il est alloué aux Juifs,[28] sans distinction d'âge, de sexe, ni d'activité, une demi-journée d'existence par mois. Dans l'ensemble,[29] la foule était irritée et houleuse.[30] Les nombreux agents commis au service d'ordre nous traitaient avec beaucoup de mépris, nous considérant évidemment comme un rebut d'humanité.[31] A plusieurs reprises, comme nous nous lassions de cette longue attente, ils ont apaisé notre impatience à coups de pied au cul.[32] J'ai dévoré [33] l'humiliation avec une muette dignité, mais j'ai regardé fixement un brigadier de police en rugissant [34] mentalement un cri de révolte. Maintenant, c'est nous qui sommes les damnés de la terre.

J'ai pu enfin retirer ma carte de temps. Les tickets attenants,[35] dont chacun vaut vingt-quatre heures d'existence, sont d'un bleu très tendre, couleur de pervenche,[36] et si doux que les larmes m'en sont venues aux yeux.

24 février. — Il y a une huitaine de jours, j'avais écrit à l'administration compétente pour que mon cas personnel fût pris en considération. J'ai obtenu un supplément de vingt-quatre heures d'existence par mois. C'est toujours ça.

5 mars. — Depuis une dizaine de jours, je mène une existence fiévreuse qui m'a fait délaisser mon *Journal*. Pour ne rien laisser perdre d'une vie aussi brève, j'ai quasiment [37] perdu le sommeil de mes nuits. En ces quatre derniers jours, j'aurai noirci [38] plus de papier qu'en trois semaines de vie normale et, toutefois, mon style garde le même éclat, ma pensée la même profondeur. Je me dépense au plaisir avec la même frénésie. Je voudrais que toutes les jolies femmes fussent à moi, mais c'est impossible. Toujours avec le désir de profiter de l'heure qui passe, et peut-être aussi dans un esprit de vengeance, je fais chaque jour deux très copieux repas au marché noir.[39] Mangé à midi trois douzaines d'huîtres, deux œufs pochés, un quartier d'oie,[40] une tranche [41] de filet de bœuf, légume, salade, fromages divers, un entremets au chocolat, un pamplemousse [42] et trois mandarines.[43] En buvant mon café, et quoique l'idée de mon triste sort ne m'eût point abandonné,

28. the Jews are allocated   29. On the whole   30. surging, tumultuous
31. riff-raff of society   32. kick in the pants   33. swallowed
34. by roaring   35. attached   36. periwinkle
37. to all intents and purposes   38. I will have blackened (written on)
39. black market   40. a quarter of a goose   41. a slice, cut
42. grapefruit   43. tangerines

j'éprouvais un certain sentiment de bonheur. Deviendrais-je un parfait stoïcien? En sortant du restaurant, je suis tombé sur le couple Roquenton. Le bonhomme vivait aujourd'hui sa dernière journée du mois de mars. Ce soir, à minuit, son sixième ticket usé, il sombrera dans le non-être [44] et y demeurera vingt-cinq jours.

7 mars. — Rendu visite à la jeune Mme Roquenton, provisoirement veuve [45] depuis la minuit. Elle m'a accueilli [46] avec une grâce que la mélancolie rendait plus charmante. Nous avons parlé de choses et d'autres, et aussi de son mari. Elle m'a conté comment il s'était évanoui dans le néant.[47] Ils étaient tous les deux couchés. A minuit moins une, Roquenton tenait la main de sa femme et lui adressait ses dernières recommandations. A minuit sonnant,[48] elle a senti tout d'un coup la main de son compagnon fondre dans la sienne. Il ne restait plus à côté d'elle qu'un pyjama vide et un râtelier sur le traversin.[49] Cette évocation nous a bien vivement émus. Comme Lucette Roquenton versait quelques larmes,[50] je lui ai ouvert mes bras.

12 mars. — Hier soir, à six heures, suis allé prendre un verre de sirop chez Perruque, l'académicien. Comme on sait, l'administration, pour ne pas faire mentir leur réputation d'immortalité, accorde à ces débris le privilège de figurer parmi les vivants à part entière. Perruque a été ignoble de suffisance, d'hypocrisie et de méchanceté.[51] Nous étions chez lui une quinzaine, tous des sacrifiés, qui vivions nos derniers tickets du mois. Perruque seul était à part entière. Il nous traitait avec bonté, comme des êtres diminués, impuissants. Il nous plaignait avec une mauvaise flamme dans l'œil,[52] nous promettant de défendre nos intérêts en notre absence. Il jouissait d'être, sur un certain plan, quelque chose de plus que nous. Me suis retenu à quatre pour ne pas le traiter de vieux melon et de canasson refroidi.[53] Ah! si je n'avais pas l'espoir de lui succéder un jour!

13 mars. — Déjeuné à midi chez les Dumont. Comme toujours, ils se sont querellés et même injuriés. Avec un accent de sincérité qui ne

44. he will sink (disappear) into non-being   45. temporarily widowed
46. she welcomed me   47. vanished into nothingness
48. on the stroke of midnight   49. a set of false teeth on the bolster
50. shed a few tears
51. Perruque has been unbearably conceited, hypocritical, and mean.
52. with an evil look in his eye
53. Held myself back not to call him a rotten melon and a stiff, broken-down nag.

trompe pas, Dumont s'est écrié: « Si au moins je pouvais utiliser mes tickets de vie dans la deuxième quinzaine du mois, de façon à ne jamais vivre en même temps que toi! » Mme Dumont a pleuré.

16 mars. — Lucette Roquenton est entrée cette nuit dans le néant. Comme elle avait une grande peur, je l'ai assistée dans ses derniers moments. Elle était déjà couchée lorsque, à neuf heures et demie, je suis monté chez elle. Pour lui éviter les affres [54] de la dernière minute, je me suis arrangé pour retarder [55] d'un quart d'heure la pendulette qui se trouvait sur la table de chevet.[56] Cinq minutes avant le plongeon, elle a eu un accès de larmes.[57] Puis, croyant avoir encore vingt minutes de marge,[58] elle a pris le temps de se remettre à son avantage [59] dans un souci de coquetterie qui m'a paru assez touchant. Au moment du passage, j'ai pris garde à ne pas la quitter des yeux. Elle était en train de rire à une réflexion que je venais de faire, et, soudain, son rire a été interrompu, en même temps qu'elle s'évanouissait à mon regard, comme si un illusionniste l'eût escamotée.[60] J'ai tâté la place encore chaude où reposait son corps, et j'ai senti descendre en moi ce silence qu'impose la présence de la mort. J'étais assez péniblement impressionné. Ce matin même, à l'instant où j'écris ces lignes, je suis angoissé. Depuis mon réveil je compte les heures qui me restent à vivre. Ce soir, à minuit, ce sera mon tour.

Ce même jour, à minuit moins le quart, je reprends mon journal. Je viens de me coucher et je veux que cette mort provisoire me prenne la plume à la main, dans l'exercice de ma profession. Je trouve cette attitude assez crâne.[61] J'aime cette forme de courage. élégante et discrète. Au fait, la mort qui m'attend est-elle bien réellement provisoire, et ne s'agit-il pas d'une mort pure et simple? Cette promesse de résurrection ne me dit rien qui vaille.[62] Je suis maintenant tenté d'y voir une façon habile de nous colorer la sinistre vérité. Si, dans quinze jours, aucun des sacrifiés ne ressuscite, qui donc réclamera pour eux? Pas leurs héritiers, bien sûr! et, quand ils réclameraient, la belle consolation! Je pense tout à coup que les sacrifiés doivent ressusciter en bloc, le premier jour du mois prochain, c'est-à-dire le 1er avril. Ce pourrait être l'occasion d'un joli poisson.[63] Je me sens pris d'une horrible panique et je . . .

54. the pangs   55. I managed to set back   56. bedside table
57. outbursts of tears   58. leeway   59. repair her make-up
60. as if a magician had whisked her away   61. plucky
62. is not worth having   63. April Fool's joke

1er avril. — Me voilà bien vivant. Ce n'était pas un poisson d'avril. Je n'ai d'ailleurs pas eu la sensation du temps écoulé.[64] En me retrouvant dans mon lit, j'étais encore sous le coup de cette panique qui précéda ma mort. Mon journal était resté sur le lit, et j'ai voulu achever la phrase où ma pensée restait accrochée, mais il n'y avait plus d'encre dans mon stylo. En découvrant que ma pendule était arrêtée à quatre heures dix, j'ai commencé à soupçonner la vérité. Ma montre était également arrêtée. J'ai eu l'idée de téléphoner à Maleffroi pour lui demander la date. Il ne dissimula pas sa mauvaise humeur d'être ainsi tiré du lit au milieu de la nuit et ma joie d'être ressuscité le toucha médiocrement. Mais j'avais besoin de m'épancher.[65]

— Vous voyez, dis-je, la distinction entre temps spatial et temps vécu n'est pas une fantaisie de philosophe. J'en suis la preuve. En réalité, le temps absolu n'existe pas . . .

— C'est bien possible, mais il est tout de même minuit et demi, et je crois . . .

— Remarquez que c'est très consolant. Ces quinze jours pendant lesquels je n'ai pas vécu, ce n'est pas du temps perdu pour moi. Je compte bien [66] les récupérer plus tard.

— Bonne chance et bonne nuit, a coupé Maleffroi.

Ce matin, vers neuf heures, je suis sorti et j'ai éprouvé la sensation d'un brusque changement. La saison me semblait avoir fait un bond appréciable.[67] En vérité, les arbres s'étaient déjà transformés, l'air était plus léger, les rues avaient un autre aspect. Les femmes étaient aussi plus printanières.[68] L'idée que le monde a pu vivre sans moi m'a causé et me cause encore quelque dépit.[69] Vu plusieurs personnes ressuscitées cette nuit. Échange d'impressions. La mère Bordier m'a tenu la jambe [70] pendant vingt minutes à me raconter qu'elle avait vécu, détachée de son corps, quinze jours de joies sublimes et paradisiaques. La rencontre la plus drôle que j'aie faite est assurément celle de Bouchardon, qui sortait de chez lui. La mort provisoire l'avait saisi pendant son sommeil, dans la nuit du 15 mars. Ce matin, il s'est réveillé bien persuadé qu'il avait échappé à son destin. Il en profitait pour se rendre à un mariage qu'il croyait être pour aujourd'hui et qui, en réalité, a dû être célébré il y a quinze jours. Je ne l'ai pas détrompé.[71]

64. elapsed time   65. I felt the need to unburden myself
66. 1 expect indeed   67. to be appreciably ahead of its time
68. vernal, springlike   69. resentment   70. button-holed me
71. I did not enlighten him

2 avril. — Je suis allé prendre le thé chez les Roquenton. Le bonhomme est pleinement heureux. N'ayant pas eu la sensation du temps de son absence, les événements qui l'ont rempli n'ont aucune réalité dans son esprit. L'idée que, pendant les neuf jours où elle a vécu sans lui, sa femme aurait pu le tromper, lui paraît évidemment de la métaphysique. Je suis bien content pour lui. Lucette n'a pas cessé de me regarder avec des yeux noyés [72] et languides. J'ai horreur de ces messages passionnés émis à l'insu d'un tiers.[73]

3 avril. — Je ne décolère pas [74] depuis ce matin. Perruque, pendant que j'étais mort, a manœuvré pour que l'inauguration de musée Mérimée ait lieu le 18 avril. A l'occasion de cette fête, et le vieux fourbe [75] ne l'ignore pas, je devais prononcer un discours très important qui m'eût entr'ouvert les portes de l'Académie. Mais le 18 avril je serai dans les limbes.[76]

7 avril. — Roquenton est mort encore un coup.[77] Cette fois, il a accepté son sort avec bonne humeur. Il m'avait prié à dîner chez lui et, à minuit nous étions au salon, en train de boire le champagne. Au moment où il a fait le plongeon, Roquenton était debout, et nous avons vu soudain ses vêtements tomber en tas [78] sur le tapis. En vérité c'était assez comique. Néanmoins, l'accès de gaîté auquel s'est laissée aller Lucette m'a paru inopportun.

12 avril. — Reçu ce matin une visite bouleversante,[79] celle d'un homme d'une quarantaine d'années, pauvre, timide, et en assez mauvaise condition physique. C'était un ouvrier malade, marié et père de trois enfants, qui voulait me vendre une partie de ses tickets de vie afin de pouvoir nourrir sa famille. Sa femme malade, lui-même trop affaibli par les privations pour assurer un travail de force, son allocation lui permettait tout juste d'entretenir les siens [80] dans un état plus proche de la mort que de la vie. La proposition qu'il me fit de me vendre ses tickets de vie m'emplit de confusion. Je me faisais l'effet d'un ogre de légende,[81] un de ces monstres de la fable antique, qui percevaient un tribut de chair humaine.[82] Je bafouillai [83] une protestation et, refusant

72. tearful   73. without a third party's knowledge of it
74. I haven't cooled off since this morning.   75. deceiver   76. limbo
77. once more   78. in a heap   79. upsetting
80. his pension was barely sufficient to keep his family
81. I looked upon myself as being a legendary ogre
82. who levied a tribute in human flesh   83. I stammered

les tickets du visiteur, lui offris une certaine somme d'argent sans contre-partie. Conscient de la grandeur de son sacrifice, il en tirait un légitime orgueil [84] et ne voulait rien accepter qu'il n'eût payé d'un ou plusieurs jours de son existence. N'ayant pu réussir à le convaincre, j'ai fini par lui prendre un ticket. Après son départ, je l'ai fourré [85] dans mon tiroir, bien décidé à ne pas l'utiliser. Ainsi prélevée sur [86] l'existence d'un semblable, cette journée supplémentaire me serait odieuse.

Ce qui devait arriver arrive: un marché noir des cartes de temps. Pour les conséquences fort drôles qui s'ensuivent, on peut compter sur la verve de l'auteur, et lire la suite de cette histoire dans *Le Passe-muraille*.

84. he got a legitimate feeling of pride out of it.
85. I stuffed it ...   86. deducted from

JEAN GIONO

Né en mars 1895 à Manosque d'une famille italienne, fils d'un cordonnier et d'une blanchisseuse, Jean Giono enfant a vécu en contact avec les bergers et les paysans. Adulte, il a gagné sa vie comme employé de banque dans sa petite ville natale. Jamais il n'a consenti à quitter son pays de la Haute Provence aux paysages étincelants. Ses premiers livres en dépeignent les décors, la population et ses superstitions dans un style naïf et brut, mais avec une maitrise épique où se sent le lecteur qu'il fut tout jeune de la Bible, de *l'Odyssée* et des tragiques grecs.

La vie des éléments, la malignité des choses, les mystères du sol, tout ce que les Anciens rassemblaient sous le nom du Grand Pan, composent le paganisme fantastique que Giono a exprimé dans *Colline* (1929). L'année suivante, il en a fait le cadre d'histoires d'amour simples, puissantes, auréolées de poésie, dans *Un de Baumugnes* et dans *Regain* (1930). *Le Grand Troupeau* (1931), dans sa première partie tout au moins, offre une beauté d'épopée: il s'agit de la grande transhumance qui suivit le départ des bergers aux armées en août 1914.

Si l'on veut bien connaître Giono, il faut lire *Jean le Bleu* (1932) qui raconte son enfance et les amitiés qu'elle avait nouées avec la nature, le travail et les grandes œuvres de la poésie.

Chose curieuse, il y a chez cet homme si simple de naissance et d'éducation, chez cet autodidacte qui joue un peu à ressusciter Jean-Jacques Rousseau, un besoin d'exprimer des idées et il les exprime avec une naïveté à la fois maladroite et prétentieuse. Aussi certains de ses livres, *Que ma joie demeure* (1935), *Les Vraies Richesses* (1937), dans lesquels il se mue en prophète pour opposer la vie saine des champs à la pourriture des villes corrompues par l'argent, les fausses sciences et l'ambition matérielle, sont trop idéologiques et chargés d'emphase. Ils font regretter les ouvrages agrestes du début, si riches de réalité concrète et de franche humanité.

Heureusement nous retrouvons le Giono vrai et fort avec *Batailles dans la montagne* (1937) qui mêle aux spectacles d'une terrible inondation alpestre des aventures humaines dignes de cette violence des éléments. Un des héros de l'histoire affronte l'amour comme il a affronté le monstrueux taureau qui terrifiait la contrée.

A la suite des difficultés que le pacifisme de Giono lui suscita dans la première année de la guerre de 1940, puis dans la période la plus furieuse de la Libération, après une série de romans ennuyeux, une métamorphose totale s'est produite dans le talent de l'écrivain en même temps qu'un retournement complet dans sa carrière. Un séjour en Italie, raconté dans *Voyage en Italie* (1954), avait mis son imagination dans le sillage de Stendhal, et l'on s'est bientôt trouvé en face d'une étonnante nouveauté: *Le Hussard sur le toit* (1951). Ce livre inaugura une série de romans dans lesquels, avec une invention extrêmement personnelle, l'écrivain a marié l'esprit de son grand-père, carbonaro italien, avec une âme qui fait penser à celle de Fabrice del Dongo. L'ardeur noble, le courage fou, la jeunesse du héros, jeune carbonaro piémontais, colonel de hussards, riche et beau, qui a à se débattre au milieu de circonstances exceptionnellement difficiles et de périls de tous les instants, emportent le lecteur dans un véritable enthousiasme. Jean Giono n'a jamais perdu le sens de la vie élémentaire; il y ajoute maintenant le mouvement et les surprises des romans de cape et d'épée.

BIBLIOGRAPHIE

Boisdeffre, Pierre de. *Giono*. Paris: Gallimard, 1964.

Chonez, Claudine. *Giono par lui-même*. Paris: Éditions du Seuil, 1956.

Michelfelder, Christian. *Jean Giono et les religions de la terre*. Paris: Gallimard, 1938.

Pugnet, Jacques. *Jean Giono*. Paris: Éditions Universitaires, 1955.

Villeneuve, Romée de. *Giono le solitaire*. Paris: Presses universelles, 1947.

LE HUSSARD SUR LE TOIT

Une Épidémie de choléra

Le Hussard sur le toit est l'histoire d'un jeune carbonaro piémontais, colonel de hussards, réfugié en France à la suite d'un duel politique; il retourne dans son pays en traversant le choléra de 1838 qui désola la Haute-Provence entre Aix et les Alpes.

Dans les pages que nous avons extraites de ce livre, on voit le jeune officier arriver dans la province où sévit cette épidémie.

C'était le moment où Angélo, arrivé au sommet de l'éminence, voyait enfin dans l'est les manifestations du soir. De l'endroit où il était, il découvrait plus de cinq cents lieues carrées, depuis les Alpes jusqu'aux massifs en bordure de la mer. A part les pics acérés très haut dans le ciel et les très lointaines falaises [1] noirâtres du sud, tout le pays était encore couvert des viscosités et des brumes de la chaleur. Mais, déjà la lumière était moins violente et, malgré les tranchées qui fouettaient de temps en temps son ventre,[2] et une irritation qui enflammait ses reins et sa ceinture,[3] Angélo s'attarda un instant pour être bien assuré du soir. C'était lui. Il était gris et légèrement jaunâtre comme de la paille de litière.

Angélo poussa son cheval qui prit le trot. Il rejoignit un petit vallon qui, en trois détours le mit au seuil d'une plainette au bout de laquelle, collé contre le flanc de la montagne, il aperçut un bourg cendreux [4] dissimulé dans des pierrailles et des forêts naines de chênes gris.[5]

Il arriva à Banon vers huit heures, commanda deux litres de vin de Bourgogne, une livre de cassonade,[6] une poignée de poivre et le bol à punch. L'hôtel était cossu,[7] montagnard, habitué aux extravagances de ceux qui vivent dans la solitude. On regarda paisiblement Angélo, en bras de chemise, faire son mélange dans lequel il trempa un demi-pain de ménage coupé en cubes. Pendant qu'il touillait [8] le vin, la cassonade, le poivre et le pain dans le bol à punch, Angélo, qui contenait une furieuse envie de boire, avait la salive à la bouche.[9] Il engloutit son demi-pain de ménage et le vin sucré et poivré à grandes cuillerées. Ses coliques se calmaient. Il mangeait et buvait en même

---

1. cliffs   2. pains which racked his stomach   3. his loins and waist
4. ash grey   5. small forests of grey oaks   6. brown sugar   7. well-to-do
8. was mulling   9. his mouth was watering

temps. C'était excellent, malgré la chaleur toujours excessive et qui
faisait craquer les hauts lambris [10] de la salle à manger. Il était clair
que la nuit maintenant venue et brasillante [11] n'apporterait aucune fraîcheur. Mais, elle avait en tout cas délivré de cette obsédante lumière
si vive, que parfois Angélo en recevait encore des éblouissements
blancs dans les yeux.[12] Il commanda deux nouvelles bouteilles de vin
de Bourgogne et il les but toutes les deux en fumant un petit cigare.
Il allait mieux.[13] Il lui fallut cependant se cramponner à la rampe
d'escalier pour monter à sa chambre. Mais c'était à cause des quatre
bouteilles de vin. Il se coucha en travers du lit, soi-disant pour contempler à son aise la poignée d'étoiles énormes qui remplissaient le
cadre de la fenêtre. Il s'endormit dans cette position sans même enlever ses bottes.

Angélo se réveilla à une heure fort avancée de la matinée. Il s'étonna
de se retrouver couché en travers du lit. Ses jambes étaient ankylosées,[14] au bout desquelles les bottes avaient pesé toute la nuit. Les
épaules et les reins lui faisaient mal et, au moindre geste, il avait
l'impression de faire jouer ses os en porte à faux.[15]

Le cheval était beaucoup plus mal en point.[16] Angélo fit verser deux
boisseaux d'avoine dans la mangeoire. Il surveilla le garçon d'écurie
auquel, en quelques mots fort tendres qui touchèrent cet homme simple
il recommanda la bête.

« Vous aimez les chevaux, lui dit cet homme qui avait des yeux
magnifiques, moi aussi. Donnez-moi deux sous et je verserai dans cette
avoine un litre de vin. Je peux vous promettre de ne pas en boire un
verre. Notre air ici est acide à cause de la montagne sur laquelle nous
sommes. On ne s'en aperçoit jamais parce que la montée est en pente
douce. Mais les bêtes s'essoufflent et il n'y a rien de meilleur que le
vin pour leur donner du poumon.[17] Si j'avais un conseil à vous donner,
ce serait de laisser ce cheval noir au repos tout le jour.

— C'est ce que je comptais faire, dit Angélo. D'ailleurs, je suis moi-
même très fatigué et je suis persuadé que vous avez raison à propos
de votre air acide. Je sais très bien aussi que le vin dans l'avoine fait
merveille. Voilà deux sous, et même en voilà quatre. Il fait très chaud
et je ne veux pas que vous tiriez la langue [18] en faisant boire mon
cheval. Moi, je vais me recoucher.

10. high paneling   11. broiling hot
12. so glaring that at times Angelo still felt its white dazzle in his eyes
13. He felt better.   14. stiff   15. as if he were putting his bones out of joint
16. much worse off   17. to make them breathe better
18. I don't want you to be thirsty

— Êtes-vous malade? demanda l'homme.

— Non, dit Angélo, pourquoi? Il était frappé de la peur que le garçon d'écurie ne songeait même pas à cacher.

— C'est, dit cet homme, qu'on m'a raconté ce matin des choses pas très belles. Un homme et une femme sont morts cette nuit et notre docteur a envoyé un courrier au sous-préfet. Peut-être qu'il y a des risques.

— En tout cas pas avec moi, dit Angélo, et voilà la preuve. Allez voir le patron et, dites-lui qu'il me fasse tout de suite rôtir un poulet. Je veux le manger dans ma chambre, dès qu'il sera prêt; qu'on me monte également deux bouteilles du vin que j'ai bu hier soir et, allez me chercher vingt cigares semblables à celui-ci, que je ne vous donne pas parce que c'est mon dernier et que je n'ai pas encore fumé de ce matin. »

Angélo monta à sa chambre et tira les volets.[19] Il se mit tout nu et s'étendit sur le lit. On frappa à la porte: « C'est moi, dit le garçon d'écurie, je vous apporte les cigares. — Alors, entrez, dit Angélo.— Eh! bien, dit l'homme, ceci prouve que vous n'avez pas froid. Les deux de cette nuit grelottaient, paraît-il. Il a fallu qu'on les frotte à la térébenthine.[20] Au bureau de tabac, on dit que ça a encore pris à quelqu'un [21] qui serait entre la vie et la mort. — Ne vous en occupez pas, dit Angélo, il ne meurt jamais que les plus malades. Tenez, fumez ce cigare et allez boire votre litre de vin. N'oubliez pas de laisser le sien à mon cheval. — N'ayez pas peur, dit l'homme, mais si je peux vous donner un conseil, couvrez-vous le ventre. Il faut toujours avoir le ventre chaud. »

« Il a raison, se dit Angélo. Je m'entends très bien [22] avec les gens de la montagne. Ils ont de beaux yeux et ils savent s'effrayer tout seuls. »

Il mangea son poulet, but toute une bouteille de vin, fuma trois cigares et dormit. Il s'éveilla à quatre heures, regarda aux joints du volet. Dehors, c'etait toujours la grande lumière triste. Il descendit à l'écurie. Le cheval avait repris haleine.[23] « Celui dont je vous parlais est mort, dit le garçon.— Ne vous occupez pas de la mort des autres, dit Angélo. — Trois le même jour c'est beaucoup, dit l'homme. — Ça n'est rien tant que ça n'est pas vous, dit Angélo. — A ce train-là [24] on y arriverait vite, dit l'homme. On n'est que six cents ici. Bien entendu,

19. closed the shutters
20. The man and woman who died were shivering, so they say, and had to be rubbed down with turpentine.　　21. they say that someone else has caught it
22. I get along very well　　23. had regained his wind　　24. at this rate

vous, vous partez? — Pas ce soir, dit Angélo, mais demain. Connaissez-
vous le château de Ser? — Oui, dit l'homme, c'est de l'autre côté de la
montagne, après Noyers. — Est-ce que c'est loin? — Ça dépend des
routes. La belle fait un grand détour. L'autre — et je vous garantis
qu'avec une bête comme la vôtre je n'hésiterais pas — est moins belle,
mais beaucoup plus courte. Elle part droit, là, en face de nous, vous
voyez, et, au lieu d'aller faire le tour au col du Mégron, elle monte
tout doucement entre les bois de hêtres [25] et elle utilise un pas, c'est-à-
dire un passage qui la fait descendre droit sur les Omergues, un petit
hameau de vingt feux [26] sur la grand-route, de l'autre côté. Des
Omergues au château de Ser il y a cinq lieues en prenant le grandroute,
à droite. — Ça fait combien en tout? dit Angélo. Je n'ai pas envie de
recommencer la musique d'hier.[27] Il a l'air de faire encore une chaleur!
— Et encore vous ne vous en rendez pas compte d'ici,[28] dit l'homme.
Il y a de quoi faire durcir des œufs. Si j'ai un conseil à vous donner,
c'est de partir vers les quatre heures du matin. Il faut espérer qu'en
montant vous aurez un peu d'air. A dix heures vous devez être à ce
pas, qui s'appelle le pas de Redortiers qui domine les Omergues,
comme je vous l'ai dit. A partir de là, enfin, tout au moins à partir du
moment où vous serez sur la grandroute, c'est une promenade de dame.
Vous pouvez arriver au château à midi. »

Angélo partit à quatre heures du matin. Les bois de hêtres dont lui
avait parlé le garçon d'écurie étaient très beaux. Ils étaient répandus
par petits bosquets sur des pâturages très maigres couleur de renard,
sur des terres à perte de vue, ondulées sous des lavandes et des pierrailles.[29] Le petit chemin de terre fort doux au pas du cheval et qui
montait sur ce flanc de la montagne en pente douce serpentait entre
ces bosquets d'arbres dans lesquels la lumière oblique de l'extrême
matin ouvrait de profondes avenues dorées et la perspective d'im-
menses salles aux voûtes vertes soutenues par des multitudes de piliers
blancs. Tout autour de ces hauts parages vermeils l'horizon dormait
sous des brumes noires et pourpres.

Le cheval marchait gaiement. Angélo arriva au pas de Redortiers
vers les neuf heures. De là, il pouvait plonger ses regards dans la
vallée où il allait descendre. De ce côté, la montagne tombait en

25. beech woods   26. a small hamlet of twenty inhabited houses
27. I don't want to go through what I went through yesterday.
28. you don't realize it from here
29. They were scattered in small groves over sparse, fox-red pastures, rolling
fields covered with lavender and stones, as far as the eye could see.

pentes raides. Au fond, il pouvait voir de maigres terres carrelées, traversées par un ruisseau sans doute sec parce que très blanc et une grand-route bordée de peupliers. Il était presque juste au-dessus, à quelques cinq à six cents mètres de haut de ce hameau que le garçon d'écurie avait appelé les Omergues. Chose curieuse: les toits des maisons étaient couverts d'oiseaux. Il y avait même des troupes de corbeaux par terre, autour des seuils. A un moment donné, ces oiseaux s'envolèrent tous ensemble et vinrent flotter en s'élevant jusqu'à la hauteur de la passe où se trouvait Angélo. Il n'y avait pas que des corbeaux; mais également une foule de petits oiseaux à plumages éclatants: rouges, jaunes et même une grande abondance de turquins qu'Angélo reconnut pour être des mésanges.[30] Le nuage d'oiseaux tourna en rond au-dessus du petit village puis retomba doucement sur ses toits.

A partir de la passe, le chemin était assez scabreux. Il finissait par arriver en bas dans des champs. Malgré l'heure relativement matinale, la terre était déjà recouverte d'une épaisse couche d'air brûlant et gras. Angélo retrouva les nausées et les étouffements de la veille.[31] Il se demanda si l'odeur fade et légèrement sucrée qu'il respirait ici ne provenait pas de quelque plante qu'on cultivait dans ces parages. Mais il n'y avait rien que des centaurées [32] et des chardons [33] dans les petits champs pierreux. Le silence n'était troublé que par le grésillement de mille cris d'oiseaux; mais, en approchant des maisons, Angélo commença à entendre un concert très épais de braiements d'ânes, de hennissements de chevaux et de bêlements de moutons.[34] « Il doit se passer quelque chose ici,[35] se dit Angélo. Ceci n'est pas naturel. Toutes ces bêtes crient comme si on les égorgeait. » [36] Il y avait aussi cette foule d'oiseaux qui, vue maintenant à hauteur d'homme était assez effrayante, d'autant qu'ils ne s'envolaient pas; la plupart des gros corbeaux qui noircissaient le seuil de la maison dont s'approchait Angélo avaient simplement tourné la tête vers lui et le regardaient venir avec des mines étonnées. L'odeur sucrée était de plus en plus forte.

Angélo n'avait jamais eu l'occasion de se trouver sur un champ de

30. and a great abundance of blue birds which Angelo recognized as tits
31. Angelo experienced again the feeling of nausea and suffocation of the day before.   32. a weed   33. a thistle
34. Angelo began to hear a loud chorus of asses braying, horses neighing, and sheep bleating   35. something must be going on here
36. All these animals sound as if their throats were being cut.

bataille. Les morts des manœuvres de division étaient simplement désignés dans le rang et marqués d'une croix de craie sur le dolman.[37] Il s'était dit souvent: « Quelle figure ferais-je à la guerre? J'ai le courage de charger, mais, aurais-je le courage du fossoyeur? Il faut non seulement tuer mais savoir regarder froidement les morts. Sans quoi, l'on est ridicule. Et, si on est ridicule dans son métier, dans quoi sera-t-on élégant? »

Il resta évidemment droit en selle quand son cheval fit brusquement de côté un saut de carpe [38] en même temps qu'une grosse flaque de corbeaux s'envolant découvrit un corps en travers du chemin. Mais ses yeux s'ouvrirent démesurément dans son front et sa tête s'emplit soudain du paysage désolé dans l'effrayante lumière; des quelques maisons désertes qui bâillaient au soleil avec leurs portes par lesquelles entraient et sortaient librement les oiseaux. Le cheval tremblait entre ses jambes. C'était le cadavre d'une femme comme l'indiquaient les longs cheveux dénoués sur sa nuque.

« Saute à terre! » se dit Angélo plein d'eau glacée,[39] mais il serrait le cheval dans ses jambes de toutes ses forces. Enfin, les oiseaux retombèrent sur le dos et dans le chevelure de la femme. Angélo sauta à terre et courut contre eux en agitant les bras. Les corbeaux le regardaient venir d'un air très étonné. Ils s'envolèrent si lourdement et quand il fut si près d'eux qu'ils lui frappèrent les jambes, la poitrine et le visage de leurs ailes. Ils puaient le sirop fade.[40] Le cheval, effrayé par le claquement d'ailes, et même fouetté d'un corbeau ivre qui donna de la tête dans ses flancs, s'écarta et s'enfuit au galop d'esquive [41] à travers champs en faisant voler les étriers.[42] « Me voilà frais »,[43] se dit Angélo; en même temps il regardait à ses pieds le visage atroce de la femme qui mordait la terre près de la pointe de ses bottes.

Ils avaient naturellement becqueté l'œil. « Les vieux sergents avaient raison, se dit Angélo, voilà donc leur morceau favori. » Il serra les dents sur une froide envie de vomir. « Alors, monsieur le troupier, poursuivit-il, vous voilà capot! » [44] Il entendait son cheval qui avait atteint la route et y galopait bride abattue; [45] mais il se serait méprisé s'il avait couru après son porte-manteau. Il se souvenait des clins d'œil goguenards [46] des vieux sergents qui avaient fait une campagne de quinze

---

37. Those killed in the divisional maneuvers were simply fallen out and marked with a chalk cross on their coats.   38. suddenly shied
39. covered with a cold sweat   40. they reeked of the odor of stale syrup
41. runaway gallop   42. with the stirrups flying   43. I'm in a pretty fix.
44. You are properly taken in!   45. running at full speed   46. sly winks

jours contre Augereau.⁴⁷ Il se pencha sur le cadavre. C'était celui d'une femme à en juger par les longs cheveux noirs de son chignon dénoué par les corbeaux. Le reste du visage était horrible à voir avec son orbite becquetée, sa chair effondrée, sa grimace de quelqu'un qui a bu du vinaigre. Elle sentait effroyablement mauvais. Ses jupes étaient trempées d'un liquide sombre qu'Angélo prit pour du sang.

Il courut vers la maison; mais sur le seuil il fut repoussé par un véritable torrent d'oiseaux qui en sortait et l'enveloppa d'un froissement d'ailes; les plumes lui frappèrent le visage. Il était dans une colère folle de ne rien comprendre et d'avoir peur. Il saisit le manche d'une bêche ⁴⁸ appuyée contre la porte et il entra. Il fut tout de suite presque renversé par l'assaut d'un chien qui lui sauta au ventre et l'aurait cruellement mordu s'il ne l'avait instinctivement repoussé d'un coup de genou. La bête s'apprêtait à bondir de nouveau sur lui quand il la frappa de toutes ses forces d'un coup de bêche pendant qu'il voyait venir vers lui d'étranges yeux à la fois tendres et hypocrites et une gueule souillée de lambeaux innommables.⁴⁹ Le chien tomba, la tête fendue. La colère ronronnait dans les oreilles d'Angélo en même temps qu'elle avait fait descendre sur ses yeux des voiles troubles qui ne lui permettaient de voir que le chien qui s'étirait paisiblement dans son sang. Enfin, il eut conscience qu'il serrait un peu trop fort le manche de sa bêche et il put voir autour de lui un spectacle heureusement très insolent.

C'étaient trois cadavres dans lesquels le chien et les oiseaux avaient fait beaucoup de dégâts. Notamment dans un enfant de quelques mois écrasé sur la table comme un gros fromage blanc. Les deux autres, vraisemblablement celui d'une vieille femme et celui d'un homme assez jeune étaient ridicules avec leurs têtes de pîtres fardées de bleu,⁵⁰ leurs membres désarticulés, leurs ventres bouillonnants de boyaux et de vêtements hachés et pétris. Ils étaient aplatis par terre au milieu d'un grand désordre de casseroles tombées de la batterie de cuisine, de chaises renversées et de cendres éparpillées. Il y avait une sorte d'emphase insupportable dans la façon dont ces deux cadavres grimaçaient et essayaient d'embrasser la terre dans des bras dont les coudes et les poignets jouaient à contre-sens sur des charnières pourries.⁵¹

Angélo était moins ému qu'écœuré; son cœur battait sous sa langue

47. Marshal of France (1757-1816), who distinguished himself in battle
48. spade   49. a muzzle dirtied with nameless gobbets
50. with their blue-colored clowns' heads
51. arms whose elbows and wrists bent the wrong way in their rotted joints

lourde comme du plomb. Enfin, il aperçut un gros corbeau qui, se
dissimulant dans le tablier noir de la vieille femme continuait son
repas; il en fut tellement dégoûté qu'il vomit et il tourna les talons.[52]
Dehors il essaya de courir, mais il flottait et il trébucha. Les oiseaux
avaient de nouveau recouvert le cadavre de la jeune femme et ils ne
se dérangèrent pas. Angélo marcha vers une autre maison du hameau.
Il avait froid. Il claquait des dents.[53] Il s'efforçait de se tenir très raide.
Il marchait dans du coton; il n'entendait que le ronronnement de ses
oreilles, et les maisons, dans l'ardent soleil, lui paraissaient très irré-
elles.

La vue de mûriers chargés de feuilles qui continuaient à ombrager
paisiblement une petite venelle [54] lui rendit un peu d'esprit. Il s'arrêta
à l'ombre; s'appuya contre le tronc d'un de ces arbres. Il s'essuya les
moustaches sur sa manche. Il se dit: « Je vais me flanquer les quatre
fers en l'air. » [55] Des bouffées de fumée de plus en plus froide rempli-
saient sa tête. Il essaya de se déboucher les oreilles avec le bout de son
petit doigt. Dans les intermittences du ronronnement qui l'assourdissait
il entendait éclater, très loin de lui et comme le grésillement d'une
huile à la poêle, le concert de braiements, de hennissements, de bêlements. Il avait honte comme de se pâmer sur un front de troupe. Il
était cependant tellement habitué à se parler sévèrement qu'il ne perdit
pas conscience et que ce fut de son plein gré qu'il s'agenouilla puis
qu'il se coucha dans la poussière.

Le sang lui revenant tout de suite à la tête, il vit clair et entendit
avec des oreilles bien débouchées. Il se remit sur pied: « Foutue poule
mouillée,[56] se dit-il, voilà les tours que te jouent ton imagination et
cette habitude de rêver. Quand la réalité te tombe sur le poil il te
faut un quart d'heure pour t'y remettre.[57] De ce temps, ton sang te
traite comme un pantin. Tu vas tourner de l'œil parce qu'il leur a plu
de s'entretuer comme des pourceaux! A moins qu'il y ait ici un tour
de coquins où tu as alors ton mot à dire! Et, tâche de le dire du bon
côté! » [58] Il regretta son porte-manteau que le cheval avait emporté.
Il y avait deux pistolets dans les fontes [59] et il s'attendait à combattre.
Mais il retourna fort courageusement chercher la bêche et, la portant

52. He went out of the house.   53. His teeth were chattering.   54. alley
55. I am going to fall flat on my back.   56. What a softie you are.
57. When reality hits you, you need a quarter of an hour to get used to it.
58. *Tu vas tourner ... du bon côté!* You are going to faint because these
people elected to kill each other off like pigs! Unless there's been some dirty
work here, in which case you've got something to say about it! And try to say
it to the right side!   59. pockets of the *porte-manteau*

sur son épaule, il s'avança vers le reste du hameau dont les quelques maisons étaient groupées une centaine de pas plus loin.

· · ·

... Dans chaque maison, il trouva le même spectacle de cadavres, de grimaces, de chairs bleues, de déjections laiteuses et cette odeur abominable, sucrée et putride, semblable à l'odeur des calices de térébinthes mangeurs de mouches.[60]

Il y avait encore cinq à six maisons séparées de la petite agglomération, mais il suffit de quelques pas vers elles pour faire lever des nuages d'oiseaux qui encombraient leurs seuils, leurs fenêtres et leurs aires.

Il devait être à peu près midi. Le soleil tombait d'aplomb.[61] La chaleur était, comme la veille, lourde et huileuse, le ciel blanc; des brumes semblables à des poussières ou à des fumées sortaient des champs de craie. Il n'y avait pas un souffle d'air, et le silence était impressionnant malgré les bruits des étables: bêlements, hennissements et coups de pied dans les portes qui faisaient à peine comme le bruit d'une poêlée d'huile sur le feu au fond de la grande chambre mortuaire de la vallée.

« Je suis joli,[62] se dit Angélo. Il faudrait certainement courir quelque part le plus vite possible pour porter la nouvelle et faire enterrer ces morts qui vont donner bientôt une pestilence du diable. Surtout si cet air continue à les cuire à l'étouffée.[63] Et je n'ai plus de cheval et je ne connais pas le pays. »

Retourner à Banon, c'était retraverser toute la montagne. A pied, il y en avait pour tout le jour. L'émotion d'ailleurs, malgré la colère et l'appétit italien pour le mystère, avait *coupé les jambes* à Angélo.[64] Il les sentait flageoler sous lui à chaque pas. Tout en faisant ces réflexions il marchait sur la petite route bordée de peupliers immobiles.

Elle était droite, et il avait fait à peine une centaine de pas qu'il vit un cavalier qui venait au trot. Et même, il menait par la bride quelque chose qui devait être le cheval échappé. En effet, Angélo reconnut son cheval. L'homme montait comme un *sac de cuillers.*[65] « Attention, se dit Angélo, à ne pas perdre la face devant un paysan qui va certainement rester bouche bée [66] de la belle histoire que tu vas lui raconter, mais après fera des gorges chaudes [67] de ton visage défait. » Cela lui

---

60. smelling like the calyx of the fly-eating terebinth plant
61. The mid-day sun beat down.   62. I am in a pretty mess.
63. *cuire à l'étouffée:* cook with steam
64. he felt his legs giving away under him   65. He rode very awkwardly.
66. openmouthed   67. will gloat over

redonna des jambes et il attendit, raide comme un piquet, en préparant une petite phrase très désinvolte.

Le cavalier était un jeune homme osseux à qui les secousses du trot faisaient sauter de longs bras et de longues jambes. Il était sans chapeau, quoique vêtu d'une redingote bourgeoise, et sans cravate; la redingote d'ailleurs était toute salie de poussière de foin et même de saletés plus grossières, comme s'il sortait d'un poulailler.[68] « J'aurais dû garder ma bêche », se dit Angélo. Il fit un pas en travers de la route et il dit d'un ton fort sec: « Je vois que vous me ramenez mon cheval. — Je n'espérais pas trouver son cavalier sur ses jambes », dit le jeune homme. Quand il eut repoussé en arrière les longs cheveux que la course avait rabattus sur son front, il montra un visage intelligent. Sa courte barbe frisée laissait apercevoir des lèvres fort belles, et ses yeux étaient loin d'être paysans: « Il ne m'a pas désarçonné, dit très orgueilleusement et très bêtement Angélo. J'ai mis pied à terre quand j'ai vu le premier cadavre. » Il s'était rendu compte de sa bêtise mais il comptait sur le mot de cadavre pour rétablir les choses.[69] Il avait été interloqué par les lèvres et ces yeux manifestement habitués à l'ironie: « Car, il y a également des cadavres ici? » dit très calmement le jeune homme. Sur quoi, il se mit en devoir de mettre pied à terre, à quoi il réussit enfin très gauchement quoique son cheval soit un bon gros cheval de charrette: « Les avez-vous touchés? dit-il en regardant fixement Angélo. Avez-vous froid aux jambes? Y a-t-il longtemps que vous êtes ici? Vous avez une drôle de tête. »[70] Il détachait une sorte de sacoche fixée par des cordes à la courroie qui maintenait la simple couverture pliée en quatre qui lui servait de selle. « Je suis arrivé tout à l'heure, dit Angélo. Il se peut que ma tête soit drôle mais je regarderai la vôtre avec attention quand vous aurez vu ce que j'ai vu. — Oh! dit le jeune homme, il est probable que je vomirai exactement comme vous avez vomi. L'important c'est que vous n'ayez pas touché les cadavres. — J'ai tué à coups de bêche un chien et des rats qui les mangeaient, dit Angélo. Ces maisons sont pleines de morts. — Il me semblait bien que vous aviez dû faire le fier-à-bras,[71] dit le jeune homme. Vous êtes exactement quelqu'un de ce genre-là. Avez-vous froid aux jambes? — Je ne crois pas, dit Angélo. » Il était de plus en plus décontenancé; il n'avait pas froid aux jambes, mais il les sentait de nouveau en coton et inconsistantes. « On ne croit jamais, dit le jeune homme, jusqu'au moment où on en est sûr. Buvez un bon coup de ça,

68. his coat was covered with hay dust and even with cruder filth, as if he had come out of a hen-house   69. retrieve his remarks, redress his position
70. you look funny (sickly)   71. acted like a bully

et allez-y franchement. » Il tendit une fiole qu'il avait tirée de sa sacoche. C'était un alcool rude, aromatisé d'herbes à goût très brutal. Dès la première gorgée — à laquelle il était allé de bon cœur [72] — Angélo perdit la tête et il se serait rué à coups de poings sur le jeune homme s'il n'avait pas eu le souffle coupé. Il se contenta de le regarder très sauvagement avec des yeux pleins de larmes. Cependant, après avoir éternué plusieurs fois très violemment, il se sentit réconforté et avec des jambes qui lui appartenaient solidement. « En fin de compte,[73] dit-il dès qu'il put parler, allez-vous me dire ce qui se passe? [74] — Comment, dit le jeune homme, vous ne savez pas? Mais, d'où venez-vous? C'est le choléra *morbus*,[75] mon vieux. C'est le plus beau débarquement de choléra asiatique qu'on ait jamais vu! Allez-y encore une fois, dit-il en tendant la fiole. Croyez-moi, je suis médecin. » Il attendit qu'Angélo ait éternué et pleuré. « Je vais y aller un peu, moi aussi, tenez. » Il but, mais il eut l'air de très bien supporter la chose. « Je suis habitué, dit-il, il y a trois jours que je ne me tiens debout qu'avec ça. Le spectacle des villages par là-bas devant n'est pas non plus très féerique. »

Angélo s'aperçut alors que le jeune homme n'en pouvait plus [76] et ne tenait debout que par la force des choses. C'étaient ses yeux qui l'obligeaient à cette ironie. Angélo trouva cela très sympathique. Il avait déjà oublié le souffle glacé des cadavres. Il se disait: « Voilà comment il faut être! »

— Vous dites que ces maisons sont pleines de morts? demanda le jeune homme. Angélo lui raconta comment il était entré dans trois ou quatre et ce qu'il avait vu dans chacune. Il ajouta que, pour les autres, elles étaient pleines d'oiseaux et qu'il n'y avait pas de chances d'y trouver encore un vivant.

— Voilà donc la chose terminée pour les Omergues, dit le jeune homme. C'était un bon petit hameau. Je suis venu y soigner des fluxions de poitrine il y a six mois. Je les avais d'ailleurs guéries. On buvait de bons coups dans ce coin-là, vous savez! J'irai quand même y faire un petit tour tout à l'heure. On ne sait jamais. Admettez qu'il en reste un pas tout à fait moisi dans quelque coin. C'est mon rôle. Mais, qu'est-ce qu'on fout [77] au milieu de la route, dit-il, vous croyez qu'on ne serait pas mieux sous ces arbres?

Ils allèrent s'abriter sous des mûriers. L'ombre n'était pas fraîche mais on s'y sentait délivré d'un poids très cruel sur la nuque. Ils

72. which he had taken eagerly   73. finally   74. what is going on
75. a severe type of cholera   76. at the end of his tether
77. what are we doing

s'assirent dans l'herbe craquante. « Mauvaise affaire pour vous, dit le jeune homme, il faut voir les choses comme elles sont. Laissez vos jambes au soleil. Qu'est-ce que vous foutiez dans ces parages? — J'allais au château de Ser, dit Angélo. — Terminé pour le château de Ser, dit le jeune homme. — Ils sont morts? demanda Angélo. — Naturellement, dit le jeune homme. Et les autres qui ne valaient guère mieux se sont empilés dans une chaise de poste et ont foutu le camp.[78] Ils n'iront pas loin. Je me demande ce que vous allez faire, vous? — Moi, dit Angélo, eh! bien, je n'ai pas envie de foutre le camp. » Il s'adressait aux yeux ironiques. « Contre cette saloperie-là, mon vieux, dit le jeune homme, il n'y a que deux remèdes: la flamme et la fuite. Très vieux système mais très bon. J'espère que vous savez ça? — Vous avez l'air de le savoir vous-même, dit Angélo, et cependant vous êtes là. — Métier, dit le jeune homme, sans ça je vous fiche mon billet que je jouerais la fille de l'air, et sans attendre.[79] Paraît que ça n'a pas encore commencé dans la Drôme et c'est là derrière, à cinq heures par des chemins de montagne; soyons réalistes. Comment vont ces jambes? — Très bien, dit Angélo, ce sont de foutues jambes mais je vous garantis qu'elles ne vont qu'où je veux. — C'est votre affaire, dit le jeune homme. Vous avez de meilleures couleurs maintenant. Il est évident qu'avec de meilleures couleurs vous devez être un type à qui il est difficile de faire comprendre où se trouve son intérêt. — Maintenant, c'est vous qui avez une drôle de tête, dit Angélo en souriant. » Les yeux ironiques eurent l'air de comprendre très exactement le sourire. « Ah! ça, j'avoue que je suis un peu décati,[80] dit le jeune homme. » Il s'adossa au tronc du mûrier. « Voudriez-vous me passer la drogue, s'il vous plaît? »

Grâce à l'alcool aromatisé de la petite fiole et surtout à la présence des yeux ironiques, le sang s'était remis en place dans Angélo. Il eut brusquement très envie de fumer. Il devait lui rester quelques cigares, de ceux qu'il avait fait acheter la veille à Banon par le garçon d'écurie; juste six quand il eut ouvert son étui. « Vous avez envie de fumer, dit le jeune homme, ça alors c'est bon signe. Dites donc, passez-m'en un, pour voir. Je peux bien dire que, depuis trois jours et trois nuits, je n'y ai pas pensé; je ne vous garantis pas que je ne vais pas tourner de l'œil,[81] vous savez. » Mais il tira ses bouffées avec beaucoup de contentement. « On a de drôles de carcasses, dit-il, quand il eut compris que le tabac l'apaisait. J'étais un peu nerveux tout à l'heure quand je vous ai rencontré. » Angélo appréciait beaucoup son cigare aussi. « Il a

78. left   79. My job, said the young man, otherwise, take my word, I'd be off in a minute.   80. washed out   81. See note 58.

Tête d'homme   Jacques Villon

Le Peintre décorateur

de meilleurs yeux, se dit-il, et qui sont maintenant d'accord avec les belles petites lèvres d'enfant dans sa barbe. Je connais bien, va, cette ironie de *dernières cartouches!* [82] Ça doit être beau [83] dans les villages d'où il vient! »

Le jeune médecin lui raconta comment le choléra avait éclaté à Sisteron, la ville qui était au bout de la petite vallée, au confluent de ce ruisseau et de la Durance. Comment la municipalité et le sous-préfet avaient essayé d'organiser les choses au milieu de l'affolement. Comment ils avaient été alertés per un gendarme à cheval venu dire qu'il s'en passait de belles [84] dans cette vallée du Jabron; qu'il avait été désigné avec pleins pouvoirs; qu'il était arrivé dans un charnier innommable. Il avait envoyé un petit pâtre de Noyers avec un mot pour réclamer dix soldats de la garnison et de la chaux vive pour enterrer les morts. « Mais, allez savoir si ce gosse arrivera même à Sisteron. Il a peut-être déjà crevé [85] sous un genêt avec mon papier dans la poche. » De toute façon, ici la situation était claire. Ils restaient six à Noyers. Il les avait collés sur les routes de la montagne avec leurs baluchons et des drogues. « Point de direction: des bergeries, là-haut où, s'ils ont de la chance, ils réchapperont. Les autres, eh! bien, il n'y a plus qu'à faire des fosses assez grandes. Il y en avait encore un entre la vie et la mort — à la période algide d'ailleurs — dans le petit hameau de Montfroc, à une lieue là-bas derrière ces rochers; il m'a claqué dans les doigts ce matin.[86] C'est un peu après que je m'étais assis devant sa porte — assis! enfin, assis comme un sac car j'en avais plein mes bottes! — que j'ai vu arriver votre canasson, au pas, et il n'a pas fait d'histoire pour se laisser prendre par la bride.[87] S'il en avait fait il aurait pu courir! J'avais toutes les peines du monde à me tenir debout. »

Il dit, en effet, que le plus difficile, c'était de trouver à manger. Tout était tellement infesté qu'il fallait bien se garder d'ingurgiter quoi que ce soit de toutes les victuailles ou cochonnailles, pains ou galettes qu'on trouvait dans les maisons. Il valait mieux claquer du bec.[88] Seulement, on ne pouvait pas le faire indéfiniment.

« Dites donc, dit-il, c'est dans mes oreilles ou bien vous, entendez-vous aussi ces espèces de bruits? » C'était le bruit des étables. « Voilà une autre histoire, dit le jeune homme. Ces bêtes-là n'ont pas mangé

82. the last cartridge   83. *beau* here means awful (ironic)
84. there were some jolly goings-on   85. died
86. he slipped through my fingers (died)
87. *j'en avais . . . la bride.* I had had enough of it when I saw your nag walk here, and he didn't make any fuss when I took hold of his bridle.   88. go hungry

depuis trois jours. Je vais aller les faire décamper; c'est pas rigolo de
crever de faim entre quatre murs,[89] mais, avez-vous des pistolets?
Prêtez-les moi car il faudra que je casse la tête aux cochons. Ces bêtes
sont voraces et mangent les morts. »

Angélo tira d'abord une bonne bouffée de son cigare: « Je ne me
donne pas pour plus courageux qu'un autre, dit-il. J'ai simplement le
caractère que la nature m'a donné. Je suis assez susceptible d'être
effrayé par quelque chose d'inattendu qui agit sur mes nerfs. Mais, dès
que j'ai un quart d'heure de réflexion, je deviens sur le danger d'une
indifférence complète. Ceci dit, et si vous n'y voyez pas d'inconvénient,
je resterai avec vous jusqu'à ce que les dix soldats dont vous parliez
tout à l'heure soient arrivés. Je vous donnerai un coup de main. Je ne
voudrais pas vous désobliger, mais il est visible que vous êtes fourbu.[90]

— A première vue, dit le jeune homme en clignant des yeux, j'aurais
parié à quarante contre un que vous êtes un de ceux qui font les couil-
lons comme ils respirent;[91] et j'aurais gagné. A votre place, je donnerais
deux cigares à l'imbécile qui a pleins pouvoirs dans cette vallée de
Josaphat et je tirerais mes grègues du côté de la Drôme[92] où vous avez
des chances d'échapper à la saloperie, si ce qu'on dit est vrai. De
toutes façons, je tenterais le coup. On ne vit qu'une fois. Ceci dit —
comme vous dites — je ne vous cacherai pas que j'ai une frousse du
tonnerre de Dieu[93] de rester une nuit de plus tout seul dans ces
parages bienheureux. Vous êtes manifestement plus fort que moi et je
ne vous expulserai pas par la force. Vous n'imaginez pas, dit-il, comme
il est agréable de parler et d'entendre parler, j'en dormirais … » Il est
de fait qu'Angélo lui aussi trouvait plaisir à parler en phrases fort
longues. Les yeux du jeune homme avaient perdu toute ironie.

— Reposez-vous, dit Angélo. — Foutre non, dit-il; un coup de drogue,
et allons-y.[94] Ils vont agoniser dans des coins invraisemblables, parfois;
j'aimerais bien en sauver un ou deux. C'est des trucs dont on se sou-
viendra avec plaisir dans cinquante ans. Soignez bien les cigares. On
s'en payera un bon après la corvée.[95]

Angélo vérifia son arsenal. Il avait deux pistolets et dix coups pour
chaque. « Cinq pour les grosses têtes de cochons, dit le jeune homme.
Les petits, on les assommera à la matraque. Gardez le reste, il se peut
qu'on en ait besoin. Sans blague, dit-il, merci de rester avec moi. Je

89. It's not funny to go hungry within four walls.   90. worn out
91. one of those who act the fool as naturally as they breathe
92. I would run for the river Drôme   93. I am scared to death
94. a dose of medicine and let's go to it
95. We'll enjoy a good one after the dirty work.

me sens d'attaque. Vous risquez gros,[96] hé! je vous préviens! Enfin merci; je sais que sur un choléra, surtout *morbus*, il faudrait vous couper le groin comme à une tique pour vous faire lâcher prise.[97] Je suis un peu saoul, vous savez, mais les remerciements sont sincères. Allons-y. »

Évidemment, il devait y avoir quelques jours que les bêtes n'étaient plus nourries. Dès que les portes furent ouvertes les moutons se mirent à galoper à travers champs en direction de la montagne. Il fallut couper la longe[98] des chevaux. Ils étaient tellement énervés devant les râteliers vides qu'ils ruaient comme des soleils.[99] Libres, ils s'en allèrent vers le ruisseau d'où, peu après, on les vit partir en troupes du même côté que les moutons. Angélo fit sauter la cervelle à trois gros cochons fous de rage et qui avaient déjà dévoré à moitié la porte de leur soue.[100] Du haut d'un petit mur, le jeune homme écrabouilla à coups de serpe la tête d'une truie.[101] Celle-là était sauvage et se ruait sur l'homme comme un taureau. Elle avait mangé ses porcelets.

— Eh! bien, voilà le silence sépulcral, dit le jeune homme. En effet, il n'y avait plus comme bruit maintenant que le volètement soyeux des oiseaux qui ne criaient pas.

— Je vais voir un peu là dedans, dit le jeune homme. Restez là. — Pour qui me prenez-vous? dit Angélo. J'y suis d'ailleurs déjà entré; c'est là que j'ai tué les rats. — Faites excuse, mon prince, dit le jeune homme. « Tu te fous de ma redingote propre,[102] se dit Angélo, mais tu verras que je saurai la salir aussi bien que toi. »

— Incontestablement terminé, dit le jeune homme devant le spectacle des cadavres. Avez-vous regardé dans les coins? Il ouvrit les placards et la porte d'une souillarde basse dans laquelle il se mit à farfouiller en battant le briquet.[103] « Qu'est-ce que vous cherchez? dit Angélo qui avait besoin de parler. — Le dernier, dit le jeune homme. Le dernier a dû se traîner dans un coin innommable. Comme c'est celui-là qui a une chance, c'est celui-là qu'il faut trouver. Je ne suis pas ici pour le coup d'œil, moi. S'ils ont la force, ils se tirent des pattes.[104] Je vous parie qu'il y en a d'étendus sous les genêts. Mais en cas de

96. You're taking a big risk.
97. *je sais que ... prise.* I know that when there's cholera, especially the morbid type, the only way to pry you loose would be to snip off your snout, like a tick.
98. the halter   99. shot out like fireworks   100. pigsty
101. bashed in a sow's head with a billhook
102. You're just making fun of my clean coat.
103. He opened the cupboards and the door of a low scullery where, striking a light, he began to rummage.   104. they get away and hide

collapsus foudroyant,[105] ils vont se fourrer dans des endroits dont vous n'avez pas idée. Je ne suis pas tombé de la dernière pluie,[106] vous savez. Laissez-moi parler, ne vous en faites pas. Ça m'occupe. Hier, j'ai parlé tout le jour tout seul. C'est pas drôle de trouver des bonshommes bleus dans des trous de rats. A Montfroc, tout à l'heure, j'en ai déniché un dans le pigeonnier. Et celui-là, à un quart d'heure près, j'aurais pu lui faire de petits trucs.[107] Il s'était trop bien caché. Je ne l'aurais pas sauvé, mais je lui aurais fait de petits trucs. Il aurait eu une mort bien plus sympathique. Eh! bien, ici il n'y a rien, sauf un machin [108] extrêmement précieux, mon vieux, pour vous et pour moi, et si on trouve des types à frictionner. »

Il sortit de la souillarde avec une bouteille d'un liquide blanc comme de l'eau. « Eau-de-vie,[109] dit-il, la bien-nommée; ça, on peut se permettre de le barboter.[110] C'est un remède. Il y a belle lurette que je n'ai plus une goutte ni de laudanum ni d'éther.[111] Il me reste juste un peu de morphine mais je l'économise. Pour ne rien vous cacher, je les soigne un peu à la fortune du pot.[112] En tout cas, avec ça on pourra faire des frictions superbes. J'aurais mieux aimé trouver quelque chose à me mettre sous la dent mais, naturellement, ça, c'est *tabou*. Parlez, dit-il, parlez sans arrêt, ça vous dénoue les nerfs. »

Ils visitèrent la maison de haut en bas. Le jeune homme furetait dans les recoins les plus sombres.

Dans une de ces maisons séparées du reste de l'agglomération et où Angélo n'avait pas encore pénétré, ils trouvèrent un homme qui n'était pas tout à fait mort. Il s'était caché dans une resserre,[113] derrière des sacs de grains. Il agonisait recroquevillé; sa bouche dégorgeait sur ses genoux des flots de cette matière blanchâtre semblable à du riz au lait qu'Angélo avait déjà remarquée dans la bouche des cadavres. « Tant pis, dit le jeune homme, on n'est pas là pour rire. Empoignez-le par les épaules. » Ils le couchèrent sur le sol de la resserre. Il fallut forcer sur les jambes qui étaient crispées. « Coupez-moi un petit bout de bois dans ce balai de bruyère », dit le jeune homme. Il fit une étoupette avec un peu de charpie [114] de sa sacoche et il nettoya la bouche de l'homme. Angélo n'avait pas encore touché le malade sauf, et avec beaucoup de répugnance, pour le sortir de sa cachette. « Déboutonnez son pantalon, dit le jeune homme, et tirez-le lui. Frictionnez-lui les jambes et les cuisses avec de l'alcool, dit-il, et frottez fort. » Il avait

105. sudden collapse   106. I wasn't born yesterday.
107. I could have done something for him.   108. a thingamajig
109. spirits   110. steal it   111. Ages ago I ran out of laudanum and ether.
112. potluck treatment   113. storeroom   114. lint-pack

versé de l'eau-de-vie dans la bouche du malade qui faisait entendre un râle très râpeux et un hoquet fort sec. Angélo s'empressa d'obéir. Il gonflait ses joues sur d'énormes vomissements de vents qui lui remontaient de l'estomac. Enfin, après s'être escrimé [115] à frotter de toutes ses forces des jambes et des cuisses très maigres qui restèrent bleues et glacées, Angélo entendit le jeune homme qui lui disait de s'arrêter, qu'il n'y avait plus rien à faire.

— Pas un qui me donnera le plaisir de le sauver, dit le jeune homme. Eh! dites-donc, vous là, n'en faites pas plus que ce qu'il faut. Angélo ne se rendait pas compte qu'il était resté agenouillé près du cadavre et les mains posées à plat sur les cuisses maigres souillées de riz au lait. « Bien assez de ceux qui l'ont, sans essayer de l'attraper, dit le jeune homme. Vous croyez que je n'ai pas assez de clients comme ça? Versez-vous de l'eau-de-vie sur les mains, et amenez-vous. » Il battit le briquet et enflamma l'alcool dont les mains d'Angélo étaient recouvertes: « Vaut mieux des cloques que la chiasse par ce temps-ci,[116] croyez-moi. D'ailleurs, ça brûle juste les poils. Ne vous essuyez pas, laissez donc ça tranquille, et venez fumer un cigare dehors dans la belle nature. On l'a gagné.

— Du diable! Il me reste à peine la force de tirer sur votre cigare à un sou les trois, dit-il quand ils furent allongés dans l'herbe sèche, sous le mûrier où ils avaient attaché leurs chevaux. — Dormez, dit Angélo. — Vous croyez que c'est si facile que ça? dit le jeune homme. Je ne pourrai peut-être jamais plus dormir de ma vie à moins qu'une nourrice me tienne la main. » A sa grande stupeur, Angélo vit que les yeux du jeune homme étaient remplis de larmes. Il n'osa, bien entendu, ni lui donner sa main à tenir ni même continuer à le regarder. L'après-midi finissait. De grands pans de brume poussiéreuse recouvraient la montagne et bouchaient les lointains où s'enfonçait la route. Le silence était total.

— Un coup de cafard,[117] dit le jeune homme: c'est mon ventre vide, ne faites pas attention.

Quand la nuit tomba, Angélo alluma un petit feu pour le cas où les soldats arriveraient.

Jusqu'aux environs de minuit, le jeune homme ne dit plus un mot; quoiqu'il restât les yeux grands ouverts. Angélo mettait de temps en temps du bois au feu et tendait l'oreille du côté de la route. Il se fit, à un moment donné, un drôle de bruit comme d'une bête empêtrée

115. having struggled
116. It is better to have blisters on your hands than to catch the colic these days
117. a fit of blues

dans le buisson qui était à cinq ou six pas. Angélo pensa à un porc échappé et arma son pistolet. Mais la chose poussa un petit gémissement qui n'était pas celui d'un porc. Le temps d'un frisson, Angélo sentit la très désagréable proximité des maisons pleines de morts dans l'ombre. Il serrait fort sottement son pistolet quand, dans la lueur du feu, il vit s'avancer un petit garçon.

Il pouvait avoir dix ou onze ans et il semblait très indifférent à tout. Il mettait même ostensiblement ses mains dans ses poches. Le jeune homme lui fit boire de la drogue et le petit garçon commença en patois.[118] Il se tenait debout, bien planté sur ses jambes écartées et, à plusieurs reprises, il ôta ses mains des poches pour les y renfourner en remontant sa culotte. Il avait l'air placide et sûr de lui; même quand il regarda la nuit épaisse au delà du feu.

— Est-ce que vous comprenez ce qu'il dit? demanda le jeune homme.

— Pas complètement, dit Angélo, je crois qu'il parle de son père et de sa mère. — Il dit qu'ils sont morts hier soir. Mais sa sœur était, paraît-il, encore un peu vivante quand il est parti. Ce sont des bûcherons qui ont des cabanes à une heure d'ici. Je crois qu'il va falloir y monter. Il prétend qu'on peut y aller avec les chevaux. Vous devriez rester ici, vous, entretenir le feu et attendre les soldats. » Angélo grommela que les soldats se débrouilleraient bien tout seuls, s'ils étaient dignes de ce nom. Et il se mit en selle.[119] « Vous êtes un sacré orgueilleux, dit le jeune homme.

— Allons, viens ici, dit-il à l'enfant, grimpe sur ce cheval, tu vas nous conduire. Hé! vous là-bas, cria-t-il soudain à Angélo qui partait devant, pied à terre et revenez ici; ce petit imbécile est malade comme un chien. »

En approchant du cheval, l'enfant s'était mis à trembler des pieds à la tête. « Foutez [120] du bois dans ce feu, dit le jeune homme et faites chauffer de grosses pierres plates. » Il enleva sa redingote et il l'étendit par terre. « Voulez-vous garder ça sur votre dos, idiot », dit Angélo. Il déboucla son bagage, jeta sur l'herbe son gros manteau de pluie et son linge. « Ça sera foutu,[121] dit le jeune homme. — Vous mériteriez que je vous casse la gueule,[122] dit Angélo. Servez-vous de ça, et gardez vos réflexions pour vous. »

L'enfant était tombé sur le côté, sans sortir les mains de ses poches. Il soubresautait [123] et on entendait claquer ses dents. Ils firent un lit avec les affaires d'Angélo et ils y couchèrent l'enfant. « Sacré salaud

118. provincial dialect   119. And he got on his horse.   120. put
121. It will be ruined.   122. I ought to break your neck.
123. He was having convulsions

de gosse, avec ses mains dans ses poches, dit le jeune homme. Ah! celui-là! En remontrer à tout le monde, hein? Où vont-ils chercher ça? Ah! c'est malin! Est-ce que vous n'auriez pas dit quand il est arrivé? ... Qu'est-ce qui le tenait debout? La fierté, hein! Tu ne voulais pas caner,[124] hein! Couillon,[125] va!» Il le déshabillait. « Donnez-moi des pierres chaudes. Prenez la bouteille d'eau-de-vie. Frictionnez-le. Plus fort. N'ayez pas peur de l'écorcher. Sa peau repoussera. »

Sous les mains d'Angélo le corps était glacé et dur. Il se couvrait de marbrures violettes. L'enfant se mit à vomir et à faire une dysenterie écumeuse qui giclait sous lui comme si Angélo pressait sur une outre.[126] «Arrêtez-vous, dit le jeune homme. Il a maintenant cinquante centigrammes de calomel dans le coco.[127] On va voir. »

Ils le bordèrent de chaque côté avec une dizaine de grosses pierres brûlantes enveloppées dans les chemises d'Angélo et ils le recouvrirent entièrement avec les pans du grand manteau de pluie qu'ils avaient matelassé avec le restant du linge.

L'enfant hocqueta un moment puis vomit une grosse gorgée de ce riz au lait. « Je lui en donne encore vingt-cinq centigrammes, tant pis, dit le jeune homme. Si vous pouviez continuer à frotter, mais, sans le découvrir, en passant vos mains là-dessous.

— Je ne sais pas ce qu'il y a, dit Angélo au bout d'un moment, c'est tout mouillé. — Dysenterie, dit le jeune homme. Je flamberai vos mains, allez-y. Maintenant qu'on y est. — Ce n'est pas pour ça, dit Angélo, je donnerais dix ans de ma vie... — Pas de sentimentalité », dit le jeune homme.

Le visage de l'enfant, devenu cireux et minuscule, était perdu dans les plis de la grosse étoffe du manteau. Ils ouvrirent le manteau pour renouveler les pierres chaudes. Il fallut changer le linge abondamment souillé. Angélo s'étonna de la maigreur soudaine de l'enfant. Tout le grillage de ses côtes apparaissait collé à la peau de sa poitrine; ses fémurs, ses tibias, la boule de ses genoux étaient fortement dessinés dans sa chair bleue. « Prenez la poudre de votre pistolet, dit le jeune homme, détrempez-la dans l'eau-de-vie et faites-moi des cataplasmes dans des mouchoirs ou en déchirant cette chemise, je vais essayer de lui mettre des vésicatoires à la nuque et sur le cœur. Il n'est pas flamme.[128] Il respire bien trop court. J'ai l'impression qu'il va bougrement vite. » [129]

124. funk   125. you silly kid
126. a foaming diarrhea that spurted from beneath him as if Angelo were squeezing a leather bottle   127. tummy   128. There isn't much life in him.
129. He is sinking fast.

A force de frictionner sans arrêt ce corps qui maigrissait et bleuissait à vue d'œil, Angélo était couvert de sueur. Les vésicatoires restèrent sans effet. Les plaques de cyanose étaient de plus en plus sombres. « Qu'est-ce que vous voulez, dit le jeune homme, on m'envoie chasser le tigre avec des filets à papillons. La poudre de pistolet, c'est pas une thérapeutique! Ils n'ont pas voulu me donner de remèdes. Ils avaient une frousse du diable.[130] Il semblait que la terre allait leur manquer sous les pieds. Il y a encore tout à faire. On peut le sauver. Si j'avais de la belladone... Je leur ai dit: « Qu'est-ce que vous voulez que je foute de votre éther? Il ne s'agit pas de désinfection, je m'en fous. Il ne s'agit pas de moi. Il s'agit de courir au plus pressé. » [131] Ils se rendent pas compte qu'on a envie de sauver. Ah! je t'en fous, avec leur trouille! Ils avaient trop la frousse pour se foutre de moi, mais si j'avais mis la main sur leur boîte à malice ils m'auraient mordu.[132] Et maintenant, on est beau, là, à essayer de faire marcher ce sang à coups de pouce. » [133] Il ne s'arrêtait pas de frictionner lui aussi, le dos, les bras, les épaules, les hanches, la poitrine. Il renouvelait à chaque instant l'entourage de pierres brûlantes; les enveloppements du ventre avec un gilet de flanelle qu'Angélo faisait chauffer à la flamme. Les vomissements et la dysenterie avaient cessé mais le souffle était de plus en plus court et spasmodique. Enfin, le visage de l'enfant qui, jusqu'à présent, était resté atone et indifférent, fut pétri par des convulsions grimaçantes.

— Attends mon vieux,[134] attends mon vieux, dit le jeune homme, je te la donne, va, je te la donne ma morphine. Attends. Il fouillait dans sa sacoche. Il tremblait avec tant de hâte qu'Angélo vint tenir écartés les deux côtés de la sacoche qui se refermaient sur ses mains. Mais il assujettit fermement l'aiguille à sa seringue, il pompa très soigneusement toutes les gouttes jusqu'à la dernière dans une petite fiole et il piqua l'enfant à la hanche. « Ne le frottez plus, dit-il, couvrez-le. » Il passa son bras sous la tête de l'enfant et il la soutint. L'indifférence revint peu à peu sur ce visage. Angélo restait couché sur le corps de l'enfant sans oser faire un mouvement. Il lui semblait d'instinct qu'en le couvrant ainsi il pourrait lui donner cette sacrée chaleur.

130. See note 93.   131. to help those who really need it
132. Oh, the hell with their fear! They were too scared to give a hoot about me, but if I had put my hands on their bag of tricks they would have bitten me.   133. with limited means
134. *mon vieux,* a term of endearment, means here: my little old friend

— Et voilà, dit le jeune homme en se redressant. Je n'en sauverai pas un. — Ce n'est pas de votre faute, dit Angélo.

— Oh! ces fleurs-là,[135] dit le jeune homme...

Le jour était levé. Les lourdes draperies de brumes de craie se remettaient en place dans le silence.

— Désinfectez-vous, dit le jeune homme qui alla se coucher dans l'herbe jaune, à un endroit que le soleil allait atteindre. Mais Angélo vint se coucher près de lui.

Le soleil dépassa la crête des montagnes en face. Il était blanc et lourd comme les jours passés. Angélo se laissa réchauffer sans bouger, jusqu'à ce que sa chemise trempée de sueur soit sèche.

Il croyait que son compagnon dormait. Mais quand il se redressa, il vit que le jeune médecin avait les yeux ouverts.

— Comment allez-vous, lui demanda-t-il. — Foutez le camp,[136] dit le jeune homme d'une voix rauque qu'il ne reconnut pas. Son cou et sa gorge se gonflèrent et il vomit un flot si épais de matières blanches et orizées qu'il lui masqua tout le bas du visage.

Angélo lui tira ses bottes et ses bas. Il le dépouilla de sa culotte. Il vit qu'elle était raidie de diarrhée déjà ancienne et sèche.[137] Il fourra cette culotte sous les jambes nues du jeune homme. Elles étaient glacées, déjà marbrées de violet. Il les arrosa d'alcool et il se mit à les frictionner de toutes ses forces.

Elles semblaient reprendre un peu de chaleur. Il ôta sa redingote et il les recouvrit étroitement. Il dégagea la bouche emplâtrée du jeune homme. Il fouilla dans la sacoche pour trouver la fiole de drogue. Il n'y avait dans la sacoche que cinq ou six fioles toutes vides et un couteau. Il essaya de faire boire de l'alcool au jeune homme qui détourna la tête et dit: « Laissez, laissez, décampez, décampez. » Enfin, il réussit à lui mettre le goulot dans la bouche.

Il découvrit les jambes. Elles étaient de nouveau glacées, une cyanose épaisse avait dépassé le genou et marquait déjà largement les cuisses. Toutefois, sous les frictions qu'Angélo faisait aller de plus en plus vite, il lui sembla que la chair s'amollissait, tiédissait, reprenait un peu de nacre.[138] Il activa le mouvement. Il se sentait une force surhumaine. Mais, en dessous du genou, les jambes restèrent glacées et maintenant lie de vin.[139] Il tira le corps près du feu. Il fit chauffer

135. Oh! that kind of compliment...   136. beat it
137. his breeches were stiff with diarrhea, already old and dry
138. warmed up, became whiter   139. color of the dregs of wine

des pierres. Dès qu'il s'arrêtait de frotter, la cyanose sortait du genou, arborescente comme une sombre feuille de fougère et montait dans la cuisse. Il réussissait à la chasser chaque fois en la foulant durement dans ses mains et ses pouces. Le jeune homme avait fermé les yeux. Il était ainsi terriblement ironique à cause des rides du coin de l'œil très marquées dans la décomposition du visage. Il semblait indifférent à tout; mais à un moment où Angélo, sans se rendre compte, poussa un soupir où il pouvait y avoir un peu de contentement (il venait encore une fois de chasser la cyanose de la cuisse) sans quitter son air atone, le jeune homme tâtonna des doigts autour de sa chemise, la souleva et montra son ventre. Il était d'un bleu total, effrayant.

Il commença à grimacer et à être secoué de spasmes. Angélo ne savait que faire. Il frottait toujours les jambes et les cuisses glacées et dont le violet avait rejoint le bleu du ventre. Il était lui-même secoué de grands frissons nerveux chaque fois qu'il entendait craquer les os dans ce corps qui se tordait. Il vit remuer les lèvres. Il y avait encore un souffle de voix. Angélo colla son oreille près de la bouche: « Désinfectez-vous », disait le jeune homme.

Il mourut vers le soir.

— Pauvre petit Français, dit Angélo.

Angélo passa une nuit terrible à côté des deux cadavres. Il n'avait pas peur de la contagion. Il n'y pensait pas. Mais, il n'osait pas regarder les deux visages sur lesquels le feu jetait des lueurs et dont les lèvres retroussées découvraient des mâchoires aux dents de chien, prêtes à mordre. Il ne savait pas que les morts du choléra sont secoués de frissons et même agitent leurs bras au moment où leurs nerfs se dénouent, et quand il vit remuer le jeune homme, ses cheveux se dressèrent sur sa tête mais il se précipita pour lui frictionner les jambes et il les lui frictionna encore longtemps.

Les soldats arrivèrent dans la matinée. Ils étaient une douzaine. Ils avaient fait leurs faisceaux dans un petit pré. Leur capitaine était un gros homme sanguin avec une moustache rousse en coquille, si épaisse qu'elle lui cachait jusqu'au menton.

Angélo qui avait eu peur toute la nuit et qui avait l'habitude de commander les capitaines lui parla d'un ton fort sec au sujet des soldats qui, avant toute chose, s'étaient mis un peu plus loin à faire du café en plaisantant à haute voix.

Le capitaine devint rouge comme un coq et fronça son petit nez de dogue. « Il n'y a plus de monsieur, maintenant, dit-il, et tu chantes un peu trop haut. Ce n'est pas ma faute si ta mère a fait un singe. Je vais te dresser les pieds.[140] Prends cette pioche et commence à creuser le trou si tu ne veux pas que je te botte les fesses.[141] Les mains blanches, moi je les emmerde [142] et je vais te faire voir qui je suis. — Cela se voit de reste, répliqua Angélo, vous êtes un grossier personnage et je suis ravi que vous emmerdiez mes mains car je vais vous les mettre sur la figure. »

Le capitaine fit un pas de côté et tira son sabre. Angélo courut aux faisceaux et prit un coupe-choux [143] de soldat. L'arme était plus courte de moitié que celle de son adversaire mais Angélo désarma très facilement le capitaine. Malgré sa fatigue et son jeûne,[144] il s'était senti tout de suite à son affaire [145] et plein de magnifiques bonds de chat. Le sabre vola à vingt pas du côté des soldats qui ne s'étaient pas interrompus de fourrer du bois sous leur plat de campement et ricanaient en regardant par-dessus leurs épaules.

Sans un mot, Angélo remonta près de son bivouac, libéra le cheval du pauvre médecin, sella le sien, le monta et s'en alla après avoir jeté un bref coup d'œil aux deux cadavres qui mordaient de plus en plus férocement. Il traversa le champ en biais au petit trot. Il avait à peine fait quelques centaines de pas qu'il entendit bourdonner près de lui des sortes de grosses mouches [146] et, tout de suite après, le rang d'un feu de peloton tout maigriot.[147] Il tourna la tête et vit fumer une dizaine de petits flocons blancs près des saules où les soldats avaient leurs faisceaux. Le capitaine faisait tirer sur lui. Il donna du talon dans le ventre du cheval et s'enleva au galop.

Le Hussard sur le toit, pp. 35-60.
Librairie Gallimard, tous droits réservés

140. I am going to straighten you out.
141. if you don't want me to kick your backside
142. I don't like white hands (meaning hands that are unaccustomed to hard work)   143. bayonet   144. hunger, fast   145. in his element
146. what sounded like large flies whizzing by
147. a volley of fire from a small platoon

SIMONE DE BEAUVOIR

Simone de Beauvoir, née en 1908, est une bourgeoise parisienne dont on connaît la vie par ses mémoires dont elle a déjà publié trois volumes, *Mémoires d'une jeune fille rangée* (1958), *La Force de l'âge* (1960) et *La Force des choses* (1964). Volontairement détachée de sa classe sociale, elle s'est de bonne heure libérée de toute tradition religieuse et même morale; elle s'est dévouée par contre à une humanité qu'elle considère toujours en marche vers un avenir indéfiniment ouvert.

Elle se révéla tout d'abord romancière. *L'Invitée* (1943) raconte l'histoire de deux amants qui s'aiment en toute liberté. L'invitée est une petite provinciale qui vient détruire ce bonheur. C'est une jeune fille sans gêne, entreprenante auprès du compagnon de son hotesse, et celle-ci tuera la jeune fille qu'elle a accueillie à son foyer avec amitié. *L'Invitée* est un roman complexe, mais original et profond.

De 1944 à 1947, Simone de Beauvoir publia des romans qui devaient alterner avec des essais. *Le Sang des autres* (1944) romance les incertitudes d'un chef de parti que torture la conscience de sa responsabilité; les choses se passent à l'époque de la guerre civile espagnole quand chacun en Europe s'interroge sur son devoir à l'égard de la révolution. Le long récit de *Tous les hommes sont mortels* (1947) brosse un panorama de l'humanité dans la suite progressive des époques: toutes témoignent de la même absurdité. Ce livre, conçu comme un conte philosophique, contient de très beaux chapitres, notamment une vue d'ensemble de la destinée de Charles Quint, et des épisodes d'amour émouvants.

Dans la même période, deux essais, *Pyrrhus et Cinéas* (1944) et *Pour une morale de l'ambiguïté* (1947) ont mis à la portée d'un public assez étendu la métaphysique existentialiste; Simone de Beauvoir y reflète évidemment la pensée de Sartre, rencontré à la Sorbonne et devenu son compagnon de vie.

Puis six années passèrent et un quatrième roman parut qui obtint le prix

Goncourt, *Les Mandarins* (1954). C'est le roman de la fin et des moyens, de la Vérité et du Parti, antinomies sur lesquelles se brise un intellectuel de gauche que l'auteur dépeint avec une minutie sévère. On devine, dans cette fiction un peu étirée et chargée d'un excès de conversations interminables, les figures de Sartre et de Camus, de Simone de Beauvoir elle-même. Elle a d'ailleurs inséré dans cette somme d'idéologie politique le récit d'une aventure amoureuse probablement autobiographique. La tristesse y est peinte d'une passion que l'héroïne sait être la dernière possible, parce que l'âge la talonne.

Le livre peut-être le plus lu de Simone de Beauvoir, *Le Deuxième Sexe* (1959), n'est pas son meilleur. Elle y reprend avec un luxe inouï de références livresques et d'érudition biologique les thèses les plus outrées du féminisme, sans les faire avancer d'un pas. Et puis, elle dessert sa cause par une rancune déplaisante affichée contre le sexe masculin et par une haine sans nuances du mariage et de la maternité.

Simone de Beauvoir, que *Les Mandarins* avaient semblé rapprocher d'un certain scepticisme libéral, a continué au contraire à écrire ses essais avec des partis-pris doctrinaux qui la privent de lucidité objective; ils avaient ôté toute portée à *L'Amérique au jour le jour* (1948), ils ont ôté toute portée à *La Longue Marche* (1957), compte-rendu d'un voyage en Chine communiste.

Simone de Beauvoir ne jouit vraiment de son efficacité que dans la création romanesque. Mais là, elle se montre remarquable. Cette amazone tient la tête dans le galop des romancières françaises d'aujourd'hui.

BIBLIOGRAPHIE

Gennari, Geneviève. *Simone de Beauvoir*. Paris, Éditions universitaires, 1959.
Henry, A. M. *Simone de Beauvoir ou l'échec d'une chrétienté*. Paris: Fayard, 1961.

LES MANDARINS

Un Dernier Amour

Le passage que nous donnons ici est tiré de l'épisode amoureux des *Mandarins*. Nous avons choisi ces pages pour leur beauté psychologique et parce qu'elles reflètent le mieux le talent de Simone de Beauvoir.

Lors d'un voyage aux États-Unis, Anne Dubreuilh, femme d'un écrivain français plus âgé qu'elle, a rencontré à Chicago un jeune écrivain américain, Lewis Brogan, avec qui elle a une aventure amoureuse. De retour en France, elle continue à lui écrire et au bout de quelques mois elle s'arrange pour revenir le voir aux États-Unis. Ils s'embarquent pour un voyage qui doit les mener au Mexique et au Guatemala.

Voyager, courir le monde pour voir de ses yeux ce qui n'existe plus, ce qui ne vous concerne pas, c'est une activité bien louche.[1] Nous étions d'accord là-dessus, Lewis et moi; n'empêche que ça nous amusait tous deux, énormément. A Uxmal,[2] c'était dimanche et les Indiens déballaient des paniers de pique-nique à l'ombre des temples; nous avons escaladé les escaliers dégradés[3] en nous accrochant à des chaînes derrière des femmes aux longs jupons. Deux jours plus tard, nous avons survolé des forêts saoules de pluie;[4] l'avion s'est élevé haut dans le ciel et il n'est pas descendu: c'est le sol qui est monté à notre rencontre; il nous a offert, couchés dans la verdure, un lac bleu et une ville plate au quadrillage aussi régulier que celui d'un cahier d'écolier:[5] Guatemala,[6] la sèche pauvreté de ses rues bordées de longues maisons basses, son marché exubérant,[7] ses paysannes aux pieds nus, vêtues de guenilles[8] princières, qui portaient sur leurs têtes des corbeilles de fleurs et de fruits. Dans le jardin de l'hôtel d'Antigua, des avalanches de fleurs rouges, violettes et bleues s'écroulaient[9] au long des troncs d'arbres et noyaient les murs; la pluie tombait avec furie, épaisse et

1. suspicious
2. The ruins of an ancient Mayan capital city in Yucatan, Mexico
3. dilapidated   4. saturated with rain
5. divided in squares as regular as graph paper
6. The capital city of the Central American republic of the same name, it lies at an altitude of 4,877 feet on a virtually isolated tableland.
7. crowded   8. rags   9. tumbled down

chaude, et un perroquet enchaîné courait du haut en bas de son perchoir en riant. Au bord du lac Atitlan, nous dormions dans un bungalow fleuri d'énormes gerbes d'œillets; [10] un bateau nous a conduits à Santiago [11] où des femmes auréolées de ruban rouge [12] berçaient des nourrissons ensevelis du crâne aux épaules dans des capuchons cylindriques. Nous avons débarqué un jeudi au milieu du marché [13] de Chichicastenango. La place était couverte de tentes et d'éventaires; [14] des femmes vêtues de corsages brodés et de jupes chatoyantes vendaient des graines, des farines, des pains, des fruits racornis, de maigres volailles, des poteries, des sacs, des ceintures, des sandales et des kilomètres d'étoffes aux couleurs de vitrail et de céramique, si belles que Lewis lui-même les palpait avec jubilation.

— Achetez donc cette étoffe rouge! disait-il. Ou alors la verte, avec tous ses petits oiseaux.

— Attendez, dis-je. Il faut tout voir.

Les plus merveilleuses de toutes ces merveilles, c'était les très vieux huipils [15] que portaient certaines paysannes. Je montrai à Lewis une de ces blouses aux broderies antiques où le bleu de Chartres [16] se fondait tendrement avec des rouges et des ors éteints: « Voilà ce que je voudrais acheter, si c'était à vendre. »

Lewis examina la vieille Indienne aux longues nattes:

— Elle le vendrait peut-être.

— Jamais je n'oserai le lui proposer. Et puis dans quelle langue?

Nous avons continué à rôder.[17] Des femmes malaxaient [18] entre leurs paumes la pâte des tortillas, des marmites pleines d'un ragoût jaune mijotaient sur des feux; des familles mangeaient. La place était flanquée de deux églises blanches, auxquelles on accédait par des escaliers; sur les marches, des hommes habillés en toréadors d'opérette agitaient des encensoirs. Nous sommes montés vers la grande église, à travers des fumées épaisses qui me rappelaient ma pieuse enfance.

— A-t-on le droit d'entrer? demandai-je.

— Qu'est-ce qu'ils peuvent nous faire? dit Lewis.

Nous sommes entrés et j'ai été prise à la gorge par une lourde odeur d'aromates. Ni chaises, ni bancs, pas un siège. Le sol dallé était un parterre de bougies aux flammes roses; [19] les Indiens marmonnaient [20]

10. carnations
11. A town in Guatemala, as is Chichicastenango mentioned later
12. with red bands around their heads   13. market day   14. selling stands
15. A type of cape   16. a vivid blue   17. to wander   18. were kneading
19. The stone floor was a flower bed of pink-flamed candles   20. mumbled

des prières en se passant de main en main des épis de maïs.[21] Sur l'autel gisait une momie couverte de brocarts et de fleurs; en face, accablé d'étoffes et de bijoux, il y avait un grand Christ sanglant à la face torturée.

— Si on pouvait au moins comprendre ce qu'ils disent! dit Lewis.

Il regardait un vieillard aux pieds rugueux qui bénissait des femmes agenouillées. Je le tirai par le bras: « Sortons. Tout cet encens me fait mal à la tête. »

Quand nous nous sommes retrouvés dehors Lewis m'a dit:

— Non, voyez-vous, je ne crois pas que ces Indiens soient bien heureux. Leurs vêtements sont gais: pas eux.

Nous avons acheté des ceintures, des sandales, des étoffes; la vieille au merveilleux huipil était toujours là, mais je n'ai pas osé l'aborder. Dans le café-épicerie de la place, quelques Indiens buvaient autour d'une table; leurs femmes étaient assises à leurs pieds. Nous avons commandé des tequilas [22] qu'on nous a servis avec du sel et de petits citrons verts. Deux jeunes Indiens dansaient entre eux en titubant: ils avaient l'air si incapables de s'amuser, que ça fendait le cœur.[23] Dehors, les marchands commençaient à plier leurs éventaires; ils échafaudaient avec leurs poteries des édifices compliqués qu'ils installaient sur leurs dos; le front ceint d'un bandeau de cuir qui les aidait à soutenir leur fardeau, ils s'en allaient au petit trot.[24]

— Regardez-moi ça! dit Lewis. Ils se prennent pour des bêtes de somme.[25]

— Je suppose qu'ils sont trop pauvres pour avoir des ânes.

— Je suppose. Mais ils ont l'air si bien installés dans leur misère: c'est ça qu'ils ont d'agaçant. Si nous rentrions? ajouta-t-il.

— Rentrons.

Nous sommes revenus à l'hôtel, mais il m'a quittée devant la porte: « J'ai oublié d'acheter des cigarettes. Je reviens tout de suite. »

Il y avait un grand feu dans notre cheminée; cette petite ville, ensoleillée était perchée plus haut que la plus haute commune de France et la nuit risquait d'être fraîche. Je me suis couchée devant les flammes qui sentaient bon la résine. Elle me plaisait, cette chambre, avec ses murs crépis de rose et tous ses tapis. Je pensai à Lewis: j'étais contente de me retrouver seule cinq minutes, parce que ça me permettait de penser à lui. Décidément, le pittoresque, ça ne prenait pas avec Lewis.[26] Qu'on lui montre des temples, des paysages, des marchés, il

21. ears of corn   22. A strong liquor made from a cactus plant
23. it made your heart bleed   24. at a dog trot   25. beasts of burden
26. did not impress Lewis

voyait tout de suite à travers: [27] il voyait des hommes; et il avait ses idées sur ce que doit être un homme: avant tout quelqu'un qui ne se résigne pas, quelqu'un qui a des désirs et qui lutte pour les satisfaire. Lui-même, il se contentait de peu, mais il avait refusé avec violence d'être frustré de tout. Il y avait dans ses romans un drôle de mélange de tendresse et de cruauté parce qu'il détestait presque autant que leurs oppresseurs les victimes trop complaisantes. Il réservait sa sympathie aux gens qui tentaient au moins des évasions personnelles dans la littérature, l'art, la drogue, à la rigueur le crime, au mieux dans le bonheur. Et il n'admirait vraiment que les grands révolutionnaires. Il n'avait guère la tête plus politique que moi; mais il aimait très sentimentalement Staline, Mao Tse-Tung, Tito. Les communistes d'Amérique lui semblaient niais et mous, mais je supposais qu'en France il aurait été communiste: du moins il aurait essayé. Je tournai la tête vers la porte: pourquoi ne revenait-il pas? J'allais m'impatienter quand enfin il est entré, un paquet sous le bras.

— Qu'avez-vous donc fait? dis-je.
— J'étais chargé d'une mission spéciale.
— Par qui donc?
— Par moi-même.
— Et vous l'avez exécutée?
— Bien sûr.

Il me jeta le paquet; j'arrachai le papier. Et le bleu de Chartres me remplit les yeux: c'était le merveilleux huipil.

— Il est plutôt crasseux! [28] dit Lewis.

Je suivais du doigt avec délectation le dessin capricieux et réfléchi des broderies: « Il est magnifique. Comment l'avez-vous eu?

— J'ai emmené avec moi le portier de l'hôtel et il a tout négocié. La vieille ne voulait rien savoir pour vendre sa guenille mais quand on lui a proposé de l'échanger contre un huipil neuf, elle a cédé. Elle a même eu l'air de me prendre pour un idiot. Seulement après ça, j'ai dû offrir un verre au portier, et il ne me lâchait plus: il veut aller chercher fortune à New York. »

Je m'accrochai au cou de Lewis: « Pourquoi êtes-vous si gentil avec moi?

— Je vous ai déjà dit que je ne suis pas gentil. Je suis très égoïste. Ce qu'il y a c'est que vous êtes un petit morceau de moi. » Il m'enlaça plus fort. « Vous êtes si douce à aimer. »

. . .

27. through them   28. filthy

« Anne! dit-il, restez avec moi. »

Mon souffle s'arrêta dans ma gorge: « Lewis! Vous savez comme je le voudrais! je voudrais tant! Mais je ne peux pas.

— Pourquoi?

— Je vous ai expliqué l'année dernière. »

Je vidai mon verre d'un trait et toutes les vieilles peurs s'abattirent sur moi: celle du club Delisa, celle de Mérida, celle de Chichen-Itza,[29] et d'autres encore que j'avais très vite étouffées. C'est ça que je pressentais; un jour il me dirait: restez, et je devrais répondre non. Qu'arriverait-il alors? L'an dernier, si j'avais perdu Lewis j'aurais pu encore m'en consoler; maintenant, autant être enterrée vive que privée de lui.

— Vous êtes mariée, dit-il. Mais vous pouvez divorcer. Nous pouvons vivre ensemble sans être mariés. Il se pencha sur moi: « Vous êtes ma femme, ma seule femme. »

Les larmes me montèrent aux yeux: « Je vous aime, dis-je. Vous savez combien je vous aime. Mais à mon âge on ne peut pas jeter toute sa vie par-dessus bord: c'est trop tard. Nous nous sommes rencontrés trop tard.

— Pas pour moi, dit-il.

— Croyez-vous? dis-je. Si je vous demandais de venir vivre à Paris pour toujours, viendriez-vous?

— Je ne parle pas français », dit Lewis vivement.

Je souris: « Ça s'apprend. La vie n'est pas plus chère à Paris qu'à Chicago et une machine à écrire, c'est facile à transporter. Viendriez-vous? »

Le visage de Lewis se rembrunit: [30] « Je ne pourrais pas écrire à Paris.

— Je suppose que non », dis-je. Je haussai les épaules: « Vous voyez, à l'étranger vous ne pourriez plus écrire et votre vie n'aurait plus de sens. Je n'écris pas; mais des choses comptent pour moi autant que vos livres pour vous. »

Lewis garda un moment le silence: « Et pourtant, vous m'aimez? dit-il.

— Oui, dis-je. Je vous aimerai jusqu'à ma mort. » Je pris ses mains: Lewis, je peux revenir tous les ans. Si nous sommes sûrs de nous revoir tous les ans, il n'y aura plus de séparation; seulement des attentes. On peut s'attendre dans le bonheur quand on s'aime assez fort.

29. Places where they had been together before and where the thought of losing him had occurred to her.
30. darkened

— Si vous m'aimez comme je vous aime, pourquoi perdre les trois quarts de notre vie à attendre? » dit Lewis.

J'hésitai: « Parce que l'amour n'est pas tout, dis-je. Vous devriez me comprendre: pour vous non plus il n'est pas tout. »

Ma voix tremblait et mon regard suppliait Lewis: qu'il comprenne! qu'il me garde cet amour qui n'était pas tout mais sans lequel je ne serais plus rien.

— Non, l'amour n'est pas tout, dit Lewis.

Il me regardait d'un air hésitant. Je dis avec passion:

— Je ne vous aime pas moins parce que je tiens aussi à d'autres choses. Il ne faut pas m'en vouloir.[31] Il ne faut pas que vous m'en aimiez moins.

Lewis toucha mes cheveux: « Je suppose que si l'amour était tout pour vous je ne vous aimerais pas tant: ça ne serait plus vous. »

Mes yeux se remplirent de larmes. S'il m'acceptait tout entière, avec mon passé, ma vie, avec tout ce qui me séparait de lui, notre bonheur était sauvé. Je me jetai dans ses bras:

— Lewis! ç'aurait été si affreux si vous n'aviez pas compris! Mais vous comprenez. Quel bonheur!

— Pourquoi pleurez-vous? dit Lewis.

— J'ai eu peur: si je vous perdais, je ne pourrais plus vivre.

Il écrasa une larme sur ma joue: « Ne pleurez pas. C'est moi qui ai peur quand vous pleurez.

— Maintenant je pleure parce que je suis heureuse, dis-je. Parce que nous serons heureux. Quand nous serons ensemble, nous ferons des provisions de bonheur pour toute l'année. N'est-ce pas, Lewis?

— Oui, ma petite Gauloise », dit-il tendrement. Il embrassa ma joue mouillée: « C'est drôle, quelquefois vous me semblez une femme très sage, et quelquefois tout juste une enfant.

— Je suppose que je suis une femme stupide, dis-je. Mais ça m'est égal si vous m'aimez.

— Je vous aime, stupide petite Gauloise », dit Lewis.

J'avais le cœur en fête [32] le lendemain matin dans le car qui nous emmenait à Quetzaltenango; [33] je ne craignais plus l'avenir, ni Lewis, ni les mots, je ne craignais plus rien; pour la première fois j'osais faire à haute voix des projets: l'an prochain, Lewis louerait une maison sur le lac Michigan et nous y passerions l'été; dans deux ans il viendrait à

31. You must not hold that against me.
32. My heart was full of joy
33. This town and Motzatenango mentioned later are in Guatemala.

Paris, je lui montrerais la France et l'Italie . . . Je tenais sa main serrée
dans la mienne et il approuvait en souriant. Nous traversions des forêts
épaisses; il tombait une pluie si chaude et si odorante que je baissai la
vitre pour la sentir sur mon visage. Des bergers nous regardaient passer,
immobiles sous leurs capes de paille: on aurait dit qu'ils transportaient
des huttes sur leurs dos.

— C'est vraiment vrai que nous sommes à 4.000 mètres? dit Lewis.

— Il paraît.

Il secoua la tête: « Je n'y crois pas. J'aurais le vertige. »[34]

De loin, ça m'avait toujours paru un impossible prodige, ces pla-
teaux aussi hauts que des glaciers et couverts d'arbres luxuriants; maintenant je les voyais, et ils devenaient aussi naturels qu'une prairie
française. A vrai dire le haut Guatemala avec ses volcans endormis,
ses lacs, ses herbages, ses paysans superstitieux ressemblait à l'Auvergne.[35] Je commençais à m'en fatiguer et j'ai été contente lorsque,
deux jours plus tard, nous sommes descendus vers la côte: une fameuse
descente! A l'aube nous grelottions sur la route en lacets[36] que bor-
daient de frais pâturages. Et puis les plantes caduques[37] ont disparu
sous la houle[38] d'une sombre végétation aux feuilles dures et vernis-
sées; au pied des alpages emperlés de gelée blanche[39] est apparu un
sec village andalou fleuri d'hibiscus et de bougainvillées; en quelques
tours de roue, nous avons encore franchi plusieurs parallèles,[40] le ciel
s'est embrasé,[41] nous avons traversé des plantations de bananiers, se-
mées de huttes autour desquelles rôdaient des Indiennes aux seins nus.
La gare de Motzatenango était un champ de foire; des femmes étaient
assises sur les rails au milieu de leurs jupes, de leurs ballots, de leurs
volailles. Une cloche sonna dans le lointain, des employés se mirent à
crier et un petit train apparut, précédé d'un antique bruit de vapeur
et de ferraille.

Il nous a fallu dix heures pour parcourir les cent vingt kilomètres
qui nous séparaient de Guatemala; en cinq heures, le lendemain, par-
dessus de sombres montagnes et une côte étincelante, un avion nous
a transportés à Mexico.

— Enfin une vraie ville! une ville où des choses arrivent! a dit Lewis
dans le taxi. « J'aime les villes! ajouta-t-il.

— Moi aussi. »

34. I would feel dizzy (4000 meters is about 12,000 feet)
35. A high region located in the center of France, in the Massif Central
36. twisting road   37. deciduous plants   38. swell
39. pasture lands covered with frost
40. We came down several levels of the twisting road   41. sky became aglow

Nous avions choisi d'avance notre hôtel et du courrier [42] nous y attendait. Je lus mes lettres dans la chambre, assise à côte de Lewis: à
présent, je pouvais penser à ma vie de Paris sans avoir l'impression de
lui voler quelque chose; à présent, je partageais tout avec lui, même
ce qui nous séparait. Robert [43] semblait de bonne humeur, il disait que
Nadine [44] était triste mais paisible et Paule [45] presque guérie: tout allait
bien. Je souris à Lewis:

— Qui vous écrit?

— Mes éditeurs.

— Qu'est-ce qu'ils racontent?

— Ils veulent des détails sur ma vie. Pour le lancement du livre:
ils comptent faire un grand lancement. La voix de Lewis était maussade. Je l'interrogeai du regard:

— Ça veut dire que vous gagnerez beaucoup d'argent, non?

— Souhaitons-le! dit Lewis. Il enfouit la lettre dans une poche:
« Il faut que je leur réponde tout de suite.

— Pourquoi tout de suite? demandai-je. Allons d'abord voir Mexico. »

Lewis se mit à rire: « Une si petite tête! et des yeux qui ne se fa-
tiguent jamais de regarder! »

Il riait, mais quelque chose dans son ton me déconcerta: «Si ça vous
ennuie de sortir, restons, dis-je.

— Vous seriez bien trop désolée! » [46] dit Lewis.

Nous avons longé l'Alameda; sur le trottoir des femmes tressaient
d'énormes couronnes mortuaires, et d'autres faisaient les cent pas; le
mot: Alcazar brillait joyeusement au fronton d'un hall funéraire; nous
avons suivi une large avenue populeuse et puis de petites rues louches.
A première vue, Mexico me plaisait. Mais Lewis était préoccupé. Ça
ne m'étonnait pas. Il y a des choses qu'il décide d'un seul élan,[47] mais
ça lui arrive souvent d'hésiter pendant des heures devant une valise
à faire ou une lettre à écrire. Je le laissai méditer en silence pendant
tout le dîner. Aussitôt dans la chambre, il s'installa devant une feuille
de papier blanc: la bouche entrouverte, l'œil vitreux,[48] il ressemblait
à un poisson. Je m'endormis avant qu'il eût tracé un seul mot.

— Elle est faite votre lettre? lui demandai-je le lendemain matin.

— Oui.

— Pourquoi ça vous ennuyait-il tant de l'écrire?

— Ça ne m'ennuyait pas. Il se mit à rire: « Ah! ne me regardez pas
comme si j'étais un de vos malades. Venez vous promener. »

42. mail   43. Her husband   44. Their daughter   45. A friend
46. unhappy   47. in a flash   48. glassy-eyed

Nous nous sommes beaucoup promenés, cette semaine-là. Nous avons escaladé les grandes pyramides et vogué dans des barques fleuries, nous avons flâné sur l'avenue Jalisco, dans ses marchés miteux,[49] ses dancings, ses music-halls, nous avons rôdé dans la zone et bu du tequila dans les bars mal famés. Nous comptions rester encore un peu à Mexico, passer un mois à visiter le pays et revenir à Chicago pour quelques jours. Mais un après-midi, comme nous rentrions dans notre chambre faire la sieste, Lewis m'a dit abruptement:

—Il faut que je sois jeudi à New York.

Je le regardai avec surprise: « A New York? Pourquoi?

— Mes éditeurs me le demandent.

— Vous avez reçu une nouvelle lettre?

— Oui; ils m'invitent pour quinze jours.

— Mais vous n'êtes pas obligé d'accepter, dis-je.

— Justement: je suis obligé, dit Lewis. Ce n'est peut-être pas ainsi que ça se passe en France, ajouta-t-il, mais ici, un livre, c'est une affaire, et si on veut qu'elle rapporte, il faut s'en occuper. Je dois voir des gens, assister à des partys, donner des interviews. Ce n'est pas très drôle, mais c'est comme ça.

— Vous ne les avez pas prévenus que vous n'étiez pas libre avant juillet? On ne peut pas repousser [50] tout ça jusqu'en juillet?

— Juillet, c'est un mauvais moment; il faudrait attendre jusqu'en octobre: c'est trop tard. » Lewis ajouta avec impatience: « Voilà quatre ans que je vis aux crochets de [51] mes éditeurs. S'ils veulent rentrer dans leurs frais, ce n'est pas à moi de leur mettre des bâtons dans les roues.[52] Et j'ai besoin d'argent, moi aussi, si je veux continuer à écrire ce qui me plaît.

— Je comprends », dis-je.

Je comprenais; et pourtant je sentais un drôle de vide au creux de l'estomac. Lewis se mit à rire:

— Pauvre petite Gauloise! comme elle a l'air pitoyable dès qu'on ne fait plus ses quatre volontés! [53]

Je rougis. C'était bien vrai que Lewis ne pensait jamais qu'à me faire plaisir. Pour une fois qu'il se souciait de ses propres intérêts, je n'aurais pas dû me sentir brimée; [54] il me trouvait égoïste, voilà pourquoi sa voix était un peu agressive.

— C'est votre faute, dis-je. Vous m'avez trop gâtée. Je souris: « Oh! ça sera bien de se promener ensemble dans New York, dis-je. Seulement

49. shabby   50. put off   51. I have been living off
52. put a spoke in their wheels   53. when she does not get her way
54. browbeaten

ça m'a fait un choc, l'idée de changer tous nos projets, et vous m'avez annoncé ça sans crier gare.[55]

— Comment fallait-il vous l'annoncer?

— Je ne vous reproche rien », dis-je gaiement. J'interrogeai Lewis du regard: « Ils vous invitaient déjà dans leur première lettre?

— Oui, dit Lewis.

— Pourquoi ne me l'avez-vous pas dit?

— Je savais que ça ne vous ferait pas plaisir », dit Lewis.

Son air penaud [56] m'attendrit; je comprenais maintenant pourquoi il avait tant peiné sur sa réponse; il essayait de sauver notre voyage au Mexique, et il comptait si fermement y réussir que ça lui avait semblé vain de m'inquiéter. Mais il avait échoué. Alors maintenant, il essayait de faire contre mauvaise fortune bon cœur [57] et mes regrets l'irritaient un peu: il aime mieux s'irriter que s'attrister, je le comprends.

— Vous auriez pu me parler, je ne suis pas si fragile, dis-je. Je lui souris avec tendresse: « Vous voyez bien que vous me gâtez trop.

— Peut-être », dit Lewis.

De nouveau, je me sentis déconcertée: « Nous allons changer ça, dis-je. Quand nous serons à New York, c'est moi qui ferai vos quatre volontés. »

Lewis me regarda en riant.

— C'est vrai ça?

— Oui, c'est vrai. Chacun son tour.

— Alors, n'attendons pas New York. Commençons tout de suite. Il me saisit aux épaules: « Venez faire mes quatre volontés », dit-il avec un peu de défi.

C'est la première fois qu'en lui donnant ma bouche je pensai: « Non. » Mais je n'avais pas l'habitude de dire non, je n'ai pas su. Et déjà il était trop tard pour me reprendre sans histoire.[58] Bien sûr, il m'était arrivé deux ou trois fois de dire: oui, sans en avoir vraiment envie; mais mon cœur était toujours consentant. Aujourd'hui, c'était différent. Il y avait eu dans la voix de Lewis une insolence qui m'avait glacée; ses gestes, ses mots ne me choquaient jamais parce qu'ils étaient aussi spontanés que son désir, que son plaisir, que son amour; aujourd'hui, c'est avec gêne que je participais à la familière gymnastique qui me parut baroque et frivole, incongrue. Et je m'avisai que Lewis ne me disait pas: « Je vous aime. » Quand l'avait-il dit pour la dernière fois?

Il ne l'a pas dit les jours qui suivirent. Il ne parlait que de New

55. without warning   56. contrite   57. to make the best of it
58. to collect myself without creating an issue

York. Il y avait passé un jour, en 43, quand il s'embarquait pour l'Europe et il grillait d'envie [59] de s'y retrouver. Il espérait y revoir d'anciens amis de Chicago; il espérait un tas de choses. L'avenir et le passé ont beaucoup plus de prix que le présent aux yeux de Lewis; j'étais près de lui, New York était loin: c'était New York qui l'obsédait. Je ne m'en affectais pas trop, mais tout de même sa gaité m'attristait. Est-ce qu'il ne regrettait pas du tout notre tête-à-tête? J'avais trop de souvenirs et trop proches pour craindre qu'il fût déjà fatigué de moi: mais peut-être y était-il un peu trop habitué.

New York était torride. Finies les grandes pluies nocturnes. Dès le matin le ciel brûlait. Lewis a quitté l'hôtel de bonne heure et je suis restée à somnoler sous le ronronnement du ventilateur. J'ai lu, j'ai pris des douches, j'ai écrit quelques lettres. A six heures j'étais habillée et j'attendais Lewis. Il est arrivé à sept heures et demie, tout animé.

— J'ai retrouvé Felton! m'a-t-il dit.

Il m'avait beaucoup parlé de ce Felton, qui jouait du tambour la nuit, qui conduisait un taxi le jour et qui se droguait [60] nuit et jour; sa femme faisait le trottoir [61] et se droguait avec lui. Ils avaient quitté Chicago pour d'impérieuses raisons de santé. Lewis ne connaissait pas exactement leur adresse. Dès qu'il en avait eu fini avec ses agents et ses éditeurs, il s'était mis à la rechercher et après mille péripéties il avait enfin eu Felton au téléphone.

— Il nous attend, dit Lewis. Il va nous montrer New York.

J'aurais préféré passer la soirée seule avec Lewis mais je dis avec allant: « Ça m'amusera bien de le connaître.

— Et puis il nous emmènera dans un tas de coins [62] qu'on n'aurait jamais découverts sans lui. Des coins que vos amis les psychiatres ne vous ont sûrement pas montrés! » ajouta Lewis gaiement.

Dehors, il faisait une grosse chaleur moite. Il faisait encore plus chaud dans la mansarde [63] de Felton. C'était un grand type au visage blême qui riait de plaisir en secouant les mains de Lewis. En fait, il ne nous a pas montré grand-chose de New York. Sa femme s'est amenée, avec deux jeunes gars et des boîtes de bière; ils ont vidé boîte sur boîte en parlant d'un tas de gens dont j'ignorais tout, qui venaient d'être mis en prison, qui allaient en sortir, qui cherchaient une combine,[64] qui en avaient trouvé une. Ils ont parlé aussi du trafic de la drogue et du prix que coûtaient les flics [65] d'ici. Lewis s'amusait beau-

59. he had a burning desire   60. took dope   61. his wife was a streetwalker
62. out-of-the-way places   63. garret   64. looking for a deal, a scheme
65. the cost of bribing cops

coup. On a été manger des côtes de porc dans un bistrot [66] de la troisième avenue. Ils ont continué à parler longtemps. Je m'ennuyais ferme [67] et je me sentais plutôt déprimée.

Je le suis restée les jours suivants. Sur un point je ne m'étais pas trompée: une fois à New York, Lewis a quelque peu déchanté. Il n'aimait pas le genre de vie qu'on lui infligeait ici, les mondanités, la publicité. Il se rendait sans joie à ses déjeuners, à ses partys, à ses cocktails et il en revenait maussade. Moi, je ne savais trop que faire de ma peau.[68] Lewis me proposait mollement de l'accompagner, mais cette année, ça ne m'amusait pas les rencontres sans lendemain, ça ne m'amusait même pas de revoir mes anciens amis. Je me promenais dans les rues, seule et sans beaucoup de conviction: il faisait trop chaud, le goudron [69] fondait sous mes pieds, j'étais tout de suite en sueur et je me languissais de Lewis. Le pire, c'est que quand nous nous retrouvions, ce n'était pas beaucoup plus gai. Ça ennuyait Lewis de raconter des séances ennuyeuses et moi je n'avais rien à raconter. Alors nous allions au cinéma, à un match de boxe, à une partie de base-ball, et souvent Felton venait avec nous.

— Vous n'avez pas beaucoup de sympathie pour Felton, n'est-ce pas? me demanda un jour Lewis.

— Je n'ai surtout rien à lui dire ni lui à moi, dis-je. Je dévisageai Lewis avec curiosité: « Pourquoi vos meilleurs amis sont-ils tous des pickpockets ou des drogués, ou des maquereaux? » [70]

Lewis haussa les épaules: « Je les trouve plus amusants que les autres. »

— Mais vous, vous n'avez jamais été tenté de vous droguer?

— Oh! non! dit-il vivement. Vous savez bien: tout ce qui est dangereux, j'adore ça; mais de loin. »

Il plaisantait, mais il disait la vérité. Ce qui est dangereux, démesuré, déraisonnable le fascine; mais il a décidé de vivre sans risque, avec mesure et raison. C'est cette contradiction qui le rend souvent inquiet et hésitant; n'était-ce pas elle qui se retrouvait dans son attitude envers moi? je me le demandais avec angoisse. Lewis m'avait aimée d'un élan, avec imprudence: était-il en train de se le reprocher? En tout cas, je ne pouvais plus me le cacher: depuis quelque temps il avait changé.

Ce soir-là, il avait l'air de très bonne humeur quand il entra dans la chambre; il avait passé l'après-midi à enregistrer une interview pour la radio et je m'attendais au pire mais il m'embrassa gaiement:

— Habillez-vous vite! je dîne avec Jack Murray et vous allez venir

66. bar   67. I was really bored   68. with myself   69. tar   70. pimps

avec moi. Il crève d'envie de vous connaître [71] et moi je veux que vous le connaissiez.

Je ne cachai pas ma déception: « Ce soir? Lewis, est-ce que nous ne passerons plus jamais une soirée seuls, vous et moi?

— Nous le quitterons tôt! » dit Lewis. Il vida sur la table les poches de son veston et sortit de l'armoire son complet neuf: [72] « Ça ne m'arrive pas souvent d'avoir de la sympathie pour un écrivain, dit-il. Si je vous dis que Murray vous plaira, vous pouvez me croire.

— Je vous crois », dis-je.

Je m'assis devant la coiffeuse pour me refaire une beauté.[73]

— On va dîner en plein air, dans Central Park, dit Lewis. Il paraît que l'endroit est très joli et qu'on y mange très bien. Qu'est-ce que vous en dites?

Je souris: « Je dis que si nous sommes vraiment libres de bonne heure vous et moi, c'est parfait. »

Lewis me regarda d'un air hésitant: « Je voudrais beaucoup que Murray vous plaise.

— Pourquoi ça?

— Ah! nous avons fait des projets! dit Lewis d'une voix gaie. Mais il faut qu'il vous plaise, sinon ça ne collera pas! » [74]

J'interrogeai Lewis du regard.

— Il a une maison dans un petit village, près de Boston, dit Lewis. Il nous y invite pour aussi longtemps que nous voulons. Ça serait drôlement mieux que de rentrer à Chicago: à Chicago il doit faire encore plus chaud qu'ici.

De nouveau je sentis un grand vide au creux de l'estomac: « Il habite cette maison, ou il ne l'habite pas?

— Il l'habite avec sa femme et deux mômes.[75] Mais n'ayez pas peur, ajouta Lewis d'un ton un peu moqueur, nous aurions une chambre à nous.

—Mais Lewis, je n'ai pas envie de passer ce dernier mois avec d'autres gens! dis-je. J'aime mieux avoir trop chaud à Chicago seule avec vous.

— Je ne vois pas pourquoi il faudrait rester nuit et jour seuls ensemble sous prétexte qu'on s'aime! » dit Lewis d'une voix brusque.

Avant que j'aie pu répondre, il était entré dans la salle de bains et il avait refermé la porte.

« Qu'est-ce que ça signifie? Est-ce que vraiment il s'ennuie avec moi? » me demandai-je avec angoisse. Je mis une blouse de dentelles,

71. He is dying to know you   72. new suit   73. fix my make-up
74. otherwise it won't work out   75. kids

et une jupe bruissante [76] que j'avais achetées à Mexico, j'enfilai des sandales dorées, et je restai plantée [77] au milieu de la chambre, tout à fait désemparée. Il s'ennuie? ou quoi? Je touchai les clefs qu'il avait jetées sur la table, le portefeuille, le paquet de Camel: comment pouvais-je connaître si mal Lewis alors que je l'aimais tant! Parmi les papiers épars, je remarquai une lettre, avec l'en-tête [78] de ses éditeurs. Je la dépliai: *Cher Lewis Brogan. Puisque vous préférez venir tout de suite à New York, c'est d'accord. Nous allons prendre toutes les dispositions nécessaires. Entendu pour jeudi midi.* Je lus la suite à travers un brouillard,[79] la suite n'avait pas d'intérêt. *Vous préférez venir tout de suite à New York, vous préférez, vous* . . . Le soir où Paule avait donné son banquet fantôme j'avais senti le sol basculer sous mes pieds. Aujourd'hui c'était pire. Lewis n'était pas fou: il fallait que ce soit moi! Je me laissai tomber sur un fauteuil. Cette lettre, il l'avait écrite huit jours seulement après la nuit de Chichicastenango, cette nuit où il disait: « Je vous aime, stupide petite Gauloise. » Je me rappelais tout: les flammes, les tapis, son vieux peignoir, la pluie contre les vitres. Et il disait: « Je vous aime. » C'était huit jours avant notre arrivée à Mexico: entre-temps, rien ne s'était passé. Alors pourquoi? Pourquoi avait-il décidé d'abréger notre tête-à-tête? Pourquoi m'avait-il menti? Pourquoi?

— Oh! ne faites pas cette tête-là! [80] dit Lewis quand il sortit de la salle de bains.

Il croyait que je boudais [81] à cause de l'invitation de Murray; je ne le détrompai pas; impossible de m'arracher un mot. Pendant le trajet en taxi nous n'avons pas desserré les dents.[82]

Il faisait frais dans le restaurant de Central Park. Du moins, la verdure, les nappes damassées, les seaux pleins de glace, les épaules nues des femmes donnaient une impression de fraîcheur. J'ai bu coup sur coup deux martinis et grâce à ça quand Murray s'est amené j'ai pu articuler décemment quelques phrases. Au temps où j'aimais les rencontres sans lendemain [83] j'aurais sûrement été contente de le rencontrer. Il était tout rond, tête, visage et corps, c'est peut-être pour ça qu'on avait envie de s'accrocher à lui comme à une bouée; et comme sa voix était gentille! je réalisai en l'entendant combien celle de Lewis était devenue sèche. Il m'a parlé des livres de Robert, de ceux d'Henri,[84] il avait l'air au courant de tout,[85] c'était facile de causer avec lui. On con-

76. a lace blouse and a rustling skirt   77. motionless   78. the letterhead
79. a fog (of tears)   80. Oh, stop making such a face!   81. I was pouting
82. We did not exchange a word.   83. casual acquaintances
84. A French writer who plays a leading part in the book and who marries
Anne's daughter, Nadine   85. He seemed to be up on everything

tinuait à frapper à coups de marteau dans ma tête: « Vous préférez venir à New York, vous préférez New York. » Mais c'était un cauchemar qui se poursuivait sans moi pendant que je mangeais un cocktail aux crevettes et que je buvais du vin blanc. Murray m'a demandé ce que les Français pensaient des propositions Marshall et il s'est mis à discuter avec Lewis sur l'attitude probable de l'U.R.S.S.: il pensait qu'elle enverrait Marshall promener [86] et qu'elle aurait bien raison. Il paraissait s'y connaître plus que Lewis en politique; dans l'ensemble il avait la tête mieux organisée et une culture plus solide; Lewis était tout heureux de retrouver ses propres opinions dans la bouche d'un homme qui savait si bien les défendre. Oui, sur un tas de plans Murray pouvait lui apporter bien plus que moi. Je comprenais que Lewis eût envie d'en faire un ami; je comprenais à la rigueur qu'il souhaitât passer ce mois avec lui. Mais ça ne m'expliquait pas le mensonge de Mexico; ça n'expliquait pas l'essentiel.

— Est-ce que je peux vous poser [87] quelque part? demanda Murray en se dirigeant vers le parc à autos.

— Non, j'ai envie de marcher, dis-je vivement.

— Si vous aimez marcher, il faut absolument que vous veniez à Rockport, dit Murray avec un grand sourire. Il y a des promenades ravissantes à faire. Je suis sûr que l'endroit vous plaira. Et je serais si content de vous avoir là-bas tous les deux!

— Ça serait bien! dis-je avec chaleur.

— A partir de lundi prochain, vous n'avez qu'à vous amener, dit Murray. Ce n'est même pas la peine de prévenir.

Il est monté dans sa voiture et nous sommes partis à pied à travers le parc.

— Je crois que Murray avait envie de passer la soirée avec nous, dit Lewis avec un peu de reproche.

— Peut-être, dis-je. Mais moi pas.

— Vous aviez pourtant l'air de bien vous entendre avec lui? dit Lewis.

— Je le trouve très sympathique, dis-je. Mais j'ai des choses à vous dire.

Le visage de Lewis se rembrunit: « Ça ne doit pas être tellement important!

— Si. » Je désignai un rocher plat au milieu de la pelouse: « Asseyons-nous. »

86. that Russia would send Marshall about his business
87. drop you

Des écureuils gris couraient dans l'herbe; au loin les grands buildings brillaient. Je dis d'une voix neutre:

— Tout à l'heure, pendant que vous preniez votre douche, vous avez laissé traîner des lettres sur la table. Je cherchai le regard de Lewis: « Vos éditeurs n'exigeaient pas du tout que vous veniez à New York maintenant. C'est vous qui le leur avez proposé. Pourquoi m'avez-vous dit le contraire?

— Ah! vous lisez mon courrier derrière mon dos! dit Lewis d'une voix irritée.

— Pourquoi pas? Vous, vous me mentez.

— Je vous mens et vous fouillez dans mes papiers: nous sommes quittes »,[88] dit Lewis avec hostilité.

Soudain toutes mes forces m'abandonnèrent et je le regardai avec stupeur; c'était lui, c'était moi; comment en étions-nous venus là?

— Lewis, je ne comprends plus rien. Vous m'aimez, je vous aime. Qu'est-ce qui nous arrive? demandai-je avec égarement.

— Rien du tout, dit Lewis.

— Je ne comprends pas! répétai-je. Expliquez-moi. Nous étions si heureux à Mexico. Pourquoi avez-vous décidé de venir à New York? Vous saviez bien que nous ne pourrions presque plus nous voir.

— Toujours des Indiens, des ruines, ça commençait à m'assommer,[89] dit Lewis. Il haussa les épaules: « J'ai eu envie de changer d'air; je ne vois pas ce que ça a de tragique. »

Ça n'était pas une réponse, mais je décidai provisoirement de m'en contenter: « Pourquoi ne m'avez-vous pas dit que vous en aviez marre du Mexique? [90] Pourquoi ces manigances? [91] demandai-je.

— Vous ne m'auriez pas laissé venir ici, vous m'auriez obligé à rester là-bas », dit Lewis.

Je fus aussi saisie que s'il m'avait giflée: [92] quelle rancune [93] dans sa voix!

— Vous pensez ce que vous dites?

— Oui, dit Lewis.

— Mais enfin Lewis, quand vous ai-je empêché de faire ce que vous vouliez? Oui, vous cherchiez toujours à me faire plaisir: mais ça avait l'air de vous faire plaisir à vous aussi. Je n'ai jamais eu l'impression que je vous tyrannisais.

Je repassai notre passé dans ma tête: tout avait été amour, entente et le bonheur de nous donner l'un à l'autre du bonheur. C'était affreux

88. even   89. I was getting bored with it
90. that you were fed up with Mexico?   91. secret maneuvers
92. struck me   93. resentment

d'imaginer que derrière la gentillesse de Lewis des griefs [94] se cachaient.

— Vous êtes tellement têtue que vous ne vous en rendez même pas compte, dit Lewis. Vous arrangez les choses dans votre tête, et puis vous n'en démordez plus, il faut en passer par où vous voulez.[95]

— Mais quand est-ce arrivé? donnez-moi des exemples, dis-je.

Lewis hésita:

— J'ai envie d'aller passer ce mois chez Murray et vous refusez.

Je l'interrompis:

— Vous êtes de mauvaise foi. Quand est-ce arrivé, avant Mexico?

— Je sais très bien que si je n'avais pas fait un coup de force [96] nous serions restés au Mexique, dit Lewis. D'après vos plans, on devait y passer encore un mois et vous m'auriez prouvé qu'il fallait le faire.

— D'abord, c'était nos plans à tous les deux, dis-je. Je réfléchis. « Je suppose que j'aurais discuté; mais puisque vous aviez tellement envie de venir à New York, j'aurais sûrement fini par céder.

— C'est facile à dire », dit Lewis. Il m'arrêta d'un geste: « En tout cas, il aurait fallu un rude travail [97] pour vous convaincre. J'ai fait un petit mensonge pour gagner du temps: ce n'est pas si grave.

— Moi, je trouve ça grave, dis-je. Je pensais que vous ne me mentiez jamais. »

Lewis sourit avec un peu de gêne:

— En fait, oui, c'est la première fois. Mais vous avez tort de vous frapper.[98] Qu'on se mente ou qu'on ne se mente pas, la vérité n'est jamais dite.

Je le dévisageai avec perplexité. Décidément il s'en passait de drôles dans sa tête! il en avait lourd sur le cœur.[99] Mais quoi au juste? Je secouai la tête:

— Je ne crois pas ça, dis-je. On peut se parler. On peut se connaître. Il suffit d'un peu de bonne volonté.

— Je sais que c'est votre idée, dit Lewis. Mais justement, c'est le pire mensonge: prétendre qu'on se dit la vérité.

Il se leva:

— Enfin sur ce point je vous l'ai dite et je n'ai rien à ajouter. On pourrait peut-être partir d'ici.

— Partons.

---

94. grievances   95. *Vous arrangez ... voulez.* You plan things in your head and you won't give in; one has to do as you want.   96. made a forceful move
97. a lot of work   98. to be put out
99. *Décidément ... cœur.* Decidedly, there were strange things going on in his head, and something was really rankling in his heart.

Nous avons traversé le parc en silence. Cette explication ne m'avait rien expliqué du tout. Une seule chose était claire: l'hostilité de Lewis. Mais d'où venait-elle? Il était bien trop hostile pour me le dire; ça ne servirait à rien de l'interroger.

— Où allons-nous? demanda Lewis.

— Où vous voulez.

— Je n'ai pas d'idée.

— Moi non plus.

— Vous sembliez avoir des plans pour cette soirée, dit Lewis.

— Rien de spécial, dis-je. Je pensais qu'on irait dans un petit bar tranquille, et qu'on causerait.

— On ne cause pas comme ça sur commande, dit-il avec humeur.

— Allons écouter du jazz à Café Society, dis-je.

— Vous n'avez pas entendu assez de jazz dans votre vie?

La colère m'est montée au visage: [100]

— Bon, rentrons dormir, dis-je.

— Je n'ai pas sommeil, dit Lewis d'un air innocent.

Il s'amusait à me taquiner, mais sans amitié. « Il fait exprès de gâcher [101] cette soirée; il fait exprès de tout gâcher! » ai-je pensé avec rancune. Je dis sèchement:

— Alors, allons à Café Society puisque j'en ai envie et que vous n'avez envie de rien.

Nous avons pris un taxi. Je me rappelai ce que Lewis m'avait dit un an plus tôt: qu'il ne s'entendait avec personne par sa faute.[102] C'était donc vrai! Il avait de bons rapports avec Teddy, Felton, Murray parce qu'il les voyait rarement. Mais une vie commune, il ne supportait pas ça longtemps. Il m'avait aimée à l'étourdie: [103] et déjà l'amour lui semblait une contrainte. De nouveau la colère me prit à la gorge: c'était plutôt réconfortant. « Il aurait dû prévoir ce qui lui arrive, pensais-je. Il ne devait pas me laisser m'engager corps et âme dans cette histoire.[104] Et il n'a pas le droit de se conduire comme il est en train de le faire. Si je lui pèse, qu'il le dise. Je peux rentrer à Paris, je suis prête à rentrer. »

L'orchestre jouait un morceau de Duke Ellington; nous avons commandé des whiskies. Lewis me dévisagea avec un peu d'inquiétude:

— Vous êtes triste?

— Non, dis-je, pas triste. Je suis en colère.

— En colère? Vous avez une manière bien calme d'être en colère.

100. anger flushed my face   101. spoil   102. that he was unable to get along with anyone   103. in haste   104. love affair

— Ne vous y fiez pas.

— Qu'est-ce que vous pensez?

— Je pense que si cette histoire vous pèse, vous n'avez qu'à le dire. Je peux prendre un avion pour Paris dès demain.

Lewis eut un petit sourire:

— C'est grave ce que vous proposez là.

— Pour une fois que nous sortons seuls, on dirait que ça vous est insupportable, dis-je. Je suppose que c'est la clef de toute votre conduite: vous vous ennuyez avec moi. Autant m'en aller.

Lewis secoua la tête:

— Je ne m'ennuie pas avec vous, dit-il d'une voix sérieuse.

Ma colère m'abandonna comme elle était venue, et de nouveau je me sentis sans force:

— Alors qu'y a-t-il, dis-je. Il y a quelque chose: quoi?

Il y eut un silence et Lewis dit:

— Mettons que de temps en temps vous m'irritez un tout petit peu.

— Je m'en rends bien compte, dis-je. Mais je voudrais savoir pourquoi.

— Vous m'avez expliqué que l'amour n'est pas tout pour vous, dit Lewis avec une brusque volubilité. Soit: mais alors pourquoi exigez-vous qu'il soit tout pour moi? Si j'ai envie de venir à New York, de voir des amis, ça vous fâche. Il faudrait que vous soyez seule à compter, que rien d'autre n'existe, que je vous subordonne toute ma vie alors que vous ne sacrifiez rien de la vôtre. Ce n'est pas juste!

Je gardais le silence. Il y avait bien de la mauvaise foi dans ces reproches, et bien de l'incohérence; mais ce n'était pas la question. Pour la première fois de la soirée, j'entrevoyais une lueur: elle n'avait rien de rassurant.

— Vous vous trompez, murmurai-je. Je n'exige rien.

— Oh! si! Vous partez et vous revenez quand ça vous chante.[105] Mais tant que vous êtes là, je dois vous assurer le parfait bonheur . . .

— C'est vous qui êtes injuste, dis-je. Ma voix s'étrangla dans ma gorge. Ça me sautait aux yeux soudain: [106] Lewis m'en voulait parce que j'avais refusé de rester pour toujours avec lui. Ce séjour à New York, les projets faits avec Murray, c'était des représailles!

— Vous m'en voulez! [107] dis-je. Pourquoi? rien n'est de ma faute, vous le savez bien.

— Je ne vous en veux pas. Je pense seulement qu'il ne faut pas demander plus qu'on ne donne.

105. when you feel like it   106. All of a sudden I understood it clearly
107. You hold a grudge against me!

Nature morte au samovar

Les Vingt Ans fiers

— Vous m'en voulez! répétai-je. Je regardai Lewis avec désespoir:
« Pourtant, quand nous avons parlé à Chichicastenango nous étions
d'accord, vous me compreniez. Qu'est-ce qui s'est passé depuis?
— Rien, dit Lewis.
— Alors? Vous disiez que vous ne m'auriez pas tant aimée si j'avais
été différente. Vous disiez que nous serions heureux . . . »
Lewis haussa les épaules:
— J'ai dit ce que vous vouliez que je dise.
De nouveau, j'eus l'impression de recevoir une gifle en plein visage.
Je balbutiai: « Comment ça?
— Je voulais vous dire beaucoup d'autres choses; mais vous vous
êtes mise à pleurer de joie; ça m'a fermé la bouche. »
Oui, je me rappelais. Les flammes grésillaient et j'avais les yeux
pleins de larmes; c'est vrai que je m'étais hâtée de pleurer de joie sur
l'épaule de Lewis; je lui avais forcé la main, c'est vrai.
— J'avais tellement peur! dis-je. J'avais tellement peur de perdre
votre amour!
— Je sais. Vous aviez l'air terrorisée. Ça aussi ça m'a coupé la parole »,[108] dit Lewis. Il ajouta avec rancune: « Comme vous avez été
soulagée quand vous avez compris que j'en passerais par où vous
vouliez! Le reste vous état bien égal! »
Je me mordis la lèvre; cette fois il ne fallait pas que je pleure, à
aucun prix. Et pourtant c'était très affreux ce qui m'arrivait. Les
flammes, les tapis, la pluie contre les vitres, Lewis dans son peignoir
blanc: tous ces souvenirs étaient faux. Je me revoyais pleurant sur son
épaule, nous étions unis à jamais: mais j'étais unie toute seule. Il avait
raison: j'aurais dû me soucier de ce qui se passait dans sa tête, au lieu
de me contenter des mots que je lui arrachais. J'avais été lâche, égoïste
et lâche. J'en étais bien punie. Je rassemblai tout mon courage; maintenant, je ne pouvais plus me dérober.
— Qu'est-ce que vous auriez dit si je n'avais pas pleuré? demandai-je.
— J'aurais dit qu'on ne peut pas aimer de la même manière quelqu'un qui est tout à vous et quelqu'un qui ne l'est pas.
Je me raidis et j'essayai de me défendre: « Vous avez dit juste le
contraire: vous avez dit que si j'étais différente vous ne m'aimeriez pas
tant.
— Ce n'est pas contradictoire », dit Lewis. Il haussa les épaules: « Ou
alors, c'est que les sentiments peuvent se contredire. »
Inutile de discuter; la logique n'avait rien à voir ici; sans doute les

108. kept me from talking

sentiments de Lewis avaient d'abord été confus, et pour gagner du
temps, il m'avait dit des mots apaisants; ou peut-être était-ce après
coup [109] qu'il s'était mis à m'en vouloir. Peu importait. Aujourd'hui, il
ne m'aimait plus de la même manière qu'avant: comment pourrais-je
m'y résigner? Le désespoir m'étouffait. Je continuai à parler, pour
m'empêcher de penser:

— Vous ne m'aimez plus comme avant?

Lewis hésita: « Je pense que l'amour est moins important que je ne
l'avais cru.

— Je vois, dis-je. Puisque je dois repartir, que je sois ici, que je n'y
sois pas, ça ne fait pas tant de différence.

— Quelque chose comme ça », dit Lewis. Il me regarda et soudain
sa voix changea: « Pourtant je vous ai tellement attendue! dit-il avec
émotion. Pendant toute l'année, je n'ai pensé à rien d'autre. Comme
je vous ai désirée!

— Oui, dis-je tristement. Et maintenant . . . »

Lewis passa son bras autour de mes épaules: « Maintenant je vous
désire encore.

— Oh! de cette façon-là, dis-je.

— Pas seulement de cette façon-là. » La main se crispa sur mon bras:
« Je vous épouserais sur l'heure. »

Je baissai la tête. Je me rappelai l'étoile filante, au-dessus du lac.[110]
Il avait fait un vœu, ce vœu n'avait pas été exaucé; moi qui m'étais
promis de ne jamais le décevoir, je l'avais déçu irrémédiablement. J'étais
la seule coupable. Jamais plus je ne pourrais lui en vouloir, de rien.

Nous n'avons plus parlé. Nous avons écouté un peu de jazz et nous
sommes rentrés. Je n'ai pas dormi. Je me demandais avec angoisse
si je réussirais à sauver notre amour; il pouvait encore triompher de
l'absence, de l'attente, de tout, mais à condition que nous le voulions
tous les deux; Lewis le voudrait-il? « Pour l'instant, il hésite, me disais-
je; il tient à se garder des regrets, de la souffrance, du vague à l'âme:
mais lui qui répugne à jeter un vieux peignoir, il ne se débarrassera
pas si facilement de notre passé; il est plus généreux qu'orgueilleux,
me disais-je encore pour m'encourager; il est plus avide que prudent,
il souhaite que des choses lui arrivent. » Seulement je savais aussi quelle
valeur il donnait à sa sécurité, à son indépendance, et comme il se
piquait de vivre avec mesure et raison. Ça peut paraître déraisonnable
d'aimer à travers un océan. Oui, c'est là ce qui me semblait le plus

---

109. afterwards
110. The year before, in Chicago, they had seen a falling star over the lake and
had each made a wish.

redoutable chez Lewis: cette folie de sagesse qui le prend par à-coups. C'est elle que je devais combattre. Il fallait démontrer à Lewis qu'il avait plus à gagner qu'à perdre dans cette histoire. En prenant le petit déjeuner, j'attaquai:

— Lewis! j'ai pensé à nous toute la nuit.

— Vous auriez mieux fait de dormir.

Sa voix était amicale; il avait l'air détendu; ça l'avait sans doute soulagé de me dire ce qu'il avait sur le cœur.[111]

— Vous m'avez dit hier que je vous irritais parce que je demande plus que je ne donne, dis-je. Oui, c'est un tort: je ne le ferai plus. Je prendrai ce que vous me donnerez et je n'exigerai jamais rien.

Lewis voulut m'interrompre, mais je continuai. D'abord nous irions chez Murray, c'était une affaire entendue.[112] Et puis je ne voulais pas qu'il se croie astreint à cette fidélité que jusqu'ici il s'était imposée: en mon absence, il devait se sentir aussi libre que si je n'avais pas existé. Si jamais il était tenté d'aimer d'amour une autre femme, tant pis pour moi, je ne protesterais pas. Puisque notre histoire [113] ne lui apportait pas tout ce qu'il aurait souhaité, au moins elle ne le priverait de rien.

— Alors, ne pensez plus que je vous ai tendu un piège,[114] dis-je. Ne gâchez plus les choses pour le seul plaisir de les gâcher!

Lewis m'avait écoutée d'un air attentif, il secoua la tête:

— Ce n'est pas si simple que ça!

— Je sais, dis-je. Du moment qu'on aime, on n'est pas libre. Mais ce n'est tout de même pas pareil d'aimer quelqu'un qui se croit des droits sur vous ou quelqu'un qui ne s'en croit aucun.

— Oh! ça me serait bien égal qu'une femme se croie des droits sur moi si je ne lui en reconnaissais pas, dit Lewis. Il ajouta: « Ne parlons plus de tout ça. On ne fait qu'embrouiller les choses quand on en parle.

— On les embrouille aussi quand on se tait », dis-je. Je me penchai vers lui: « Il y a une chose que je veux vous demander: est-ce que vous regrettez de m'avoir rencontrée?

— Non, dit-il. Soyez tranquille. Jamais je ne le regretterai. »

Son accent me donna du courage:

— Lewis, nous nous reverrons, n'est-ce pas?

Il sourit:

— C'est ce qu'il y a de plus sûr au monde.

L'espoir me revint au cœur. Je savais que mon discours ne l'avait qu'à demi convaincu; et en fait, oui, c'était fallacieux de lui parler de

111. he undoubtedly felt better for having spoken his mind
112. it was settled   113. our love affair   114. laid a trap for you

liberté tout en lui demandant de ne pas me chasser de son cœur. « Mais il suffirait, me disais-je, qu'il ne se bute pas dans la rancune [115] et je lui prouverai que notre amour peut être heureux. » Sans doute avais-je déjà touché en lui un point sensible, ou bien ses griefs s'étaient évanouis au moment où il les avait formulés: il m'a emmenée à Coney Island l'après-midi et il a été aussi gai, aussi tendre qu'aux plus beaux jours. Soudain, il avait mille choses à me raconter: sur la vie littéraire à New York, sur des gens, sur des livres; il parlait, il parlait comme si nous venions tout juste de nous retrouver. Et si seulement il avait dit « Je vous aime » j'aurais pu croire cette nuit-là que tout était exactement comme autrefois.

Elle va passer quelques jours avec lui chez les Murray, puis repart en France. L'été suivant, elle rejoint de nouveau Brogan mais ce séjour ensemble de quelques semaines sera rempli d'amertume car elle se rendra compte qu'il ne l'aime plus et que c'est la fin de leur aventure amoureuse.

Les Mandarins, pp. 430-48.
Librairie Gallimard, tous droits réservés

115. if only he is not determined to harbor resentment

ALBERT CAMUS

Né en Algérie le 7 novembre 1913 d'une mère espagnole et d'un père français, modeste ouvrier agricole tué en 1914 à la guerre, le jeune Camus a grandi à Alger dans la pauvreté. Grâce à une bourse, il entra au Lycée et à la Faculté. Une maladie de poitrine jointe à la nécessité de gagner sa vie dans divers petits métiers ont interrompu ses études au seuil de l'agrégation de philosophie.

Camus a abordé la littérature dans son pays natal par le théâtre, adaptant des pièces, tenant lui-même des rôles. Chez un éditeur d'Alger parurent ses premières œuvres, *L'Envers et l'endroit* (1937) et *Noces* (1938), où éclate l'enivrement causé par les beautés de la nature algérienne et exalté par la pensée de la mort.

En 1939, Camus est journaliste à Paris; sa mauvaise santé l'écarte du risque militaire. Après un court séjour en Algérie, il revient en France prendre la direction du journal *Combat,* tout en écrivant des livres qui allaient le faire remarquer: un roman, *L'Étranger,* et un essai, *Le Mythe de Sisyphe,* tous deux publiés en 1942. Dans ces livres s'est exprimé pour la première fois chez Camus l'idée que la vie est absurde, que l'homme travaille sans but connu, mais que tout de même, en accomplissant des efforts, il atteint une manière de raison de vivre, car incontestablement il existe une noblesse de l'effort, de la lutte vers les sommets, et Sisyphe est heureux en dépit de son sinistre destin. N'empêche que tout engagement est tragique et c'est une tragédie en effet que Camus a composée sous le titre de *Caligula* (1945). Quant à *L'Étranger,* c'est l'homme perdu dans une société à laquelle rien ne l'attache et dont il est absent par l'esprit.

La gloire de Camus lui est venue de son roman *La Peste* (1947) qui oppose les dévouements de la personne humaine et les élans du cœur à l'injustice de la nature et à celle de la société, et qui propose ainsi de résoudre par l'altruisme et la charité le drame du monde moderne. Camus a également envisagé ce drame en philosophe nietzschéen mais pénétré d'humanisme méditerranéen et même grec, dans *L'Homme révolté* (1951). Ce gros ouvrage de pensée et un recueil de contes, *L'Exil et le royaume* (1957), sont peut-être les œuvres les plus remarquables de l'écrivain. Car il n'a pas tenu au théâtre les promesses de *Caligula*, pas plus dans *Les Justes* (1950) que dans *Le Malentendu* (1944), tandis que les nouvelles plus encore que les romans montrent beau dessin, véritable chair, âme vibrante, et que les essais répondent avec une loyale efficacité aux questions les plus angoissantes de l'époque.

Camus est philosophe jusque dans ses ouvrages romanesques, comme nous venons de le laisser voir pour *La Peste*, comme on ne le voit pas moins dans *L'Exil et le royaume*. Le royaume, c'est le fond historique, ce sont les fondations sociales; l'exil, c'est l'individualité libre avec ses chances d'évasion. Le royaume est fort. Camus en sentait de plus en plus le poids d'oppression. Il sentait même de plus en plus les menaces du Mal généralisé. *La Chute* (1956) révèle la profondeur de son pessimisme.

Le prix Nobel de 1957 a consacré une réputation devenue universelle. Hélas, le 4 janvier 1960, Albert Camus fut tué dans un stupide accident d'auto, à la surprise accablée du monde entier.

BIBLIOGRAPHIE

Brée, Germaine. *Camus*. New Brunswick, N.J.: Rutgers University Press, 1959.

Brisville, Jean Claude. *Albert Camus*. Paris: Gallimard, 1959.

Champigny, Robert. *Sur un héros païen*. Paris: Gallimard, 1959.

Cruikshank, John. *Albert Camus and the Literature of Revolt*. London: Oxford University Press, 1959.

Thody, Philip. *Albert Camus: A Study of His Work*. London: Hamish Hamilton, 1957.

LA CHUTE

Misère morale née de l'égoïsme et de la lâcheté

La Chute est bien le livre le plus pessimiste de Camus. Il y raconte l'histoire d'un honnête homme, avocat à Paris, qui se rend compte un jour qu'il est difficile et même impossible de distinguer entre innocents et coupables, parce qu'en somme tout le monde est coupable: le mal est en nous tous. Il n'y a donc pas de justice humaine possible. Et ni Camus ni son héros ne croient à la justice divine. Ce curieux garçon, Jean-Baptiste Clémence, a ainsi fait une chute du haut de son honnêteté et de son bonheur jusqu'au scepticisme le plus profond et le plus désespéré.

Beaucoup d'années ont passé. Jean-Baptiste Clémence, échoué à Amsterdam, et y exerçant un singulier métier, donne ses rendez-vous dans un bar à matelots, le Mexico-City. Un autre avocat de Paris, de passage dans la capitale hollandaise, s'étant fourvoyé un soir dans ce bar, écoute le bavardage de son compatriote avec une curiosité sympathique. Il s'agit d'un long monologue, d'une véritable confession, à laquelle une ironie sarcastique donne grand attrait.

Nous avons détaché ici trois fragments significatifs de cette œuvre.

Il y a quelques années, j'étais avocat à Paris et, ma foi,[1] un avocat assez connu. Bien entendu, je ne vous ai pas dit mon vrai nom. J'avais une spécialité: les nobles causes. La veuve et l'orphelin, comme on dit, je ne sais pourquoi, car enfin il y a des veuves abusives et des orphelins féroces. Il me suffisait cependant de renifler sur un accusé la plus légère odeur de victime pour que mes manches entrassent en action.[2] Et quelle action! Une tempête! J'avais le cœur sur les manches. On aurait cru vraiment que la justice couchait avec moi tous les soirs. Je suis sûr que vous auriez admiré l'exactitude de mon ton, la justesse de mon émotion, la persuasion et la chaleur, l'indignation maîtrisée de mes plaidoiries. La nature m'a bien servi quant au physique, l'attitude noble me vient sans effort. De plus, j'étais soutenu par deux sentiments sincères: la satisfaction de me trouver du bon côté de la barre et un mépris instinctif envers les juges en général. Ce mépris, après tout, n'était peut-être pas si instinctif. Je sais maintenant qu'il avait ses raisons. Mais, vu du dehors, il ressemblait plutôt à une passion. On ne peut pas nier que, pour

1. upon my word
2. so that I rolled up my sleeves (of the lawyer's robe) to get to work

le moment, du moins, il faille des juges, n'est-ce pas? Pourtant, je ne
pouvais comprendre qu'un homme se désignât lui-même pour exercer
cette surprenante fonction. Je l'admettais, puisque je le voyais, mais
un peu comme j'admettais les sauterelles. Avec la différence que les
invasions de ces orthoptères ne m'ont jamais rapporté un centime,
tandis que je gagnais ma vie en dialoguant avec des gens que je mé-
prisais.

Mais voilà, j'étais du bon côté, cela suffisait à la paix de ma conscience. Le sentiment du droit, la satisfaction d'avoir raison, la joie de
s'estimer soi-même, cher monsieur, sont des ressorts puissants [3] pour
nous tenir debout ou nous faire avancer. Au contraire, si vous en privez
les hommes, vous les transformez en chiens écumants.[4] Combien de
crimes commis simplement parce que leur auteur ne pouvait supporter
d'être en faute! J'ai connu autrefois un industriel qui avait une femme
parfaite, admirée de tous, et qu'il trompait pourtant.[5] Cet homme enrageait littéralement de se trouver dans son tort, d'être dans l'impossibilité de recevoir, ni de se donner, un brevet de vertu. Plus sa femme
montrait de perfections, plus il enrageait. A la fin, son tort lui devint
insupportable. Que croyez-vous qu'il fît alors? Il cessa de la tromper?
Non. Il la tua. C'est ainsi que j'entrai en relations avec lui.

Ma situation était plus enviable. Non seulement je ne risquais pas de
rejoindre le camp des criminels (en particulier, je n'avais aucune
chance de tuer ma femme, étant célibataire), mais encore je prenais
leur défense, à la seule condition qu'ils fussent de bons meurtriers,
comme d'autres sont de bons sauvages. La manière même dont je
menais cette défense me donnait de grandes satisfactions. J'étais vraiment irréprochable dans ma vie professionnelle. Je n'ai jamais accepté
de pot-de-vin, cela va sans dire, mais je ne me suis jamais abaissé non
plus à aucune démarche.[6] Chose plus rare, je n'ai jamais consenti à
flatter aucun journaliste, pour me le rendre favorable, ni aucun fonctionnaire dont l'amitié pût être utile. J'eus même la chance de me voir
offrir deux ou trois fois la Légion d'honneur que je pus refuser avec une
dignité discrète où je trouvais ma vraie récompense. Enfin, je n'ai jamais
fait payer les pauvres et ne l'ai jamais crié sur les toits. Ne croyez pas,
cher monsieur, que je me vante en tout ceci. Mon mérite était nul:
l'avidité qui, dans notre société, tient lieu d'ambition, m'a toujours fait

3. powerful motives   4. mad dogs
5. to whom nevertheless he was unfaithful
6. *Je n'ai . . . démarche.* I have never accepted a bribe, that goes without
saying, but neither have I ever lowered myself to seek a favor.

rire. Je visais plus haut; [7] vous verrez que l'expression est exacte en ce qui me concerne.

Mais jugez déjà de ma satisfaction. Je jouissais de ma propre nature,[8] et nous savons tous que c'est là le bonheur bien que, pour nous apaiser mutuellement, nous fassions mine [9] parfois de condamner ces plaisirs sous le nom d'égoïsme. Je jouissais, du moins, de cette partie de ma nature qui réagissait si exactement à la veuve et à l'orphelin qu'elle finissait, à force de s'exercer, par régner sur toute ma vie. Par exemple, j'adorais aider les aveugles à traverser les rues. Du plus loin que j'apercevais une canne hésiter sur l'angle d'un trottoir, je me précipitais, devançais d'une seconde, parfois, la main charitable qui se tendait déjà, enlevais l'aveugle à toute autre sollicitude que la mienne et le menais d'une main douce et ferme sur le passage clouté,[10] parmi les obstacles de la circulation, vers le havre tranquille du trottoir où nous nous séparions avec un émotion mutuelle. De la même manière, j'ai toujours aimé renseigner les passants dans la rue, leur donner du feu,[11] prêter la main aux charrettes trop lourdes, pousser l'automobile en panne, acheter le journal de la salutiste,[12] ou les fleurs de la vieille marchande, dont je savais pourtant qu'elle les volait au cimetière Montparnasse. J'aimais aussi, ah, cela est plus difficile à dire, j'aimais faire l'aumône. Un grand chrétien de mes amis reconnaissait que le premier sentiment qu'on éprouve à voir un mendiant approcher de sa maison est désagréable. Eh bien, moi, c'était pire: j'exultais. Passons là-dessus.[13]

Parlons plutôt de ma courtoisie. Elle était célèbre et pourtant indiscutable. La politesse me donnait en effet de grandes joies. Si j'avais la chance, certains matins, de céder ma place, dans l'autobus ou le métro, à qui la méritait visiblement, de ramasser quelque objet qu'une vieille dame avait laissé tomber et de le lui rendre avec un sourire que je connaissais bien, ou simplement de céder mon taxi à une personne plus pressée que moi, ma journée en était éclairée. Je me réjouissais même, il faut bien le dire, de ces jours où, les transports publics étant en grève, j'avais l'occasion d'embarquer dans ma voiture, aux points d'arrêt des autobus, quelques-uns de mes malheureux concitoyens, empêchés de rentrer chez eux. Quitter enfin mon fauteuil, au théâtre, pour permettre à un couple d'être réuni, placer en voyage les valises d'une jeune fille dans le filet placé trop haut pour elle, étaient autant d'exploits que

7. I was more ambitious   8. I satisfied my natural inclinations
9. we made a show of   10. pedestrian crossing   11. light their cigarettes
12. the Salvation Army woman   13. Let's skip that.

j'accomplissais plus souvent que d'autres parce que j'étais plus attentif
aux occasions de le faire et que j'en retirais des plaisirs mieux savourés.
Je passais aussi pour généreux et je l'étais. J'ai beaucoup donné, en
public et dans le privé. Mais loin de souffrir quand il fallait me séparer
d'un objet ou d'une somme d'argent, j'en tirais de constants plaisirs
dont le moindre n'était pas [14] une sorte de mélancolie qui, parfois,
naissait en moi, à la considération de la stérilité de ces dons et de
l'ingratitude probable qui les suivrait. J'avais même un tel plaisir à
donner que je détestais d'y être obligé. L'exactitude [15] dans les choses
de l'argent m'assommait et je m'y prêtais avec mauvaise humeur. Il me
fallait être maître de mes libéralités.

Ce sont là de petits traits, mais qui vous feront comprendre les con-
tinuelles délectations que je trouvais dans ma vie, et surtout dans mon
métier. . . .

· · ·

L'orgueilleux raconte ensuite dans quelles circonstances son orgueil reçut un
coup affligeant.

Un jour où, conduisant ma voiture, je tardais une seconde à démar-
rer au feu vert, pendant que nos patients concitoyens déchaînaient
sans délai leurs avertisseurs dans mon dos,[16] je me suis souvenu soudain d'une autre aventure, survenue dans les mêmes circonstances.
Une motocyclette conduite par un petit homme sec, portant lorgnon
et pantalon de golf, m'avait doublé et s'était installée devant moi, au
feu rouge. En stoppant, le petit homme avait calé son moteur et s'éver-
tuait en vain à lui redonner souffle. Au feu vert, je lui demandai, avec
mon habituelle politesse, de ranger sa motocyclette pour que je puisse
passer. Le petit homme s'énervait encore sur son moteur poussif. Il
me répondit donc, selon les règles da la courtoisie parisienne, d'aller
me rhabiller.[17] J'insistai, toujours poli, mais avec une légère nuance
d'impatience dans la voix. On me fit savoir aussitôt que, de toute
manière, on m'emmenait à pied et à cheval.[18] Pendant ce temps, quelques avertisseurs commençaient, derrière moi, de se faire entendre.
Avec plus de fermeté, je priai mon interlocuteur d'être poli et de
considérer qu'il entravait la circulation. L'irascible personnage, exas-

14. of which not the least was   15. set amount
16. *déchaînaient . . . dos* began to honk their horns without delay behind me
17. go soak my head
18. *On me fit . . . à cheval.* I was told immediately that in any case I could go
straight to hell.

péré sans doute par la mauvaise volonté, devenue évidente, de son moteur, m'informa que si je désirais ce qu'il appelait une dérouillée,[19] il me l'offrirait de grand cœur. Tant de cynisme me remplit d'une bonne fureur et je sortis de ma voiture dans l'intention de frotter les oreilles de ce mal embouché.[20] Je ne pense pas être lâche (mais que ne pense-t-on pas!), je dépassais d'une tête mon adversaire, mes muscles m'ont toujours bien servi. Je crois encore maintenant que la dérouillée aurait été reçue plutôt qu'offerte. Mais j'étais à peine sur la chaussée que, de la foule qui commençait à s'assembler, un homme sortit, se précipita sur moi, vint m'assurer que j'étais le dernier des derniers [21] et qu'il ne me permettrait pas de frapper un homme qui avait une motocyclette entre les jambes et s'en trouvait, par conséquent, désavantagé. Je fis face à ce mousquetaire et, en vérité, ne le vis même pas. A peine, en effet, avais-je la tête tournée que, presque en même temps, j'entendis la motocyclette pétarader de nouveau et je reçus un coup violent sur l'oreille. Avant que j'aie eu le temps d'enregistrer ce qui s'était passé, la motocyclette s'éloigna. Étourdi, je marchai machinalement vers d'Artagnan [22] quand, au même moment, un concert exaspéré d'avertisseurs s'éleva de la file, devenue considérable, des véhicules. Le feu vert revenait. Alors, encore un peu égaré, au lieu de secouer l'imbécile qui m'avait interpellé, je retournai docilement vers ma voiture et je démarrai, pendant qu'à mon passage l'imbécile me saluait d'un « pauvre type » [23] dont je me souviens encore.

Histoire sans importance, direz-vous? Sans doute. Simplement, je mis longtemps à l'oublier, voilà l'important. J'avais pourtant des excuses. Je m'étais laissé battre sans répondre, mais on ne pouvait pas m'accuser de lâcheté. Surpris, interpellé des deux côtés, j'avais tout brouillé [24] et les avertisseurs avaient achevé ma confusion. Pourtant, j'en étais malheureux comme si j'avais manqué à l'honneur. Je me revoyais, montant dans ma voiture, sans une réaction, sous les regards ironiques d'une foule d'autant plus ravie que je portais, je m'en souviens, un costume bleu très élégant. J'entendais le « pauvre type! » qui, tout de même, me paraissait justifié. Je m'étais en somme dégonflé publiquement.[25] Par suite d'un concours de circonstances, il est vrai,

---

19. a beating   20. to box the ears of this coarse individual
21. lowest of the low
22. This refers to *mousquetaire* mentioned above. (D'Artagnan, a captain of the Musketeers under Louis XIV, was made famous by novels of Alexander Dumas.)   23. poor dope   24. jumbled everything
25. *Je ... publiquement.* I had in fact acted cowardly in front of everybody.

mais il y a toujours des circonstances. Après coup,[26] j'apercevais clairement ce que j'eusse dû faire. Je me voyais descendre d'Artagnan d'un
bon crochet,[27] remonter dans ma voiture, poursuivre le sagouin [28] qui
m'avait frappé, le rattraper, coincer sa machine contre un trottoir, le
tirer à l'écart [29] et lui distribuer la raclée [30] qu'il avait largement méri-
tée. Avec quelques variantes, je tournai cent fois ce petit film dans mon
imagination. Mais il était trop tard, et je dévorai pendant quelques
jours un vilain ressentiment.

Tiens, la pluie tombe de nouveau. Arrêtons-nous, voulez-vous, sous
ce porche. Bon. Où en étais-je? Ah! oui, l'honneur! Eh bien, quand je
retrouvai le souvenir de cette aventure, je compris ce qu'elle signifiait.
En somme, mon rêve n'avait pas résisté à l'épreuve des faits. J'avais
rêvé, cela était clair maintenant, d'être un homme complet, qui se
serait fait respecter dans sa personne comme dans son métier. Moitié
Cerdan,[31] moitié de Gaulle, si vous voulez. Bref, je voulais dominer
en toutes choses. C'est pourquoi je prenais des airs, je mettais mes
coquetteries à montrer [32] mon habileté physique plutôt que mes dons
intellectuels. Mais, après avoir été frappé en public sans réagir, il ne
m'était plus possible de caresser cette belle image de moi-même. Si
j'avais été l'ami de la vérité et de l'intelligence que je prétendais être,
que m'eût fait cette aventure déjà oubliée de ceux qui en avaient été
les spectateurs? A peine me serais-je accusé de m'être fâché pour rien,
et aussi, étant fâché, de n'avoir pas su faire face aux conséquences de
ma colère, faute de présence d'esprit.[33] Au lieu de cela, je brûlais de
prendre ma revanche, de frapper et de vaincre. Comme si mon véritable désir n'était pas d'être la créature la plus intelligente ou la plus
généreuse de la terre, mais seulement de battre qui je voudrais, d'être
le plus fort enfin, et de la façon la plus élémentaire. La vérité est que
tout homme intelligent, vous le savez bien, rêve d'être un gangster et
de régner sur la société par la seule violence. Comme ce n'est pas
aussi facile que peut le faire croire la lecture des romans spécialisés,
on s'en remet généralement à la politique et l'on court au parti le plus
cruel. Qu'importe, n'est-ce pas, d'humilier son esprit si l'on arrive par
là à dominer tout le monde? Je découvrais en moi de doux rêves
d'oppression.

J'apprenais du moins que je n'étais du côté des coupables, des
accusés, que dans la mesure exacte où leur faute ne me causait aucun

26. after the event   27. hook to the jaw   28. slovenly fellow
29. pull him aside   30. thrashing   31. famous French boxer
32. *Je prenais . . . à montrer* I put on a high and mighty manner, made a point
to show   33. presence of mind

dommage. Leur culpabilité me rendait éloquent parce que je n'en étais pas la victime. Quand j'étais menacé, je ne devenais pas seulement un juge à mon tour, mais plus encore: un maître irascible qui voulait, hors de toute loi, assommer le délinquant et le mettre à genoux. Après cela, mon cher compatriote, il est bien difficile de continuer sérieusement à se croire une vocation de justice et le défenseur prédestiné de la veuve et de l'orphelin.

Puisque la pluie redouble et que nous avons le temps, oserais-je vous confier une nouvelle découverte que je fis, peu après, dans ma mémoire? Asseyons-nous à l'abri, sur ce banc. Il y a des siècles que des fumeurs de pipe y contemplent la même pluie tombant sur le même canal. Ce que j'ai à vous raconter est un peu plus difficile. Il s'agit, cette fois, d'une femme. Il faut d'abord savoir que j'ai toujours réussi, et sans grand effort, avec les femmes. Je ne dis pas réussir à les rendre heureuses, ni même à me rendre heureux par elles. Non, réussir, tout simplement. J'arrivais à mes fins,[34] à peu près quand je voulais. On me trouvait du charme, imaginez cela! Vous savez ce qu'est le charme: une manière de s'entendre répondre oui sans avoir posé aucune question claire. Ainsi de moi, à l'époque. Cela vous surprend? Allons, ne le niez pas. Avec la tête qui m'est venue,[35] c'est bien naturel. Hélas! après un certain âge, tout homme est responsable de son visage. Le mien... Mais qu'importe! Le fait est là, on me trouvait du charme et j'en profitais.

Je n'y mettais cependant aucun calcul;[36] j'étais de bonne foi, ou presque. Mon rapport avec les femmes était naturel, aisé, facile comme on dit. Il n'y entrait pas de ruse ou seulement celle, ostensible, qu'elles considèrent comme un hommage. Je les aimais, selon l'expression consacrée,[37] ce qui revient à dire que je n'en ai jamais aimé aucune. J'ai toujours trouvé la misogynie[38] vulgaire et sotte, et presque toutes les femmes que j'ai connues, je les ai jugées meilleures que moi. Cependant, les plaçant si haut, je les ai utilisées plus souvent que servies. Comment s'y retrouver?[39]

Bien entendu, le véritable amour est exceptionnel, deux ou trois par siècle à peu près. Le reste du temps, il y a la vanité ou l'ennui. Pour moi, en tout cas, je n'étais pas la Religieuse portugaise.[40] Je n'ai pas le

34. I succeeded   35. with the face I now have   36. selfish motive
37. stock phrase ("he loves women")   38. hatred of women
39. How can one figure it out?
40. A Portuguese nun who wrote letters to her lover, a French officer who had made her acquaintance during the Portuguese war with Spain in 1661-68, and had deserted her

cœur sec, il s'en faut, plein d'attendrissement au contraire, et la larme
facile avec ça. Seulement, mes élans [41] se tournent toujours vers moi,
mes attendrissements me concernent. Il est faux, après tout, que je
n'aie jamais aimé. J'ai contracté dans ma vie au moins un grand
amour, dont j'ai toujours été l'objet. De ce point de vue, après les
inévitables difficultés du très jeune âge, j'avais été vite fixé: [42] la sensualité, et elle seule, régnait dans ma vie amoureuse. Je cherchais
seulement des objets de plaisir et de conquête.

· · ·

Le monologueur en vient au récit d'un épisode terrible; c'est le nœud de la
fiction imaginée par Camus. Son triste héros, déjà ébranlé dans son orgueil
par l'humiliation qu'il a racontée ci-dessus, en aura sa vie intérieure boule-
versée.

Tiens, la pluie a cessé! Ayez la bonté de ma raccompagner chez
moi. Je suis fatigué, étrangement, non d'avoir parlé, mais à la seule
idée de ce qu'il me faut encore dire. Allons! Quelques mots suffiront
pour retracer ma découverte essentielle. Pourquoi en dire plus, d'ailleurs? Pour que la statue soit nue, les beaux discours doivent s'envoler.[43] Voici. Cette nuit-là, en novembre, deux ou trois ans avant le soir
où je crus entendre rire dans mon dos, je regagnais la rive gauche, et
mon domicile, par le pont Royal.[44] Il était une heure après minuit,
une petite pluie tombait, une bruine plutôt, qui dispersait les rares
passants. Je venais de quitter une amie qui, sûrement, dormait déjà.
J'étais heureux de cette marche, un peu engourdi, le corps calmé,
irrigué par un sang doux comme la pluie qui tombait. Sur le pont, je
passai derrière une forme penchée sur le parapet, et qui semblait
regarder le fleuve. De plus près, je distinguai une mince jeune femme,
habillée de noir. Entre les cheveux sombres et le col du manteau, on
voyait seulement une nuque, fraîche et mouillée, à laquelle je fus
sensible. Mais je poursuivis ma route, après une hésitation. Au bout
du pont, je pris les quais en direction de Saint-Michel,[45] où je demeu-
rais. J'avais déjà parcouru une cinquantaine de mètres à peu près,
lorsque j'entendis le bruit, qui, malgré la distance, me parut formidable
dans le silence nocturne, d'un corps qui s'abat sur l'eau. Je m'arrêtai

41. emotional impulses
42. Meaning that he understood at an early age the demands of his temperament
43. Metaphor meaning that it is necessary to speak briefly to express the
essential   44. Bridge which crosses the Seine near the *jardin des Tuileries*
45. Name of a square and a boulevard

net, mais sans me retourner. Presque aussitôt, j'entendis un cri, plusieurs fois répété, qui descendait lui aussi le fleuve, puis s'éteignit
brusquement. Le silence qui suivit, dans la nuit soudain figée, me
parut interminable. Je voulus courir et je ne bougeai pas. Je tremblais,
je crois, de froid et de saisissement. Je me disais qu'il fallait faire vite
et je sentais une faiblesse irrésistible envahir mon corps. J'ai oublié
ce que j'ai pensé alors. « Trop tard, trop loin » . . . ou quelque chose de
ce genre. J'écoutais toujours, immobile. Puis, à petits pas, sous la pluie,
je m'éloignai. Je ne prévins personne.

Mais nous sommes arrivés, voici ma maison, mon abri! Demain?
Oui, comme vous voudrez. Je vous mènerai volontiers à l'île de Mar-
ken,[46] vous verrez le Zuyderzee.[47] Rendezvous à onze heures à *Mexico-
City*.[48] Quoi? Cette femme? Ah, je ne sais pas, vraiment, je ne sais pas.
Ni le lendemain, ni les jours qui suivirent, je n'ai lu les journaux.

La Chute: fragments.
Librairie Gallimard, tous droits réservés

46. An island in the Ijsselmeer (a fresh-water lake formed from part of the
old Zuider Zee), northeast of Amsterdam
47. Former inlet of the North Sea, in the Netherlands, 85 miles long. Originally
a lake, it was united to the North Sea by inundation, but is now again closed
by a dike.   48. The name of the bar in Amsterdam where the story is told

FRANÇOISE SAGAN

De famille bourgeoise, née à Paris en 1935, Françoise Sagan s'est mêlée encore adolescente à une jeunesse très libre de mœurs et avide d'échapper par tous les moyens à un ennui profond. Il s'agit là heureusement d'une petite société perdue au milieu d'un immense peuple qui travaille et vit sainement.

Françoise Sagan a renoncé de bonne heure à ses études en Sorbonne pour écrire et publier à dix-neuf ans son premier roman, *Bonjour Tristesse.* On trouve dans ce roman une liberté cynique à l'égard des parents et des aînés, la désinvolture des manières, l'amertume profonde du cœur.

Un Certain Sourire (1956), *Dans un mois, dans un an* (1957), *Aimez-vous Brahms?* (1958) ont continué à exploiter la même veine de passions insolites, non sans monotonie, mais cependant avec un mélange accru de sévérité et de pitié à l'égard de leurs héros et de leurs héroïnes. En somme, la romancière vit dans un univers romanesque fort limité; mais elle arrive à toucher le lecteur par sa peinture d'une humanité blessée et malheureuse. Elle montre des êtres qui cherchent à remplir leur vide d'âme par des simulacres de l'amour.

Les romans de Françoise Sagan ont obtenu un énorme succès, parce qu'ils sont agréablement écrits, mais surtout parce que le public d'aujourd'hui est curieux de voir vivre une jeunesse inquiétante, comme le public d'avant-hier était curieux de voir vivre une haute société livrée à l'adultère et aux plaisirs.

Au théâtre, *Un Château en Suède* (1960), *La Robe mauve de Valentine* (1963) développent leurs thèmes comme les romans sur un fond d'oisiveté et de neurasthénie auquel on se soustrait par des jeux érotiques. Mais l'intrigue de ces pièces est habile, leurs dialogues piquants. Elles font entrer un peu d'air dans un milieu qui sentait le renfermé. Il est certain qu'en avançant en âge Françoise Sagan rejoint peu à peu l'humanité commune.

La romancière a eu longtemps la passion de la vitesse, sa Jaguar lui a d'ailleurs occasionné sur la route un accident terrible. Depuis lors elle s'est assagie. Elle s'intéresse maintenant aux animaux; elle entretient dans sa maison de campagne, près de Paris, un cochon, de grands chiens et un poney qu'elle chérit particulièrement et qu'elle autorise à entrer dans son salon quand elle a du monde.

BIBLIOGRAPHIE

Hourdin, Georges. *Le Cas Françoise Sagan.* Paris: Cerf, 1958.
Mourgue, Gérard. *Françoise Sagan.* Paris: Éditions universitaires, 1959.

BONJOUR TRISTESSE

Les Troubles d'une mauvaise conscience

Nous avons choisi de donner ici les derniers chapitres de son premier livre, *Bonjour Tristesse*. Ces pages, qui décrivent le dénouement de l'intrigue, révèleront à nos lecteurs la finesse psychologique de Françoise Sagan et l'habileté de son style.

Un homme de quarante ans, veuf, charmant, léger, aux aventures faciles, vient passer les grandes vacances sur la Riviera en compagnie d'Elsa, sa maîtresse passagère, et de sa fille Cécile, âgée de dix-sept ans.

Ils vivent tous trois dans la plus grande liberté, une amoralité parfaite et une insouciance totale. Cécile deviendra la maîtresse d'un jeune homme, Cyril, rencontré sur la plage.

L'arrivée inattendue d'Anne, femme belle et séduisante, qui fut la meilleure amie de la mère de Cécile, brouille les choses. Anne éclipse Elsa, qui quitte la villa, et elle obtient du père une promesse de mariage. Elle assume envers Cécile des droits de mère, lui interdit de revoir Cyril et la force à étudier pour préparer ses examens de baccalauréat que Cécile doit repasser à la rentrée.

Devant cette menace, Cécile conçoit le projet machiavélique de provoquer une rupture entre Anne et son père. Elle fait courir le bruit que Cyril est devenu l'amant d'Elsa et s'arrange avec eux pour que son père les surprenne ensemble.

Je parle beaucoup d'Anne et de moi-même et peu de mon père. Non que son rôle n'ait été le plus important dans cette histoire, ni que je ne lui accorde de l'intérêt. Je n'ai jamais aimé personne comme lui et de tous les sentiments qui m'animaient à cette époque, ceux que j'éprouvais pour lui étaient les plus stables, les plus profonds, ceux auxquels je tenais le plus.[1] Je le connais trop pour en parler volontiers et je m'en sens trop proche. Cependant, c'est lui plus que tout autre que je devrais expliquer pour rendre sa conduite acceptable. Ce n'était ni un homme vain, ni un homme égoïste. Mais il était léger,[2] d'une légèreté sans remède. Je ne puis même pas en parler comme d'un homme incapable de sentiments profonds, comme d'un irresponsable. L'amour qu'il me portait [3] ne pouvait être pris à la légère ni considéré comme une simple habitude de père. Il pouvait souffrir par moi plus

1. which meant the most to me   2. frivolous (with women)
3. that he had for me

que par n'importe qui; et moi-même, ce désespoir que j'avais touché un jour, n'était-ce pas uniquement parce qu'il avait eu ce geste d'abandon, ce regard qui se détournait . . . Il ne me faisait jamais passer après ses passions.[4] Certains soirs, pour me raccompagner à la maison, il avait dû laisser échapper ce que Webb appelait « de très belles occasions ».[5] Mais qu'en dehors de cela, il eût été livré à son bon plaisir, à l'inconstance, à la facilité, je ne puis le nier. Il ne réfléchissait pas. Il tentait de donner à toute chose une explication physiologique qu'il déclarait rationnelle: « Tu te trouves odieuse? Dors plus, bois moins. » Il en était de même du désir violent qu'il ressentait parfois pour une femme, il ne songeait ni à le réprimer ni à l'exalter jusqu'à un sentiment plus complexe. Il était matérialiste, mais délicat, compréhensif et enfin très bon.

Ce désir qu'il avait d'Elsa le contrariait,[6] mais non comme on pourrait le croire. Il ne se disait pas: « Je vais tromper Anne.[7] Cela implique que je l'aime moins », mais: « C'est ennuyeux, cette envie que j'ai d'Elsa![8] Il faudra que ça se fasse vite, ou je vais avoir des complications avec Anne. » De plus, il aimait Anne, il l'admirait, elle le changeait de cette suite de femmes frivoles et un peu sottes[9] qu'il avait fréquentées ces dernières années. Elle satisfaisait à la fois sa vanité, sa sensualité et sa sensibilité, car elle le comprenait, lui offrait son intelligence et son expérience à confronter avec les siennes. Maintenant, qu'il se rendît compte de la gravité du sentiment qu'elle lui portait,[10] j'en suis moins sûre! Elle lui paraissait la maîtresse idéale, la mère idéale pour moi. Pensait-il: « l'épouse idéale », avec tout ce que ça entraîne d'obligations? Je ne le crois pas. Je suis sûre qu'aux yeux de Cyril et d'Anne, il était comme moi anormal, affectivement parlant.[11] Cela ne l'empêchait pas d'avoir une vie passionnante, parce qu'il la considérait comme banale et qu'il y apportait toute sa vitalité.

Je ne pensais pas à lui quand je formais le projet de rejeter Anne de notre vie; je savais qu'il se consolerait comme il se consolait de tout: une rupture lui coûterait moins qu'une vie rangée;[12] il n'était vraiment atteint et miné que par l'habitude et l'attendu, comme je l'étais moi-même.[13] Nous étions de la même race, lui et moi; je me

4. He never placed his passions ahead of his feelings for me.
5. "wonderful opportunities"   6. annoyed him
7. I am going to be unfaithful to Anne.   8. the desire that I have for Elsa
9. she was a change from the series of shallow and stupid women
10. that she had for him   11. in regard to feelings
12. a regulated life (as Anne's husband)
13. *il n'était . . . moi-même.* Only fixed habits would affect and consume him, just as they would me.

disais tantôt que c'était la belle race pure des nomades, tantôt la race pauvre et desséchée des jouisseurs.[14]

En ce moment il souffrait, du moins il s'exaspérait: Elsa était devenue pour lui le symbole de la vie passée, de la jeunesse, de sa jeunesse surtout. Je sentais qu'il mourait d'envie de dire à Anne: « Ma chérie, excusez-moi une journée; il faut que j'aille me rendre compte auprès de cette fille que je ne suis pas un barbon.[15] Il faut que je réapprenne la lassitude de son corps pour être tranquille. » Mais il ne pouvait le lui dire; non parce qu'Anne était jalouse ou foncièrement vertueuse et intraitable sur ce sujet, mais parce qu'elle avait dû accepter de vivre avec lui sur les bases suivantes: que l'ère de la débauche facile était finie, qu'il n'était plus un collégien, mais un homme à qui elle confiait sa vie, et que par conséquent il avait à se tenir bien [16] et non pas en pauvre homme, esclave de ses caprices. On ne pouvait le reprocher à Anne, c'était parfaitement normal et sain comme calcul, mais cela n'empêchait pas mon père de désirer Elsa. De la désirer peu à peu plus que n'importe quoi, de la désirer du double désir que l'on porte à la chose interdite.

Et sans doute, à ce moment-là, pouvais-je tout arranger. Il me suffisait de dire à Elsa de lui céder et, sous un prétexte quelconque, d'emmener Anne avec moi à Nice ou ailleurs passer l'après-midi. Au retour, nous aurions trouvé mon père détendu et plein d'une nouvelle tendresse pour les amours légales ou qui, du moins, devaient le devenir dès la rentrée.[17] Il y avait aussi ce point, que ne supporterait point Anne: avoir été une maîtresse comme les autres: provisoire. Que sa dignité, l'estime qu'elle avait d'elle-même nous rendaient la vie difficile! ...

Mais je ne disais pas à Elsa de lui céder ni à Anne de m'accompagner à Nice. Je voulais que ce désir au cœur de mon père s'infestât [18] et lui fît commettre une erreur. Je ne pouvais supporter le mépris dont Anne entourait notre vie passée, ce dédain facile pour ce qui avait été pour mon père, pour moi, le bonheur. Je voulais non pas l'humilier, mais lui faire accepter notre conception de la vie. Il fallait qu'elle sût que mon père l'avait trompée [19] et qu'elle prît cela dans sa valeur objective, comme une passade [20] toute physique, non comme une atteinte à sa valeur personnelle, à sa dignité. Si elle voulait à tout prix avoir raison, il fallait qu'elle nous laissât avoir tort.

14. pleasure seekers   15. an old fogey   16. to behave
17. That is, upon their return to Paris   18. fester in him
19. had been unfaithful to her   20. a passing fancy

Je faisais même semblant [21] d'ignorer les tourments de mon père. Il ne fallait surtout pas qu'il se confiât à moi, qu'il me forçât à devenir sa complice, à parler à Elsa et écarter Anne.

Je devais faire semblant de considérer son amour pour Anne comme sacré et la personne d'Anne elle-même. Et je dois dire que je n'y avais aucun mal.[22] L'idée qu'il pût tromper Anne et l'affronter me remplissait de terreur et d'une vague admiration.

En attendant, nous coulions [23] des jours heureux: je multipliais les occasions d'exciter mon père sur Elsa. Le visage d'Anne ne me remplissait plus de remords. J'imaginais parfois qu'elle accepterait le fait [24] et que nous aurions avec elle une vie aussi conforme à nos goûts qu'aux siens. D'autre part, je voyais souvent Cyril et nous nous aimions en cachette. L'odeur des pins, le bruit de la mer, le contact de son corps . . . Il commençait à se torturer de remords, le rôle [25] que je lui faisais jouer lui déplaisait au possible, il ne l'acceptait que parce que je le lui faisais croire nécessaire à notre amour. Tout cela représentait beaucoup de duplicité, de silences intérieurs, mais si peu d'efforts, de mensonges! (Et seuls, je l'ai dit, mes actes me contraignaient à me juger moi-même.)

Je passe vite sur cette période, car je crains, à force de chercher, de retomber dans des souvenirs qui m'accablent moi-même. Déjà, il me suffit de penser au rire heureux d'Anne, à sa gentillesse avec moi et quelque chose me frappe, d'un mauvais coup bas,[26] me fait mal, je m'essouffle contre moi-même. Je me sens si près de ce qu'on appelle la mauvaise conscience que je suis obligée de recourir à des gestes: allumer une cigarette, mettre un disque,[27] téléphoner à un ami. Peu à peu, je pense à autre chose. Mais je n'aime pas cela, de devoir recourir aux déficiences de ma mémoire, à la légèreté de mon esprit, au lieu de les combattre. Je n'aime pas les reconnaître, même pour m'en féliciter.

C'est drôle comme la fatalité se plaît à choisir pour la représenter des visages indignes ou médiocres. Cet été-là, elle avait pris celui d'Elsa. Un très beau visage, si l'on veut, attirant plutôt. Elle avait aussi un rire extraordinaire, communicatif et complet, comme seuls en ont les gens un peu bêtes.

---

21. I even pretended   22. And I had no difficulty in doing so.   23. we spent
24. That is, Anne would overlook his unfaithfulness to her with Elsa and other
women as well in the future.   25. Implying that he was Elsa's lover
26. low blow   27. play a record

Ce rire, j'en avais vite reconnu les effets sur mon père. Je le faisais utiliser au maximum par Elsa, quand nous devions la "surprendre" avec Cyril. Je lui disais: « Quand vous m'entendrez arriver avec mon père, ne dites rien, mais riez. » Et alors, à entendre ce rire comblé,[28] je découvrais sur le visage de mon père le passage de la fureur. Ce rôle de metteur en scène [29] ne laissait pas de me passionner. Je ne manquais jamais mon coup; [30] car quand nous voyions Cyril et Elsa ensemble, témoignant [31] ouvertement de liens imaginaires, mais si parfaitement imaginables, mon père et moi pâlissions ensemble, le sang se retirait de mon visage comme du sien, attiré très loin par ce désir de possession pire que la douleur. Cyril, Cyril penché sur Elsa... Cette image me dévastait le cœur et je la mettais au point avec lui et Elsa sans en comprendre la force. Les mots sont faciles, liants; [32] et quand je voyais le contour du visage de Cyril, sa nuque brune et douce inclinée sur le visage offert d'Elsa, j'aurais donné n'importe quoi pour que cela ne fût pas. J'oubliais que c'était moi-même qui l'avais voulu.

En dehors de ces accidents, et comblant [33] la vie quotidienne, il y avait la confiance, la douceur — j'ai du mal à employer ce terme [34] — le bonheur d'Anne. Plus près du bonheur, en effet, que je ne l'avais jamais vue, livrée à nous, les égoïstes,[35] très loin de nos désirs violents et de mes basses petites manœuvres. J'avais bien compté sur cela: son indifférence, son orgueil l'écartaient instinctivement de toute tactique pour s'attacher plus étroitement mon père et, en fait, de toute coquetterie autre que celle d'être belle, intelligente et tendre. Je m'attendris [36] peu à peu sur son compte: l'attendrissement est un sentiment agréable et entraînant comme la musique militaire. On ne saurait me le reprocher.

Un beau matin, la femme de chambre, très excitée, m'apporta un mot d'Elsa, ainsi conçu: « Tout s'arrange, venez! » [37] Cela me donna une impression de catastrophe: je déteste les dénouements. Enfin, je retrouvai Elsa sur la plage, le visage triomphant:

— Je viens de voir votre père, enfin, il y a une heure!

— Que vous a-t-il dit?

— Il m'a dit qu'il regrettait infiniment ce qui s'était passé: qu'il s'était conduit comme un goujat.[38] C'est bien vrai... non?

28. happy   29. stage director   30. I never missed my mark.
31. giving evidence   32. winning   33. filling
34. It is difficult for me to use this term
35. That is, the narrator and her father   36. I was moved
37. Everything is going well, come!   38. that he had behaved like a cad

Je crus devoir acquiescer.

— Puis il m'a fait des compliments comme lui seul sait en faire...
Vous savez, ce ton un peu détaché, et d'une voix très basse, comme s'il
souffrait de les faire... ce ton...

Je l'arrachai aux délices de l'idylle:

— Pour en venir à quoi?

— Eh bien, rien!... Enfin si, il m'a invitée à prendre le thé avec
lui au village, pour lui montrer que je n'étais pas rancunière,[39] et que
j'étais large d'idées,[40] évoluée, quoi!

Les idées de mon père sur l'évolution des jeunes femmes rousses
faisaient ma joie.

— Pourquoi riez-vous? Est-ce que je dois y aller?

Je faillis lui répondre que cela ne me regardait pas. Puis je me
rendis compte qu'elle me tenait pour responsable du succès de ses
manœuvres. A tort ou à raison,[41] cela m'irrita.

Je me sentais traquée:[42]

— Je ne sais pas, Elsa, cela dépend de vous; ne me demandez pas
toujours ce qu'il faut que vous fassiez, on croirait que c'est moi qui
vous pousse à...

— Mais c'est vous, dit-elle, c'est grâce à vous, voyons...

Son intonation admirative me faisait brusquement peur.

— Allez-y si vous voulez, mais ne me parlez plus de tout ça, par
pitié!

— Mais... mais il faut bien le débarrasser de cette femme... Cécile!

Je m'enfuis. Que mon père fasse ce qu'il veut, qu'Anne se dé-
brouille![43]... J'avais d'ailleurs rendez-vous avec Cyril. Il me semblait
que seul, l'amour me débarrasserait de cette peur anémiante que je
ressentais.

Cyril me prit dans ses bras, sans un mot, m'emmena. Près de lui
tout devenait facile, chargé de violence, de plaisir. Quelque temps
après, étendue contre lui, sur ce torse doré, inondé de sueur, moi-
même épuisée, perdue comme une naufragée, je lui dis que je me
détestais. Je le lui dis en souriant, car je le pensais, mais sans douleur,
avec une sorte de résignation agréable. Il ne me prit pas au sérieux.

— Peu importe. Je t'aime assez pour t'obliger à être de mon avis. Je
t'aime, je t'aime tant...

Le rythme de cette phrase me poursuivit pendant tout le repas:

39. that I held no grudge   40. that I was broad-minded
41. right or wrong   42. trapped   43. let Anne take care of herself

« Je t'aime, je t'aime tant. » C'est pourquoi, malgré mes efforts, je ne me souviens plus très bien de ce déjeuner. Anne avait une robe mauve comme les cernes [44] sous ses yeux, comme ses yeux mêmes. Mon père riait, apparemment détendu: la situation s'arrangeait pour lui. Il annonça au dessert des courses à faire au village, dans l'après-midi. Je souris intérieurement. J'étais fatiguée, fataliste. Je n'avais qu'une seule envie: me baigner.[45]

A quatre heures je descendis sur la plage. Je trouvai mon père sur la terrasse, comme il partait pour le village; je ne lui dis rien. Je ne lui recommandai même pas la prudence.

L'eau était douce et chaude. Anne ne vint pas, elle devait s'occuper de sa collection, dessiner dans sa chambre pendant que mon père faisait le joli-cœur [46] avec Elsa. Au bout de deux heures, comme le soleil ne me réchauffait plus, je remontai sur la terrasse, m'assis dans un fauteuil, ouvris un journal.

C'est alors qu'Anne apparut; elle venait du bois. Elle courait, mal d'ailleurs, maladroitement, les coudes au corps. J'eus l'impression subite, indécente, que c'était une vieille dame qui courait, qu'elle allait tomber. Je restai sidérée: [47] elle disparut derrière la maison, vers le garage. Alors, je compris brusquement et me mis à courir, moi aussi, pour la rattraper.

Elle était déjà dans sa voiture, elle mettait le contact.[48] J'arrivai en courant et m'abattis sur la portière.

— Anne, dis-je, Anne, ne partez pas, c'est une erreur, c'est ma faute, je vous expliquerai . . .

Elle ne m'écoutait pas, ne me regardait pas, se penchait pour desserrer le frein:

— Anne, nous avons besoin de vous!

Elle se redressa alors, décomposée.[49] Elle pleurait. Alors je compris brusquement que je m'étais attaquée à un être vivant et sensible [50] et non pas à une entité. Elle avait dû être une petite fille, un peu secrète, puis une adolescente, puis une femme. Elle avait quarante ans, elle était seule, elle aimait un homme et elle avait espéré être heureuse avec lui dix ans, vingt ans peut-être. Et moi . . . ce visage, ce visage, c'était mon œuvre. J'étais pétrifiée, je tremblais de tout mon corps contre la portière.

— Vous n'avez besoin de personne, murmura-t-elle, ni vous ni lui.

Le moteur tournait. J'étais désespérée, elle ne pouvait partir ainsi:

44. circles   45. go swimming   46. was making the most of his time
47. flabbergasted   48. she was starting it up   49. her face distorted by grief
50. sensitive

— Pardonnez-moi, je vous en supplie...

— Vous pardonner quoi?

Les larmes roulaient inlassablement sur son visage. Elle ne semblait pas s'en rendre compte,[51] le visage immobile:

— Ma pauvre petite fille!...

Elle posa une seconde sa main sur ma joue et partit. Je vis la voiture disparaître au coin de la maison. J'étais perdue, égarée... Tout avait été si vite! Et ce visage qu'elle avait, ce visage...

J'entendis des pas derrière moi: c'était mon père. Il avait pris le temps d'enlever le rouge à lèvres d'Elsa,[52] de brosser les aiguilles de pins de son costume. Je me retournai, me jetai contre lui:

— Salaud, salaud![53]

Je me mis à sangloter.

— Mais que se passe-t-il? Est-ce qu'Anne? Cécile, dis-moi, Cécile...

Nous ne nous retrouvâmes qu'au dîner, tous deux anxieux de ce tête-à-tête si brusquement reconquis. Je n'avais absolument pas faim, lui non plus. Nous savions tous les deux qu'il était indispensable qu'Anne nous revînt. Pour ma part, je ne pourrais pas supporter long-temps le souvenir du visage bouleversé qu'elle m'avait montré avant de partir, ni l'idée de son chagrin et de mes responsabilités. J'avais oublié mes patientes manœuvres et mes plans si bien montés.[54] Je me sentais complètement désaxée,[55] sans rênes ni mors,[56] et je voyais le même sentiment sur le visage de mon père.

— Crois-tu, dit-il, qu'elle nous ait abandonnés pour longtemps?

— Elle est sûrement partie pour Paris, dis-je.

— Paris..., murmura mon père rêveusement.

— Nous ne la verrons peut-être plus...

Il me regarda, désemparé[57] et prit ma main à travers la table:

— Tu dois m'en vouloir terriblement. Je ne sais pas ce qui m'a pris. En rentrant dans le bois avec Elsa, elle... Enfin je l'ai embrassée et Anne a dû arriver à ce moment-là et...

Je ne l'écoutais pas. Les deux personnages d'Elsa et de mon père enlacés[58] dans l'ombre des pins m'apparaissaient vaudevillesques et sans consistance, je ne les voyais pas. La seule chose vivante et cruelle-ment vivante de cette journée, c'était le visage d'Anne, ce dernier vi-sage, marqué de douleur, ce visage trahi.[59] Je pris une cigarette dans le paquet de mon père, l'allumai. Encore une chose qu'Anne ne tolérait pas: que l'on fumât au milieu du repas. Je souris à mon père:

51. realize it   52. to wipe off Elsa's lipstick (from his face)   53. dirty beast!
54. so carefully laid out   55. off balance   56. without reins or bit
57. helpless   58. in each other's arms   59. betrayed

— Je comprends très bien: ce n'est pas ta faute...Un moment de folie, comme on dit. Mais il faut qu'Anne nous pardonne, enfin « te » pardonne.

— Que faire? dit-il.

Il avait très mauvaise mine,[60] il me fit pitié, je me fis pitié à mon tour; pourquoi Anne nous abandonnait-elle ainsi, nous faisait-elle souffrir pour une incartade, en somme? [61] N'avait-elle pas des devoirs envers nous?

— Nous allons lui écrire, dis-je, et lui demander pardon.

— C'est une idée de génie, cria mon père.

Il trouvait enfin un moyen de sortir de cette inaction pleine de remords où nous tournions depuis trois heures.

Sans finir de manger, nous repoussâmes la nappe et les couverts, mon père alla chercher une grosse lampe, des stylos, un encrier et son papier à lettres et nous nous installâmes l'un en face de l'autre, presque souriants, tant le retour d'Anne, par la grâce de cette mise en scène, nous semblait probable. Une chauve-souris [62] vint décrire des courbes soyeuses devant la fenêtre. Mon père pencha la tête, commença d'écrire.

Je ne puis me rappeler sans un sentiment insupportable de dérision et de cruauté les lettres débordantes [63] de bons sentiments que nous écrivîmes à Anne ce soir-là. Tous les deux sous la lampe, comme deux écoliers appliqués et maladroits, travaillant dans le silence à ce devoir impossible: « retrouver Anne.» Nous fîmes cependant deux chefs-d'œuvre [64] du genre, pleins de bonnes excuses, de tendresse et de repentir. En finissant, j'étais à peu près persuadée qu'Anne n'y pourrait pas résister, que la réconciliation était imminente. Je voyais déjà la scène du pardon, pleine de pudeur et d'humour...Elle aurait lieu à Paris, dans notre salon, Anne entrerait et...

Le téléphone sonna. Il était dix heures. Nous échangeâmes un regard étonné, puis plein d'espoir: c'était Anne, elle téléphonait qu'elle nous pardonnait, qu'elle revenait. Mon père bondit vers l'appareil, cria « Allo » d'une voix joyeuse.

Puis il ne dit plus que « oui, oui! où ça, oui », d'une voix imperceptible. Je me levai à mon tour: la peur s'ébranlait en moi. Je regardais mon père et cette main qu'il passait sur son visage, d'un geste machinal. Enfin il raccrocha doucement et se tourna vers moi.

— Elle a eu un accident, dit-il. Sur la route de l'Estérel.[65] Il leur a

60. ill-looking   61. a prank, in reality   62. a bat   63. overflowing
64. masterpieces   65. A mountain road with dangerous curves

fallu du temps pour retrouver son adresse! Ils ont téléphoné à Paris et là on leur a donné notre numéro d'ici...

Il parlait machinalement, sur le même ton et je n'osais pas l'interrompre:

— L'accident a eu lieu à l'endroit le plus dangereux. Il y en a eu beaucoup à cet endroit, paraît-il. La voiture est tombée de cinquante mètres. Il eût été miraculeux qu'elle s'en tire [66]...

Du reste de cette nuit, je me souviens comme d'un cauchemar.[67] La route surgissant sous les phares, le visage immobile de mon père, la porte de la clinique... Mon père ne voulut pas que je la revoie. J'étais assise dans la salle d'attente,[68] sur une banquette, je regardais une lithographie représentant Venise. Je ne pensais à rien.[69] Une infirmière me raconta que c'était le sixième accident à cet endroit depuis le début de l'été. Mon père ne revenait pas.

Alors je pensai que, par sa mort, — une fois de plus — Anne se distinguait de nous. Si nous nous étions suicidés — en admettant que nous en ayons le courage — mon père et moi, c'eût été d'une balle dans la tête, en laissant une notice explicative destinée à troubler à jamais le sang et le sommeil des responsables. Mais Anne nous avait fait ce cadeau somptueux de nous laisser une énorme chance de croire à un accident: un endroit dangereaux, l'instabilité de sa voiture. Ce cadeau que nous serions vite assez faibles pour accepter. Et d'ailleurs, si je parle de suicide aujourd'hui, c'est bien romanesque de ma part. Peut-on se suicider pour des êtres comme mon père et moi, des êtres qui n'ont besoin de personne, ni vivant ni mort. Avec mon père d'ailleurs, nous n'avons jamais parlé que d'un accident.

Le lendemain nous rentrâmes à la maison vers trois heures de l'après-midi. Elsa et Cyril nous y attendaient, assis sur les marches de l'escalier. Ils se dressèrent devant nous comme deux personnages falots [70] et oubliés: ni l'un ni l'autre n'avaient connu Anne ni ne l'avaient aimée. Ils étaient là, avec leurs petites histoires de cœur, le double appât de leur beauté, leur gêne.[71] Cyril fit un pas vers moi et posa sa main sur mon bras. Je le regardai: je ne l'avais jamais aimé. Je l'avais trouvé bon et attirant; [72] j'avais aimé le plaisir qu'il me donnait; mais je n'avais pas besoin de lui. J'allais partir, quitter cette maison, ce garçon et cet été. Mon père était avec moi, il me prit le bras à son tour et nous rentrâmes dans la maison.

Dans la maison, il y avait la veste [73] d'Anne, ses fleurs, sa chambre,

66. that she got out of it alive   67. nightmare   68. waiting room
69. My mind was a blank.   70. quaint   71. embarrassment   72. attractive
73. jacket

son parfum. Mon père ferma les volets, prit une bouteille dans le frigi-
daire et deux verres. C'était le seul remède à notre portée. Nos lettres
d'excuses traînaient encore sur la table. Je les poussai de la main, elles
voltigèrent sur le parquet. Mon père qui revenait vers moi, avec le
verre rempli, hésita, puis évita de marcher dessus. Je trouvais tout ça
symbolique et de mauvais goût. Je pris mon verre dans mes mains et
l'avalai d'un trait. La pièce était dans une demi-obscurité, je voyais
l'ombre de mon père devant la fenêtre. La mer battait sur la plage.

A Paris, il y eut l'enterrement par un beau soleil, la foule curieuse,
le noir. Mon père et moi serrâmes les mains de vieilles parentes d'Anne.
Je les regardai avec curiosité: elles seraient sûrement venues prendre
le thé à la maison, une fois par an. On regardait mon père avec com-
misération: Webb [74] avait dû répandre la nouvelle du mariage. Je vis
Cyril qui me cherchait à la sortie. Je l'évitai. Le sentiment de rancune
que j'éprouvais à son égard était parfaitement injustifié, mais je ne
pouvais m'en défendre... Les gens autour de nous déploraient ce
stupide et affreux événement et, comme j'avais encore quelques doutes
sur le côté accidentel de cette mort, cela me faisait plaisir.

Dans la voiture, en revenant, mon père prit ma main et la serra dans
la sienne. Je pensai: « tu n'as plus que moi, je n'ai plus que toi, nous
sommes seuls et malheureux », et pour la première fois, je pleurai.
C'étaient des larmes assez agréables, elles ne ressemblaient en rien à
ce vide, ce vide terrible que j'avais ressenti dans cette clinique devant
la lithographie de Venise. Mon père me tendit son mouchoir, sans un
mot, le visage ravagé.

Durant un mois, nous avons vécu tous les deux comme un veuf et
une orpheline, dînant ensemble, déjeunant ensemble, ne sortant pas.
Nous parlions un peu d'Anne parfois: « tu te rappelles, le jour que... »
Nous en parlions avec précaution, les yeux détournés, par crainte de
nous faire mal ou que quelque chose venant à se déclencher en l'un
de nous, ne l'amène aux paroles irréparables.[75] Ces prudences, ces
douceurs réciproques eurent leur récompense. Nous pûmes bientôt
parler d'Anne sur un ton normal, comme d'un être cher avec qui nous
aurions été heureux, mais que Dieu avait rappelé à Lui. J'écris Dieu
au lieu de hasard; mais nous ne croyions pas en Dieu. Déjà bienheureux en cette circonstance de croire au hasard.

74. A friend of her father who knew about the marriage plans
75. *Nous en parlions . . . irréparables.* We would speak of it with care, eyes
averted, fearing to hurt one another and afraid that something within one of us
would release the words that would cause an irreparable break.

Puis un jour, chez une amie, je rencontrai un de ses cousins qui me plut et auquel je plus. Je sortis beaucoup avec lui durant une semaine avec la fréquence et l'imprudence des commencements de l'amour et mon père, peu fait pour la solitude, en fit autant avec une jeune femme assez ambitieuse. La vie recommença comme avant, comme il était prévu qu'elle recommencerait. Quand nous nous retrouvons, mon père et moi, nous rions ensemble, nous parlons de nos conquêtes. Il doit bien se douter que mes relations avec Philippe ne sont pas platoniques et je sais bien que sa nouvelle amie lui coûte fort cher. Mais nous sommes heureux. L'hiver touche à sa fin, nous ne relouerons pas la même villa, mais une autre, près de Juan-les-Pins.[76]

Seulement quand je suis dans mon lit, à l'aube, avec le seul bruit des voitures dans Paris, ma mémoire parfois me trahit: l'été revient et tous ses souvenirs. Anne, Anne! Je répète ce nom très bas et très longtemps dans le noir. Quelque chose monte alors en moi que j'accueille par son nom, les yeux fermés: Bonjour Tristesse.

Bonjour Tristesse, deuxième partie, pp. 161-88.
René Julliard, tous droits réservés

76. Famous resort on the French Riviera

MARCEL PAGNOL

C'est dans le pays reflété par son œuvre qu'est né Marcel Pagnol à Aubagne, près de Marseille, en 1895. Universitaire infidèle à l'université, il a débuté au théâtre en 1922 avec une comédie-bouffe *Tonton*. *Les Marchands de gloire*, satire de ceux qui exploitent la mémoire des morts au champ d'honneur, date de 1924. Mais c'est le succès triomphal de *Topaze* en 1928 qui assura sa réputation d'auteur comique. Pièce bien construite où le progrès dramatique s'accomplit à travers des dialogues drôles, *Topaze* est une satire des mauvaises mœurs politiques et financières. Le caractère du personnage principal est si vrai et atteint un tel relief que « Topaze » est devenu un nom commun et sert à désigner un type d'homme public corrompu.

Marius, Fanny et *César* (1928-31) ont porté à la scène avec une ironie bonhomme et un juste accent de terroir les mœurs marseillaises: ces comédies ont fait rire le monde entier, elles illustrent brillamment le folk-lore méridional de la France et par là font souvenir des tartarinades d'Alphonse Daudet. Tout différent est *Merlusse* (1935), pièce écrite pour les enfants, merveille de drôlerie attendrissante.

Pagnol, en s'enfonçant dans sa carrière, se rapproche d'Alphonse Daudet sur tous les plans. Ce sont les *Contes du lundi* et *Les Lettres de mon moulin* qu'il rappelle et égale dans ses mémoires. Ces mémoires, dont le premier volume s'intitule *La Gloire de mon père* (1957), le second *Le Château de ma mère* (1958) et le troisième *Le Temps des secrets* (1960), rassemblent de petites choses apparemment banales, mais que la verve de l'auteur rend à la fois comiques et tendrement humaines. Il faut voir en ces livres des chefs-d'œuvre d'humour et d'émotion.

Marcel Pagnol n'est pas seulement dramaturge et romancier; il a composé également beaucoup de scénarios de films dont le plus célèbre est *La Femme du boulanger* tiré d'un conte de Giono.

Il représente en France une littérature de bonne humeur, d'esprit honnête, qui connait parfaitement le cœur humain et l'exprime avec un naturel savoureux.

A voir, Bibliographie générale.

LA GLOIRE DE MON PÈRE

Souvenirs d'enfance

De La Gloire de mon père *nous avons détaché l'épisode où père et fils, ayant à meubler une maisonnette de la banlieue marseillaise dans laquelle la famille doit passer ses vacances, font l'achat d'un mobilier hétéroclite chez le plus pittoresque des brocanteurs.*

Un beau soir du mois d'avril, je rentrais de l'école avec mon père et Paul.[1] C'était un mercredi, le plus beau jour de la semaine, car nos jours ne sont beaux que par leur lendemain.

Tout en marchant le long du trottoir de la rue Tivoli, mon père me dit:

— Crapaud,[2] j'aurai besoin de toi demain matin.

— Pour quoi faire?

— Tu le verras bien. C'est une surprise.

— Moi aussi, tu as besoin de moi? demanda Paul, inquiet.

— Bien sûr, dit mon père. Mais Marcel viendra avec moi, et toi tu resteras à la maison, pour surveiller la femme de ménage,[3] qui va balayer la cave. C'est très important.

— Moi, d'habitude, dit Paul, j'ai peur d'aller dans la cave. Mais avec la femme de ménage, je n'aurai pas peur.

Le lendemain, vers huit heures, mon père vint me réveiller, en imitant une sonnerie de clairon,[4] puis il rejeta mes couvertures au pied de mon lit.

— Il faut que tu sois prêt dans une demi-heure. Je vais me raser.

Je frottai mes yeux à poings fermés, je m'étirai, je me levai.

Paul avait disparu sous ses draps, il n'en sortait qu'une boucle de cheveux dorés.

Le jeudi [5] était un jour de grande toilette, et ma mère prenait ces choses-là très au sérieux. Je commençai par m'habiller des pieds à la

1. His younger brother
2. toad (term used in a familiar way with a child or young son)
3. charwoman   4. bugle call
5. French children have Thursdays off, as a rule, and go to school on Saturdays.

tête, puis je fis semblant de me laver à grande eau: [6] c'est-à-dire que vingt ans avant les bruiteurs de la radio-diffusion,[7] je composai la symphonie des bruits qui suggèrent une toilette.

J'ouvris d'abord le robinet du lavabo, et je le mis adroitement dans une certaine position qui faisait ronfler [8] les tuyaux: ainsi mes parents seraient informés du début de l'opération.

Pendant que le jet d'eau bouillonnait bruyamment dans la cuvette, je regardais, à bonne distance.

Au bout de quatre ou cinq minutes, je tournai brusquement le robinet, qui publia sa fermeture en faisant, d'un coup de bélier, trembler la cloison.[9]

J'attendis un moment, que j'employai à me coiffer. Alors je fis sonner sur le carreau le petit tub de tôle [10] et je rouvris le robinet — mais lentement, à très petits coups. Il siffla, miaula [11] et reprit le ronflement saccadé.[12] Je le laissai couler une bonne minute, le temps de lire une page des Pieds Nickelés.[13] Au moment même où Croquignol, après un croche-pied à l'agent de police, prenait la fuite au-dessus de la mention « A suivre », je le refermai brusquement.

Mon succès fut complet, car j'obtins une double détonation, qui fit onduler le tuyau.[14]

Encore un choc sur la tôle du tub et j'eus terminé, dans le délai prescrit, une toilette plausible, sans avoir touché une goutte d'eau.

Je trouvai mon père assis devant la table de la salle à manger. Il était en train de [15] compter de l'argent; en face de lui, ma mère buvait son café. Ses nattes noires, qui avaient des reflets bleus, pendaient jusqu'à terre derrière sa chaise. Mon café au lait était servi. Elle me demanda:

— Tu t'es lavé les pieds?

Comme je savais qu'elle attachait une importance particulière à cette opération futile, et dont la nécessité me paraissait inexplicable (puisque les pieds, ça ne se voit pas), je répondis avec assurance:

— Tous les deux.

— Tu t'es coupé les ongles?

Il me sembla que l'aveu d'un oubli confirmerait la réalité du reste.

6. I acted as if I were drenching myself
7. sound-effects men on the radio   8. roar
9. which made known the fact that it was being turned off by shaking the partition wall with its hammering
10. He is giving the impression that he is taking a sponge bath.   11. mewed
12. jerky   13. a detective story   14. made the pipe vibrate
15. in the process of

— Non, dis-je, je n'y ai pas pensé. Mais je les ai taillés dimanche.
— Bien, dit-elle.
Elle parut satisfaite. Je le fus aussi.
Pendant que je croquais mes tartines,[16] mon père dit:
— Tu ne sais pas où nous allons? Eh bien, voilà. Ta mère a besoin d'un peu de campagne. J'ai donc loué, de moitié [17] avec l'oncle Jules, une villa dans la colline, et nous y passerons les grandes vacances.[18]
Je fus émerveillé.
— Et où est-elle, cette villa?
— Loin de la ville, au milieu des pins.
— C'est très loin?
— Oh oui, dit ma mère. Il faut prendre le tramway, et marcher ensuite pendant des heures.
— Alors, c'est sauvage?
— Assez, dit mon père. C'est juste au bord d'un désert de garrigue,[19] qui va d'Aubagne jusqu'à Aix.[20] Un vrai désert!
Paul arrivait, pieds nus, pour savoir ce qui se passait et il demanda:
— Est-ce qu'il y a des chameaux?
— Non, dit mon père. Il n'y a pas de chameaux.
— Et des rhinocéros?
— Je n'en ai pas vu.
J'allais poser mille questions, lorsque ma mère me dit:
— Mange.
Et comme j'oubliais ma tartine, elle poussa ma main vers ma bouche. Puis, elle se tourna vers Paul:
— Toi, va d'abord mettre tes pantoufles, sinon tu vas nous faire encore une angine.[21] Allez, file! [22]
Il fila.
Je demandais:
— Alors, tu m'emmènes dans la colline, ce matin?
— Non! dit-il. Pas encore! Cette villa est toute vide, et il va falloir la meubler. Seulement, les meubles neufs coûtent très cher: alors, nous allons ce matin chez le brocanteur [23] des Quatre-Chemins.

Mon père avait une passion: l'achat des vieilleries [24] chez les brocanteurs.

16. slice of bread and butter or bread and jam   17. half and half
18. the summer vacation
19. This refers to a type of land, covered with green oaks and fragrant vegetation, common to the Mediterranean countries.
20. Two cities in Southern France   21. you're going to catch tonsillitis
22. beat it   23. secondhand dealer   24. old things

Chaque mois, lorsqu'il revenait de « toucher son mandat »[25] à la mairie, il rapportait quelques merveilles: une muselière crevée [26] (0 fr. 50), un compas diviseur épointé [27] (1 fr. 50), un archet [28] de contrebasse (1 fr.), une scie de chirurgien [29] (2 fr.), une longuevue de marine où l'on voyait tout à l'envers [30] (3 fr.), un couteau à scalper [31] (2 fr.), un cor de chasse un peu ovalisé, avec une embouchure de trombone [32] (3 fr.), sans parler d'objets mystérieux, dont personne n'avait jamais pu trouver l'usage, et qui traînaient un peu partout dans la maison.

Ces arrivages mensuels étaient, pour Paul et pour moi, une véritable fête. Ma mère ne partageait pas notre enthousiasme. Elle regardait, stupéfaite, l'arc [33] des îles Fidji, où l'altimètre de précision, dont l'aiguille, montée un jour à 4.000 mètres [34] (à la suite d'une ascension du mont Blanc,[35] ou d'une chute dans un escalier) n'en voulut jamais redescendre.

Alors, elle disait avec force: « Surtout, que les enfants ne touchent pas à ça! »[36]

Elle courait à la cuisine, et revenait avec de l'alcool, de l'eau de Javel,[37] des cristaux de soude, et elle frottait longuement ces épaves.

Il faut dire qu'à cette époque, les microbes étaient tout neufs, puisque le grand Pasteur venait à peine de les inventer, et elle les imaginait comme de très petits tigres, prêts à nous dévorer par l'intérieur.

Tout en secouant le cor de chasse, qu'elle avait rempli d'eau de Javel, elle disait, d'un air navré:

— Je me demande, mon pauvre Joseph, ce que tu veux faire de cette saleté![38]

Le pauvre Joseph, triomphant, répondait simplement:

— Trois francs!

J'ai compris plus tard que ce qu'il achetait, ce n'était pas l'objet: c'était son prix.

— Eh bien, voilà trois francs de gaspillés![39]

— Mais, ma chérie, si tu voulais fabriquer ce cor de chasse, pense à

25. his pension or retirement check   26. a broken muzzle
27. a compass with a broken point   28. a bow   29. a surgeon's saw
30. a navy telescope through which everything was seen upside down
31. a scalpel   32. a somewhat oval hunting horn with a trombone mouthpiece
33. bow   34. 13,120 feet
35. The highest summit of Europe, 15,767 feet, located in the Alps
36. That is, whatever purchases the husband brought   37. bleach
38. trash   39. thrown away

l'achat du cuivre, pense à l'outillage spécial qu'il te faudrait, pense aux centaines d'heures de travail indispensables pour la mise en forme de ce cuivre...

Ma mère haussait doucement les épaules, et on voyait bien qu'elle n'avait jamais songé à fabriquer ce cor de chasse, ni aucun autre.

Alors mon père, avec condescendance, disait:

— Tu ne te rends pas compte que cet instrument, peut-être inutile par lui-même, est une véritable mine! Réfléchis une seconde: je scie le pavillon,[40] et j'obtiens un cornet acoustique,[41] un porte-voix de marine,[42] un entonnoir,[43] un pavillon de phonographe; [44] le reste du tube, si je l'enroule en spirale, c'est le serpentin d'un alambic.[45] Je puis aussi le redresser pour en faire une sarbacane,[46] ou une conduite d'eau,[47] en *cuivre*, note bien! Si je le scie en tranches fines, tu as vingt douzaines d'anneaux de rideaux; [48] si je le perce de cent petits trous, nous avons un collier à douches; [49] si je l'ajuste à la poire à lavements, c'est un pistolet à bouchon...[50]

Ainsi, devant ses fils émerveillés, et sa chère femme navrée,[51] il transformait l'instrument inutile en mille objets tout aussi inutiles, mais plus nombreux.

C'est pourquoi ma mère, au seul mot de « brocanteur », avait hoché [52] la tête plusieurs fois, avec un petit air d'inquiétude.

Mais elle ne formula pas sa pensée et me dit seulement: « As-tu un mouchoir? »

Assurément, j'avais un mouchoir: il était tout propre, dans ma poche, depuis huit jours.

Pour moi, qui savais extraire de mon nez, avec l'ongle de mon index, les matériaux sifflants qui gênaient ma respiration, l'usage du mouchoir me semblait être une superstition parentale.

Il m'arrivait parfois de m'en servir, pour faire briller mes souliers, ou pour essuyer mon banc d'écolier; mais l'idée de souffler du mucus dans cette étoffe délicate, et de renfermer le tout dans ma poche, me paraissait absurde et dégoûtante. Cependant, comme les enfants viennent trop tard pour faire l'éducation des parents, il faut respecter leurs incurables manies, et ne jamais les chagriner. C'est pourquoi, ti-

40. saw off the bell (the flaring mouth of a wind instrument)
41. an ear trumpet   42. a nautical speaking trumpet   43. funnel
44. gramophone horn
45. the winding tube of an alembic (apparatus used in distillation)
46. a pea-shooter   47. a water pipe   48. curtain rings   49. shower head
50. *si je...bouchon.* If I attach it to the tip of a syringe it becomes a cork pistol.   51. distressed   52. shaken

rant mon mouchoir de ma poche, et cachant dans ma main une assez belle tache d'encre, je l'agitai, comme sur un quai de gare, devant ma chère maman rassurée, et je suivis mon père dans la rue.

Là, au bord du trottoir, je vis une petite charrette à bras qu'il avait empruntée au voisin. En grosses lettres noires, sur la ridelle,[53] on lisait:

BERGOUGNAS

BOIS ET CHARBONS

Mon père entra dans les brancards, à reculons.[54]

— J'ai besoin de toi, me dit-il, pour serrer la mécanique [55] quand nous descendrons la rue Tivoli.

Je regardai au loin cette rue qui montait vers le ciel par une pente de toboggan.

— Mais papa, lui dis-je, elle monte, la rue Tivoli!

— Oui, me dit-il. Maintenant, elle monte. Mais je suis presque sûr qu'au retour, elle descendra. Et au retour, nous serons chargés. Pour le moment, installe-toi sur le charreton.

Je pris place au beau milieu du plateau, pour en assurer l'équilibre.

Ma mère, derrière la grille bombée de la fenêtre, nous regardait partir.

— Surtout, dit-elle, prenez garde aux tramways! [56]

Sur quoi mon père, pour exprimer sa confiance, poussa un joyeux hennissement, lança deux petites ruades [57] et partit au galop vers l'aventure.

Nous nous arrêtâmes au bout du boulevard de la Madeleine, devant une boutique noirâtre. Elle commençait sur le trottoir, qui était encombré de meubles hétéroclites,[58] autour d'une très vieille pompe à incendie à laquelle était accroché un violon.

Le maître de ce commerce était très grand, très maigre, et très sale. Il portait une barbe grise, et des cheveux de troubadour [59] sortaient d'un grand chapeau d'artiste. Son air était mélancolique, et il fumait une pipe en terre.

Mon père lui avait déjà rendu visite et avait retenu quelques « meubles »: une commode,[60] deux tables, et plusieurs fagots de morceaux de bois poli qui, selon le brocanteur, devaient permettre de

53. side railing of the cart   54. backed into the shafts
55. put on the hand brake   56. watch out for streetcars   57. kicks
58. odd   59. long, curly hair   60. chest of drawers

reconstituer six chaises. Il y avait aussi un petit canapé qui perdait ses entrailles[61] comme un cheval de toréador, trois sommiers crevés,[62] des paillasses[63] a moitié vides, un bahut[64] qui n'avait plus ses étagères,[65] un gargoulette[66] qui représentait assez schématiquement un coq et divers ustensiles de ménage que la rouille appareillait.

Le brocanteur nous aida à charger tout ce fourniment[67] sur la charrette à bras, qui avait laissé tomber une béquille.[68] Le tout fut arrimé avec des cordes, qu'un long usage avait rendu chevelues. Puis, on fit les comptes. Après une sorte de méditation, le brocanteur regarda fixement mon père et dit:

— Ça fait cinquante francs!

— Ho ho! dit mon père, c'est trop cher!

— C'est cher, mais c'est beau, dit le brocanteur. La commode est d'époque![69]

Il montrait du doigt cette ruine vermoulue.[70]

— Je le crois volontiers, dit mon père. Elle est certainement d'une époque, mais pas de la nôtre!

Le brocanteur prit un air dégoûté et dit:

— Vous aimez tellement le Moderne?

— Ma foi, dit mon père, je n'achète pas ça pour un musée. C'est pour m'en servir.

Le vieillard parut attristé par cet aveu.

— Alors, dit-il, ça ne vous fait rien de penser que ce meuble a peut-être vu la reine Marie-Antoinette en chemise de nuit?[71]

— D'après son état, dit mon père, ça ne m'étonnerait pas qu'il ait vu le roi Hérode[72] en caleçons![73]

— Là, je vous arrête, dit le brocanteur, et je vais vous apprendre une chose: le roi Hérode avait peut-être des caleçons, mais il n'avait pas de commode! Rien que des coffres à clous d'or, et des espèces de cocottes en bois.[74] Je vous le dis parce que je suis honnête.

— Je vous remercie, dit mon père. Et puisque vous êtes honnête, vous me faites le tout à trente-cinq francs.

Le brocanteur nous regarda tour à tour, hocha la tête avec un douloureux sourire, et déclara:

61. its insides   62. broken-down spring mattresses   63. straw mattresses
64. cabinet   65. shelves   66. a jug which cools water by evaporation
67. equipment
68. Two-wheeled carts have folding legs that can be dropped to hold them upright.   69. is an antique   70. worm-eaten
71. Marie-Antoinette in her nightgown   72. king of Judea (37-4 B.C.)
73. shorts   74. wooden pots

— Ce n'est pas possible, parce que je dois cinquante francs à mon propriétaire qui vient encaisser [75] à midi.

— Alors, dit mon père indigné, si vous lui deviez cent francs, vous oseriez me les demander?

— Il faudrait bien! Où voulez-vous que je les prenne? Remarquez que si je ne devais que quarante francs, je vous demanderais quarante. Si je devais trente, ça serait trente . . .

— Dans ce cas, dit mon père, je ferais mieux de revenir demain, quand vous l'aurez payé et que vous ne lui devrez plus rien . . .

— Ah maintenant, ce n'est plus possible! s'écria le brocanteur. Il est onze heures juste. Vous êtes tombé dans ce coup-là: vous n'avez plus le droit d'en sortir.[76] D'ailleurs, je reconnais que vous n'avez pas eu de chance de venir aujourd'hui. Mais quoi! A chacun son destin! Vous, vous êtes jeune et frais, vous êtes droit comme un i, et vous avez deux yeux superbes: tant qu'il y aura des bossus et des borgnes,[77] vous n'aurez pas le droit de vous plaindre, c'est cinquante francs!

— Bien, dit mon père. Dans ce cas, nous allons décharger ces débris, et nous irons nous servir ailleurs. Petit, détache les cordes!

Le brocanteur me retint par le bras en criant: « Attendez! »

Puis il regarda mon père avec une tristesse indignée, secoua la tête, et me dit: « Comme il est violent! »

Il s'avança vers lui, et parla solennellement:

— Sur le prix, ne discutons plus: c'est cinquante francs; ça m'est impossible de le raccourcir.[78] Mais nous pouvons peut-être allonger [79] la marchandise.

Il entra dans sa boutique: mon père me fit un clin d'œil triomphal et nous le suivîmes.

Il y avait des remparts d'armoires,[80] des miroirs lépreux,[81] des casques, des pendules, des bêtes empaillées.[82] Il plongea son bras dans ce fouillis,[83] et en retira divers objets.

— Premièrement, dit-il, puisque vous aimez le Moderne, je vous donne en plus cette table de nuit *en tôle émaillée*,[84] et ce robinet col de cygne,[85] *nickelé par galvanoplastie*.[86] Vous ne direz pas que ce n'est pas Moderne! Deuxièmement, je vous donne ce fusil arabe damasquiné,[87] qui n'est pas un fusil à pierre, mais à capsule. Admirez la

75. collect   76. *Vous êtes . . . sortir.* You're involved in this thing and you no longer have the right to get out of it.   77. hunchbacks and one-eyed people
78. to cut it   79. add to   80. wardrobes   81. old, with spots on them
82. stuffed animals   83. jumble   84. enameled iron   85. swan-neck faucet
86. nickel-plated by electroplating   87. with inlays (of gold or silver)

longueur du canon! On dirait une canne à pêche.[88] Et regardez,
ajouta-t-il à voix basse, les initiales (en lettres arabes) qui sont gravées
sur la crosse!

Il nous montra des signes, qui avaient l'air d'une poignée de virgules,
et chuchota:

— A et K. Avez-vous saisi?

— Vous allez m'affirmer, dit mon père, que c'est le propre fusil d'Abd
el-Kader? [89]

— Je n'affirme rien, dit le brocanteur avec conviction. Mais on a vu
plus fort!! [90] A bon entendeur, salut! [91] Je vous donne en plus ce pare-
étincelles [92] en cuivre découpé, ce parapluie de berger [93] (qui sera
comme neuf si vous changez seulement la toile), ce tam-tam de la
Côte d'Ivoire — qui est une pièce de *collection* [94] — et ce fer à repasser
de tailleur. Est-ce que ça va?

— C'est honnête, dit mon père. Mais je voudrais aussi cette vieille
cage à poules.

—Hé hé! dit le brocanteur, je reconnais qu'elle est vieille mais elle
peut servir aussi bien qu'une neuve. Enfin, puisque c'est vous, je vous
la donne.

Mon père lui tendit un billet mauve de cinquante francs. Il le prit
gravement, avec un salut de la tête.

Enfin, comme nous finissions de glisser notre butin sous les cordes
déjà tendues, pendant qu'il rallumait sa pipe, il dit tout à coup:

— J'ai bien envie de vous faire un cadeau d'un lit pour le petit!

Il entra dans son magasin, disparut derrière la forêt d'armoires, et
reparut, triomphant. Il portait à bout de bras un cadre fait de quatre
vieilles solives [95] si mal jointes qu'au moindre effort, ce carré devenait
losange. Sur l'un de ces bois, on avait fixé, avec des clous de tapissier,
un rectangle de toile de jute, aux bords effilochés,[96] qui pendait comme
le drapeau de la misère.

— A la vérité, dit-il, il manque un second cadre tout pareil pour
former un X avec celui-ci. Avec quatre bouts de bois, vous en verrez
la farce,[97] et le petit dormira comme un pacha! [98]

88. fishing rod   89. This famous Arab chief led the war against the French
(1832-47), was captured, imprisoned, and became, upon release, a staunch ally
of the French.   90. But stranger things have been seen!   91. A word to the
wise is sufficient!   92. fire screen   93. shepherd's umbrella   94. a collector's
item   95. a square made of four old joists   96. in shreds
97. That is, you'll make it usable   98. like a king

Il croisa ses bras sur sa poitrine, pencha doucement la tête sur le côté, et feignit de s'endormir avec un sourire béat.

Nous lui fîmes de grands remerciements; il en parut touché et, levant sa main droite qui nous présenta une paume noirâtre, il s'écria:

— Attendez! J'ai encore une surprise pour vous!

Et il rentra dans sa boutique en courant. Mais mon père qui avait passé la bricole,[99] démarra brusquement et descendit à bonne allure le boulevard de la Madeleine, tandis que le généreux vieillard, reparu au bord du trottoir, brandissait à bout de bras un immense drapeau de la Croix-Rouge, que nous jugeâmes inutile d'aller chercher.

Lorsque ma mère, qui nous attendait à la fenêtre vit arriver ce chargement, elle disparut aussitôt pour reparaître sur le seuil.

— Joseph, dit-elle selon l'usage, tu ne vas pas rentrer toutes ces saletés dans la maison?

— Ces saletés, dit mon père, vont être la base d'un mobilier rustique que tu ne te lasseras pas de regarder. Laisse-nous seulement le temps d'y travailler! Mes plans sont faits, et je sais où je vais.

Ma mère secoua la tête et soupira, tandis que le petit Paul accourait pour aider au déchargement.

Nous transportâmes tout le matériel à la cave, où mon père avait décidé d'installer notre atelier.[100]

Nos travaux commencèrent par le vol, dont je fus chargé, d'une cuillère en fer battu,[101] dans un tiroir de la cuisine.

Ma mère la chercha longtemps, et la retrouva plusieurs fois. Mais elle ne la reconnut jamais, car nous l'avions aplatie à coups de marteau pour en faire une truelle.[102]

Avec cet outil, digne de Robinson Crusoé, nous scellâmes dans le mur de la cave, deux bouts de fer, reliés par quatre vis à une flageolante table, dont ils assurèrent la stabilité, et qui fut ainsi promue au rang d'établi.[103]

Nous y installâmes un étau criard,[104] apaisé d'une goutte d'huile. Puis, nous fîmes le classement de l'outillage. Une scie, un marteau, une paire de tenailles,[105] des clous [106] de tailles différentes, mais également ment tordus par de précédentes extractions, des vis, un tournevis, un rabot, un ciseau à bois.[107]

J'admirai ces trésors, ces Machines, que le petit Paul n'osait pas

99. type of harness which helps to pull the cart   100. workshop
101. iron spoon   102. trowel   103. workbench   104. squeaking vice
105. saw, hammer, pliers   106. nails
107. screws, a screwdriver, a plane, a chisel

toucher, car il croyait à la méchanceté active des outils pointus ou tranchants, et faisait peu de différence entre une scie et un crocodile. Cependant il comprit bien que de grandes choses se préparaient; il partit soudain en courant, et nous rapporta, avec un beau sourire, deux bouts de ficelle, de petits ciseaux en celluloïd et un écrou [108] qu'il avait trouvé dans la rue.

Nous accueillîmes ce complément d'outillage avec des cris d'enthousiasme et de reconnaissance, tandis que Paul rougissait de fierté.

Mon père l'installa sur un tabouret [109] de bois, et lui recommanda de n'en jamais descendre.

— Tu vas nous être très utile, lui dit-il, parce que les outils ont une grande malice: dès qu'on en cherche un, il le comprend, et il se cache...

— Parce qu'ils ont peur des coups de marteau! dit Paul.

— Naturellement, dit mon père. Alors, toi, sur ce tabouret, surveille-les bien: ça nous fera gagner beaucoup de temps.

Chaque soir, à six heures, je sortais de l'école avec lui; nous rentrions à la maison en parlant de nos travaux et nous achetions en chemin de petites choses oubliées: de la colle de menuisier,[110] des vis, un pot de peinture, une râpe à bois.[111] Nous nous arrêtions souvent chez le brocanteur, devenu notre ami. Là, j'entrais en pleine féerie, car j'avais maintenant la permission de fouiller partout. Il y avait tout, dans cette boutique; pourtant, on n'y trouvait jamais ce que l'on cherchait... Venus pour acheter un balai,[112] nous repartions avec un cornet à piston, ou une sagaie,[113] celle-là même — aux dires de [114] notre ami — qui avait tué le prince Bonaparte. Dès notre arrivée à la maison, ma mère, selon le rite établi, nous dépouillait de ce butin,[115] me lavait les mains en grande hâte, et brossait nos trophées à l'eau de Javel. Après cette toilette médicale, je plongeais dans l'escalier de la cave, et je trouvais mon père, en compagnie de Paul, dans « l'atelier ».

Il était éclairé par une lampe à pétrole: elle était en cuivre un peu cabossé,[116] et portait un bec Matador, c'est-à-dire que la mèche [117] circulaire sortait d'un tube de cuivre, et montait sous un petit champignon [118] de métal qui forçait la flamme à s'épanouir en corolle.[119] Cette corolle était assez large et, pour la contenir, le « verre » que les Anglais appellent excellemment « la cheminée », avait à sa base un renflement du plus bel effet: mon père considérait cette lampe comme

108. nut   109. stool   110. wood glue   111. wood file   112. broom
113. a type of light javelin   114. according to   115. loot   116. dented
117. wick   118. mushroom   119. in a crown-like shape

le dernier mot de la technique, et il est vrai qu'elle donnait une vive lumière, en même temps qu'une violente odeur moderne.

Nous commençâmes par l'assemblage des chaises. C'était un puzzle, et d'autant plus difficile à résoudre que les barreaux n'entraient pas dans les trous des montants et qu'ils n'étaient pas tous de la même longueur.

Nous allâmes revendiquer [120] chez l'antiquaire, qui feignit d'abord de s'étonner, puis nous donna une botte [121] de barreaux. Il tint à l'assortir d'un petit cadeau, sous la forme d'une paire d'étriers [122] mexicains.

A grand renfort de colle forte, dont je faisais fondre les galettes dans de l'eau tiède, les six chaises furent reconstituées, puis vernies. Avec de la ficelle épaisse, ma mère tissa [123] les sièges. Par un raffinement imprévu, une triple cordelette rouge en cernait le bord.

Mon père les ayant rangées autour de la table de la salle à manger, les contempla longuement; puis il déclara que ces meubles, ainsi attifés,[124] valaient au moins cinq fois le prix qu'il les avait payés, et nous fit admirer, une fois de plus, les prodigieuses « affaires » qu'il savait découvrir chez les brocanteurs.

Ce fut ensuite le tour de la commode, dont les tiroirs étaient si fortement coincés [125] qu'il fallut démonter tout le meuble, et user longuement du rabot.

Ces travaux qui ne durèrent pas plus de trois mois, occupent cependant dans ma mémoire, une place considérable, car c'est à la lumière du bec Matador que j'ai découvert l'intelligence de mes mains, et la prodigieuse efficacité des plus simples outils.

Un beau jeudi matin, nous pûmes installer le long du corridor de l'immeuble, le mobilier des grandes vacances. L'oncle Jules avait été convoqué, à titre d'admirateur probable, et notre ami le brocanteur était venu en expert.

L'oncle admira, le brocanteur expertisa. Il loua les tenons,[126] il approuva les mortaises, et trouva les collages [127] parfaits. Puis comme l'ensemble ne ressemblait à rien, il déclara que c'était du « rustique provençal », ce qui fut doctoralement approuvé par l'oncle Jules.

Ma mère était émerveillée par la beauté de ces meubles, et selon la prophétie de mon père, elle ne pouvait se lasser de les regarder. Elle admira surtout un petit guéridon,[128] revêtu par mes soins de trois

120. to complain   121. a bunch of sticks, rods tied together   122. spurs
123. wove   124. dressed up   125. stuck
126. A projection left by cutting away the wood around it for insertion into a mortise to make a dovetail joint.   127. the gluing   128. pedestal table

couches de « vernis acajou ».[129] Il était vraiment beau à voir, mais il valait mieux le regarder que le toucher, car en posant les mains à plat [130] sur la tablette, on pouvait le soulever et le transporter ailleurs, comme font les médiums. Je crois que tout le monde s'aperçut de cet inconvénient, mais personne n'en dit un seul mot qui eût gâté le triomphe de nôtre exposition.

J'eus d'ailleurs le plaisir de constater plus tard qu'une petite erreur peut avoir de grands avantages, car ce guéridon, placé dans un coin bien éclairé, comme un meuble de prix, attrapa tant de mouches qu'il assura le silence et l'hygiène de la salle à manger des vacances, tout au moins pendant la première année.

Enfin, au moment de partir, le généreux expert ouvrit une vieille valise qu'il avait apportée. Il en tira une gigantesque pipe, dont le fourneau, sculpté dans une racine, [131] était aussi gros que ma tête, et il l'offrit à mon père « à titre de curiosité ». Puis, il fit présent à ma mère d'un collier de coquillages qu'avait porté la reine Ranavalo [132] et, s'excusant de n'avoir pas prévu la présence de l'oncle Jules — « qui ne perdrait rien pour attendre » — il prit congé avec des façons de grand seigneur.

La Gloire de mon père, pp. 73-100.

129. mahogany varnish   130. flat   131. whose bowl, carved out of a tree root,
132. Ranavalo III (1862-1917), queen of Madagascar

MICHEL BUTOR

Universitaire d'origine, Michel Butor s'est détourné, comme tant d'autres, de l'enseignement pour entrer dans la littérature. Né en 1926, il a publié à 28 ans son premier roman, *Passage de Milan*, et depuis lors il n'a fait qu'écrire, voyager et donner des conférences.

La structure de la plupart des romans de Butor repose sur l'organisation du temps dans lequel se meuvent les personnages. *Passage de Milan* se passe en une journée dans un immeuble de plusieurs étages où les locataires communiquent d'un étage à l'autre. *L'Emploi du temps* (1956) raconte la lutte de cœur et d'esprit d'un Français contre l'emprise d'une ville anglaise. Le livre est divisé en cinq parties dont chacune correspond à une période de temps différente dans le roman. *La Modification* (1957) est l'histoire d'un homme en voyage d'affaires de Paris à Rome où l'attend sa maîtresse. A la fin de son voyage, le personnage découvre qu'il n'a pas d'amour vrai pour cette femme, il n'aime en elle qu'une étrangère dont l'attrait se confond avec celui de la Ville éternelle. Car la hantise des villes fait aussi partie de l'œuvre de Butor et se retrouve dans *Passage de Milan* et *L'Emploi du temps*. Écrit à la suite d'un voyage aux États-Unis, *Mobile* (1962) survole le territoire de ce pays et dresse une carte de sa diversité urbaine.

Degrés et *Répertoire* échappent à ce genre. *Degrés* (1960) reproduit les exercices d'une classe de lycée, matière par matière, professeur par professeur, et prétend ainsi tracer un tableau de l'enseignement secondaire. *Répertoire* (1960) est une collection d'études et de conférences (1948-59) qui a valu à Butor le Grand Prix de la critique en 1960.

Enfin, il faut noter la minutie avec laquelle tout est décrit dans ces romans. C'est là un des caractères du « Nouveau Roman » que Michel Butor représente avec Nathalie Sarraute, Alain Robbe-Grillet et Claude Simon.

A voir, Bibliographie générale.

LA MODIFICATION

Quelques images d'une révolution psychologique

C'est à *La Modification* que sont empruntées les pages à lire ci-après. Le narrateur est en chemin de fer; il va retrouver une maîtresse dans la capitale italienne et il est décidé à l'épouser après un divorce. Mais au cours de ses pensées nocturnes dans ce train qui l'emporte, et où il passe alternativement du présent au futur et au passé, sa décision faiblit, s'effrite, tombe à rien.

On remarquera que l'auteur, au lieu de parler de son personnage et de dire « il », s'adresse à lui et lui dit « vous ».

Vous êtes encore transi [1] de l'humidité froide qui vous a saisi lorsque vous êtes sorti du wagon sur lequel, vous l'avez vérifié, la pancarte de métal pendue à l'extérieur juste derrière votre dos sous la fenêtre du corridor, est bien marquée Dijon, Modane, Turin, Gênes, Rome, Naples, Messine et Syracuse [2] jusqu'où vont peut-être les deux jeunes époux en voyage de noces,[3] qui ont baissé la vitre en face de vous, se penchent pour regarder les rails et un autre train se déplaçant lentement au loin dans la pluie qui tombe de plus en plus fort.

Il [4] relève la tête; des gouttes d'eau brillent sur ses cheveux secs de la même couleur que le bois de la table dans votre salle à manger, quinze place du Panthéon; et elle [5] secoue ses mèches, glissant ses doigts dans leur soleil de novembre comme Cécile dans ses serpents aux écailles de jais [6] quand elle refait ses tresses, comme faisait Henriette il y a des années, quand elle était encore jeune femme.

L'ecclésiastique a ressorti son bréviaire de son étui qui traîne, comme s'il l'avait jeté, sur la banquette, non loin du roman que vous aviez laissé pour marquer votre place et que vous ramassez pour le déposer sur l'étagère [7] après l'avoir, sans en lire un mot, feuilleté, vous savez,[8] avec le pouce, comme vous faisiez pour ces petits livres-cinématographes lorsque vous étiez en classe, ici non point pour voir des images bouger, simplement pour entendre, au milieu du brouhaha du train

1. chilled   2. *Dijon, Modane* are French cities; all others, Italian.
3. honeymoon   4. *Il* for *le jeune époux*   5. *elle* for *la jeune épouse*
6. like Cécile [running her fingers] through her jet black serpents [of hair] when she rebraids her hair (Cécile is the mistress in the story and Henriette is the wife.)   7. Small shelf under the window   8. for *vous savez comment*

et de la gare, à votre oreille le léger bruit que cela produit, semblable
à celui de la pluie.

Il est toujours carré [9] dans sa robe noire dont les plis sont maintenant
immobiles comme ceux d'une statue de lave, se détournant du paysage
pluvieux des voies et des caténaires,[10] peut-être trop connu, trop dé-
primant pour lui, son gros index enfoncé dans la tranche rouge encore
des pages [11] qu'il fait plier, et son regard croise un instant le vôtre
tandis que vous vous asseyez, mais ce n'est pas vous qu'il considère,
c'est en face de vous, à la place où se trouvait le professeur qui vient
de descendre, cet homme entré ici tandis que vous étiez sur le quai
à considérer les pancartes, qui n'a pas encore enlevé son manteau gris
clair assez peu mouillé, qui est sûrement Italien non seulement parce
qu'il vient de sortir de sa poche *La Stampa*,[12] mais surtous parce que
ses souliers à fines pointes, sur la rivière de fer chauffant aux vagues
fixées en losanges,[13] sont noirs et blancs.

Les deux jeunes époux remontent la vitre et se rasseyent.

Une femme toute vêtue de noir, agitée, assez petite, avec un visage
déjà ridé et un chapeau garni de tulle et de grosses épingles à boules,[14]
entre en tenant d'une main une valise de paille et un cabas,[15] de l'autre
un garçon d'une dizaine d'années qui porte lui-même un panier recouvert d'un foulard tomate,[16] et une fois qu'ils sont installés tous les deux
entre vous et l'ecclésiastique, elle laisse échapper un long soupir.

Vous entendez la voix déformée par les haut-parleurs terminer son
discours: «... Chambéry, Modane, et l'Italie, en voiture s'il vous plaît;
attention au départ», et le claquement sourd d'une dernière porte que
l'on ferme; le train s'en va.

Sur le cuir blanc de ces chaussures,[17] il y a quelques taches de boue
rondes, très voyantes; ce doit être la seule paire qu'il ait emportée
quittant l'Italie, un jour de beau temps, dimanche dernier peut-être
comme vous.

Apparaît, avec sa casquette et sa veste blanche, le garçon du wagon-
restaurant qui propose des tickets bleus pour retenir les places au
premier service à midi, celui que choisissent les deux époux, roses pour
le second, un peu après une heure, que vous préférez comme l'Italien,
qui semble avoir à peu près le même âge que vous, sans doute moins
riche que vous, peut-être représentant dans son pays d'une maison

9. [The priest] is still sitting   10. System of suspended wires for electric trains
11. The pages of the breviary are edged in red.   12. Italian daily newspaper
13. Metaphoric description of the heater set in the floor   14. hat pins
15. basket or shopping bag   16. tomato-colored scarf   17. The Italian's shoes

dijonnaise, organisant les importations là-bas de moutarde ou de Clos-Vougeot.[18]

L'écharpe qu'il garde autour du cou est exactement du même bleu de cobalt que son sac de voyage dans le filet à l'emplacement de la serviette [19] rouge sombre tachée d'encre d'où le professeur de droit retirait les volumes reliés de grosse toile noire qu'il devait avoir empruntés à la bibliothèque de sa Faculté.

Lui, quelles affaires a-t-il pour sa toilette? Un rasoir électrique sans doute, ce à quoi vous n'avez jamais pu vous habituer, et à côté de cela un pyjama au moins, quelques chemises élégantes comme on ne sait les faire qu'en Italie, des pantoufles de cuir dans une enveloppe de soie comme on en voit dans les vitrines du Corso,[20] et puis naturellement les dossiers, les papiers, les feuilles dactylographiées de plusieurs couleurs, les projets, les devis,[21] les lettres, les factures.

La dame en noir près de l'ecclésiastique qui descendra sans doute à une station prochaine (ils forment un étrange couple sombre en face du couple clair des jeunes époux), soulève le foulard qui couvre le panier serré entre elle et le petit à votre gauche qui déjà s'impatiente (il ressemble à Thomas il y a quelques années) et tape l'une contre l'autre ses jambes qui pendent.

Déjà passe la gare de Gevrey-Chambertin. Dans le corridor, vous apercevez la veste blanche du garçon qui sort d'un des compartiments et pénètre dans le suivant; et de l'autre côté, au travers de la vitre de nouveau couverte de grosses gouttes de pluie qui ruissellent lentement, hésitantes, en une gerbe de lignes obliques irrégulières avec des tressaillements et des captures, un fantôme de camion de lait s'éloigne au milieu de ces taches mal distinctes, plus sombres sur le fond brun brouillé.

Lorsque Cécile sortira du palais Farnèse,[22] lundi soir, vous cherchera des yeux, vous découvrira près d'une des fontaines en forme de baignoire, écoutant ce bruit d'eau ruisselante en la regardant s'approcher dans la nuit, traverser la place presque vide, il n'y aura plus aucun

18. A famous wine of Burgundy
19. *son sac . . . serviette,* his traveling bag is in the luggage rack (above his head) in the place of the brief case
20. A boulevard in Rome   21. estimates
22. A masterpiece of sixteenth-century architecture, it is considered the most beautiful of the Roman palaces and is now the French Embassy to the Holy See. Cécile is employed there.

marchand sur le Campo dei Fiori,[23] et ce ne sera que lorsque vous
arriverez à la via Vittorio Emmanuele [24] que vous retrouverez les lumières et l'agitation d'une grande ville, avec le bruit des tramways et
les enseignes au néon; mais comme il vous restera une heure encore
avant le repas, il est probable que vous ne prendrez point cet itiné-
raire trop courant, mais cheminerez au contraire longuement, lentement, sinueusement dans les petites rues obscures, votre main à sa
taille ou sur son épaule, comme y chemineront les deux jeunes époux
si c'est à Rome qu'ils s'arrêtent, ou comme ils se promèneront à Syracuse si c'est jusque-là qu'ils vont, comme font tous les soirs les précoces
couples romains, vous plongeant en cette diffuse foule d'amoureux
comme dans un bain de jouvence,[25] et vous irez longer le Tibre,[26]
vous appuyant de temps en temps à ses parapets pour regarder les
reflets trembler sur l'eau basse et noire, tandis que montera, des pon-
tons où l'on danse, la médiocre musique patinée [27] par le vent frais,
jusqu'au ponte Sant'Angelo [28] dont les statues si purement tourmentées,
si blanches le jour, ne vous apparaîtront que comme d'étranges taches
d'encre solides, puis, par d'autres rues obscures, vous parviendrez
encore une fois jusqu'à cette épine dorsale de votre Rome, jusqu'à la
piazza Navona [29] où la fontaine du Bernin sera lumineuse, et vous
vous y installerez, sinon à la terrasse trop fraîche à cette heure-là et
dont les tables seront très vraisemblablement rentrées, du moins le
plus près possible d'une fenêtre au restaurant Tre Scalini pour y commander le meilleur Orvieto [30] et raconter à Cécile dans le plus grand
détail ce que vous aurez fait pendant votre après-midi, afin d'abord
qu'elle soit bien certaine que c'est pour elle seule que vous êtes venu,
même dans cette journée où vous aurez été presque tout le temps
séparés, que vous n'avez point profité d'un voyage qui vous était im-

23. The ancient center of papal Rome, the piazza is now a vegetable market
surrounded by secondhand shops selling books, prints, objects of art, jewelry, etc.
24. This street follows the route of the medieval Via Papale and joins the Piazza
Venetia to the St. Peter's district.   25. youthfulness
26. the river Tiber   27. brought
28. Built in 136 by the Emperor Hadrian (76-138), this is considered the most
beautiful bridge in Rome. It is adorned by ten statues of angels carved by
Bernini's pupils. At the southern end are the statues of St. Peter and St. Paul.
29. In the middle of this piazza stands the Fontana dei Fiumi (Fountain of
the Rivers), which has allegorical figures of the Nile, the Ganges, the Danube,
and the Rio de la Plata around an obelisk. It was built in 1647 by Bernini
(1598-1680), Italian painter, sculptor, and architect, a leading artist of the
baroque style.
30. A well-known wine

posé par la maison Scabelli,[31] parce qu'il est absolument indispensable pour cette nouvelle vie qui va commencer entre vous deux qu'il n'y ait non seulement point de mensonge à sa base mais même de soupçon de mensonge, et aussi afin de pouvoir parler une dernière fois de Rome, à Rome, avec elle.

En effet, maintenant qu'elle va partir, et dès la décision prise, les dates fixées, les démarches[32] faites, c'est-à-dire sinon lundi soir, du moins dans quelques semaines au maximum, disons au moment de votre prochain voyage à Rome qui sera probablement le dernier où vous l'y retrouverez, ce sera pour vous presque comme si elle l'avait déjà quittée, car elle se mettra à revoir ce qu'elle connaît déjà de cette ville afin de l'amarrer plus solidement dans son souvenir, sans plus chercher à l'approfondir.

Ainsi, désormais, c'est vous des deux qui serez le Romain, et ce que vous voulez, c'est qu'elle vous fasse profiter le plus possible de son savoir avant de s'en aller, avant qu'il ne s'estompe[33] dans sa vie parisienne, c'est que, de plus, elle utilise les derniers temps de son séjour, ce sursis (qu'au besoin elle prenne quelques jours de vacances une fois qu'elle aura quitté l'ambassade) afin de prendre connaissance de ce que vous aimez et qu'elle n'a pas encore vu, et d'abord de ce qu'il y a d'intéressant malgré tout dans ce musée du Vatican dans lequel elle ne voulait pas entrer jusqu'à présent non seulement à cause de son aversion générale pour l'église catholique (cela n'aurait pas été suffisant), mais aussi parce que cette cité[34] représentait pour elle depuis votre rencontre et avec quelque apparence de raison, si sincères que fussent vos protestations de liberté d'esprit, tout ce qui vous empêchait de vous séparer d'Henriette,[35] tout ce qui vous interdisait de recommencer votre vie, de vous débarrasser de ce vieil homme que vous étiez en train de devenir.

A présent, par votre décision, par votre voyage pour elle seule, vous lui aurez bien montré que vous avez rompu ce genre de chaînes, et par conséquent ces images et ces statues ne devraient plus représenter pour elle un obstacle à tourner pour vous atteindre, une barrière à anéantir pour vous délivrer, de telle sorte qu'elle pourra et qu'il lui faudra les voir maintenant malgré tout l'agacement que la cité, ses gardiens et ses visiteurs lui produiront certainement, afin que soit plus solide encore cette communauté romaine, cette communion dans le lieu, ce terrain dans lequel votre amour s'enracine, cet amour qui va s'élever

31. The commercial house that he represents in Paris
32. the necessary arrangements   33. become blurred   34. Vatican City
35. Allusion to the fact that divorce is forbidden by the Catholic Church

et s'épanouir ailleurs, dans cette ville de Paris que vous considérez tous deux comme votre inaliénable patrie.

De l'autre côté du corridor, au travers de la vitre couverte de toute une toile tissée par les gouttes de pluie, vous devinez à cette luisance d'aluminium que ce qui s'approche, vous croise et disparaît, c'était un camion de pétrole. Une secousse un peu plus violente fait tinter le bouton d'une manche sur une barre de métal. Au-delà de la fenêtre noyée tournent, au milieu du paysage semblable à des reflets dans un étang, les triangles obscurs de toits et d'un clocher.

Quand vous avez quitté le restaurant Tre Scalini où vous aviez déjeuné avec Cécile, il faisait merveilleusement beau; n'eût été la fraîcheur de l'air, on se serait cru encore au mois d'août: la Fontaine des Fleuves [36] ruisselait au soleil.

Elle se plaignait de cet abandon dans lequel vous alliez la laisser, de ce qu'elle allait passer toute seule cette après-midi de dimanche, et vous tentiez de l'apaiser en lui expliquant pour quelles raisons votre présence était indispensable le lendemain matin à votre bureau à Paris, que non, vous ne pouviez pas envoyer un télégramme pour avertir que vous ne seriez là que le surlendemain, qu'il était inutile d'essayer de vous retarder, vous obligeant ainsi à attendre le train de vingt-trois heures trente [37] que vous prendrez pour revenir lundi prochain.

« Et moi qui laisserais tout pour partir à Paris avec toi, pour te voir tous les jours, ne serait-ce que cinq minutes, même en secret. Ah, je le sais bien, je ne suis que ton amie romaine, et je suis folle de continuer à t'aimer, de te pardonner ainsi, de te croire quand tu me dis qu'il n'y a plus que moi qui compte malgré toutes les preuves que j'ai du contraire. »

C'est pourquoi vous l'avez assurée que vous faisiez tout pour lui trouver une situation, que, dès que l'occasion s'en présenterait, vous la ramèneriez avec vous, que vous vous sépareriez d'Henriette, sans esclandre,[38] et que vous vivriez ensemble.

Or, si maintenant vous avez effectivement décidé, si vous avez effectivement demandé autour de vous et obtenu cette proposition [39] que vous cherchiez, si tout ce que vous lui disiez est devenu vrai, à ce moment-là vous n'aviez encore fait aucune démarche en ce sens, tout cela demeurait à l'état de projet imprécis et vous en remettiez l'exécution de semaine en semaine, de voyage en voyage.

36. See note 29.   37. eleven-thirty in the evening
38. scandal   39. offer of a job

C'est ce qu'elle comprenait fort bien en vous regardant avec ce sourire triste que vous trouviez si injuste, et c'est à cause de cela qu'elle s'est tue, qu'elle s'est contentée de se mettre en marche vers la station de taxis en face de Sant'Andrea della Valle [40] parce que l'heure avançait et qu'il vous fallait aller reprendre votre valise à l'Albergo Quirinale.[41]

Stazione Termini,[42] après être monté, au *marciapiede* [43] neuf, dans un wagon de première classe pour y marquer une place de coin couloir face à la marche [44] avec les journaux et le roman policier italien que vous veniez d'acheter dans le grand hall transparent, au moment où l'horloge y marquait treize heures trente,[45] pour y déposer sur le filet au-dessus votre serviette et votre valise, vous êtes redescendu sur le quai pour embrasser Cécile qui vous a demandé une fois de plus, pour essayer de transformer votre réponse (et il est vrai que la réponse s'est transformée, mais à ce moment vous ne le saviez pas, vous ne pouviez point la consoler, la satisfaire encore):

« Alors, quand reviendras-tu? »

et à qui vous avez répété ce qu'elle savait déjà, ce que vous lui aviez déjà dit vingt fois au cours de ce séjour:

« Hélas, pas avant les derniers jours de décembre »,

ce qui est devenu faux maintenant; or, tout à coup, comme si elle pressentait ce qui allait se passer, ce qui est en train de se faire, elle s'est débarrassée de toute sa mélancolie, elle s'est mise à rire, elle vous a crié comme s'ébranlait la machine:

« Allons, bon voyage, ne m'oublie pas »,

et vous l'avez regardée diminuer dans la distance.

Puis vous vous êtes installé dans votre compartiment en face d'une photographie en couleurs représentant un des détails de la Sixtine,[46] un des damnés cherchant à se cacher les yeux, au-dessus de la place qui est restée vide jusqu'à Paris, et vous vous êtes plongé dans la lecture des lettres de Julien l'Apostat.[47]

Le soleil achevait de se coucher quand vous êtes arrivé à Pise; il pleuvait sur Gênes tandis que vous dîniez au wagon-restaurant, et vous

40. This church was finished in 1650, following the designs of Maderno (1556-1629), the Italian architect who finished the Basilica of St. Peter.
41. Name of the hotel where he stays when in Rome
42. The central railroad station in Rome   43. train steps
44. facing forward   45. one-thirty in the afternoon
46. Chapel of the Vatican built between 1473 and 1484 on the orders of Pope Sixtus IV. It is known for its beautiful frescoes by Michelangelo and other famous painters.
47. Julian (?331-363), Roman emperor, commonly called Julian the Apostate

regardiez le nombre des gouttes d'eau augmenter de l'autre côté de
la vitre; vous avez passé la frontière vers une heure du matin, puis on
a éteint la lumière et vous vous êtes endormi confortablement pour ne
vous réveiller que vers les cinq heures du matin; entrouvrant le rideau
bleu à votre droite, vous avez vu, interrompant la nuit encore complète, les lumières d'une gare dont vous avez pu lire le nom comme le
train ralentissait: Tournus.

Au-delà de la fenêtre toujours aussi brouillée de pluie, se superposant [48] à la série des pylônes réguliers comme un coup inattendu légèrement plus fort, un signal en damier tourne d'un quart de tour.
Une secousse un peu plus violente fait sursauter le couvercle du cen-
drier sous votre main droite. De l'autre côté du corridor, au-delà de
la vitre rayée d'une gerbe de petits fleuves semblables à des trajectoires
de très lentes et très hésitantes particules dans une chambre de Wilson,[49] un camion bâché lève d'énormes éclaboussures parmi les flaques
jaunes de la route.

Cette fois-ci vous n'aurez pas besoin de retourner à l'Albergo Quirinale,[50] ni de vous presser après le repas puisque vous rentrerez passer
la soirée au cinquante-six via Monte della Farina, dans cette chambre
que Cécile va bientôt quitter et que vous ne verrez plus qu'une ou
deux fois par conséquent.

Ce qui fera le sujet de votre conversation, ce sera les arrangements
de votre vie future, la façon dont elle pourra s'installer à Paris, point
qui, lui, n'est pas entièrement réglé, ce pour quoi vous préférez ne lui
en parler qu'en ce dernier moment, mais à propos duquel vous pourrez
déjà lui soumettre un certain nombre de possibilités: ainsi, pour l'instant, à la rigueur, pour attendre, cette chambre de bonne au treize
place du Panthéon, malgré cette proximité terriblement gênante,[51] ou
l'hôtel, qui est loin d'être ce dont vous rêvez tous les deux, mais que
l'on pourrait envisager pour les premières semaines, puis, à partir de
janvier, l'appartement des Martel qui doivent s'en aller pour un voyage
d'une année aux États-Unis et accepteraient certainement de vous hé-
berger pendant ce temps-là, mais avec qui il faudrait prendre certaines
précautions, ne les mettant qu'à demi dans la confidence, parce que,

48. *un signal en damier se superposant à*   a checkered signal superimposing itself
49. The Wilson Cloud Chamber was invented by C. T. R. Wilson, a Scottish
physicist born in 1869, for rendering visible the tracks of swift electrified
particles, which was important for research in atomic physics.   50. See note 41.
51. embarrassing because it is near the apartment of his own family

malgré leur chaleureuse approbation officielle, vous ne savez pas ce qu'ils en [52] penseront vraiment, et enfin, au mois de février seulement, le petit logement de Dumont qui doit s'installer à Marseille, ni grand, ni confortable, mal situé, mais qu'à défaut d'autre chose [53] vous pourriez arranger convenablement.

Voilà où en est la situation, lui direz-vous, de nouveau confronté aux problèmes des jeunes mariés, mais il est très possible que d'ici quelques jours affluent d'autres propositions, vous suivrez soigneusement les annonces des journaux et, si jamais quelque chose convient, vous l'arrêterez immédiatement,[54] vous y ferez même commencer les travaux de peinture pour que tout soit prêt lors de son arrivée.

Couchés tous les deux sur son lit, au-dessous des photographies de l'obélisque et de l'arc de triomphe,[55] vous vous caresserez tout en discutant, malgré cette incertitude, des meubles qu'il faudra, des appareils pour la cuisine, avec de nombreux silences entre les phrases, entre les mots, et bientôt, beaucoup trop tôt, ce sera l'heure de payer pour cette chambre d'à côté où vous n'aurez pas dormi, dont vous aurez seulement défait le lit les deux matins, puis de vous acheminer vers la gare, non pas à pied, à cause de votre valise, si légère que vous l'ayez voulue, mais dans un taxi qu'il vous aura fallu sans doute attendre assez longtemps devant Sant'Andrea della Valle [56] ou au Largo Argentina [57] parce que vers onze heures ils passent beaucoup plus rarement.

Dans la gare lumineuse, après être monté dans un wagon de troisième classe sur lequel il y aura la pancarte: « Pisa Genova Torino Modena Parigi », pour tâcher d'y trouver et d'y réserver une place semblable à celle où vous êtes maintenant, un coin couloir face à la marche, vous redescendrez sur le quai retrouver Cécile, qui vous redira peut-être:

« Alors, quand reviendras-tu? »

mais ce sera sur un tout autre ton, dans un tout autre dessein, et vous pourrez lui répondre, dans cette nuit que la séparation même ne réussira pas à empêcher d'être heureuse, exactement les mêmes paroles que dimanche dernier au début de l'après-midi:

52. about him and Cécile living together there
53. for lack of something better   54. you'll take it immediately
55. The *obélisque* is a four-sided monolithic pillar, brought from Luxor in Egypt in 1831 and located in the center of the Place de la Concorde, a large square in Paris. *L'arc de triomphe,* built by Napoleon I, is located at the end of the Champs-Élysées in Paris.   56. See note 40.
57. This square off Via de Torre Argentina contains the remains of four temples of the Republican period.

« Hélas, pas avant les derniers jours de décembre »,
mais vous les prononcerez tout autrement, en riant vous-même, dans la
certitude de votre bonheur prochain, de vos retrouvailles définitives,
non plus dans la gêne et l'agacement.

Jusqu'à la dernière minute vous resterez à l'embrasser, car cette fois,
à cette heure tardive, au départ de ce train peu commode, vous n'avez
nulle crainte qu'un membre influent de la maison Scabelli,[58] même si
par un prodigieux hasard il se trouvait à deux pas de vous, risque de
vous identifier; vous n'escaladerez les marches qu'au sifflet, et d'une
fenêtre dont vous aurez baissé la vitre, vous regarderez Cécile courir,
vous faire des signes jusqu'à ce qu'elle n'en puisse plus, essoufflée,
rouge d'effort et d'émotion, diminuant dans la distance, tandis que le
train quittera la gare, avant de vous installer pour cette nuit inconfortable sans vous plonger encore dans vos lectures car vous aurez
l'esprit si rempli d'elle que ce sont ses yeux, ses lèvres qui vous souri-
ront sur tous les visages de vos compagnons de voyage, et de tous ceux
qui attendront d'autres trains sur les quais des stations suburbaines,
Roma Tuscolana, Roma Ostiense, Roma Trastevere.

Puis quelqu'un demandera d'éteindre la lampe.

A travers la vitre un peu moins brouillée par les gouttes de la pluie
qui s'atténue, vous apercevez une voiture semblable à la vôtre, une
quinze chevaux noire toute maculée de boue, aux essuie-glaces papillo-
tants, qui s'éloigne bientôt de la voie et disparaît derrière une grange,
entre les vignes de l'autre côté du corridor où s'avance maintenant
brandissant sa sonnette le garçon du wagon-restaurant. Passe la gare
de Fontaines-Mercurey.

Les deux jeunes époux ont dressé la tête, mais lui, qui doit avoir
bien plus qu'elle l'expérience des voyages, déclare qu'ils ont bien le
temps, qu'ils peuvent attendre jusqu'au retour du tintement.

Vous regardez à votre montre: il est onze heures cinquante-trois,
quatre minutes par conséquent avant l'arrivée à Chalon, plus d'une
heure avant votre repas.

Le petit garçon à votre gauche croque une tablette de chocolat qui
commence à fondre et à lui tacher les doigts, si bien que la femme en
noir à qui Henriette ressemblera dans quelques années, un peu plus
élégante voilà tout, vêtue d'un gris à peine moins sombre, à peine
moins triste que ce noir, sort de son sac un mouchoir et essuie sa petite
main en l'interpellant, puis elle tire du panier un paquet de biscuits

58. See note 31.

enveloppé dans du papier d'argent qu'elle déchire, et elle en donne un à cet enfant qui est peut-être son fils, ou son petit-fils, ou un neveu, ou autre chose encore, qui en fait tomber une partie sur le sol chauffant et vibrant.

L'ecclésiastique lève les yeux de son bréviaire, réprime un bâillement, pose sa main gauche sur l'appui, tapant avec un doigt sur la bande de métal où se trouve l'inscription: « Il est dangereux de se pencher au dehors », puis il se frotte les épaules contre le dossier, s'enfonce et se redresse, se remet à sa lecture devant les premières maisons de Chalon.

Celui qui tout à l'heure vous avait pris votre place rentre dans le compartiment, enfile son imperméable noir, se balançant entre les deux banquettes comme un homme ivre; il perd l'équilibre et se rattrape de justesse en empoignant votre épaule.

Maintenant, c'est l'immobilité et le silence, sur lequel se détachent quelques cris, quelques grincements, quelques frottements; les gouttes d'eau sur les vitres ne tremblent plus, ne se renouvellent plus.

Avec aisance, le voyageur de commerce descend du filet sa valise de carton rougeâtre imitant si mal le cuir, renforcée aux coins, dans laquelle il doit avoir ses échantillons: [59] brosses? conserves? produits d'entretien?

En général, leurs trajets d'affaires [60] sont plus brefs: ils vont de ville en ville par petites étapes et ont leur point d'attache près de la région qu'ils prospectent. Aucun de vos représentants en province n'aurait à faire pour la maison Scabelli des déplacements de cette importance; ils n'ont jamais à venir à Paris pour leur métier, ce sont vos inspecteurs qui vont les voir, et celui-ci n'est certainement pas un inspecteur de quelque maison que ce soit. Il s'agit peut-être d'une de ces petites boîtes mal organisées qui diffusent au hasard une marchandise de qualité le plus souvent très inférieure, à moins qu'il soit allé en vacances (quelle époque pour cela!), ou voir sa famille, ou voir une femme lui aussi, quel genre de femme, dans quelle rue sordide, quel hôtel meublé?

Quant à ce paquet enveloppé de journal, peut-être quelques provisions, quelques restes d'un dessert de la veille, il ne peut pas le garder à la main toute la journée et l'amener chez ses clients, ni le déposer à la consigne,[61] on n'en voudra pas; mais pourquoi n'en voudrait-on pas et il a peut-être des amis ici, peut-être qu'il habite ici avec sa femme et ses enfants (oui, il a une alliance [62] comme vous,

59. samples   60. business trips   61. cloak-room   62. a wedding ring

comme le jeune époux qu'il vous cache, comme l'Italien en face de vous), sa femme qu'il croit tromper [63] si habilement mais qui n'ignore rien en réalité de ce qui l'attire à Paris, qui le laisse mentir le plus souvent sans le contredire, pour avoir la paix, mais qui de temps en temps explose.

Dans la porte apparaît un autre homme de même espèce avec une valise identique, un peu plus âgé, plus rouge, plus large, auquel il crie qu'il arrive, celui certainement qu'il avait retrouvé dans un compartiment voisin et près de qui il s'était installé, vous rendant votre place préférée.

Le petit garçon à côté de vous mord violemment dans un morceau de pain coupé en deux d'où dépasse une langue de jambon.

Un jeune militaire dans son manteau trempé couleur de foin, dépaysé, pénètre, hisse [64] cette boîte de bois peint qui lui sert de bagage, s'assied auprès de l'Italien.

On entend le sifflet qui roule; on voit les poteaux, les bancs de la gare qui se déplacent; le bruit, le balancement reprennent. Ce n'est plus la gare déjà. Des automobiles attendent devant un passage à niveau.[65] Ce sont les dernières maisons de Chalon.

Commence la procession des gens sans manteaux qui s'en vont vers leur nourriture, vers la salle à manger mouvante, leur ticket bleu à la main, tandis que revient la clochette.

La jeune mariée se lève la première, marque sa place avec le guide bleu [66] d'Italie, s'arrange les cheveux devant la glace, et quand elle a fini sort avec son époux.

La veuve a pris dans le panier un morceau de gruyère [67] qu'elle coupe en fines lamelles; l'ecclésiastique a refermé son bréviaire qu'il enfile dans son étui.

Passe la gare de Varennes-le-Grand. Dans le corridor vous apercevez le dos du garçon en veste blanche et en casquette. Au-delà de la fenêtre qui recommence à se brouiller de pluie, des écoliers s'échappent d'une école.

Il y avait deux autres personnes dans le compartiment, qui dormaient la bouche ouverte, un homme et une femme, tandis qu'au plafond, dans le globe, la petite ampoule bleue veillait; vous vous êtes levé, vous avez ouvert la porte, vous êtes allé dans le corridor pour fumer une cigarette italienne. Tout était noir dans la campagne depuis Tour-

63. to be unfaithful to   64. hoists (into the baggage rack above the seat)
65. railroad crossing   66. Name of a well-known series of travel guides
67. A cheese

nus; les fenêtres du wagon projetaient sur le talus des rectangles de lumière où glissaient les herbes.

Vous aviez rêvé de Cécile, mais non point agréablement; c'était son visage de méfiance et de reproche qui était revenu dans votre sommeil pour vous tourmenter, le visage qu'elle avait eu lors de vos adieux sur le quai de la Stazione Termini.[68]

Or, si vous éprouviez tellement le besoin de vous éloigner d'Henriette, n'était-ce pas avant tout à cause de cet air perpétuel d'accusation, qui baignait ses moindres paroles et ses moindres gestes? Alliez-vous donc le retrouver à Rome désormais? N'y aurait-il plus là pour vous de repos, ne vous serait-il plus possible d'aller vous y replonger, vous y rajeunir dans la franchise d'un amour clair et neuf? La vieillesse commençait-elle déjà à mordre aussi sur cette partie de vous-même que vous en croyiez préservée? Seriez-vous donc maintenant ballotté entre ces deux reproches, ces deux rancunes, ces deux accusations de lâcheté? Alliez-vous laisser s'augmenter cette mince lézarde qui risquait de corrompre et de faire tomber en poussière tout cet édifice de salut que vous aviez vu pendant ces deux ans s'élever, s'affermir, s'embellir à chaque voyage? Alliez-vous le laisser s'implanter et croître aussi sur ce visage,[69] ce lichen du soupçon qui vous faisait haïr l'autre,[70] le laisser croître simplement parce que vous n'osiez pas l'arracher d'un coup brutal et libérateur?

Certes, cet énorme chancre insidieux qui recouvrait les traits anciens d'Henriette d'un masque horrible se durcissant autour de sa bouche jusqu'à la rendre à peu près muette (toute parole qu'elle proférait semblait venir de l'autre côté d'un mur s'épaississant de jour en jour, de l'autre côté d'un désert se hérissant de jour en jour de buissons de plus en plus épineux), jusqu'à rendre sous vos baisers ces lèvres qui ne les acceptent plus que par habitude, froides et rugueuses comme du granit, se durcissant[71] autour de ses yeux, les recouvrant comme d'une taie déformante, si vous hésitiez tant à l'extraire,[72] c'était par crainte de ces chairs à vif que vous découvririez, comme le chirurgien quand il a pratiqué son incision, de toute cette vieille souffrance qui jaillirait d'un seul coup.

Mais cette profonde blessure horrible et purulente, ce n'est qu'après un tel nettoyage qu'elle pourra se cicatriser, et si vous continuiez d'attendre, le pourrissement se mettrait à enfoncer ses racines plus avant encore, la contagion serrerait ses bras autour de vous plus étroitement,

68. See note 42.   69. Cécile's face   70. Henriette
71. Refers to *masque horrible*   72. *extraire cet énorme chancre*

ce serait le visage même de Cécile qui subirait tout entier l'atteinte de cette lèpre...[73]

Déjà le reproche avait appesanti sur lui son ombre menaçante, il était grand temps de choisir entre ces deux femmes, ou plus exactement, puisque le choix ne pouvait faire le moindre doute, de tirer les conséquences de ce choix, de le déclarer, de le publier, et tant pis pour la souffrance d'Henriette, tant pis pour le trouble des enfants puisque c'était là l'unique chemin de sa guérison, de la leur, de la vôtre, l'unique moyen de préserver la santé de Cécile; mais que la décision était dure à prendre, comme le couteau tremblait dans votre main!

Ah, vous auriez remis les choses encore à une autre semaine, à un autre voyage, s'il n'y avait pas eu à Paris toutes ces contrariétés, toute cette fadeur confuse vous submergeant; vous auriez tenté de tergiverser,[74] lâche comme le pensait Henriette, comme commençait à le penser Cécile aussi, comme elle ne le pensera plus maintenant, puisque vous l'avez enfin franchi, ce pas; vous auriez ainsi continué à retarder l'avènement de votre propre bonheur, malgré cette voix qui vous poursuivait, malgré cette plainte qui vous pressait, cet appel à l'aide, malgré ce visage qui vous avait tourmenté dans votre rêve et qui se dessinait maintenant dans les fuyantes herbes du talus éclairées en rectangles par les fenêtres du wagon, auquel vous tentiez de ne plus penser malgré cette sirène d'angoisse poignante qui s'était mise à hululer [75] dans votre cœur et que vous essayiez d'écarter.

Vous avez cherché du secours dans son dernier rire sur le quai, mais c'était en vain, car voici que vous l'entendiez se renouveler [76] à votre prochain voyage, le prochain, celui de décembre, plus aigre, puis se transformer en sarcasme aux adieux suivants.

Pour l'éloigner, pour l'estomper,[77] pour l'étouffer dans la distance, vous sondiez la nuit noire où des masses plus sombres encore, arbres et maisons, filaient comme de grands troupeaux rasant le sol, accrochant votre attention sur les stations qui se succédaient avec leurs lumières, leurs pancartes et leurs horloges: Sennecey, Varennes-le-Grand, les longs quais vides de Chalon où le train ne s'arrêtait pas, Fontaines-Mercurey, Rully; puis, lassé, espérant que le sommeil allait vous reprendre, vous êtes rentré dans votre compartiment de première dont vous avez refermé la porte; en écartant un peu le rideau bleu qui masquait le carreau à votre droite, vous avez vu les lanternes

73. lèpre... (qu'Henriette lui communiquerait)
74. to equivocate, to avoid a decision   75. to wail
76. that you imagine hearing her laughter again   77. to blur it

d'une gare, et comme le train ralentissait encore, vous avez pu lire que c'était Chagny.

Au-delà de la fenêtre sur laquelle les gouttes de pluie sont maintenant plus fines, ce village qui passe doit être Sennecey. L'ecclésiastique se lève, prend son porte-documents sur le filet, en ouvre la fermeture éclair,[78] y glisse son bréviaire et se rassied. Sur le tapis de fer chauffant, oscille une miette de biscuit au centre de l'un des losanges entre les souliers de la dame en noir et ceux du jeune militaire qui déboutonne son manteau, écarte bien les genoux, pose ses coudes par-dessus, regarde dans le corridor.

Dans le compartiment de troisième classe où vous vous êtes réveillé,[79] Cécile dormait en face de vous tandis que veillait la lumière bleue dans le lampadaire, et il y avait trois autres personnes assoupies, des touristes.

Puis au crépuscule de l'aube, vous avez vu à votre montre qu'il n'était pas encore cinq heures; le ciel était parfaitement pur et à chaque sortie de tunnel son vert apparaissait plus clair.

Entre deux collines, de l'autre côté du corridor, vous avez aperçu Vénus, et comme vous reconnaissiez la gare de Tarquinia, ceux qui étaient près de la fenêtre ont secoué leurs têtes, se sont étirés; l'un a décroché le rideau qui est remonté lentement tout seul et les rayons peu à peu roses ont commencé à peindre et détacher le visage de Cécile qui s'est mise à remuer, s'est redressée, a ouvert les yeux, vous a regardé un certain temps sans vous reconnaître, s'interrogeant, se demandant où elle se trouvait, puis vous a souri.

Vous songiez aux traits tirés qu'avait Henriette dans votre lit le matin d'avant avec ses cheveux en désordre, tandis qu'elle,[80] sa tresse noire qu'elle n'avait pas défaite, presque intacte, simplement un peu relâchée par les mouvements de la nuit, par les frottements sur le dossier, splendide dans la lumière nouvelle, lui entourait le front, les joues comme une auréole de l'ombre la plus voluptueuse et la plus riche, faisant comme vibrer l'éclat de soie à peine froissée de sa peau, de ses lèvres, de ses yeux quelques instants vagues et incertains, clignotants, mais qui avaient déjà repris toute leur vivacité avec quelque chose de plus, une sorte de gaieté confiante qu'ils n'avaient pas la veille, changement dont vous vous sentiez responsable.

« Comment? Vous êtes resté ici? »

78. zipper   79. He recalls the first encounter with Cécile.   80. Cécile

Passant votre main sur votre menton râpeux,[81] vous lui avez dit que
vous alliez revenir dans un moment, puis vous vous êtes dirigé dans
le sens inverse de la marche du train jusqu'à ce compartiment de
première vide maintenant dans lequel vous vous étiez installé à Paris,
vous avez descendu vos bagages sur la banquette pour en tirer la
poche de nylon où sont vos affaires de toilette et pouvoir aller vous
raser, après quoi vous êtes revenu à travers les wagons où presque
tous les rideaux étaient alors relevés, presque tous les voyageurs déjà
réveillés, jusqu'à Cécile qui elle aussi pendant ce temps s'était ra-
fraîchie, avait resserré sa tresse et repeint ses lèvres, Cécile dont vous
ne saviez pas encore le nom.

Après Roma Trastevere,[82] puis le fleuve,[83] après Roma Ostiense,
avec la pyramide de Cestius [84] brillante aux rayons du matin, après
Roma Tuscolana, puis la porte Majeure [85] et le temple de la Minerve
Médecin,[86] dans la grande gare transparente de Termini,[87] vous l'avez
aidée à descendre, vous lui avez porté ses paquets, vous avez traversé
le hall ensemble, vous lui avez offert le petit déjeuner, contemplant
derrière les grands panneaux de verre les ruines de la construction de
Dioclétien [88] illuminées par le jeune soleil superbe, vous avez insisté
pour qu'elle profite de votre taxi, et c'est ainsi que vous êtes arrivé
pour la première fois devant le cinquante-six via Monte della Farina,
dans ce quartier que vous ne connaissiez presque pas.

Elle ne vous avait pas dit son nom; elle ignorait le vôtre; vous n'aviez
point parlé de vous revoir, mais comme le chauffeur vous ramenait
par la via Nazionale jusqu'à l'Albergo Quirinale, vous aviez déjà la
certitude qu'un jour ou l'autre vous la retrouveriez, que l'aventure ne
pouvait se terminer là, et qu'alors vous échangeriez officiellement vos
identités et vos adresses, que vous conviendriez d'un lieu pour vous
revoir, que bientôt elle vous ferait pénétrer non seulement dans cette
haute maison romaine où elle était entrée, mais encore dans tout ce
quartier, dans toute une partie de Rome qui vous était encore cachée.

Tout le jour, son visage a hanté vos promenades et conversations,
toute la nuit votre sommeil, et le lendemain vous n'avez pu vous em-

81. bristly   82. The popular quarter of Rome, it contains churches among the
most ancient in the city and some of the loveliest palaces of Rome.
83. the Tiber   84. The tomb of the Tribune Cestius is a pyramid ninety
feet high, built in brick covered with marble.
85. The Porta Maggiore, a first-century construction, has two arches, one for the
Via Prenestina and the other for the Via Casilina.
86. The ruins of a third-century nympheum from the gardens of the
Emperor Lycenius   87. See note 42.   88. Roman emperor from 284 to 305

pêcher de rôder du côté de la via Monte della Farina, même de faire le guet[89] quelques instants devant le cinquante-six, comme vous le ferez demain, espérant la voir apparaître à une fenêtre, puis, comme vous avez craint d'être ridicule (il y avait longtemps que vous ne vous étiez plus conduit de cette façon), surtout de l'agacer, de la gêner si elle vous voyait ainsi, de vous faire rabrouer comme importun, de tout gâcher, de tout empêcher par votre impatience, vous vous êtes résigné à vous éloigner, vous efforçant de l'oublier, résolu en tout cas à laisser au destin le soin de ménager la prochaine rencontre.

Sur le tapis de fer chauffant, la chaussure du militaire écrase la miette de biscuit. L'ecclésiastique tire son porte-monnaie de sa poche et compte sa fortune. Au-delà de la fenêtre sur laquelle les gouttes de pluie maintenant s'espacent, cette église et ce village qui s'approchent, vous savez bien que c'est Tournus.

Dans le lampadaire au plafond la petite ampoule bleue veillait. Il faisait chaud et lourd, vous aviez de la peine à respirer; les deux autres occupants dormaient toujours, balançant leurs têtes à droite et à gauche comme des fruits agités par un grand vent, puis l'un des deux s'est éveillé, un homme épais qui s'est levé, qui s'est avancé vers la porte en titubant.

Comme vous vous efforciez de chasser de votre esprit ce visage de Cécile qui vous poursuivait, ce sont les images de votre famille parisienne qui sont venues vous tourmenter, et vous avez tenté de les chasser aussi, retombant sur celles de votre travail sans parvenir à échapper à ce triangle.[90]

Il aurait fallu que la lumière fût revenue, que vous fussiez capable de lire ou même seulement de regarder avec attention quelque chose, mais il y avait encore cette femme dans l'ombre dont vous ignoriez les yeux et les traits, la couleur des cheveux et du costume, que vous aviez peut-être vu entrer la veille au soir mais que vous aviez oubliée, cette forme confuse recroquevillée dans le coin près de la fenêtre face à la marche, protégée derrière l'accoudoir qu'elle avait baissé, dont vous entendiez la respiration régulière un peu rauque et que vous n'osiez pas troubler.

Par la porte restée à demi-ouverte, un pan de clarté jaunâtre entrait, tout habité par l'agitation des poussières, détachant de la nuit votre genou droit, dessinant sur le sol un trapèze qu'a écorné l'ombre du

89. be on watch   90. That is, the triangle formed by the face of Cécile, his family, and his work

gros homme revenant, qui s'est adossé au panneau coulissant, dont la jambe droite, la manche droite, le bord défraîchi de la chemise, le bouton d'ivoire de la manchette, et la main qui s'est enfoncée dans sa poche pour en tirer non pas un paquet de Gauloises [91] mais de Nazionale [92] vous sont devenus visibles; puis comme vous suiviez les écheveaux de fumée qui s'élevaient, qui se tordaient, qui tentaient des incursions dans le compartiment, s'étalaient enfin, une secousse plus brutale vous a averti que vous étiez arrivé à Dijon.

Dans le silence ponctué de quelques grincements, quelques roulements isolés, la femme qui s'était réveillée a détaché les boutons du rideau auprès d'elle et l'a remonté de quelques centimètres, laissant apparaître, parce qu'il faisait déjà un peu moins sombre dehors, une mince bande grise qui peu à peu, comme le train s'était remis en marche, s'est élargie, s'est éclaircie sans qu'eussent paru les couleurs de l'aurore.

Bientôt la fenêtre entièrement dégagée vous a fait voir le ciel nuageux, et sur sa vitre des gouttes d'eau se sont mises à marquer leurs petits cercles.

La lampe bleue s'était éteinte dans le globe du plafond, les lampes jaunâtres dans le corridor; une à une toutes les portes s'ouvraient et des voyageurs en sortaient, écarquillant leurs yeux encore tout envasés de sommeil; tous les rideaux se relevaient.

Vous êtes allé jusqu'au wagon-restaurant pour y prendre non point le précieux café italien, cette liqueur vivifiante et concentrée, mais simplement une eau noirâtre [93] dans une épaisse tasse de faïence bleu pâle avec les curieuses biscottes rectangulaires enveloppées par trois dans de la cellophane que vous n'avez jamais vues que là.

Dehors, sous la pluie, passait la forêt de Fontainebleau dont les arbres étaient encore garnis de feuilles que le vent arrachait comme par touffes et qui retombaient lentement pareilles à des essaims de chauves-souris [94] pourpres et fauves, ces arbres qui en quelques jours ont perdu tout leur apparat,[95] sur lesquels il ne restait plus tout à l'heure, au bout de leurs branches sévères, que quelques fines taches tremblantes, quelques rappels de cette pompe [96] alors si généreusement répandue qu'elle fourmillait jusque dans les clairières et les halliers,[97] et il vous semblait voir apparaître, cause de tout ce remuement, à travers taillis et futaies,[98] la figure d'un cavalier de très haute

91. French cigarettes   92. Italian cigarettes   93. That is, horrible coffee
94. swarms of bats   95. the splendor of their foliage
96. the beauty of autumn   97. clearings and thickets   98. bushes and woods

stature,[99] vêtu des lambeaux [100] d'un habit superbe dont les rubans et les galons métalliques décousus lui faisaient comme une chevelure de ternes flammes, sur un cheval dont transparaissaient à demi les os noirs semblables à d'humides ramures de hêtre se carbonisant,[101] à travers ses chairs flottantes, ses fibres détachées, ses lanières de peau claquantes [102] qui s'ouvraient et se refermaient, la figure de ce grand veneur dont vous aviez même l'impression d'entendre la célèbre plainte: « M'entendez-vous? »

Puis il y a eu les abords de Paris, les murs gris, les cabines des aiguilleurs, l'entremêlement des rails, les trains de banlieue, les quais et l'horloge.

Au-delà de la fenêtre sur laquelle les gouttes de pluie s'espacent de plus en plus, vous apercevez bien plus nettement que tout à l'heure, sous une tache claire dans le ciel, des maisons, les poteaux, la terre, des gens qui sortent, une charrette, une petite automobile italienne qui croise la voie au-dessus de vous sur un pont. Dans le corridor viennent deux jeunes gens déjà vêtus de leurs manteaux, avec leurs valises à la main. Passe la gare de Sénozan.

L'ecclésiastique a retiré son ticket de son porte-monnaie qu'il remet dans la poche de sa soutane après avoir fait le compte de sa fortune, puis il boutonne son manteau noir, serre autour de son cou son écharpe de tricot, met sous son bras son porte-documents [103] gonflé qu'il essaie en vain de fermer complètement, tandis que passent derrière lui les premières rues de Mâcon, puis, se tenant à la barre de métal, levant bien haut ses grands souliers, il passe devant la dame en noir, entre le militaire et le petit garçon, entre l'Italien qui tourne la page de son journal et vous, sort, reste immobile devant la vitre jusqu'à l'arrêt complet.

Qu'y a-t-il entre ces deux feuilles de cuir médiocre [104] en dehors de son bréviaire? D'autres livres? Des livres de classe peut-être s'il est professeur dans un collège, s'il va y rentrer déjeuner dans quelques instants et qu'un cours l'attend à deux heures avec des garnements dans le genre d'Henri ou Thomas,[105] ou des devoirs à corriger, des

99. The author alludes here to the ghost of the Master of the Royal Hunt alleged to haunt the forest of Fontainebleau. The appearance of this ghost is ominous; he is supposed to have foretold to Henry IV the death of his mistress Gabrielle d'Estrées.   100. shreds
101. *les os . . . carbonisant,* black bones like wet beech branches becoming charred   102. flapping strips of skin   103. brief case
104. Refers to *porte-documents* mentioned above   105. Names of his sons

dictées toutes zébrées [106] de crayon rouge: nul,[107] très faible, zéro, souligné, avec des points d'exclamation, des analyses « A rapporter avec la signature de vos parents », des narrations « Vous écrivez une lettre à l'un de vos amis pour lui raconter vos vacances » (non, il y a déjà trop longtemps qu'ils sont rentrés; c'est toujours le premier sujet de l'année), « Imaginez que vous êtes le représentant à Paris d'une maison de machines à écrire italiennes, vous écrivez à votre directeur romain pour lui expliquer que vous avez décidé de prendre quatre jours de vacances », « Des idées mais pas de plan », « Attention à l'orthographe », « Vous faites des phrases trop longues », « En dehors du sujet », « Jamais vous ne ferez admettre à votre directeur italien des raisons pareilles », ou bien: « Imaginez que vous êtes monsieur Léon Delmont et que vous écrivez à votre maîtresse Cécile Darcella pour lui annoncer que vous avez trouvé pour elle une situation à Paris », « On voit bien que vous n'avez jamais été amoureux »; et lui, que sait-il de cela?

Peut-être qu'il en est dévoré, qu'il est écartelé entre son désir, ce salut qu'il pressent pour lui ici-bas, et la terreur de son divorce avec l'Église, qui le laissera si démuni.[108]

« Imaginez que vous voulez vous séparer de votre femme; vous lui écrivez pour lui expliquer la situation », « Vous ne vous êtes pas assez mis dans la peau du personnage ». « Imaginez que vous êtes un père jésuite; vous écrivez à votre supérieur pour lui annoncer que vous allez quitter la compagnie. » [109]

Quelqu'un a ouvert une des fenêtres du corridor, et l'on entend assez distinctement la voix dans le haut-parleur qui récite: « ... Chambéry, Saint-Jean-de-Maurienne, Saint-Michel-Valloire, Modane et l'Italie, en voiture s'il vous plaît ... »

Ces voyageurs sans manteaux ni valises, ce doit être ceux qui reviennent du wagon-restaurant, le premier service terminé, et parmi eux voici en effet les jeunes mariés qui rentrent, tandis qu'à terre un employé fait claquer les portes du wagon et que le train s'ébranle, elle [110] oscillant entre les filets [111] comme un jeune bouleau dans le vent.

La veuve pèle une pomme rouge qu'elle a choisie dans le panier, en passe les quartiers l'un après l'autre au petit garçon et pose bien soigneusement les épluchures sur un morceau de journal déchiré, étalé

106. streaked   107. worthless   108. stripped morally
109. Society of Jesus, the name of the order of the Jesuits
110. *la jeune mariée*   111. the luggage racks

Portrait de jeune femme

Portrait de Monsieur Patrelle

sur ses genoux, qu'elle replie quand tout est fini, froisse en forme de boule et jette sous la banquette, après y avoir essuyé la lame de son canif qu'elle referme et range dans son sac à main, puis elle se glisse jusqu'au coin de la fenêtre, à la place que l'ecclésiastique a quittée, et le petit garçon s'éloigne de vous, suçant ses doigts, mâchant son fruit dont l'odeur remplit encore tout le compartiment.

Passe la gare de Pont-de-Veyle. Dans le corridor, deux jeunes gens accoudés à l'une des barres de cuivre devant une vitre allument mutuellement leurs cigarettes. Sur le tapis de fer chauffant le soulier gauche jaune clair à semelle de crêpe du jeune époux recouvre presque entièrement la tache de même couleur que dessine le morceau de biscuit écrasé.

Plus d'un mois après votre rencontre dans le train, comme vous l'aviez presque oubliée, au soir d'une journée de septembre ou d'octobre encore très chaude, où le soleil avait été superbe, vous aviez dîné seul dans un restaurant du Corso [112] avec un vin des plus médiocres malgré son prix exorbitant, après avoir dû régler un certain nombre de questions plutôt épineuses chez Scabelli, vous étiez allé pour vous détendre voir vous ne savez plus quel film français dans le cinéma qui est au coin de la via Merulana en face de l'auditorium de Mécène,[113] et devant le guichet vous l'avez rencontrée qui vous a dit bonjour avec simplicité, avec qui vous êtes monté, si bien que l'ouvreuse, comprenant que vous étiez ensemble, vous a donné deux fauteuils contigus.

Quelques minutes après le début du spectacle, le plafond s'est ouvert lentement, et c'est cela que vous considériez, non point l'écran, cette bande bleue du ciel nocturne s'élargissant pleine d'étoiles au milieu desquelles un avion passait avec ses feux de position rouge et vert tandis que de légers souffles d'air descendaient dans cette caverne.

A la sortie, vous l'avez priée d'accepter un rafraîchissement, et dans le taxi qui vous amenait à la via Veneto, par Sainte-Marie Majeure [114] et la rue des Quatre Fontaines, vous lui avez dit votre nom, votre

112. See note 20.   113. Maecenas, Roman administrator and diplomat (69-8 B.C.) who used his influence on the Emperor Augustus to encourage the arts 114. St. Mary Major, basilica built by Pope Liberius. It is also known as Our Lady of the Snow because of the legend that the Blessed Virgin had caused snow to fall on the night of August 4th, 352, indicating the spot where she wished the church to be built in her honor.

adresse parisienne et celle où l'on pouvait vous joindre à Rome; puis, sous l'excitation merveilleuse de la claire foule élégante, vous lui avez demandé de venir déjeuner avec vous le lendemain au restaurant Tre Scalini.

C'est pourquoi le matin, avant même d'aller au siège central de chez Scabelli, vous êtes passé à la grande poste envoyer un télégramme pour avertir Henriette que vous ne seriez pas à Paris avant le lundi, puis, un peu avant une heure, depuis une table de la terrasse, vous l'avez vue venir de l'autre bout de la place où des petits garçons se baignaient dans la Fontaine des Fleuves,[115] minuscules à côté des géants éclatants, et si vous aviez connu à ce moment-là les poèmes de Cavalcanti,[116] vous auriez dit qu'elle faisait trembler l'air de clarté.

Elle s'est assise en face de vous, posant son sac et son chapeau sur une chaise de rotin à côté d'elle, posant ses longues mains sur la nappe parfaitement blanche où des fleurs entre vos verres s'agitaient très doucement dans l'ombre délicieuse qui vous protégeait, vous approuvait, vous incitait, tombant des hautes maisons anciennes et séparant ce qui avait été un cirque impérial en deux régions bien tranchées.

Tous deux vous regardiez le spectacle de ce peuple traversant le seuil du soleil sans interrompre gestes ni discours, allumant ou éteignant les couleurs de ses vêtements, faisant soudain jaillir des cheveux et des robes noirs plis et reflets inattendus, révélant dans ce qui n'était que flammes blanches une prodigieuse diversité de nuances.

Ensemble vous avez fait l'éloge de cette place, de cette fontaine, de cette église [117] aux deux clochers elliptiques, chants amœbées,[118] parlant pour la première fois entre vous des monuments de Rome, commençant par ceux du dix-septième siècle, et c'est elle, désirant vous montrer des « coins charmants », qui vous a guidé tout l'après-midi dans une longue promenade bientôt tendre, vous faisant passer près de toutes les églises de Borromini que vous ne connaissiez pas encore.

Sur le tapis de fer chauffant la boule de papier journal roule jusqu'aux souliers de l'Italien. Le jeune militaire, dont le manteau couleur de foin est maintenant sec, se lève et sort. Un homme qui marche dans le

115. See note 29.   116. Italian poet (1255?-1300), friend of Dante
117. Church of St. Agnes in Agony. Constructed by Borromini (1599-1667), it has a baroque façade with two bell towers.
118. The two bell towers are compared to alternating lines of different feet in a stanza of a poem.

même sens que le train passe la tête,[119] puis s'en va, sûr qu'il s'est trompé.

Tout était comble et pourtant on était en hiver; c'était dans cette région-ci, entre Mâcon et Bourg, à peu près à cette heure-ci; vous aviez déjeuné au premier service et vous étiez à la recherche de vos deux places de troisième; Henriette prétendait toujours que c'était plus loin et elle avait raison, pourtant vous ouvriez toutes les portes (aisément, déjà vous n'avez plus votre force d'alors), vous passiez la tête et la retiriez comme ce monsieur après avoir constaté votre erreur.

Vous avez failli faire de même pour votre compartiment, car tous ses occupants avaient changé: il y avait maintenant entre autres une famille avec quatre enfants qui s'étaient installés aux places que vous aviez quittées, rangeant soigneusement sur l'étagère au-dessus d'eux les livres que vous y aviez laissés pour les marquer.

Vous avez attendu dans le corridor, regardant les champs, les vignes et les bois noirs, le ciel très sombre au-dessus, la neige qui a commencé à tomber à Bourg, les flocons s'écrasant sur les vitres, collant aux cadres, jusqu'à Chambéry où vous avez pu vous rasseoir, Henriette près de la fenêtre et vous à côté d'elle, comme les deux jeunes mariés, mais face à la marche.

La neige qui avait cessé de tomber couvrait toutes les montagnes, tous les arbres, tous les toits des maisons et des gares sous le ciel laiteux, et la buée se condensait sur le verre froid qu'il fallait essuyer perpétuellement.

Après le passage de la frontière dans la nuit, le chauffage mal réglé étant tout juste suffisant, vous vous êtes emmitouflés tous deux dans vos manteaux, et elle a dormi la tête contre votre épaule.

Un autre homme, qui marche dans le sens inverse de celui du train, passe la tête par la porte et puis s'en va. Le jeune militaire revient et se rassied. Involontairement, il donne un coup de pied dans la boule de papier journal qui oscillait sur le tapis de fer et la chasse sous la banquette.

Au voyage suivant, vous l'aviez prévenue de votre arrivée par la première lettre que vous lui eussiez écrite, bien différente de celles d'aujourd'hui, le style étant passé de « Chère Madame » à « Chère Cécile », puis aux petits surnoms d'amants, le vous ayant fait place au tu, les formules de politesse aux envois de baisers.

119. peeks into the compartment

Vous avez trouvé sa réponse en arrivant à l'Albergo Quirinale comme
vous le lui aviez demandé, vous priant de venir l'attendre à la sortie
du Palais Farnèse, pour qu'elle pût vous mener, si cela vous amusait,
dans un petit restaurant qu'elle connaissait au Trastevere.[120]

Le pli était pris;[121] chaque fois vous l'avez revue; bientôt ce fut
l'automne puis l'hiver; vous aviez parlé de musique, elle vous a pro-
curé des places de concert; elle s'est mise à étudier pour vous les
programmes des cinémas, à organiser tous vos loisirs à Rome.

Sans qu'elle s'en rendît compte alors, sans l'avoir cherché (vous
l'avez appris tous les deux ensemble en étudiant votre Rome l'un pour
l'autre), elle avait mis votre première promenade commune sous le
signe de Borromini;[122] depuis, vous avez eu bien d'autres guides et
patrons; ainsi, comme vous aviez longuement feuilleté un jour dans
une petite librairie d'occasions précieuses, près du palais Borghese,[123]
celle-là même où Cécile vous a acheté peu de temps après pour votre
fête la Construction et la Prison[124] qui ornent votre salon, quinze place
du Panthéon, un volume de Piranèse consacré aux ruines, les mêmes
sujets à peu près que ceux des toiles imaginaires rassemblées dans le
tableau de Pannini,[125] dans l'hiver vous êtes allés considérer, interroger l'un après l'autre tous ces amas de briques et de pierres.

Un soir enfin — vous étiez allés sur la via Appia,[126] vous y aviez eu
fort froid à cause du vent, vous y aviez été surpris par le coucher du
soleil près du tombeau de Cécilia Métella;[127] on apercevait la ville et
ses remparts dans une brume pourpre poussiéreuse —, elle vous a
proposé ce que vous attendiez depuis plusieurs mois, de venir prendre
le thé dans sa maison, et vous avez franchi le seuil du cinquante-six
via Monte della Farina, vous avez monté ces quatre hauts étages, vous
avez pénétré dans l'appartement de la famille da Ponte avec ses buffets
noirs, ses fauteuils recouverts de housses en macramé,[128] ses calendriers
publicitaires dont un de la maison Scabelli, et ses images pieuses, vous
êtes entré dans sa chambre si fraîchement, si différemment arrangée

120. See notes 22 and 82.   121. the habit was formed   122. See note 117.
123. Built in 1549 by Martino Longhi the Elder (? - 1600), it has a magnificent courtyard.   124. Etchings by Giovanni Piranesi (1720-1778)
125. Gian Paolo Pannini (1691?-1764), best known as a painter of ruins
126. The Appian Way, the most famous of all consular roads. It led to the
Southern ports of Italy.
127. Daughter of the Roman general Q. Metellus Creticus. Metellus is the name
of a distinguished family of the Caecilian (plebeian) gens at Rome. The tomb
of Caecilia Metella is the most celebrated ancient monument on the Via Appia.
128. Dust covers of a coarse, usually fringed, lace made by tying strings
into knots

avec sa bibliothèque de livres français et italiens, ses photographies de Paris, son couvre-lit à rayures de couleurs.

Il y avait une grosse réserve de bois fendu à côté de la cheminée et vous lui avez dit que vous vous chargiez d'allumer le feu, mais c'est une chose dont vous aviez perdu l'habitude depuis la fin de la guerre; il vous a fallu longtemps.

Il faisait chaud maintenant; enfoncé dans un des fauteuils, vous avez commencé à boire son thé qui vous réconfortait merveilleusement; vous vous sentiez tout envahi d'une délicieuse fatigue; vous regardiez les flammes claires et leurs reflets sur les pots de verre et de faïence, dans les yeux tout proches des vôtres de Cécile qui avait enlevé ses souliers et s'était allongée sur le divan, beurrant appuyée sur un coude, une tranche de pain grillé.

Vous entendiez le bruit du couteau sur la mie durcie, le ronflement dans le foyer; il y avait cette fine odeur de deux fumées à la fois; de nouveau vous aviez toute votre timidité de jeune homme; le baiser vous apparaissait comme une fatalité à laquelle il vous était impossible de vous soustraire; vous vous êtes levé brusquement et elle vous a demandé: « Qu'est-ce qu'il y a? »

La regardant sans lui répondre, sans plus pouvoir détacher vos yeux des siens, vous vous êtes approché d'elle doucement avec l'impression de tirer un immense poids derrière vous; assis près d'elle sur le divan, votre bouche a eu encore quelques terribles centimètres à franchir, votre cœur était serré comme un linge humide qu'on essore.[129]

Elle a lâché le couteau qu'elle tenait d'une main, le pain qu'elle tenait de l'autre, et vous avez fait ce que font ensemble les amoureux.

Sur le tapis de fer chauffant, vous voyez un pépin de pomme sauter d'un losange à un autre. Dans le corridor le garçon du wagon-restaurant fait tinter de nouveau sa clochette. Passe la gare de Polliat.

Le jeune militaire se lève, descend avec précaution cette boîte de contreplaqué teinte au brou de noix [130] avec sa poignée de métal, son unique bagage, et sort, bientôt suivi de l'Italien qui s'en va dans la direction opposée, masqué au bout de quelques pas à vos yeux par deux femmes d'un autre compartiment qui s'éloignent derrière lui tandis que paraissent les premières maisons de Bourg, de telle sorte qu'il n'y a plus maintenant en face que les deux jeunes mariés au-dessous de leurs deux grandes valises semblables en beau cuir clair, avec une étiquette fixée à la poignée sur laquelle est vraisemblablement écrit le nom de la ville où ils se rendent, peut-être en cette Sicile où

129. like a wet cloth being wrung dry   130. brown-colored plywood box

vous désireriez aller si vous pouviez célébrer par un voyage vos fausses noces, vos demi-noces avec Cécile, trouvant là-bas presque l'été.

Outre ses affaires de toilette, avec tout cet outillage compliqué pour les ongles dont elles [131] se servent, il doit y avoir dans la sienne [132] des robes claires sans manches découvrant ses bras nus qui se doreront, ses bras qui demeuraient si bien cachés dans ce Paris qu'ils ont quitté en même temps que vous, et le demeureront jusqu'à la fin de leur trajet, même s'ils font escale à Rome, même s'ils s'y arrêtent une journée entière et ne repartent que par le train du soir, pour arriver épuisés après vingt-quatre heures encore d'un roulement plus bruyant et moins rapide que celui-ci, d'un balancement plus brutal, de se-cousses plus fréquentes et plus violentes, à Palerme ou à Syracuse où dès qu'ils auront mis les pieds, que ce soit le soir ou le matin, ils verront la mer splendide et dorée comme un tableau de Claude,[133] avec ses profondeurs vertes et violettes, il respireront l'air délicieux plein d'odeurs, ce qui les lavera, les détendra si bien qu'ils se regarderont l'un l'autre comme deux vainqueurs venant d'accomplir un exploit; il doit y avoir un costume de bain et de grandes serviettes en tissu éponge avec lesquelles ils s'essuieront le soir ou le lendemain, que ce soit lundi ou mardi (à ce moment déjà vous serez sur le chemin du retour, vous aurez déjà repassé la frontière à Modane), avant de s'étendre sur le sable.

La femme en noir a terminé son déjeuner maintenant, puisque le petit garçon est en train de sucer un bonbon à la menthe; elle ouvre la fenêtre, sur laquelle il n'y a plus que quelques gouttes, pour jeter les papiers, tandis que les quais presque vides s'immobilisent, les wagons de bois, les fils dans le ciel, les rails sur la terre qui leur répondent, devant l'horizon de petites constructions grises.

Comme le tintement de la clochette s'approche de nouveau, une fois debout, respirant longuement l'air humide, vous jetez un coup d'œil sur les étiquettes des deux valises où en effet est inscrit le mot Syracuse, sur les quatre photographies dans les coins: montagnes, bateaux, cité de Carcassonne, et l'arc de triomphe de l'Étoile au-dessus de votre place que vous marquez, après l'avoir repris sur l'étagère, par le roman que vous avez acheté au départ de Paris gare de Lyon, puis vous sortez.

La Modification, Première partie, Chapitre IV.
Les Éditions de Minuit, tous droits réservés

---

131. women   132. the suitcase of the *jeune mariée*
133. Claude Lorrain (1600-1682), French painter well known for his landscapes

ALAIN ROBBE-GRILLET

Alain Robbe-Grillet est né à Brest en 1922. Il exerce la profession d'ingénieur agronome et s'est fait estimer dans la science des fruits coloniaux.

Ne disons pas qu'il est le chef de l'école littéraire appelée « Le Nouveau Roman » ou « La Littérature du Regard ». Cette école n'existe pas; il existe un groupe rassemblé artificiellement par la critique et que composent Nathalie Sarraute, Michel Butor, Claude Simon, Robert Pinget et Robbe-Grillet. Ces écrivains se ressemblent en ce qu'ils bannissent de leurs romans l'explication des choses, la psychologie consciente, la morale et autres « vieux mythes de la profondeur », comme l'a dit l'un d'eux, et qu'ils ne veulent reproduire du monde que ses apparences immédiatement percep-tibles. Mais cela ne les empêche pas de différer profondément entre eux.

Dans les premiers livres de Robbe-Grillet, *Les Gommes* (1953) et *Le Voyeur* (1955), les apparences de la réalité se rapportaient à une vague action menée par des humains qui n'avaient guère plus de consistance que des ombres et qui se mouvaient mystérieusement: il y avait comme un secret à découvrir et qu'on ne découvrait pas. Dans la suite, Robbe-Grillet, en pleine évolution, en est arrivé à écrire « Croire que le romancier a quelque chose à dire et qu'il cherche ensuite comment le dire représente le plus grave des contre-sens. Car c'est précisément ce *comment,* cette manière de dire qui constitue son projet d'écrivain. » Dès lors, la technique du roman l'a emporté sur sa substance dans les créations de l'auteur, tout en réagissant fatalement sur elle.

Dans *La Jalousie* (1957), il s'agit assurément du sentiment de jalousie, mais aussi du genre de store qui porte ce nom. Nous devinons plus que nous n'apercevons le jaloux à travers les lames du store. D'autre part, le narrateur reflète passivement tout ce qui se laisse enregistrer, par exemple une con-versation chuchotée près de lui, une porte qui bat, un mille-pattes qui remue; et la passion se trouve peu à peu mesurée comme un phénomène physique, sans la moindre pensée ni la moindre émotion, et d'ailleurs sans aucune cohérence. L'auteur laisse beaucoup à faire au lecteur.

Le roman *Dans le labyrinthe* (1959), dont nous donnons ci-après un extrait, nous montre un soldat échappé d'une armée en déroute, perdu au milieu d'une ville couverte de neige, portant le paquet confié par un camarade pour être remis à une famille qu'il ne trouve pas; il fait penser à une pauvre bête égarée. On ne sait rien de ce soldat; on le regarde sans comprendre ses gestes et ses quelques paroles. Comme tous les personnages de Robbe-Grillet, il est sans identité. En outre, et pour achever de nous dérouter, les épisodes se suivent sans liaison logique, sans raison d'être. Il n'y a pas d'intrigue. Le lecteur a l'impression de rester étranger au récit.

Mais alors, demandera-t-on, quel est l'intérêt de tels romans? Leur intérêt réside dans un incontestable pouvoir de suggestion, et l'on ne s'étonne pas que l'auteur de *Dans le labyrinthe* se soit essayé au cinéma avec *L'Année dernière à Marienbad*. Dans ses romans, il s'applique, en somme, à faire entrevoir une réalité voisine de celle de Kafka et qui nous entraine au bord du néant. Il ramène l'homme à un minimum d'importance et le perd dans un univers incompréhensible. Il répond ainsi à une certaine angoisse et à un certain désespoir du temps présent. Mais il a l'habilité de le suggérer au lieu de le dire nettement. Et il le fait avec un talent neuf et original.

Alain Robbe-Grillet est aussi l'auteur de nouvelles, *Instantanés* (1962), inférieures à ses romans, et d'un essai théorique, *Pour un nouveau roman* (1963).

BIBLIOGRAPHIE

Morrissette, Bruce. *Les Romans de Robbe-Grillet*. Paris: Éditions de Minuit, 1963.

DANS LE LABYRINTHE

La Visite du soldat

Nous avons choisi de donner ici un passage tiré du début de *Dans le labyrinthe*. C'est le moment où le soldat, perdu dans la ville, a rencontré un jeune garçon. Ce dernier disparaît, reparaît et en le suivant, le soldat arrive devant un immeuble.

La porte est en bois plein, moulurée,[1] peinte en brun foncé. Le vantail [2] entrouvert est encadré de deux parties fixes beaucoup plus étroites; le soldat achève de le pousser. Ayant ouvert en grand,[3] il gravit la marche enneigée, déjà marquée de pas nombreux, et franchit le seuil.

Il se trouve à l'extrémité d'un corridor obscur, sur lequel donnent plusieurs portes. A l'autre bout se devine l'amorce [4] d'un escalier, qui s'élève dans le prolongement du corridor et se perd vite dans le noir. Le fond de cette étroite et longue entrée donne aussi accès à un autre couloir, perpendiculaire, signalé par des ténèbres plus épaisses, juste avant l'escalier, de chaque côté de celui-ci. Tout cela est vide, privé de ces objets domestiques qui révèlent en général la vie d'une maison: paillassons devant les portes, poussette [5] laissée au bas des marches, seau et balai appuyé dans un recoin. Il n'y a rien ici que le sol et les murs; encore les murs sont-ils nus, peints uniformément d'une couleur très sombre; tout de suite à gauche, en entrant, s'y détache la petite affiche blanche de la défense passive,[6] rappelant les premières mesures à prendre en cas d'incendie. Le sol est en bois ordinaire, noirci par la boue et de grossiers lavages, ainsi que les premières marches, seules bien visibles, de l'escalier. Au bout de cinq ou six marches, l'escalier semble tourner, vers la droite. Le soldat distingue, à présent, le mur du fond. Là, collée le plus qu'elle peut dans l'encoignure, les deux bras raidis le long du corps et appliquée contre les parois, il y a une femme en large jupe et long tablier serré à la taille,[7] qui regarde vers la porte ouverte de la maison et la silhouette qui s'y dresse à contre-jour.[8]

1. decorated with a molding   2. leaf of a folding door
3. Having opened it wide,   4. bait, *fig.* beginning   5. a baby stroller
6. civil defense   7. in a full skirt and long apron tied at the waist
8. the silhouette [of the soldier] which appeared against the light

Avant que l'homme [9] ait eu le temps de lui adresser la parole, une porte latérale s'ouvre brusquement dans le corridor, sur la gauche, et une autre femme en tablier, plus volumineuse que la première, plus âgée peut-être aussi, fait un pas en avant. Ayant levé les yeux, elle s'arrête net, ouvre la bouche progressivement, de façon démesurée, et, tandis qu'elle recule peu à peu dans l'embrasure de sa porte, se met à pousser un long hurlement, dont le son monte, de plus en plus aigu, pour s'achever par le claquement violent de la porte qui se referme. Au même instant des pas précipités se font entendre sur les marches de bois; c'est l'autre femme qui s'enfuit, vers le haut de l'escalier, disparue à son tour en un clin d'œil,[10] le martellement de ses socques [11] continuant néanmoins leur ascension, sans que la course se ralentisse, mais le bruit décroissant d'étage en étage, graduellement, à mesure que la jeune femme monte, sa large jupe battant autour de ses jambes, à demi retenue peut-être d'une main, ne marquant même pas la moindre halte aux paliers pour souffler un peu, les seuls repères étant suggérés par une résonance différente au début et à la fin de chaque volée: [12] un étage, deux étages, trois ou quatre étages, ou même plus.

Ensuite, c'est de nouveau le complet silence. Mais, sur la partie droite du corridor cette fois, une seconde porte s'est entrebâillée.[13] Ou bien était-elle déjà ouverte tout à l'heure? Il est plus probable que le soudain vacarme vient d'attirer cette nouvelle figure, assez semblable encore aux deux premières, à la première du moins: une femme, jeune d'aspect aussi, vêtue d'un long tablier gris foncé, serré à la taille et bouffant [14] autour des hanches. Son regard ayant rencontré celui du soldat, elle demande:

« Qu'est-ce que c'est? »

Sa voix est grave, basse, mais sans nuances, et ceci avec un air prémédité, comme si elle voulait demeurer autant que possible impersonnelle. Ce pourrait être aussi bien la voix entendue de la rue, il y a un moment.

« Elles ont eu peur, dit le soldat.

— Oui, dit la femme, c'est de vous voir là comme ça . . . Et puis éclairé par derrière . . . On ne distingue pas . . . Elles vous ont pris pour un . . . »

Elle n'achève pas sa phrase.[15] Elle reste immobile à le contempler.

---

9. the soldier   10. in a wink   11. the hammering of her wooden shoes
12. *les seuls . . . volée* the only reference marks being suggested by a different resonance at the beginning and end of each flight
13. another door has become ajar   14. puffed
15. The word lacking in the sentence is *espion*: spy.

Elle n'ouvre pas non plus sa porte davantage, se sentant sans doute plus en sûreté à l'intérieur, tenant le battant d'une main et de l'autre le chambranle, prête à le refermer.[16] Elle demande:

« Qu'est-ce que vous voulez?

— Je cherche une rue... dit le soldat, une rue où il fallait que j'aille.

— Quelle rue?

— Justement, c'est son nom que je ne me rappelle pas. C'était quelque chose comme Galabier, ou Matadier. Mais je ne suis pas sûr. Plutôt Montoret peut-être? »

La femme semble réfléchir.

« C'est grand, vous savez, la ville, dit-elle à la fin.

— Mais ça se trouve de ce côté-ci, d'après ce qu'on m'avait expliqué. »

La jeune femme tourne la tête vers l'intérieur de l'appartement et, à voix plus haute, interroge quelqu'un à la cantonade: [17] « Tu connais une rue Montaret, toi? Près d'ici. Ou quelque chose qui ressemble à ça [18]? »

Elle attend, présentant son profil aux traits réguliers dans l'entrebâillement de la porte. Tout est sombre derrière elle; il doit s'agir [19] d'un vestibule sans fenêtre. La grosse femme également sortait d'une obscurité totale. Au bout d'un instant, une voix lointaine répond, quelques mots indistincts, et la jeune femme ramène son visage vers le soldat:

« Attendez-moi une minute, je vais voir. »

Elle commence à rabattre sa porte, mais se ravise aussitôt:

« Fermez donc sur la rue, dit-elle, il vient du froid dans toute la maison. »

Le soldat retourne jusqu'au seuil et pousse à fond le battant, qui claque avec un bruit léger: le déclic du pène [20] qui reprend sa place. Il se retrouve dans le noir. La porte de la dame doit être close aussi. Impossible même d'aller vers elle, car rien ne permet de s'orienter, aucune lueur. C'est la nuit absolue. On n'entend pas non plus le moindre son: ni pas, ni murmures étouffés, ni chocs d'ustensiles. Toute la maison a l'air inhabitée. Le soldat ferme les yeux, et retrouve les flocons blancs qui descendent avec lenteur, les réverbères alignés qui jalonnent sa route d'un bout à l'autre du trottoir enneigé, et le gamin [21]

16. *tenant... refermer* one hand on the door, the other on the casing of the door, ready to shut it   17. questions someone inside
18. the name of the street mentioned   19. it must be   20. bolt
21. a kid (whom he met in the street)

qui s'éloigne en courant à toutes jambes, apparaissant et disparaissant, visible à chaque fois pendant quelques secondes, dans les taches de lumière successives, de plus en plus petit, à intervalles de temps égaux, mais les espaces étant de plus en plus raccourcis par la distance, si bien qu'il semble ralentir de plus en plus à mesure qu'il s'amenuise.[22]

De la commode à la table il y a six pas: trois pas jusqu'à la cheminée et trois autres ensuite. Il y a cinq pas de la table au coin du lit; quatre pas du lit à la commode. Le chemin[23] qui va de la commode à la table n'est pas tout à fait rectiligne: il s'incurve légèrement pour passer plus près de la cheminée. Au-dessus de la cheminée il y a une glace, une grande glace rectangulaire fixée au mur. Le pied du lit est situé juste en face.

Brusquement la lumière revient, dans le corridor. Ce n'est pas la même lumière et elle n'éclaire pas directement l'endroit où le soldat se tient, qui reste dans la pénombre. C'est, à l'autre bout du corridor, une clarté artificielle, jaune et pâle, qui provient de la branche droite du couloir transversal. Un rectangle lumineux se découpe ainsi dans la paroi, au fond et à droite, juste avant l'escalier, et une zone éclairée s'évase[24] à partir de là, traçant deux lignes obliques sur le sol: l'une qui traverse le plancher noirci du corridor, l'autre qui monte en biais les trois premières marches; au-delà de celle-ci, comme en deçà de celle-là, l'obscurité demeure, mais un peu atténuée.

Toujours de ce côté, dans la région non visible d'où vient la lumière, une porte se ferme doucement et une clef tourne dans une serrure. Puis tout s'éteint. Et c'est de nouveau le noir. Mais un pas, guidé probablement par une vieille habitude des lieux, s'avance le long du couloir transversal. C'est un pas souple, peu appuyé, pourtant net, qui n'hésite pas. Il arrive aussitôt devant l'escalier, en face du soldat, qui, pour éviter la rencontre des deux corps dans le noir, tend les mains à l'aveuglette[25] autour de lui, à la recherche d'un mur contre lequel il pourrait s'effacer. Mais les pas ne se dirigent pas vers lui: au lieu de tourner dans le corridor à l'extrémité duquel il se trouve, ils ont continué tout droit dans la branche gauche du couloir transversal. On y tire un loquet,[26] et une clarté plus crue, celle du dehors, se développe dans cette partie gauche du couloir, l'intensité allant en augmentant, jusqu'à un demi-jour terne et gris. Il doit s'agir là d'une seconde porte d'entrée, donnant sur l'autre rue. C'est par celle-là que serait ressorti

22. becomes smaller   23. The path   24. extends   25. blindly
26. A latch is pulled

le gamin. Bientôt la lumière disparaît, comme elle était venue, d'une façon progressive, et la porte se clôt, en même temps que l'obscurité complète se rétablit.

Noir. Déclic. Clarté jaune. Déclic. Noir. Déclic. Clarté grise. Déclic. Et les pas qui résonnent sur le plancher du couloir. Et les pas qui résonnent sur l'asphalte, dans la rue figée par le gel. Et la neige qui commence à tomber. Et la silhouette intermittente du gamin qui s'amenuise, là-bas, de lampadaire en lampadaire.

Si le dernier personnage n'était pas sorti par la même porte que le gamin, mais de ce côté-ci de l'immeuble, il aurait, en tirant le battant,[27] fait entrer le jour dans cette partie-ci du couloir et découvert le soldat collé contre le mur, surgi tout à coup en pleine lumière à quelques centimètres de lui. Comme dans le cas d'une collision dans les ténèbres, de nouveaux cris risquaient alors d'ameuter [28] une seconde fois toute la maison, faisant détaler des ombres vers la cage de l'escalier et jaillir des figures affolées dans l'entrebâillement des portes, cou tendu, œil anxieux, bouche qui s'ouvre déjà pour hurler . . .

« Il n'y a pas de rue Montalet, par ici, ni rien qui ressemble », annonce la voix grave; et aussitôt: « Quoi, vous êtes dans le noir! Il fallait allumer l'électricité. » A ces mots la lumière se fait dans le corridor, une lumière jaune qui tombe d'une ampoule nue [29] suspendue au bout de son fil, éclairant la jeune femme en tablier gris dont le bras est encore tendu hors de l'embrasure; la main posée sur l'interrupteur [30] de porcelaine blanche s'abaisse, tandis que les yeux clairs dévisagent l'homme, allant des joues creuses, où la barbe atteint près d'un demi-centimètre, à la boîte enveloppée de papier brun [31] et aux molletières mal enroulées,[32] puis revenant aux traits tirés du visage.

« Vous êtes fatigué », dit-elle.

Ce n'est pas une question. La voix est redevenue neutre, basse, privée d'intonation, méfiante peut-être. Le soldat fait un geste vague de sa main libre; un demi-sourire tire un coin de sa bouche.

« Vous n'êtes pas blessé? »

La main libre s'élève un peu plus haut: « Non, non, dit l'homme, je ne suis pas blessé. »

Et la main retombe lentement. Ils restent ensuite un certain temps à se regarder sans rien dire.

---

27. by opening the door   28. to stir up   29. a bulb without a shade
30. light switch
31. A package which the soldier was to take to the family of a soldier friend
32. puttees poorly wrapped around his legs

« Qu'est-ce que vous allez faire, demande enfin la femme, puisque vous avez perdu le nom de cette rue?

— Je ne sais pas, dit le soldat.

— C'était pour une chose importante?

— Oui... Non... Probablement. »

Après un nouveau silence, la jeune femme demande encore: « Qu'est-ce que c'était?

— Je ne sais pas », dit le soldat.

Il est fatigué, il a envie de s'asseoir, n'importe où, là, contre le mur. Il répète machinalement:

« Je ne sais pas.

— Vous ne savez pas ce que vous alliez y [33] faire?

— Il fallait y aller, pour savoir.

— Ah!...

— Je devais rencontrer quelqu'un. Il sera trop tard, à présent. »

Pendant ce dialogue, la femme a ouvert sa porte tout à fait, et s'est avancée dans l'embrasure. Elle porte une robe noire à longue et large jupe, que recouvre aux trois quarts un tablier gris à fronces,[34] noué autour de la taille. Le bas du tablier est très ample, ainsi que la jupe, tandis que le haut n'est qu'un simple carré de toile protégeant le devant du corsage. Le visage a des lignes régulières, très accusées.[35] Les cheveux sont noirs. Mais les yeux ont une teinte claire, dans les bleu-vert ou gris-bleu. Ils ne cherchent pas à se dérober, s'arrêtant au contraire longuement sur l'interlocuteur, sans permettre pourtant à celui-ci de lire en eux quoi que ce soit.

« Vous n'avez pas mangé », dit-elle. Et une fugitive nuance, comme de pitié, ou de crainte, ou d'étonnement, passe cette fois dans sa phrase.

Mais, sitôt la phrase achevée, et le silence revenu, il devient impossible de retrouver l'intonation qui paraissait à l'instant avoir un sens — crainte, ennui, doute, sollicitude, intérêt quelconque — et seule demeure la constatation: « Vous n'avez pas mangé », prononcée d'une voix neutre. L'homme répète son geste évasif.

« Entrez donc un instant », dit-elle, peut-être à regret — ou peut-être pas.

Déclic. Noir. Déclic. Lumière jaune, éclairant maintenant un petit vestibule où se dresse un portemanteau circulaire, surchargé de chapeaux et de vêtements. Déclic. Noir.

Une porte s'ouvre à présent sur une pièce carrée, meublée d'un

33. *y:* in the street that he was looking for   34. a gathered grey apron
35. well defined

lit-divan, d'une table rectangulaire et d'une commode à dessus de marbre.[36] La table est couverte d'une toile cirée [37] à petits carreaux rouges et blancs. Une cheminée au tablier levé,[38] mais sur un âtre sans chenets,[39] aux cendres refroidies, occupe le milieu d'un des murs. A droite de cette cheminée se trouve une autre porte, entrebâillée, qui donne sur une pièce très sombre, ou sur un débarras.[40]

« Tenez », dit la jeune femme en désignant une chaise de paille, placée contre la table, « mettez-vous ici. » Le soldat écarte un peu la chaise, en la tenant par le haut du dossier, et s'assoit. Il pose sa main droite et son coude sur la toile cirée. La main gauche est restée dans la poche de la capote, le bras serrant toujours aux creux de la taille la boîte enveloppée de papier brun.

Dans l'entrebâillement de la porte, mais en retrait d'un pas ou deux, fortement estompée par l'ombre, la silhouette d'un enfant se tient immobile, tournée vers l'homme en costume militaire [41] que sa mère (est-ce sa mère) vient d'introduire dans l'appartement et qui est assis à la table, légèrement de biais, à demi appuyé sur la toile cirée rouge, les épaules voûtées, la tête penchée en avant.

La femme opère sa rentrée, par la porte donnant sur le vestibule. Elle tient dans une main, ramenée vers sa hanche, un morceau de pain et un verre; l'autre bras pend le long du corps, la main tenant une bouteille par le goulot. Elle dépose le tout sur la table, devant le soldat.

Sans rien dire, elle emplit le verre jusqu'au bord. Puis elle quitte de nouveau la pièce. La bouteille est un litre ordinaire en verre incolore, à demi pleine d'un vin rouge de teinte foncée; le verre, qui est placé devant, tout près de la main de l'homme,[42] est de fabrication grossière, en forme de gobelet cylindrique, canelé jusqu'à mi-hauteur.[43] A gauche se trouve le pain: l'extrémité d'un gros pain noir, dont la section est un demi-cercle aux coins arrondis; la mie [44] s'y présente en contexture serrée, avec des trous réguliers et très fins. La main de l'homme est rouge, abîmée par les travaux rudes et le froid; les doigts, repliés vers l'intérieur de la paume, montrent, sur le dessus, de multiples petites crevasses au niveau des articulations; ils sont en outre tachés de noir, comme par du cambouis,[45] qui aurait adhéré aux régions crevassées de la peau et dont un lavage trop rapide ne serait pas venu à bout.

36. a chest of drawers with a marble top   37. oilcloth
38. with a raised hood   39. hearth without andirons   40. a store room
41. This is the way the soldier appears to the child and the reason why the author does not use the word soldier.   42. the soldier   43. ribbed half-way up
44. crumb (of loaf, as opposed to crust)   45. dirty oil or grease

Ainsi la saillie osseuse, à la base de l'index, est-elle hachurée de courtes lignes noires, parallèles entre elles pour une bonne part, ou faiblement divergentes, les autres diversement orientées, entourant les premières ou les recoupant.

Au-dessus de la cheminée, une grande glace rectangulaire est fixée au mur; la paroi qui s'y reflète est celle dont la grosse commode occupe le bas. En plein milieu du panneau se trouve la photographie, en pied, d'un militaire en tenue de campagne — peut-être le mari de la jeune femme à la voix grave et aux yeux clairs, et peut-être le père de l'enfant. Capote aux deux pans relevés, molletières, grosses chaussures de marche: l'uniforme est celui de l'infanterie, de même que le casque à jugulaire,[46] et le harnachement complet de musette, sac, bidon, ceinturon, cartouchière,[47] etc. L'homme tient ses deux mains fermées, un peu au-dessus de la ceinture sur les deux courroient qui se croisent en travers de sa poitrine; il porte une moustache taillée avec soin; l'ensemble a d'ailleurs un aspect net et comme laqué, dû sans doute aux retouches savantes du spécialiste qui a exécuté l'agrandissement; [48] le visage lui-même, paré d'un sourire de convention, a été tellement gratté, rectifié, adouci, qu'il n'a plus aucun caractère, ressemblant désormais à toutes ces images de soldats ou marins en partance [49] qui s'étalent aux vitrines des photographes. Pourtant le cliché originel semble bien avoir été pris par un amateur — la jeune femme, sans doute, ou quelque camarade de régiment — car le décor n'est pas celui d'un faux salon bourgeois, ni d'une pseudo-terrasse [50] à plantes vertes avec un fond de parc peint sur une toile en trompe-l'œil, mais la rue elle-même devant la porte de l'immeuble, près du bec de gaz au fût conique autour duquel s'enroule une guirlande de lierre stylisé.[51]

L'équipement de l'homme est tout neuf. La photographie doit remonter au commencement de la guerre, à l'époque de la mobilisation générale ou aux premiers rappels de réservistes, peut-être même à une date antérieure: lors du service militaire, ou d'une brève période d'entrainement. Le grand attirail du soldat en campagne paraît cependant indiquer, plutôt, qu'il s'agit vraiment du début de la guerre, car un fantassin en permission [52] ne vient pas chez lui dans un accoutrement [53] si peu commode, en temps normal. L'occasion la plus vrai-

46. chin-strap helmet
47. and the complete rig-out of haversack, pack, canteen, belt, cartridge pouch
48. enlargement   49. ready to sail
50. such as a photographer would use in his business
51. The stylized garland of ivy is molded in the casting, described later on.
52. on leave   53. a get-up

semblable serait donc un congé [54] exceptionnel de quelques heures, accordé au molibisé pour les adieux à sa famille, juste avant de partir pour le front. Aucun camarade de régiment ne l'accompagnait, car la jeune femme figurerait alors sur le cliché, à côté du soldat; c'est elle qui a dû prendre la photo, avec son propre appareil; elle a même sans doute consacré tout un rouleau de pellicules à l'événement, et elle a ensuite fait agrandir la meilleure.

L'homme [55] s'est placé dehors, en plein soleil, parce qu'il n'y a pas assez de lumière à l'intérieur de l'appartement; il est tout simplement sorti devant sa porte, et il a trouvé naturel de se poster près du lampadaire. Afin d'être éclairé de face, il est tourné dans le sens de la rue, ayant derrière lui, sur la droite (c'est-à-dire à sa gauche), l'arête en pierre de l'immeuble; le bec de gaz se dresse de l'autre côté, frôlé par le bas de la capote. Le soldat jette un coup d'œil à ses pieds et remarque pour la première fois le rameau de lierre moulé dans la fonte.[56] Les feuilles palmées à cinq lobes pointus, avec leurs cinq nervures en relief, sont portées sur un pédoncule [57] assez long; à l'insertion de chacune d'elles, la tige change de direction, mais les courbes alternées qu'elle décrit ainsi sont à peine marquées sur l'un des côtés, et de l'autre au contraire très prononcées, ce qui donne à l'ensemble un mouvement général incurvé, empêchant le rameau de prendre de la hauteur et lui permettant de s'enrouler autour du cône; puis il se divise en deux, et la branche supérieure, la plus courte, munie seulement de trois feuilles (dont une terminale, très petite), s'élève en sinusoïde [58] amortie; l'autre branche disparaît vers le côté opposé du cône, et le bord du trottoir. Une fois le rouleau de pellicules terminé, le soldat [59] rentre dans l'immeuble.

Le couloir est obscur, comme d'habitude. La porte de l'appartement est restée entrouverte; il la pousse, traverse le vestibule sans lumière et va s'asseoir à table, où sa femme lui sert du vin. Il boit, sans rien dire, à petites gorgées, reposant chaque fois le verre sur la toile cirée à carreaux. Après d'assez nombreuses répétitions de ce manège, les alentours dont entièrement masculés de traces circulaires, mais presque toutes incomplètes, dessinant une série d'arcs plus ou moins fermés, se chevauchant parfois l'un l'autre, à peu près secs à certains endroits, ailleurs encore brillants de liquide frais. Entre les gorgées de vin, le soldat [60] garde les yeux baissés sur ce réseau sans ordonnance, qui

54. a pass   55. The soldier in the picture   56. See note 51.   57. stalk
58. a flattened sine-curve   59. The soldier in the picture
60. Here, the living soldier. The author purposely treats the two as if they were one. He wants to suggest that all soldiers are alike.

se complique davantage de minute en minute. Il ne sait pas quoi dire. Il devrait maintenant s'en aller. Mais lorsqu'il a fini son verre, la femme lui en sert un second; et il le boit encore, à petites gorgées, tout en mangeant lentement le reste du pain. La silhouette enfantine qu'il avait aperçue par la porte entrebâillée de la pièce voisine s'est dissoute dans l'obscurité.

Quand le soldat se décide à lever les yeux sur la jeune femme, celle-ci est assise en face de lui: non pas à table, mais sur une chaise qui est située (vient-elle de l'y mettre?) devant la commode, sous l'encadrement noir du portrait accroché au mur. Elle est en train de contempler l'uniforme défraîchi de son visiteur; ses yeux gris remontent jusqu'à la hauteur du cou, là où sont cousus les deux morceaux de feutre rouge marqués du numéro matricule.[61]

« C'est quel régiment? » dit-elle à la fin, avec un mouvement du visage vers l'avant, pour indiquer les deux losanges rouge clair.

« Je ne sais pas », dit le soldat.

Cette fois la femme montre un certain étonnement:

« Vous avez oublié, aussi, le nom de votre régiment?

— Non, ce n'est pas ça... Mais cette capote-là n'est pas la mienne. »

La jeune femme demeure un moment sans rien ajouter. Une question semble cependant lui être venue à l'esprit, qu'elle ne sait pas comment formuler, ou qu'elle hésite à poser de façon directe. En effet, après une minute entière de silence, ou même plus, elle demande:

« Et à qui appartenait-elle?

— Je ne sais pas », dit le soldat.

S'il l'avait su, d'ailleurs, il aurait probablement pu dire aussi quel régiment représentaient les losanges rouge clair. Il regarde de nouveau l'agrandissement photographique accroché au mur, au-dessus des cheveux noirs de la femme. L'image a une forme ovale, estompée sur les bords; le papier tout autour est resté blanc-crème, jusqu'au cadre rectangulaire en bois très foncé. A cette distance, les insignes distinctifs ne sont pas visibles, sur le col de la capote. L'uniforme est, en tout cas, celui de l'infanterie. L'homme devait être caserné [62] dans la ville même, ou dans ses environs immédiats, en attendant sa montée en ligne; sans cela, il n'aurait pas pu venir embrasser sa femme avant de partir. Mais où les casernes se trouvent-elles dans cette cité? Sont-elles nombreuses? Quelles unités [63] y voit-on en période ordinaire?

Le soldat pense qu'il devrait s'intéresser à ces choses: elles leur fourniraient un sujet de conversation normal et anodin. Mais à peine

61. the regimental number   62. quartered in barracks   63. army units

a-t-il ouvert la bouche qu'il remarque un changement dans l'attitude de son interlocutrice. Elle le regarde en plissant un peu les paupières, semblant guetter la suite de ses paroles avec une attention exagérément tendue, vu l'importance que lui-même leur accorde. Il s'arrête aussitôt, sur une phrase incertaine, bouclée à la hâte [64] dans une direction que le début n'annonçait guère, et dont le caractère interrogatif est si peu net que la femme conserve la possibilité de s'abstenir d'y répondre. C'est du reste la solution qu'elle adopte. Mais ses traits demeurent comme crispés. Ces questions sont évidemment celles-là mêmes que poseraient un espion maladroit; et la méfiance est naturelle en pareilles circonstances . . . Bien qu'il soit un peu tard, à présent, pour dissimuler à l'ennemi l'emplacement des objectifs militaires.

Le soldat a terminé son pain et son vin. Il n'a plus aucune raison de s'attarder [65] dans cette demeure, malgré son désir de profiter encore un instant de cette chaleur relative, de cette chaise inconfortable et de cette présence circonspecte qui lui fait face. Il faudrait imaginer une façon de partir pleine d'aisance,[66] qui atténuerait l'impression laissée par le récent malentendu.[67] Essayer de se justifier serait en tout cas la pire maladresse; et comment expliquer de façon vraisemblable son ignorance au sujet de . . . Le soldat essaye maintenant de se rappeler les termes exacts qu'il vient d'employer. Il y avait le mot « caserne », mais il ne parvient pas à se souvenir de la phrase bizarre qu'il a prononcée; il n'est même pas certain d'avoir nommément mis en cause la situation des bâtiments, encore moins d'avoir montré sans ambiguïté qu'il ne la connaissait pas.

Sans s'en apercevoir, il est peut-être passé devant une caserne, au cours de ses pérégrinations. Cependant il n'a pas remarqué de batisse dans le style traditionnel: une construction basse (deux étages seulement de fenêtres toutes semblables, encadrées de briques rouges), s'allongeant sur près de cent mètres et surmontée d'un toit en ardoises à faible pente, qui porte de hautes cheminées rectangulaires, également en briques. L'ensemble se dresse au fond d'une vaste cour nue, couverte de gravier, séparée du boulevard et de ses arbres au feuillage épais par une grille de fer très élevée, étayée de contreforts et toute hérissée de pointes,[68] autant sur l'intérieur que vers le dehors. Une guérite,[69] de place en place, abrite un factionnaire l'arme au pied; [70]

64. hurriedly completed 65. linger 66. with great ease
67. The discomfort caused by his inability to answer the woman's questions, which makes him suspect
68. reinforced with abutments and bristling with spikes pointing inside as well as outside 69. a sentry box 70. at ease

elles sont en bois, avec un toit de zinc, peintes à l'extérieur, sur les deux côtés, de grands chevrons rouges et noirs.

Le soldat n'a rien vu de tel. Il n'a longé aucune grille; il n'a pas aperçu de vaste cour semée de gravier; il n'a rencontré ni feuillages touffus ni guérites, ni bien entendu de factionnaires en armes. Il n'a même pas emprunté le moindre boulevard planté d'arbres. Il n'a parcouru toujours que les mêmes rues rectilignes, entre deux hautes files de façades plates; mais une caserne peut aussi revêtir cette apparence. Les guérites ont été enlevées, naturellement, ainsi que tout ce qui pouvait distinguer l'immeuble dans la série de ceux qui l'entourent; il ne subsiste que les barreaux de fer qui protègent les fenêtres du rez-de-chaussée sur la plus grande partie de leur hauteur. Ce sont des tiges verticales à section carrée, espacées d'une main, réunies par deux barres transversales situées non loin des extrémités. L'extrémité supérieure est libre, terminée en pointe à une vingtaine de centimètres du haut de l'embrasure; la base des barreaux doit être scellée dans la pierre d'appui de la fenêtre, mais ce détail n'est pas visible à cause de la neige qui s'y est accumulée, formant une couche irrégulière sur toute la surface horizontale, très épaisse surtout du côté droit.

Mais il s'agit là, aussi bien, d'une caserne de pompiers, ou d'un couvent, ou d'une école, ou de bureaux commerciaux, ou d'une simple maison d'habitation dont les fenêtres du rez-de-chaussée sont protégées par des grilles. Parvenu au carrefour suivant, le soldat tourne, à angle droit, dans la rue adjacente.

Et la neige continue à tomber, lente, verticale, uniforme, et la couche blanche s'épaissit insensiblement sur les avancées des appuis de fenêtre, sur les marches au seuil des maisons, sur les parties saillantes des lampadaires noirs, sur la chaussée sans voitures, sur les trottoirs déserts où déjà les sentiers tracés par les piétinements, au cours de la journée, ont disparu. Et c'est encore la nuit qui vient.

Dans le labyrinthe, pp. 54-75.
Les Éditions de Minuit, tous droits réservés

NATHALIE SARRAUTE

Elle vit depuis sa neuvième année en France où elle a fait toutes ses études jusqu'à la licence ès lettres. Elle naquit en Russie dans l'année 1902.

Cette romancière est généralement classée dans le groupe appelé « Le Nouveau Roman », avec Robbe-Grillet, Butor, Simon, Pinget, quoique différente d'eux plus encore qu'ils ne diffèrent les uns des autres. Sa seule ressemblance avec ces confrères, c'est que ses romans ne comportent pas d'intrigue proprement dite et que ses personnages sont fort peu individualisés: ce sont des mouvements, des forces obscures à figure humaine plutôt que des êtres humains complets.

Nathalie Sarraute décrit des rapports entre les êtres, et ces rapports forment une vie grouillante qu'on pourrait presque dire souterraine. A la surface il y a les paroles; la vraie communication se fait en profondeur et s'exprime par des gestes, des attitudes, qui d'ailleurs contredisent souvent les paroles. Tout cela reste assez élémentaire et dépeint une sorte de sous-humanité. Cette conception a été réalisée dans *Tropismes*, qui est de 1938. La réalisation a été perfectionnée dans *Portrait d'un inconnu* (1949), puis dans *Planétarium* (1959).

Dans son dernier ouvrage, *Les Fruits d'or* (1963), le roman dont nous avons détaché quelques pages, l'auteur est allée jusqu'aux extrêmes conséquences de sa doctrine d'art sérieusement influencée par l'Anglaise Virginia Woolf: l'intrigue a totalement disparu et le héros, si l'on peut parler de héros, est un objet immobile, un livre récemment publié et dont discutent des personnages dont on ne sait absolument rien.

Nathalie Sarraute a écrit, dans son recueil d'essais, *L'Ère du soupçon* (1956), qu'elle cherchait à atteindre « cette matière anonyme » qui constitue toute vie, au-dessous de la pensée consciente, à la limite de la conscience, là où il n'y a plus que des images, des sensations, des impressions. Elle y a réussi à peu près; elle est arrivée à exprimer cette réalité presque impalpable par des phrases souvent suspendues.

Cette curieuse romancière, qui finira peut-être par entrer avec son art singulier dans l'humanité véritable, est plus connue dans le monde entier qu'en France même. Elle a remporté en 1964 le Grand Prix international de littérature.

A voir, Bibliographie générale.

LES FRUITS D'OR

Gloire et pitié à un livre

Les Fruits d'or, c'est le titre d'un livre dont s'entretiennent tous les personnages du roman. L'auteur y rassemble à peu près tous les jugements qui
peuvent être portés sur un livre discuté.

Voici deux de ces jugements—l'un approbateur, l'autre critique. Nous les
avons choisis entre beaucoup d'autres.

On remarquera que l'auteur ne met pas souvent entre guillemets les paroles
échangées. On devra donc lire avec lenteur et grand soin, afin de distinguer
entre les propos des personnages et les remarques de la narratrice, qui se
mélangent constamment.

— Alors, qu'est-ce qu'on raconte ici, à Paris? Qu'est-ce qui se passe?
Quel est le dernier cri, le dernier dada? [1] C'est que je suis un provin-
cial, moi, je suis un paysan... Je ne perçois que de vagues échos, là-
bas, perdu dans mon coin... Tout le monde est emballé par [2] *Les
Fruits d'or,* à ce qu'il paraît... J'ai un peu lu le bouquin [3]... Eh bien,
je ne sais pas si vous êtes de mon avis... mais moi je trouve ça faible.
Je crois que ça ne vaut absolument rien... Mais rien, hein? Zéro.
Non? Vous n'êtes pas d'accord?

Non, non... il hoche la tête sans parler, il a envie, [4] comme fait
l'enfant sage qui voit son camarade dissipé, derrière le dos des grandes
personnes... oh, qu'est-ce qu'il fait, c'est défendu, il est fou, oh, et
ces vilains mots qu'il dit... il a envie de mettre sa main sur sa bouche,
de lever les épaules peureusement, de rouler les yeux, de trépigner
d'excitation joyeuse, il sent monter en lui des rires nerveux... il secoue
la tête faiblement en signe de dénégation.

— Non? Vous ne trouvez pas? Allons, vous n'êtes pas sincère, vous
essayez de me faire marcher [5]... Ce n'est pas possible que vous trouviez ça bien... Ce navet [6]... Nul. Prétentieux... Mais pourquoi riez-
vous? Qu'est-ce qui vous amuse tant? Vous trouvez ce que je dis idiot?

— Oh, non, ce n'est pas ça... Mais vous êtes impayable. [7] Vous ne
pouvez pas imaginer... Oh, c'est trop bon... Le front dans la main,
secouant la tête... Non, c'est à mourir de rire...

1. the latest fad   2. excited about   3. book   4. he feels like
5. to pull my leg   6. worthless work   7. You're the limit.

— Quoi? Qu'est-ce qui est à mourir de rire? Que je ne me laisse pas faire, que je ne sois pas impressionné par tous ces snobs, ces crétins?[8]
— Oh, ces crétins... Brulé... Mettetal, Ramon, Lemée, Parrot,[9] des crétins... Ha, Ha... Écoutez... ah j'étouffe... je voudrais que quelqu'un vous entende... Mais vous savez... Non, vous n'imaginez pas combien vous êtes drôle... Si je racontais... mais soyez sans crainte, je ne le raconterai pas... D'ailleurs personne ne me croirait... Non, il faut l'avoir entendu... Il faut... mais vous êtes impayable... Je ne céderais pas ma place [10]... Alors, non, sérieusement, alors vous trouvez que c'est un navet? Vous trouvez que c'est mauvais, *Les Fruits d'or?* ha, ha...
— Mais oui, bien sûr que c'est mauvais. Et vous savez, tous vos arguments d'autorité,[11] les opinions de tous vos Mettetal et de vos Lemée n'y changeront rien. J'aime mieux vous dire que je m'en moque un peu. Ils défendent n'importe quoi.[12] Et puis, hein, dans ces choses-là, pas d'argument d'autorité. Jamais. Il se redresse fièrement. On ne doit se fier qu'à soi. Il appuie son poing sur sa poitrine... A soi, vous m'entendez. A sa propre sensation. Et moi, moi, il se frappe à la poitrine, moi, je vous le dis, riez tant que vous voulez, vos *Fruits d'or,* c'est un beau navet.
— Mais je ne ris pas... il s'essuie les yeux. Je ne ris pas... sa voix pleure... je ne sais pas... je ne dis rien... C'est vous... il articule difficilement... Vous ne pouvez pas imaginer comme c'est drôle. Oh vous êtes unique. Quel numéro vous êtes [13]... ha, ha, ha, je n'en peux plus... quand je pense... oh, vous me ferez mourir..
— Quand vous pensez à la tête que feraient tous ces crétins?
— Oh, arrêtez, je vous en supplie... vous me faites mal, je n'en peux plus [14]... Alors... les mots sortent difficilement, entre deux hoquets [15] ... sérieusement *Les Fruits d'or,* ce navet...
— Oui, oui, je ne retire rien.[16] Et vous pouvez rire tant que vous voulez. Et vous pouvez le dire à qui vous voudrez... L'autre lève la main pour protester... A qui vous voudrez, je n'en rougis pas. Et rira bien qui rira le dernier. Ce n'est rien, *Les Fruits d'or.* Très prétentieux. D'où ce succès. Plein de faux mystère. De « grands thèmes ». Dans un style surélevé, un peu hermétique [17]... ça fait mieux... qui masque souvent... je vais vous dire quoi... vous allez trouvez ça tordant: [18]

8. dunces   9. Names of critics invented by the author
10. I won't give up my seat (as if he were watching a play)
11. arguments based on the opinions of the critics   12. anything
13. You're an odd one!   14. I can't stand it any longer.   15. hiccups
16. I don't take anything back   17. difficult to understand
18. screamingly funny

une grande banalité de pensée, de sentiments... beaucoup de platitude... C'en est par moments stupéfiant.
— Ah là, je dois vous arrêter. Le rire cesse brusquement. Le visage
devient sérieux. Non là, il faut que je vous dise. Je ne plaisante plus.
Là, vraiment, vous avez tort. Vous savez ce qu'on répondrait? On vous
dirait: Mais voyons, comment ne voyez-vous pas que ce côté banal,
ce côté plat dont vous parlez, cela, justement, Bréhier [19] l'a voulu, il
l'a fait exprès.[20]

Combien osent ainsi, s'emparant d'un poème, d'un roman dont l'éclat
éblouit tous les yeux, le serrer dans leur poigne puissante, appuyer
férocement aux endroits fragiles, presser [21]... ici, voyez, cela ne tient
pas... et ici encore... voyez comme c'est faible, comme c'est mou [22]
... du mélodrame, de la pure convention, de la pacotille [23]... c'est vulgaire, c'est plat [24]...
Et personne ne bronche,[25] on les écoute en silence. On les regarde
s'exhiber, enivrés du sentiment de leur liberté d'esprit, de leur clairvoyance, on les laisse appuyer plus fort, encore plus fort, enfoncer
davantage avec des cris triomphants. Et puis, comme un coup de
revolver dans leur nuque, ce bref claquement: « Mais tout cela, voyons,
c'est fait exprès. »
Celui qui reçoit cette décharge titube, il tombe, il gît à terre, perdant tout son sang. Les assistants, curieux, apitoyés, s'approchent, se
penchent: c'était donc cela le colosse redoutable qui brandissait dans
son énorme poing et nous montrait: « Voyez, bonnes gens, regardez...
là, par exemple... ici, mon doigt sans effort s'enfonce... j'ouvre la
chose en deux et je vous la fais voir. L'objet à l'aspect éclatant de force,
de vie, ressemble à un fruit blet. » [26] Pauvre bougre, il a bonne mine [27]
maintenant. Voilà où l'ont mené son arrogance, sa jobardise,[28] son
insensibilité. Mais aussi, comment peut-on, si aveugle et sot qu'on
soit, comment, je vous le demande, peut-on ne pas voir, qui ne le voit
pas? cela crève les yeux: [29] ces platitudes, comme il les appelait, le
malheureux, ces platitudes qui le choquaient tant, elles avaient été
mises là exprès.

Leur résistance est brisée, jusque dans leurs recoins [30] les plus
secrets, l'agresseur avance, écrasant sur son passage ces joies délicates,

19. the author of the *Fruits d'or,* an imaginary book   20. on purpose
21. All these words are used as metaphors.   22. lifeless, spiritless
23. shoddy   24. dull, insipid   25. and no one flinches   26. over-ripe
27. For *pauvre mine,* meaning he looks ill now.   28. gullibility
29. It's staring you in the face.   30. recesses (of the mind)

ces voluptés, cette exaltation, cette sensation de croître, de s'épandre qu'ils avaient quand, seuls dans leur chambre, ils lisaient, s'arrêtant de temps en temps pour ressasser, pour savourer, pour se gonfler d'attente avant, sans se presser, de reprendre leur lecture, feuilleter, relire lentement, se laisser descendre vers quelles fraîcheurs ombreuses, quelles profondeurs bleutées ... Tout cela maintenant est souillé, sac- cagé: de pauvres choses que des mains brutales saisissent et jettent dehors. Tenez, regardez. C'est ça que vous aimez. Voilà ces merveilles, ces abîmes qui vous fascinent ... Ces sentiments si « vrais » qui font se contracter voluptueusement votre cœur ... De pauvres fadaises,[31] de misérables faux semblants. Musée Grévin.[32] Vulgarité. Poésie de pacotille ...

Ils sont abattus, prostrés. La vue brouillée, ils tâtonnent faiblement de tous côtés, cherchant du secours. Et là, à leur portée, ils ne savent pas exactement ce que c'est, ça doit être quelque chose de lourd, de contondant [33]. ... ils se tendent, ils saisissent cela, ils le soulèvent avec ce qu'il leur reste de forces et le jettent à la tête de l'ennemi triom- phant: « Mais tout cela, c'est fait exprès. »

Miracle. En un instant, la situation se renverse. L'agresseur chan- celle, il s'écroule, assommé.

« Exprès. C'est fait exprès. Voyons, comment ne le voyez-vous pas? » Le coup le fait tituber, il voit des gerbes d'étincelles, il a trente-six chandelles devant les yeux.[34] Il essaie de se retenir à n'importe quoi pour ne pas tomber ... « Comment exprès? Mais écoutez-moi, ce n'est pas une excuse ... Si l'auteur l'a fait exprès, tant pis pour lui ... » Il se redresse ... « S'il écrit des platitudes, exprès ou non, il manque de goût, voilà tout. — Mais il le fait exprès, figurez-vous, de ne pas faire preuve de goût. » Le nouveau coup le fait chanceler, il se cramponne ... « Mais alors, il faut qu'on le sente. — Mais tout le monde le sent, sauf vous. Les gens qui s'y connaissent un peu, en tout cas, ne s'y trompent pas. » [35] Il s'efforce, comme il peut, de se remettre d'aplomb [36] ... « Mais il faut que ce soit évident ... que ça serve de repoussoir à quelque chose qui ne soit pas plat,[37] sinon on risque de la prendre, cette platitude-là ... les forces peu à peu lui reviennent, il se tient bien debout maintenant ... on prend cette platitude pour de l'art ... Cette fois, c'est lui qui attaque et ils le regardent surpris, ils reculent, prêts

31. trifles   32. Famous wax museum in Paris, founded in 1882
33. blunt   34. he sees stars   35. make no mistake about it
36. to regain his balance, meaning his self assurance
37. to serve as a foil for something which is not dull

à parer le coup [38]... Tous les fabricants de navets, si vous voulez que je vous le dise, font exprès. Tout le monde fait toujours exprès, à ce compte-là. » [39] Ils ne se laissent pas intimider, ils avancent sur lui de nouveau: « Les fabricants de navets ne savent pas qu'ils écrivent platement, figurez-vous. Tandis que lui, il le sait. Il le fait exprès, comment ne le comprenez-vous pas? — Mais comment savoir... Attendez... Comment?... il pousse de faibles cris, comme des couinements de souris [40]... Comment le sait-on, qu'il l'a fait exprès? — Mais on le sait... ils le secouent. On le sait parce qu'il est maître de ses moyens, il ne peut pas se tromper, il sait toujours ce qu'il fait... » Une voix de femme glapit: [41] « Et puis il l'a dit. » Il crie cette fois de toutes ses forces: « Ah, il l'a dit? A qui? — Il l'a dit, il l'a dit dans une interview... Je l'ai entendu, il en a parlé à la radio... Il a dit: J'ai voulu faire littéraire, conventionnel... vous comprenez... » Il ne reconnaît pas sa propre voix: « Mais il l'a peut-être dit pour se défendre. C'est peut-être une ruse de sa part. Une ruse... Il ne pouvait pas faire autrement... » Cette fois, c'en est trop. Ils tombent tous sur lui et le frappent à grands coups, « Comment pouvez-vous? Vous... Mais vous perdez la tête. C'est un génie. Il a donné ses preuves. Vous oubliez ce détail, mon petit ami. Vous oubliez ce qu'il a fait... Quelles œuvres admirables... — Admirables! Je n'en connais pas... Tout ce qu'il a écrit est comme ça... Il rit d'un rire de dément... Plat, plat, plat, ha, ha... exprès... elle est bonne,[42] ha, ha... exprès, exprès... », tandis qu'ils lui passent la camisole de force [43] et l'emportent.

— Ça vous surprend, ça? Hein? Ce qu'ils vous diraient — ils le disent toujours dans ces cas-là — ce qu'ils vous répondraient, tous les esprits forts,[44] les Mettetal, les Brulé, si vous vous avisiez de leur parler de ces platitudes, de ces sentiments de pacotille que vous avez trouvés dans *Les Fruits d'or*. Que pourriez-vous répondre à cela? Comment allez-vous, cette fois, vous en tirer, hein? Vous l'homme intrépide. Je vous attendais là. Moi je ne demanderais pas mieux, vous savez, si je pouvais... Moi-même, par moments, je me suis demandé, je vous l'avoue... Mais ça me démonte [45] toujours, moi, cet argument-là.

— Ça vous démonte, quand ils vous sortent cette ineptie? [46] Que c'est fait exprès? Ah, elle est excellente, elle est très bonne, celle-là.

38. ward off the blow   39. if you are right   40. little cries of mice
41. yelps   42. That's a good one!   43. strait jacket
44. those who argue skillfully   45. upsets me
46. when they tell you this absurd thing?

Vraiment, vous ne plaisantez pas, il y a des gens qui se laissent intimider par ça?

— Oui, figurez-vous. Moi-même, je ne sais jamais très bien quoi répondre quand on m'objecte cela. Il n'y a rien à dire. J'essaie, comme je
peux, de me défendre un peu, mais l'argument est fort.

— Fort? Mais voyons, ça ne tient pas.

— Je sens bien que vous avez peut-être raison. Mais dites pourquoi.
On est pris comme des rats dans ce truc-là.[47] On se débat, on n'en
sort pas.

— Moi j'en sortirai, je vous prie de le croire.

— Eh bien, comment? Comment? Dites-le-moi.

— Ce n'est pas difficile: on ne peut pas faire plat exprès. Ça [48] ne
tient pas debout... C'est ridicule...» Toutes ses forces bandées, il se
tend... le monstre humide lui glisse entre les mains... il essaie de le
saisir... « Mais qu'est-ce que ça veut dire: il a voulu faire plat?
Qu'est-ce que ça veut dire? Nous sommes ici dans le domaine de l'art,
non au niveau de nos petites observations personnelles. Il a voulu faire
de la platitude la matière d'une œuvre d'art? C'est ça? Il tient accrochée par une extrémité cette chose gluante et sombre qui se débat.[49]
Mais il ne la lâche pas... Une œuvre d'art. C'est bien cela...» Il
ricane, un peu surpris... comme un déménageur qui avait saisi à
bout de bras un gros colis, le croyant léger... une plume pour moi, ça
ne pèse rien, vous verrez... et qui, au bout de deux pas, obligé de le
poser par terre, tout rouge, s'éponge le front... Ah nom de Dieu, je
n'aurais pas cru... Mais dites-moi, qu'est-ce qu'il y a donc là-dedans?
Mais c'est du plomb qu'il y a dans ce truc-là... Il a un sourire un peu
gêné: « Mais dites donc, vous n'allez pas m'obliger à vous faire un
cours? » [50]

— Si, je vous en supplie, expliquez-vous. Ça a besoin d'être tiré au
clair. Vous êtes épatant pour ça.[51] C'est assommant d'entendre répéter
ça partout, à propos de tout. Mais c'est moins simple qu'on ne croit.

Il s'agite, agacé: « C'est *trop* simple. C'est *trop* évident...»

— Oui, oui, c'est ça. Vous avez trouvé: c'est si simple qu'on n'arrive
pas... ce sont de ces choses qui vont de soi [52]... On n'arrive pas à
les décortiquer [53]...

— Mais si, quoi, c'est bien simple... Ce Monsieur, comment l'ap-
pelez-vous, l'auteur des *Fruits d'or?* Bréhier, c'est ça... Eh bien, il

47. in this thing, this idea   48. The argument
49. Referring always to the argument   50. give you a lecture
51. You're wonderful at that.   52. do not need to be explained
53. to explain it, get to the essence of it

voulait montrer quelque chose de plat, de convenu, de banal. Et pourquoi pas? La platitude, ou la bêtise, ou la laideur, ou n'importe quoi,
peut être l'excellente matière d'une œuvre d'art. Seulement cette platitude-là ne vous ferait pas le même effet que celle que vous sentez
dans *Les Fruits d'or* . . . Il s'arrête, soudain calmé. Il tient bien la chose
tout entière maintenant. Il la ressaisit plus commodément . . . Il n'y
a rien de commun entre la sensation que donne la platitude non-
voulue, non travaillée, la platitude à l'état brut, impure, nauséeuse,
sournoise, celle qu'on perçoit vaguement soi-même, autour de soi, qui
vous pénètre comme une vague odeur, et celle qui vous est montrée
dans une œuvre d'art, maîtrisée . . . Mais j'enfonce des portes ouvertes . . .[54]

— Mais non, parler, vous ne savez pas quel bien vous me faites . . .
Voilà ce qu'il faut leur répondre . . .

— Mais ils le savent. Ils font semblant. Ils essaient de vous rouler. »[55]

Les Fruits d'or, pp. 133-46.
Librairie Gallimard, tous droits réservés

54. I am saying things that everybody knows.
55. to put something over on you

II
POÈTES

Portrait de Mme. R. (Renault)

Le Poète (J. P. Dubray)

SAINT-JOHN PERSE

Ce poète, de son vrai nom Alexis Léger, est né le 31 mars 1887 à la Guadeloupe d'une riche famille de blancs. Le jeune Alexis eut un précepteur et vint en France à l'âge de onze ans continuer ses études à Pau. Encore lycéen, il connut Francis Jammes et, par lui, Paul Claudel. Ensuite, à Bordeaux, les études de droit ont marché de pair avec les exercices poétiques.

Après quelques voyages, le jeune homme se fit recevoir au concours des Affaires étrangères en 1914. Entré dans la carrière des ambassades, il a représenté la France à l'étranger. La protection de Philippe Berthelot, l'amitié d'Aristide Briand ont fait de lui un diplomate heureux qui n'a cessé d'accéder à des postes importants et l'ont porté au poste suprême, le secrétariat général du Quai d'Orsay. Mais en juin 1940, il quitta la France pour les États-Unis, à la suite de quoi il fut révoqué par le gouvernement d'alors.

Washington le recueillit et le nomma conseiller technique de la Bibliothèque du Congrès. En 1960, il reçut le Prix Nobel de littérature.

Dans ses années de fonctions diplomatiques, il n'avait publié, sous le pseudonyme de Saint-Léger Léger, qu'*Éloges* (1911) et *Anabase* (1924). C'est seulement à partir de 1942 qu'ayant pris le pseudonyme de Saint-John Perse, il a livré au public toute la série de ses recueils: *Exil* (1942), *Pluies* (1943), *Neiges* (1944), *Vents* (1946), *Amers* (1957), *Chronique* (1960).

La poésie de Saint-John Perse consiste en rappels voilés de sa propre existence en même temps qu'en visions d'histoire et d'imagination cosmique. *Éloges* dit adieu à l'enfance antillaise. *Anabase* est un chant d'aventure à la gloire d'un symbolique fondateur de cité. *Exil*, *Pluies*, *Neiges* rassemblent les plaintes du monde moderne menacé de destruction. Mais *Vents* apporte pourtant une espérance, et *Amers* célèbre l'alliance de l'homme avec la mer. *Chronique* récapitule l'histoire humaine dans un panorama grandiose.

La forme de cette poésie est de large déploiement verbal; elle élève le verset claudélien à une harmonie très méditée qui se gonfle d'images de grande envergure. Elle a malheureusement le tort de se laisser envahir trop souvent par l'obscurité.

Saint-John Perse s'est fait une conception personnelle de l'univers, et il en a admis pour principe le mouvement perpétuel, qui emporte l'atome comme le système solaire, l'homme comme la mappemonde. Cette synthèse inlassablement en expansion et en fuite a son symbole dans la fureur quasi divine des vents.

Le poème *Vents*, dont nous donnons un passage important, évoque les vents dans leur fonction de déblayage et de préparation d'avenir, avec des allusions tragiques aux malheurs des hommes.

BIBLIOGRAPHIE

Bosquet, Alain. *Saint-John Perse*. Paris: Pierre Seghers, 1953.

Caillois, Roger. *Poétique de Saint-John Perse*. Paris: Gallimard, 1954.

Guerre, Pierre. *Saint-John Perse et l'homme*. Paris: Gallimard, 1955.

Murciaux, Christian. *Saint-John Perse*. Paris: Éditions universitaires, 1960.

Saillet, Maurice. *Saint-John Perse, poète de gloire*. Paris: Mercure de France, 1952.

VENTS

extraits

...C'étaient de très grands vents sur la terre des hommes — de très grands vents à l'œuvre parmi nous,

Qui nous chantaient l'horreur de vivre, et nous chantaient l'honneur de vivre,[1] ah! nous chantaient et nous chantaient au plus haut faîte du péril,[2]

Et sur les[3] flûtes sauvages du malheur nous conduisaient, hommes nouveaux, à nos façons nouvelles.

C'étaient de très grandes forces au travail, sur la chaussée des hommes — de très grandes forces à la peine[4]

Qui nous tenaient hors de coutume et nous tenaient hors de saison, parmi les hommes coutumiers, parmi les hommes saisonniers,[5]

Et sur la pierre sauvage du malheur nous dépouillaient la terre vendangée pour de nouvelles épousailles.[6]

Et de ce même mouvement de grandes houles en croissance,[7] qui nous prenaient un soir à telles houles de haute terre, à telles houles de haute mer,

Et nous haussaient, hommes nouveaux, au plus haut faîte de l'instant, elles nous versaient un soir à telles rives, nous laissaient,[8]

Et la terre avec nous, et la feuille, et le glaive — et le monde où frayait une abeille nouvelle.[9]

Ainsi du même mouvement[10] le nageur, au revers de sa nage,[11] quêtant la double nouveauté du ciel,[12] soudain tâte du pied l'ourlé[13] des sables immobiles,

1. Horror and honor, pessimism and optimism, the poet embraces everything.
2. in the worst moments of life   3. *sur les* meaning *et au son des*
4. The idea of effort is added to the thought of work.
5. This is a contrast between men who remain attached to the past and those who prepare for the future.   6. new enterprises
7. heavy swells on the increase   8. In order to discover the unknown
9. The migration of empires through the centuries and the discovery of new things   10. As the swells   11. swimming on his back
12. in the sky and on the earth   13. the edge

Et le mouvement encore l'habite et le propage, qui n'est plus que
mémoire — murmure et souffle de grandeur à l'hélice [14] de l'être,
Et les malversations [15] de l'âme sous la chair longtemps le tiennent hors
d'haleine — un homme encore dans la mémoire du vent, un homme
encore épris du vent, comme d'un vin [16]...

Comme un homme qui a bu à une cruche de terre blanche: et l'attache-
ment encore est à sa lèvre
Et la vésication de l'âme sur sa langue comme une intempérie,[17]
Le goût poreux de l'âme, sur sa langue, comme une piastre d'argile [18]...

O vous que rafraîchit l'orage, la force vive et l'idée neuve rafraîchiront
votre couche de vivants, l'odeur fétide du malheur n'infectera plus
le linge de vos femmes.[19]
Repris aux dieux votre visage, au feu des forges votre éclat,[20] vous
entendrez, et [21] l'An qui passe, l'acclamation des choses à renaître
sur les débris d'élytres, de coquilles.[22]
Et vous pouvez remettre au feu les grandes lames couleur de foie sous
l'huile. Nous en ferons fers de labour,[23] terre mouvante, sous
l'amour, d'un mouvement plus grave que la poix.[24]

Chante, douceur, à la dernière palpitation du soir et de la brise, comme
un apaisement de bêtes exaucées.[25]
Et c'est la fin ce soir du très grand vent. La nuit s'évente à d'autres
cimes.[26] Et la terre au lointain nous raconte ses mers.[27]
Les dieux, pris de boisson, s'égareront-ils encore sur la terre des
hommes? [28] Et nos grands thèmes de nativité seront-ils discutés
chez les doctes? [29]

14. for the propulsion of his body   15. the inner tumult
16. Memories and the past still possess him
17. Man suffers from his inability to adjust
18. He feels the anguish of memory and everything is burdensome
19. Disgust of the past and thirst for the future
20. Everything is back in order   21. et for et avec
22. on the rubble of wing-sheaths and of shells
23. iron for the plough (and no longer for tools of war)
24. Meaning that works of peace and love and the discovery of the secrets
that fill the earth will succeed war
25. The rest that comes in the evening from the satisfaction of the labor of
the day   26. The winds have gone elsewhere.
27. The noise of the seas now comes from the distance.
28. Will everything fare well with humanity?   29. among the learned

Des Messagers encore s'en iront aux filles de la terre, et leur feront
    encore des filles à vêtir pour le délice du poète.[30]
Et nos poèmes encore s'en iront sur la route des hommes, portant se-
    mence et fruit dans la lignée des hommes d'un autre âge [31] —
Une race nouvelle parmi les hommes de ma race, une race nouvelle
    parmi les filles de ma race, et mon cri de vivant sur la chaussée
    des hommes, de proche en proche, et d'homme en homme,[32]

Jusqu'aux rives lointaines où déserte la mort! [33]...

Vents: 6.

30. Generations will succeed generations and the poet will tell about them.
31. And the poet will write for the enlightenment of the generations of
another age
32. I salute the rebirth of my race.
33. where death may recede

JEAN COCTEAU

Né de grande bourgeoisie artiste en 1889 à Maisons-Laffitte, il a été un enfant gâté que l'on emmenait au cirque et au théâtre et qui tout jeune a fréquenté les célébrités de son temps.

Il était encore adolescent quand le démon de la poésie s'empara de lui et ses poèmes de début sont rassemblés dans *La Lampe d'Aladin* (1909), dans *Le Prince frivole* (1910) et dans *La Danse de Sophocle* (1912). Remarqué dans le monde littéraire, la célébrité le lança dans la voie de la fantaisie excentrique et désinvolte, de la virtuosité et du parisianisme le plus aigu.

Lorsque la guerre de 1914 éclata, Jean Cocteau n'était pas mobilisable mais il se fit autoriser, par un ami, a parcourir les routes du front avec des voitures civiles pour recueillir les soldats blessés. Ensuite l'amitié de Roland Garros lui a offert l'occasion de faire quelques tours acrobatiques en avion et il en a fixé le souvenir dans des poèmes du *Cap de Bonne-Espérance* (1919); l'amitié de Picasso lui a donné l'idée de *Parade,* ballet réalisé pour Diaghilev en 1917 avec des décors de Picasso et une musique d'Erik Satie. Tout Paris l'acclama.

Cette période pendant laquelle Cocteau a fréquenté Max Jacob, Apollinaire, Cendrars, a été celle des inventions forcées et des ingéniosités saugrenues. Elle s'incarne dans l'assemblage de poèmes, d'écrits en prose et de dessins qui s'intitule *Le Potomak* (1919). Le recueil *Poésies* (1920) reflète tour à tour le naturisme et le futurisme et surprend par des réminiscences de Ronsard tout à fait imprévues chez un moderniste tel que Cocteau. On les doit à l'influence du jeune Raymond Radiguet. L'esthétique défendue par Radiguet et imposée par lui à son grand ami protestait contre celle de Rimbaud et de Mallarmé; elle recommandait un retour à la tradition classique. Le recueil poétique de 1923, *Plain-Chant,* ramena Cocteau à un classicisme quelque peu forcé et artificiel.

A la mort de Radiguet en 1923, Cocteau se livra par désespoir à l'opium. Guéri, une conversion de tiède catholicisme familial à une foi vivante le tenta par l'entremise du philosophe Jacques Maritain, avec lequel il se brouillera plus tard.

Dans cette période s'inscrit une série de romans, *Le Grand Écart* (1923), *Thomas l'Imposteur* (1923), et *Les Enfants terribles* (1929), tous plus ou moins autobiographiques.

Le goût du théâtre s'était aussi manifesté chez Cocteau quelques années auparavant. En 1920, il avait fait représenter *Le Boeuf sur le toit* et en 1924 *Les Mariés de la Tour Eiffel,* deux farces-ballet. Peu après, il créa la mode qui consiste à moderniser les chefs-d'œuvre du passé en les débarrassant de leur solennité et en modernisant le langage. Ce fut le cas de *Romeo et Juliette* (1926) et d'*Antigone* (1928). *Orphée* (1927) témoigne d'une invention d'autant plus personnelle qu'elle comporte une seconde modernisation à outrance: la Mort apparaît incarnée en chirurgienne. En 1930, c'est *La Voix humaine,* pièce en un acte et monologue d'une femme qui pendant près d'une heure, au téléphone, parle à l'homme qu'elle aime et qui ne l'aime plus. En 1934, Cocteau devait faire représenter au théâtre son chef-d'œuvre, *La Machine infernale,* qui rajeunit avec noblesse et pathétique l'antique mythe d'Œdipe; l'écrivain retrouvait là, sous une forme intensément tragique, la hantise de la fatalité qui l'avait tourmenté dès son enfance.

On ne saurait imaginer Cocteau renonçant à utiliser le film pour communiquer sa vision imaginative et poétique du monde au grand public. Il aborda l'écran en 1932 avec *Sang d'un poète* qui y apporta les apparitions de mains mystérieuses, une marche au plafond et autres artifices du surréalisme, parents de ceux qu'*Orphée* avait apportés au théâtre. Il devait montrer plus d'humanité dans les films *L'Éternel Retour* (1944) et *La Belle et la bête* (1946).

Nous nous contenterons de mentionner plusieurs pièces de théâtre dans lesquelles l'auteur a fatigué son talent plutôt qu'il ne l'a fait briller: *Les Chevaliers de la Table Ronde* (1937), *Les Parents terribles* (1938), *La Machine à écrire* (1941), *Bacchus* (1951). Ces pièces, en général, déçoivent. En revanche, Cocteau poète n'avait jamais atteint les sommets de l'élégie comme il y a réussi dans la partie accessible de *Clair-Obscur* (1954).

Il convient enfin d'accorder de l'attention aux ouvrages de confession et d'auto-critique tels que *Le Rappel à l'ordre* (1926), *Portraits-Souvenirs* (1935) et *Journal d'un inconnu* (1953). Ils nous permettent d'entrer dans sa pensée intime et de pénétrer quelques-uns de ses secrets.

Jean Cocteau est entré à l'Académie française en 1955. Il est mort le onze Octobre 1963, le même jour qu'Edith Piaf, pour qui il avait écrit en une nuit un lever de rideau, *Le Bel Indifférent,* joué en 1940.

BIBLIOGRAPHIE

Crosland, Margaret. *Cocteau.* New York: Knopf, 1956.

Fraigneau, André. *Cocteau par lui-même.* Paris: Éditions du Seuil, 1957.

Lannes, Roger. *Cocteau* (« Poètes d'aujourd'hui »). Paris: Seghers, 1952.

Mauriac, Claude. *Jean Cocteau ou la vérité du mensonge.* Paris: Gallimard, 1945.

Oxenhandler, Neal. *Scandal and Parade: The Theater of Jean Cocteau.* New Brunswick, N.J.: Rutgers University Press, 1957.

PLUS QUE LA CHAIR . . .

Plus que la chair encore une âme dévêtue
Attente à la pudeur.[1] Un poète la doit
D'une robe vêtir pour que nul dans la rue
Ne la montre du doigt.[2]

L'invisibilité qui protège ma ligne
M'enseigne [3] son secret et la [4] sache mettre où
Cache la blanche sienne indolemment le cygne [5]
Dont l'eau coupe le cou.

Faites à mon langage un si humble costume
Que chacun s'en détourne et le laisse courir [6]
Et qu'avant d'épouser la mort je m'accoutume
A faire semblant de mourir.

Clair-Obscur, LXIII.
Éditions du Rocher, tous droits réservés

1. *une âme . . . pudeur.* a naked soul offends modesty.
2. Metaphor meaning that the poet must conceal his soul from the public
3. may it teach me   4. *la* refers to *ligne*   5. *cygne* is the subject of *cache*
6. follow its course

BOMBITA[1]

Il était aimé de la dame [2]
Il était un de ces très jeunes
Toreros [3] pour qui la chance ouvre
Son éventail bariolé
Il était aimé de la dame

1. There is no such word in Spanish. The lack of punctuation in the poem is a style created by Apollinaire (French poet, 1880-1918).
2. This repeated line is a play on words. At first the lady seems to be a loving admirer but in reality she is Death, as is seen in lines 10, 34, and 35.
3. bullfighters (Spanish)

Il était aimé de la dame
Sous l'or et sous le satin
Avec ses jambes rose vif [4]
La dame lui tendait les bras
Métamorphosés en cornes
Il était aimé de la dame

Il était aimé de la dame
J'étais du même âge à Saint-Jean-
De-Luz [5] il portait encore
La charmante petite natte
Que maintenant un postiche [6]
Imite dans les cheveux
Il était aimé de la dame

Il était aimé de la dame
La dame avait peigne d'écaille
Blanche mantille [7] pieds de bouc [8]
Et haut sur le chignon cette
Boule de neige en jasmins
Dont les filles de Malaga [9]
Piquent les fleurs une à une
Sur un squelette d'ombelle [10]
Il était aimé de la dame

Il était aimé de la dame
Il l'était et le savait
Et cela se lisait dans
Son œil de velours et de braise
Et que tôt ou tard la dame
Grâce à son ambassadeur [11]
Arriverait à ses fins
Pour les accordailles funèbres
Il était aimé de la dame

4. A color often used for the tight-fitting pants bullfighters wear
5. French city near Spain where Cocteau had seen the young bullfighter for
the first time   6. a piece of false hair   7. white shawl
8. hooves, with which one depicts satyrs and demons
9. Spanish port on the Mediterranean
10. a plant in which the pedicels appear to spring from the same point, forming
a rounded flower cluster which has a skeletal appearance
11. the bull

Il était aimé de la dame
Et la peur que sur les genoux
La toque aux noires oreilles [12]
Nous communique enlevait
Lentement son voile de veuve
Lorsque s'enfonce l'épée
Dans la dangereuse bague [13]
Il était aimé de la dame

Il était aimé de la dame
Ce fut un soir qu'elle épousa
Sur une piste andalouse
Le danseur au dard de guêpe [14]
Traîné derrière le quadrige [15]
Disparut l'ambassadeur
Ayant trop bien joué son rôle [16]
Le dos fleuri par un bouquet
Cruel de roses trémières
Il était aimé de la dame

Il était aimé de la dame
J'en ai vu depuis j'en ai vu
En riches habits de noce
Essayer de désobéir
Au rituel de l'ambassade [17]
Mais lorsque l'étoffe rouge [18]
Cache le fer du sacrifice
C'est lui [19] toujours que je revois
Il était aimé de la dame

Il était aimé de la dame
Et que n'ai-je Federico
L'encre éloquente qui coule
Par la bouche de ta blessure
Afin d'écrire mon salut [20]

12. the bull   13. the vital spot   14. the bullfighter   15. chariot
16. The bull gored the bullfighter   17. the threat of death
18. When the bullfighter is ready to kill the bull, he hides his sword under a red cape.
19. Federico, the young bullfighter whom the poet saw gored in Andalusia
20. to salute you with your blood

Seulement au Généralife [21]
Toutes les fontaines pleurent
Car la redoutable épouse
Fait les compagnons se rejoindre
Dans un glorieux séjour
Il était aimé de la dame

Le Requiem, © 1962 by
Librairie Gallimard, tous droits réservés

21. Palace of the Moors near the Alhambra, surrounded by beautiful gardens, located in Granada, Spain

HENRI MICHAUX

Belge né à Namur en 1899 mais naturalisé Français en 1955, Henri Michaux a eu en pays flamand une enfance incroyablement solitaire, se sentant étranger envers ses propres parents. Il passa sa jeunesse à Bruxelles à lire les mystiques et à faire des études de peinture.

A vingt et un ans, il s'embarqua sur un charbonnier et parcourut l'Amérique du Sud. De retour au bout de quelques mois, il confia ses premiers écrits à une revue belge favorable aux jeunes, *Le Disque vert*. A vingt-cinq ans, il était à Paris où l'accueillirent et l'encouragèrent Jules Supervielle et Jean Paulhan.

Bientôt repris par l'attrait du voyage, il a revu les forêts du Brésil, a descendu l'Amazone en pirogue et escaladé les pentes de la Cordillère des Andes. Dans la suite, il s'est perdu dans les profondeurs des Indes, de la Chine, du Japon. *Ecuador* (1929), *Un Barbare en Asie* (1932) rendent compte de ces pérégrinations.

Michaux a choisi Paris pour port d'attache et c'est là qu'il a développé sa double production, littéraire et picturale.

Ses tableaux, ses dessins sont étranges et ne ressemblent à rien, sinon à des plaques de radiographie médicale. Ses livres étonnent et surprennent également. De *Qui je fus* (1927) à *Vents et poussières* (1962), en passant par *La Nuit remue* (1931), *Exorcismes* (1943), *Apparitions* (1946), *Face aux verrous* (1954), etc., cela n'a jamais été que livres fourre-tout, à la fois reportages, journaux intimes, contes, poèmes, mêlant l'humour au lyrisme, la description réaliste à la fantaisie, les fureurs du cœur à l'esprit métaphysique.

Michaux a fait alterner avec les voyages réels des voyages imaginaires dont le plus important est le *Voyage en grande garabagne* (1936). Il s'est complu davantage encore aux visions que lui offraient ses rêves et ses hallucinations. Son œuvre contient tout un monde inventé, tout un univers cérébral, qui lui appartiennent bien, mais qui cependant font penser à Alfred Jarry. Mais plus que Jarry, il les oppose à la réalité avec violence, car il est révolté contre la condition humaine; il oscille entre l'invective sociale et l'angoisse apocalyptique. Beaucoup des ses poèmes aboutissent à des cris de colère ou bien à un dégoût de tout le monde et de lui-même, ainsi qu'on le verra dans « Clown », poème extrait de *Peintures* (1939).

Lorsque la seconde guerre éclata, Michaux était marié. Pendant l'occupation, il est allé vivre dans le Midi, écrivant et peignant. Il est rentré à Paris à la veille de la Libération. Après quelques années de vie tranquille et laborieuse sa femme mourut, victime d'un accident de voiture, et il en éprouva une douleur qui s'exprime profondément dans *Nous deux encore* (1948).

A partir de 1955, Michaux s'est mis à expérimenter la plupart des drogues destructives de l'esprit et de la personne, dans l'espoir de surprendre avec leur aide les mystères de la vie. Il sait maintenant qu'il existe un fonctionnement mental tout différent de l'habituel, mais, dit-il, « continuellement désastreux ». En plusieurs ouvrages de prose, dont *Connaissance par les gouffres* (1961) est le plus remarquable, il a décrit cet état de pré-folie, d'où il est heureusement sorti.

La poésie de Michaux est discutable, mais elle a pour elle sa fantaisie sarcastique, sa sincérité, sa force. Elle use d'un style débarrassé de toute rhétorique et qui a bousculé toutes les règles pour faire de ses phrases des cris. C'est une poésie jaillie de l'être le plus intime et le plus profond du poète.

BIBLIOGRAPHIE

Bertelé, René. *Henri Michaux*. Paris: Seghers, 1957.
Bréchon, Robert. *Michaux*. Paris: Gallimard, 1959.
Coulon, Philippe de. *Henri Michaux, poète de notre société*. Neuchâtel, A la Baconnière, 1949.
Gide, André. *Découvrons Henri Michaux*. Paris: Gallimard, 1942.

CLOWN

Un jour.[1]
Un jour, bientôt peut-être.
Un jour j'arracherai l'ancre qui tient mon navire loin des mers.
Avec la sorte de courage qu'il faut pour être rien et rien que rien,
Je lâcherai ce qui paraissait m'être indissolublement proche.
Je le trancherai, je le renverserai, je le romprai, je le ferai dégringoler.
D'un coup dégorgeant ma misérable pudeur, mes misérables combinaisons et enchaînements « de fil en aiguille ».[2]
Vidé de l'abcès d'être quelqu'un,[3] je boirai à nouveau l'espace nourricier.[4]

A coups de ridicules, de déchéances (qu'est-ce que la déchéance?), par éclatement, par vide, par une totale dissipation-dérision-purgation, j'expulserai de moi la forme [5] qu'on croyait si bien attachée, composée, coordonnée, assortie à mon entourage et à mes semblables, si dignes, si dignes, mes semblables.
Réduit à une humilité de catastrophe, à un nivellement parfait comme après une intense trouille.[6]
Ramené au-dessous de toute mesure [7] à mon rang réel, au rang infime que je ne sais quelle idée-ambition m'avait fait déserter.
Anéanti quant à la hauteur, quant à l'estime.
Perdu en un endroit lointain (ou même pas), sans nom, sans identité.
CLOWN, abattant dans la risée, dans l'esclaffement, dans le grotesque, le sens que contre toute lumière [8] je m'étais fait de mon importance,
Je plongerai.
Sans bourse [9] dans l'infini-esprit sous-jacent [10] ouvert à tous,
ouvert moi-même à une nouvelle et incroyable rosée [11]
à force d'être nul
et ras [12]...
et risible [13]...

Peintures.

---

1. Note that many sentences are written without verbs.   2. link by link
3. to be somebody   4. Metaphor meaning I shall be light enough to fly freely.
5. the type of life   6. fright   7. without the need of measuring
8. reason   9. without anything   10. nothingness
11. pure as the first hours of morning   12. morally naked
13. laughable (Note that the last four lines do not start with capitals.)

QU'IL REPOSE EN RÉVOLTE [1]

Dans le noir, dans le soir sera sa mémoire [2]
dans ce qui souffre, dans ce qui suinte [3]
dans ce qui cherche et ne trouve pas
dans le chaland de débarquement qui crève [4] sur la grève
dans le départ sifflant de la balle traceuse
dans l'île soufre sera sa mémoire.

Dans celui qui a sa fièvre en soi, à qui n'importent les murs [5]
dans celui qui s'élance et n'a de tête que contre les murs [6]
dans le larron non repentant
dans le faible à jamais récalcitrant
dans le porche éventré [7] sera sa mémoire.

Dans la route qui obsède [8]
dans le cœur qui cherche sa plage [9]
dans l'amant que son corps fuit [10]
dans le voyageur que l'espace ronge.

Dans le tunnel
dans le tourment tournant sur lui-même [11]
dans celui qui ose froisser les cimetières. [12]

Dans l'orbite enflammée des astres qui se heurtent en éclatant
dans le vaisseau fantôme, dans la fiancée flétrie
dans la chanson crépusculaire sera sa mémoire.

Dans la présence de la mer
dans la distance [13] du juge
dans la cécité
dans la tasse à poison.

1. This is a travesty of the religious words: "Let him rest in peace."
2. The reputation of a person after his death. The poet is going to enumerate all of the people, things, elements that a poet can treat as beings and in which he feigns to believe that one can perpetuate the memory of a departed one who has lived outside of the social and moral order.   3. seeps, sweats
4. The destruction of the landing craft is compared to the death of an animal.
5. a person suffering from an incurable disease
6. who throws himself into action without thinking
7. Symbol of the destruction of monuments, such as takes place during revolutions   8. monopolizes one's thought   9. where to land
10. whose body loses its strength   11. unappeased   12. offends tombs
13. perspective

189

Dans le capitaine des sept mers
dans l'âme de celui qui lave la dague [14]
dans l'orgue en roseau [15] qui pleure pour tout un peuple
dans le jour du crachat sur l'offrande.[16]

Dans le fruit d'hiver
dans le poumon [17] des batailles qui reprennent
dans le fou dans la chaloupe

Dans les bras tordus des [18] désirs à jamais inassouvis sera
sa mémoire.

Apparitions.
Librairie Gallimard, tous droits réservés

14. Which has blood on it   15. Formed by the wind-swept reeds
16. offerings in a church   17. in the midst of   18. *des* for *par les*

FRANCIS PONGE

De Nice où il naquit en 1899, Francis Ponge a suivi sa famille à Paris, qu'il parait n'avoir guère quitté. Combien curieuse fut son enfance de grand liseur! Il ne lisait pas pour s'enchanter d'histoires; il se passionnait pour les mots, qu'il retournait en tous sens. Il a avoué s'être plongé dès la quinzième année dans les dictionnaires, et le *Littré* avait sa préférence.

La biographie de Ponge est celle de sa poésie; il n'y a pas de vie plus cachée et, peut-on dire, plus secrète que la sienne. Il a vécu dans le vocabulaire de la langue française.

Cette poésie de Ponge est née vers la trentaine, dans cette période où beaucoup d'hommes ont leur crise morale ou religieuse. Lui, il a eu sa crise de langage. Il a cru s'apercevoir qu'il était impossible d'adapter les mots à l'expression des idées. Entre les idées et les mots un abîme est creusé, en vint-il à penser: comment communiquer d'un bord de l'abîme à l'autre? Alors, adieu à la narration, à la psychologie, à la métaphysique! Contentons-nous de regarder les choses. Avec elles, on ne se sent pas trop égaré dans le monde, on arrive à se sentir presque en sécurité.

A condition, bien entendu, d'avoir percé leur mutisme, leur immobilité muette si impressionnante; à condition d'avoir fait connaissance profonde avec elles. Ponge a donc travaillé à atteindre et à posséder les choses de son entourage (objets de cuisine, pain, fleurs, rues, gare, soleil) ainsi que certaines bêtes, notamment les insectes, par le choix précis et rigoureusement exact des mots. Cela a été une longue recherche, une application inimaginable, qui continue et d'ailleurs sans doute continuera.

Remarquons que Ponge n'abandonne pas l'humain. Il prétend au contraire le sauver en le séparant des abstractions et en l'unissant aux choses, aux bêtes telles que la guêpe, l'huître, etc., celles-ci étant elles-mêmes pénétrées d'humain, grâce au langage, grâce même aux imperfections du langage, car ces imperfections c'est la part humaine introduite involontairement dans

191

l'objectivité des mots. Ainsi l'humain et le monde des choses vont chez Francis Ponge à la rencontre l'un de l'autre. Le poète espère qu'ils feront alliance pour vaincre la mort. C'est une illusion, évidemment, mais elle est belle et bienfaisante.

L'œuvre de Ponge se présente actuellement sous le titre général de *Grand Recueil*, en trois volumes aux titres bizarres, *Lyres*, *Pièces*, *Méthodes*. Il y a repris la matière de son livre initial, paru en 1942, *Le Parti-pris des choses*. « La Guêpe », que nous donnons en exemple, est extraite du recueil *L'Œillet, la guêpe, le mimosa* paru en 1943. On verra comme le poème est pénétré d'humanité, quoique écrit avec une minutie amie de la matière et de l'animalité la plus proche de la matière.

BIBLIOGRAPHIE

Sartre, Jean-Paul. *L'Homme et les choses*. Paris: Seghers, 1947.

LA GUÊPE

Hymènoptère [1] au vol félin, souple — d'ailleurs d'apparence tigrée — dont le corps est beaucoup plus lourd que celui du moustique et les ailes pourtant relativement plus petites mais vibrantes et sans doute très démultipliées,[2] la guêpe vibre à chaque instant des vibrations nécessaires à la mouche dans une position ultra-critique (pour se défaire du miel ou du papier tue-mouches par exemple).

Elle semble vivre dans un état de crise continue qui la rend dangereuse. Une sorte de frénésie ou de forcènerie [3] — qui la rend aussi brillante, bourdonnante, musicale qu'une corde fort tendue, fort vibrante et dès lors brûlante ou piquante, ce qui rend son contact dangereux.

Elle pompe avec ferveur et coups de reins. Dans la prune violette ou kaki, c'est riche à voir: [4] vraiment un petit appareil extirpeur particulièrement perfectionné, au point.[5] Aussi n'est-ce pas le point formateur du rayon (d'or et d'ombre) qui emporte le résultat du mûrissement.[6]

Miellée, soleilleuse; transporteuse de miel, de sucre, de sirop; hypocrite et hydromélique.[7] La guêpe sur le bord de l'assiette ou de la tasse mal rincée (ou du pot de confiture): une attirance irrésistible. Quelle ténacité dans le désir! Comme elles sont faites l'une pour l'autre! Une véritable aimantation au sucre.

Analogie de la guêpe et du tramway électrique. Quelque chose de muet au repos et de chanteur en action, quelque chose aussi d'un tram court avec premières et secondes, ou plutôt motrice et baladeuse.[8] Et trolley grésilleur.[9] Grésillante comme une friture, une chimie (effervescente).

Et si ça touche, ça pique.[10] Autre chose qu'un choc mécanique: un contact électrique, une vibration venimeuse.[11]

1. The order of insects to which the bee belongs   2. with reduced speed
3. *Forcènerie* is a word invented by the author, based on the word *forcené:* with persistent, eager action.   4. it is pleasurable to watch
5. made to function perfectly
6. The author means that it is not the abdomen of the bee (with gold and dark rings) that comes into contact with the ripe part of the fruit or flower.
7. Another word invented by the author; meaning one who loves hydromel (a liquor consisting of honey and water)   8. a motor car and a trailer
9. Another word invented by the author, based on *grésiller:* to sizzle
10. stings   11. poisonous

Mais son corps est alors mou [12] — c'est-à-dire en somme plus fine-
ment articulé — son vol plus capricieux, imprévu, dangereux, que la
marche rectiligne des tramways déterminés par les rails.

Un petit syphon ambulant, un petit alambic à roues et à ailes [13]
comme celui qu'on déplace de ferme en ferme dans les campagnes en
certaines saisons, une petite cuisine volante, une petite voiture de l'as-
sainissement public: [14] la guêpe ressemble en somme [15] à ces véhicules
qui se nourrissent eux-mêmes et fabriquent en route quelque chose,
si bien que leur apparition comporte un élément certain de merveilleux,
parce que leur raison d'être n'est pas seulement de se déplacer ou de
transporter, mais qu'ils ont une activité intime, généralement assez
mystérieuse, assez savante. Ce qu'on appelle avoir une vie intérieure.
    ... Un chaudron à confiture volant,[16] hermétiquement clos, mais
mou, le train arrière lourd basculant en vol.[17]

Il fallait bien, pour classer les espèces,[18] les prendre par quelque
endroit, partie ou membre, et encore un endroit assez solidement
attaché à elles pour qu'il ne s'en sépare pas lorsqu'on le saisit, ou que,
s'en séparant, il permette du moins à lui seul de les reconnaître. Aussi
a-t-on choisi l'aile des insectes. Peut-être avec raison: je n'en sais rien,
n'en jurerais nullement.

Hyménoptère,[19] quoi qu'il en soit, à propos des guêpes, n'est pas
tellement mauvais.[20] Non qu'à l'hymen des jeunes ressemble à vrai dire
beaucoup l'aile des guêpes. Apparemment pour d'autres raisons. Voilà
un mot abstrait, qui tient ses concrets [21] d'une langue morte. Eh bien,
dans la mesure [22] ou l'abstrait est du concret naturalisé, diaphanéisé [23]
— à la fois mièvre [24] et tendu, prétentieux, doctoral — voilà qui convient assez à l'aile des guêpes.

Mais je ne m'aventure pas beaucoup plus loin en ce sens.

Qu'est-ce qu'on me dit? Qu'elle laisse son dard dans sa victime et
qu'elle en meurt? Ce serait assez bonne image pour la guerre qui ne
paye pas.[25]

12. soft   13. a distillation apparatus on wheels and wings
14. a street-cleaning vehicle
15. in fact   16. a flying kettle of jelly   17. the tail heavy, swinging in flight
18. animal species   19. See note 1.   20. not such a bad word to classify bees
21. the concrete elements of which the word is composed: *hymēn:* membrane
and *pteron:* wing (Greek)   22. to the extent
23. Another word invented by the author, based on *diaphane* (transparent)
24. fragile   25. brings nothing to the victor

Il lui faut donc plutôt éviter tout contact. Pourtant, lorsque le contact a lieu, la justice immanente [26] est alors satisfaite: par la punition des parties. Mais la punition paraît plus sévère pour la guêpe, qui meurt à coup sûr.[27] Pourquoi? Parce qu'elle a eu tort de considérer le contact comme hostile et s'est aussi mise [28] en colère défensive, qu'elle [29] a frappé. Faisant preuve d'une susceptibilité exagérée (par suite de peur, de sensibilité excessive sans doute... mais pour les circonstances atténuantes,[30] hélas! — il est déjà trop tard). Il est donc évident, répétons-le, que la guêpe n'a aucun intérêt à rencontrer un adversaire, qu'elle doit plutôt éviter tout contact, faire détours et zigzags nécessaires pour cela.

« Je me connais, se dit-elle, si je me laisse aller, la moindre dispute tournera au tragique, je ne me connaîtrai plus,[31] j'entrerai en frénésie: vous me dégoutez trop, m'êtes trop étrangers. Je ne connais que les arguments extrêmes, les injures, les coups — le coup d'épée fatal.

« J'aime mieux ne pas discuter.

« Nous sommes trop loin de compte.[32]

« Si jamais j'acceptais le moindre contact avec le monde, si j'étais un jour astreinte à la sincérité, s'il me fallait dire ce que je pense!... J'y laisserais ma vie, en même temps que ma réponse, — mon dard.

« Qu'on me laisse donc tranquille; je vous en supplie: ne discutons pas. Laissez-moi à mon train-train,[33] vous au vôtre. A mon activité somnambulique, à ma vie intérieure. Retardons autant que possible toute explication. »

Là dessus, elle reçoit une petite tape — et tombe aussitôt. Il n'y a plus qu'à l'écraser.[34]

Nous quittons ici le texte de Ponge, au début de considérations très originales et curieuses. Nous avons voulu nous en tenir à la description, qui donne l'idée la plus précise de son art.

L'Œillet, la guêpe, le mimosa.

26. Justice which results from the natural course of events and becomes manifest sooner or later   27. for certain
28. *et s'est aussi mise* for *et aussi parce qu'elle s'est mise*
29. *qu'elle* for *parce qu'elle*   30. extenuating   31. I will be beside myself
32. We are out of each other's reckoning.   33. to my own way of life
34. squash her

RENÉ CHAR

Né en 1907 à l'Isle-sur-la-Sorgue en Vaucluse, René Char mène l'existence d'un paysan propriétaire à Céreste, dans les Basses-Alpes. Il a été fortement influencé par les tragiques grecs, Héraclite, Nietzsche, et les poètes français, entre autres Baudelaire et Lautréamont.

Tout jeune, il a écrit des vers et a participé avec Breton et Éluard à la composition de *Ralentir travaux* (1930). Puis, selon les formules du groupe, les poèmes au *Marteau sans maître* (1934). Bientôt, toutefois, il se dégagea de cette influence et cela se sent dès *Dehors la nuit est gouvernée* (1934).

Sous l'occupation allemande, Char devint le chef d'un maquis. L'action, le danger quotidien, la communication avec les hommes de la Résistance le libérèrent du surréalisme. En découvrant les émotions de la fraternité, il glissa des artifices de la littérature à la vérité de l'être humain. Ceci se reflète dans *Feuillets d'Hypnos* (1946).

René Char, depuis lors, s'est entrainé à composer des aphorismes, des maximes, afin d'atteindre en prosateur la plus forte densité possible. Il s'est exprimé aussi souvent en prose qu'en vers. Il faut lire cette prose, d'ailleurs mêlée aux vers dans les mêmes recueils, pour se rendre compte à quel point son œuvre invite à l'action, au dévouement, à l'héroïsme.

L'œuvre de Char est également une recherche des moyens de s'unir à l'éternel dans l'instant, elle veut surmonter la vie commune, non seulement par le courage, mais par une sorte d'élévation mystique. Elle se tend vers une réalité invisible dont elle a le pressentiment.

Voilà la substance du message poétique de René Char, fait de noblesse et de générosité, paré d'images neuves et souvent saisissantes.

Il est dommage que la nature de ce poète ait été entraînée par son goût de la plus dense concision dans l'hermétisme. Beaucoup de ses poèmes se refusent à être totalement compris et cachent leur signification derrière une syntaxe brusque et cassante, un vocabulaire insolite et une discontinuité déroutante dans les notations. On n'est jamais sûr de bien les interpréter. Donnons un exemple de cet hermétisme. Voici les premiers vers d'un de ses poèmes les plus souvent cités, « Le visage nuptial » :

> A présent disparais, mon escorte, debout dans la distance;
> La douceur du nombre vient de se détruire
> Congé à vous, mes alliés, mes violents, mes indices.
> Tout vous entraîne, tristesse obséquieuse
> J'aime.
>
> L'eau est lourde à un jour de la source.
> La parcelle vermeille franchit ses lentes branches à ton
> front, dimension rassurée.
> Et moi semblable à toi,
> Avec la paille en fleur au bord du ciel criant ton nom,
> J'abats les vestiges,
> Atteint, ceint de clarté.

Nous proposons ce début de poème comme une énigme à déchiffrer, surtout la seconde strophe car, après tout, on peut deviner dans la première un au-revoir aux compagnons du maquis.

Mais René Char doit être représenté dans notre anthologie par des textes intelligibles. C'est pourquoi nous avons choisi de donner ici, tout d'abord, un passage en prose de *Feuillets d'Hypnos*, recueil qui concerne les journées angoissantes de la guerre, ensuite un poème, tiré d'une plaquette de 1954, *Le Deuil des Névons*, dans lequel Réne Char se révèle avec la fraîche simplicité d'un homme de plein air dont la rivière voisine, la Sorgue, est la meilleure amie.

BIBLIOGRAPHIE

Guerre, Pierre. *René Char*. Paris: Seghers, 1961.
Mounin, Georges. *Avez-vous lu Char?* Paris: Gallimard, 1946.
Rau, Greta. *René Char ou la poésie accrue*. Paris: Corti, 1957.

FEUILLETS D'HYPNOS

L'Alerte au maquis [1]

Le boulanger n'avait pas encore dégrafé les rideaux de fer [2] de sa boutique que déjà le village était assiégé, bâillonné, hypnotisé, mis dans l'impossibilité de bouger. Deux compagnies de S. S. [3] et un détachement de miliciens [4] le tenaient sous la gueule de leurs mitrailleuses et de leurs mortiers. [5] Alors commença l'épreuve.

Les habitants furent jetés hors des maisons et sommés de se rassembler sur la place centrale. Les clés sur les portes. Un vieux, dur d'oreille, [6] qui ne tenait pas compte assez vite de l'ordre, vit les quatre murs et le toit de sa grange voler en morceaux sous l'effet d'une bombe. Depuis quatre heures j'étais éveillé. Marcelle était venue à mon volet me chuchoter l'alerte. J'avais reconnu immédiatement l'inutilité d'essayer de franchir le cordon de surveillance [7] et de gagner la campagne. Je changeai rapidement de logis. La maison inhabitée où je me réfugiai autorisait, à toute extrémité, [8] une résistance armée efficace. Je pouvais suivre de la fenêtre, derrière les rideaux jaunis, les allées et venues nerveuses des occupants. Pas un des miens [9] n'était présent au village. Cette pensée me rassura. A quelques kilomètres de là, ils suivraient mes consignes et resteraient tapis. [10] Des coups me parvenaient, ponctués d'injures. Les S. S. avaient surpris un jeune maçon qui revenait de relever des collets. [11] Sa frayeur le désigna à leurs tortures. Une voix se penchait hurlante sur le corps tuméfié: « Où est-il? [12] Conduisnous », suivie de silence. Et coups de pieds et coups de crosses de pleuvoir. [13] Une rage insensée s'empara de moi, chassa mon angoisse. Mes mains communiquaient à mon arme leur sueur crispée, exaltaient

1. A *maquis* was a remote place where the members of the *Résistance* gathered and prepared their attacks on the Germans during World War II. The author was the leader of a group of *résistants.*   2. unfastened the iron shutters
3. These were the initials for the German words *Schutz-Staffel* meaning protective troops. These were assigned as military police in occupied countries.
4. French soldiers working with German troops
5. *le tenaient . . . mortiers:* aimed machine guns and mortars at it (the village)
6. deaf   7. Troops surrounding the village so that no one could escape
8. That is, if he were discovered   9. Meaning his companions of the *maquis*
10. *ils . . . tapis:* they would follow my orders not to come out and remain hidden   11. traps for animals   12. Refers to the author
13. Kicks and blows from rifle butts rained upon him.

sa puissance contenue. Je calculais que le malheureux se tairait encore cinq minutes, puis, fatalement, il *parlerait.* J'eus honte de souhaiter sa mort avant cette échéance. Alors apparut, jaillissant de chaque rue, la marée [14] des femmes, des enfants, des vieillards, se rendant au lieu de rassemblement, suivant un plan concerté.[15] Ils se hâtaient sans hâte, ruisselant littéralement sur les S. S., les paralysant « en toute bonne foi ».[16] Le maçon fut laissé pour mort. Furieuse, la patrouille [17] se fraya un chemin à travers la foule et porta ses pas plus loin. Avec une prudence infinie, maintenant, des yeux anxieux et bons regardaient dans ma direction, passaient comme un jet de lampe sur ma fenêtre. Je me découvris à moitié [18] et un sourire se détacha de ma pâleur. Je tenais à ces êtres par mille fils confiants dont pas un ne devait se rompre.

J'ai aimé farouchement mes semblables cette journée-là, bien au delà du sacrifice.[19]

Feuillets d'Hypnos.[20]
Librairie Gallimard, tous droits réservés

14. tide   15. Meaning, planned beforehand by the *résistants*   16. Ironic
17. the German soldiers   18. I showed myself partially
19. far exceeding the feeling of gratitude for their act
20. Hypnos is the god of sleep in Greek mythology.

POUR UN VIOLON,
UNE FLÛTE ET UN ÉCHO

Un pas de jeune fille
A caressé l'allée
A traversé la grille.

Dans le parc des Névons [1]
Les sauterelles dorment.
Gelée blanche et grêlons [2]
Introduisent l'automne.

C'est le vent qui décide
Si les feuilles seront
A terre avant les nids.

Vite! Le souvenir néglige
Qui lui posa ce front,
Ce large coup d'œil,[3] cette verse,[4]
Balancement de méduse [5]
Au-dessus du temps profond.[6]
Il est l'égal des verveines,
Chaque été coupées ras,
Le temps où la terre sème.[7]

La fenêtre et le parc,[8]
Le platane et le toit
Lançaient charges d'abeilles,
Du pollen au rayon,
De l'essaim à la fleur.

Un libre oiseau voilier,[9]
Planant pour se nourrir,
Proférait des paroles [10]
Comme un hardi marin.

---

1. The name of a park that belongs or belonged to the poet.
2. hoar frost and hailstones
3. this expanse   4. Accident or disease that destroys the crops
5. jellyfish   6. Metaphor for memory   7. when the earth sows
8. The poet now shifts from the present to the memories of his youth.
9. A bird that flies high and far   10. Cries that sounded like words

Quand le lit se fermait
Sur tout mon corps fourbu,
De beaux yeux [11] s'en allaient
De l'ouvrage vers moi.

L'aiguille scintillait;
Et je sentais le fil
Dans le trésor des doigts
Qui brodaient la batiste.

Ah! lointain est cet âge.

Que d'années à grandir,
Sans père pour mon bras! [12]
Tous ses dons répandus,[13]
La rivière chérie
Subvenait aux besoins.
Peupliers et guitares

Ressuscitaient au soir [14]
Pour fêter ce prodige
Où le ciel n'avait part.

Un faucheur de prairie [15]
S'élevant, se voûtant,
Piquait les hirondelles,
Sans fin silencieux.[16]

Sa quille retenue
Au limon [17] de l'îlot,
Une barque était morte.

L'heure [18] entre classe et nuit,
La ronce les serrant,
Des garnements confus
Couraient, cruels et sourds.
La brume les sautait,
De glace et maternelle.
Sur le bambou des jungles
Ils s'étaient modelés,
Chers roseaux voltigeants! [19]

11. The eyes of his mother   12. The poet lost his father at an early age.
13. That is, through fishing
14. Music was played in the evening under the poplar trees.
15. a daddy-long-legs   16. ever silent, referring to the daddy-long-legs
17. in the silt, mud   18. During the hours
19. An evocation of the turbulent country youth

Le jardinier invalide sourit
Au souvenir de ses outils perdus,
Au bois mort qui se multiplie.[20]

Le bien qu'on se partage,
Volonté d'un défunt,[21]
A broyé et détruit
La pelouse et les arbres,
La paresse endormie,[22]
L'espace ténébreux [23]
De mon parc des Névons.

Puisqu'il faut renoncer
A ce qu'on ne peut retenir,
Qui devient autre chose
Contre ou avec le cœur,[24] —
L'oublier rondement,

Puis battre les buissons [25]
Pour chercher sans trouver
Ce qui doit nous guérir
De nos maux inconnus
Que nous portons partout.[26]

Le Deuil des Névons.

20. The poet returns to the park.
21. The will of the father had divided the property among the children.
22. They would go to sleep on the grass under the trees.
23. That is, made dark by the heavy foliage
24. willingly or unwillingly
25. beat the bush to seek game: here meaning, make the effort
26. The poet refers here to the sorrows of the heart and soul.

PATRICE DE LA TOUR DU PIN

Issu d'une vieille famille aristocratique, Patrice de la Tour du Pin est né à Paris en 1911, mais fut élevé en Sologne, dans une vieille demeure de ce pays mélancolique dont sa poésie reflète les bois et les étangs.

Il vit toujours là, dédaignant les villes, occupé à rêver, à méditer, à lire et à écrire, ainsi qu'il faisait dès l'enfance.

A vingt ans, il laissa publier par des amis, dans la *Nouvelle Revue française*, un poème, « Les Enfants de septembre », dont l'accent profond de nostalgie et d'espérance attira l'attention. Deux ans plus tard, en 1933, il fit paraître son premier recueil, *La Quête de joie*. Il y invitait ses lecteurs à quitter le monde qui est maudit, disait-il, puisque la créature s'y voit préférée à Dieu. Lui, il l'avait quitté en se retirant au fond de ses campagnes et y menant ce qu'il a appelé « la vie recluse en poésie ».

Blessé pendant la guerre et emmené prisonnier en Allemagne, La Tour du Pin a continué là-bas ses méditations. Rentré en France, il y rapportait une ardeur accrue de quête spirituelle qui s'exprime dans *Une Somme de poésie*, publié en 1946, et qui s'est poursuivie dans un silence rompu en 1959 par la publication du *Second Jeu*.

La recherche ardente du poète fait penser à celle du Graal imaginée au Moyen Age dans les chansons de geste qui forment le cycle du roi Arthur. Le Graal est ici un état de bonheur mystique, et la recherche se poursuit donc à l'intérieur de l'âme, où elle suscite de véritables drames, les drames d'une lutte entre les instincts de l'homme mortel et la métaphysique chrétienne que le poète tente de réconcilier dans son lyrisme de solitaire.

La Tour du Pin a été le premier poète important à échapper tout à fait au surréalisme; sa poésie est entièrement consciente. Il se rattache au symbolisme de la belle époque, s'exprime par images et symboles. Et comme il compte des Irlandais au nombre de ses ancêtres, il se complaît dans le souvenir des légendes celtiques, il multiplie les évocations d'une mythologie dans laquelle son christianisme rejoint des contes mythiques et qui nous emporte dans un climat de mystère.

La poésie de La Tour du Pin a subi un sort curieux. C'est dans *Le Second Jeu* qu'il approche le plus près du but désigné par sa foi. Or, au fur et à mesure que se précise son tête-à-tête avec ce qu'il donne envie d'appeler le fantôme de Dieu, on dirait que l'inspiration poétique se retire de lui; les symboles se figent, les belles images se raréfient. Il semble qu'une secrète théologie ait miné sa poésie et qu'elle menace de la tuer.

Une Somme de poésie marque le sommet de l'œuvre. C'est un gros volume dans lequel se mélangent vers et prose, et les vers sont écrits dans les mètres les plus variés.

A voir, Bibliographie générale.

LA VILLE [1]

Il [2] montait par la route nationale
Déserte à cette heure, entre chien et loup,[3]
A la rencontre d'une capitale
Assise dans l'ombre, au delà de tout.[4]

Il avait l'air de voler dans le vent,
Les lanternes éteintes,[5] en silence,
Comme un receleur de stupéfiants.[6]

Il m'a pris avec lui sans faire halte,
Son aile m'ayant happé dans la nuit;
Tous feux dehors et braqués sur l'asphalte,
Nous avons longé les faubourgs sans bruit.

Il m'a dit brusquement: j'ai grand besoin
De vous pour allumer toutes les torches,
Il faut porter la flamme aux quatre coins.

Quand des bas-fonds [7] surgira l'incendie,
Haut-déployé parmi le ciel d'hiver,
Nous devrons quitter la ville endormie,
Ne pas traîner le long des quais déserts.

Les feux furent bousculés par le vent;
Il [8] montait dans la nuit vers une foire
Le bétail des trains [9] venant d'Orient.

Et sur les quais descendirent les foules,
Les troupeaux d'humains, à peine couverts,
Vers le grand fleuve insouciant qui roule
Doucement des cadavres [10] vers la mer.

1. In reading this poem one should keep in mind that the poet is a solitary lover of the countryside who hates and despises cities.
2. *Il* is purposely vague here, referring to no one.
3. at the end of the day, at twilight
4. A lack of precision which gives to the poem the air of legend, desired by the author   5. He is in an automobile.   6. a receiver of stolen narcotics
7. the poor sections of the city   8. *Il* refers to *bétail*.
9. the cattle transported by the trains   10. the victims of the fire

Il faudrait se vautrer dans l'eau servile [11]
Pour sauver ce [12] pauvre corps qui prend peur,
Moi qui ai jeté le feu sur la ville...

La Quête de joie.
Librairie Gallimard, tous droits réservés

11. The water is the prisoner of the quays.   12. *ce* for *mon*

LÉGENDE

Va dire à ma chère île, là-bas, tout là-bas,
Près de cet obscur marais de Foulc, dans la lande,[1]
Que je viendrai vers elle ce soir, qu'elle attende,
Qu'au lever de la lune elle entendra mon pas.

Tu la trouveras baignant ses pieds sous les rouches,[2]
Les cheveux dénoués, les yeux clos à demi,
Et naïve, tenant une main sur sa bouche
Pour ne pas réveiller les oiseaux endormis.

Car les marais sont tout embués de légende,
Comme le ciel que l'on découvre dans ses yeux,
Quand ils boivent la bonne lune sur la lande
Ou les vents tristes qui dévalent des Hauts-Lieux.

Dis-lui que j'ai passé des aubes merveilleuses
A guetter les oiseaux qui revenaient du Nord,
Si près d'elle, étendue à mes pieds et frileuse
Comme une petite sauvagine [3] qui dort.

Dis-lui que nous voici vers la fin de septembre,
Que les hivers sont durs dans ces pays perdus,
Que devant la croisée ouverte de ma chambre,
De grands fouillis de fleurs [4] sont toujours répandus.

1. It is a question here of a symbolic mistress and of a place, called *La Sologne*. The mistress is the living symbol of a wild land, full of secrets.
2. tufts of reeds or rushes
3. collective name of birds which carry the odor of swamps and marshes
4. mixture of flowers (These two lines are in contrast with the preceding two.)

Globes

Nu à genoux

Annonce-moi comme un prophète, comme un prince,
Comme le fils d'un roi d'au-delà de la mer; [5]
Dis-lui que les parfums inondent mes provinces
Et que les Hauts-Pays ne souffrent pas l'hiver.

Dis-lui que les balcons ici seront fleuris,
Qu'elle se baignera dans des étangs sans fièvre,
Mais que je voudrais voir dans ses yeux assombris
Le sauvage secret qui se meurt sur ses lèvres, [6]

L'énigme d'un regard de pure connaissance [7]
Et qui brille parfois du fascinant éclair
Des grands initiés aux jeux de connaissance
Et des coureurs du large, sous les cieux déserts...

La Quête de joie.
Librairie Gallimard, tous droits réservés

5. from a far-distant country beyond the sea
6. The lips do not reveal the secret but it may be read in her eyes.
7. knowledge

LE DERNIER LEVER DU JOUR [1]

Ils avançaient par une région de cratères,
Un sol noir, volcanique et cendreux; ils savaient
Que la nuit sur ce monde était bien la dernière,
Et que le jeu pourtant n'était pas achevé:
« Nous n'avons ni gagné, ni perdu la partie,
On n'en [2] juge qu'à l'heure extrême de la vie,
Mais la fin de ce temps est quand même [3] arrivée. »

1. The poet has imagined three "conquérants du monde d'amour" whom he
shows full of concern because darkness has enveloped the earth. The poem
begins as if it were to symbolize the end of the world, but the poem will end
on a note of hope. Human life is compared to a game of cards or dice.
2. *en* refers to whether one has won or lost the game
3. Meaning, we must recognize that the end has come and we must be
resigned to it.

L'un dit: « Il faut beaucoup espérer de l'aurore!
De [4] ces collines dénudées, nous la verrons;
Les astres souterrains que nous laissions éclore [5]
Ne nous faisaient pas prendre le monde en passion;
Nous l'avons préparée, elle pourra parfaire [6]...
Ah! nous pensions jadis qu'en incarnant la terre,[7]
Nous y verrions assez d'amour: nous nous trompions ...»

« Il reste une heure avant cette ultime espérance »,
Dit l'autre, « étalons donc nos cartes en veillant;
Notre jeu sur ses fins court sa dernière chance
Qui peut tout transformer et nous faire gagnants;
Car elle semble mûre à la fin,[8] cette argile,
Mûre de [9] tant de morts, de souffrances, d'exils,
Qu'elle a peut-être purifié tous ses enfants. »

Ils s'assirent à la lumière d'une étoile:
« C'est le cœur du Scorpion,[10] étonnamment ouvert,
Et depuis si longtemps, à son lever austral,
Il règne sur ma nuit et mes rêves déserts;
Ceux qui naissent alors ont l'âme malheureuse,
Les savants l'ont nommé la plus prodigieuse
Source de lumière rouge des nuits d'hiver.

Compagnons de folie, c'est un mauvais présage!
Ne cachons rien de nous, c'est trop tard pour mentir »: [11]
— « J'ai eu peur de l'horreur des hommes de cet âge,[12]
Et je suis mort en moi [13] pour ne pas en mourir. »
— « Je n'ai pas dépassé les choses favorites,
Je ne m'éloigne pas des charmes que j'habite,
J'ai fait un univers avec tous mes désirs. » [14]

4. *De* meaning *du haut de*
5. Those that are seen rising from the other side of the earth.
6. perfect (verb)
7. By representing the earth through our human form
8. That is to say, the terrestrial destiny is ready to be accomplished.
9. through   10. The eighth sign of the Zodiac, corresponding to autumn
11. Starting with the next line, each of the "conquerors" will confess in turn.
12. for *l'horreur que m'inspirent les hommes d'aujourd'hui.*
13. I have stifled my inner life
14. These three lines mean that the second "conqueror" has lived voluptuously
and egotistically.

— « J'ai laissé ma parole errer parmi la terre:
Elle a pris en confidence certains passants,
Mais ils l'ont écoutée comme une âme étrangère,
Et se sont détournés en disant tristement:
Nous n'avons pas besoin d'une voix prophétesse,
Mais d'un peu de pitié, de beaucoup de caresses;
Nous avons bien trop mal pour écouter des chants. » [15]

Ils surveillaient la longue brume horizontale
L'aurore était tardive et rien ne l'annonçait,
Sinon cette clarté mourante de l'étoile
Qui maintenant comme un soleil s'élargissait,
« Est-ce vrai », disaient-ils, « qu'il ne faut rien attendre,[16]
Que le lever du jour n'est que cette sanglante
Nostalgique lueur de paradis passé? » [17]

« Elle est devenue rouge en reflétant la terre »,
Dit l'un, — Mais le second: « Elle noie toute horreur
Dans la mélancolie de sa propre lumière. »
— « Vous n'avez rien compris », dit l'autre, « à sa lueur!
De quelle teinte voulez-vous qu'elle apparaisse?
C'est d'elle seulement que les amours renaissent; [18]
Pour devenir des Dieux, commençons par le Cœur. »

Alors le jour monta dans le fond des trois hommes; [19]
Ils connurent le sens du long parcours divin,
Et comment un mystère d'amour se consomme [20]
En paraissant mourir et s'éteindre à la fin.
Ils s'allongèrent pour dormir, la face au ciel;
Il faudra maintenant substituer l'Éternel
A ces fils de moi-même errant sur les chemins.[21]

Une Somme de poésie.
Librairie Gallimard, tous droits réservés

15. The third "conqueror" in these lines expresses the life of a poet.
16. *attendre* meaning *espérer*   17. lost   18. Red is a symbol of love.
19. light came within them   20. takes place
21. The poet means that the three conquerors are made in his own image and that they have understood that the essential thing is love—love of our fellow men, love of the eternal, love of the beautiful and the good, love of God.

III
DRAMATURGES

JEAN ANOUILH

Jean Anouilh n'a jamais beaucoup parlé de sa vie. Nous savons seulement qu'il est né à Bordeaux en 1910 et qu'il s'est acquitté de ses études secondaires à Paris. Il voulait faire son droit, mais de dures nécessités l'ont conduit à une maison de publicité dans laquelle il a passé deux années. Heureusement, aussitôt après son service militaire, il est devenu secrétaire de Jouvet à l'époque glorieuse du *Siegfried* de Giraudoux. Le théâtre le tenait désormais.

Sa première pièce, *L'Hermine* (1932), fut remarquée, mais c'est avec *Le Voyageur sans bagage* (1937) qu'il est arrivé au grand succès.

Anouilh a commencé par faire confiance à la jeunesse, laquelle lui paraissait vouloir vivre dans la pureté de conscience, sans illusion comme sans égoïsme. Mais ou bien elle se laisse corrompre, ou bien elle en vient à refuser le bonheur, comme l'héroïne de *La Sauvage* (1934). Et les amoureux du *Rendez-vous de Senlis* (1937) arrivent vite à se haïr, la magie du souvenir les a trompés. Une autre pièce encore, *Léocadia* (1939), est fondée sur les illusions de la mémoire.

Après ses comédies mélancoliques où s'embrassent réalité amère et poésie pleine d'espoir, Anouilh s'est adonné à un théâtre de recherche et d'angoisse avec *Eurydice* (1941) et *Antigone* (1942), drames animés d'un absolu profondément intérieur et mystérieux, qui fait dire *non* à l'existence.

Puis il s'est enfoncé toujours davantage entre ses pièces « roses » dont la première fut *Le Bal des voleurs* (1932), ses pièces « noires » comme *L'Hermine* et *La Sauvage*, ses pièces « brillantes » comme *La Répétition ou l'amour puni* (1950) qui éveille en nous des échos de Marivaux et de Musset, ses pièces « grinçantes » comme *Ardèle ou la Marguerite* (1948) et *Ornifle ou le courant d'air* (1935).

En somme, l'inspiration fondamentale d'Anouilh se confond avec le pessimisme le plus désolant, et sans aucun doute, le pessimisme l'emporte: la vie est cruelle et la société mal faite. Aussi arrive-t-il à Anouilh de s'évader dans la satire. Sa satire des idées révolutionnaires dans *Pauvre Bitos* (1956) est remarquable.

Lorsque le théâtre d'Anouilh accorde une place à la dignité, à la noblesse des sentiments, à la pureté, c'est afin de faire honte à l'humanité qui les ignore ou les écrase. Mais enfin il reconnait donc l'existence de vertus et de beautés morales. Il admet d'ailleurs plus d'une fois que la grandeur n'est pas forcément un truquage; c'est précisément ce que prétendent montrer deux drames: *Becket* (1959) appuyé sur « l'honneur de Dieu » fait face aux hommes qui n'arrivent pas à l'humilier, et *L'Alouette* (1953) est une de ses pièces les plus émouvantes. La tristesse et la douleur s'y trouvent magnifiées par l'histoire dans la figure sublime de Jeanne d'Arc. La Pucelle, comme tous les personnages d'Anouilh, se bat avec la réalité de l'existence dans des conditions exceptionnelles, mais illustrant toujours le drame de l'être humain dans un univers déchiré.

Le théatre de Jean Anouilh est donc un de ceux qui, dans le détail comme dans l'ensemble, se rapprochent le plus de la vie. Toutes les valeurs humaines s'y rencontrent et s'y heurtent, ces valeurs qu'Anouilh a toujours traitées en observateur lucide et qu'il pèse avec de plus en plus de justice.

BIBLIOGRAPHIE

Gignoux, Hubert. *Jean Anouilh.* Paris: Éditions du temps présent, 1946.
Luppé, Robert de. *Jean Anouilh.* Paris: Éditions universitaires, 1960.
Pronko, Leonard. *The World of Jean Anouilh.* Berkeley: University of California Press, 1961.

ORNIFLE OU LE COURANT D'AIR

Notre choix s'est porté sur cette pièce parce que c'est une de celles qui résument le plus complètement Anouilh. Ses personnages incarnent une vue décourageante des choses; mais consciemment ou sans s'en rendre compte, ils sont amusants, l'intrigue avance à travers maintes drôleries, et les dialogues sont follement spirituels.

Ornifle, écrivain de théâtre, est un Don Juan, un homme qui sacrifie tout à son plaisir. Mais c'est un personnage vrai, que l'auteur n'a pas taillé tout d'une pièce: on lui voit de bons mouvements. Ce ne sont hélas que des velléités, la passion du plaisir le possède et le perd.

Un entrepreneur de spectacles un peu canaille, qui est son ami, un Père jésuite très moderne, des femmes toujours prêtes à devenir ses victimes, le fils qui veut le tuer pour venger sa mère jadis séduite par lui, puis vilainement abandonnée, enfin son épouse, à qui il fait une triste vie, tous ces personnages, tour à tour, par leurs contacts avec lui, le font se manifester dans tous les aspects de sa nature.

Ornifle sait bien que, célébrité parisienne, il n'est rien finalement, rien qu'un soufle, rien qu'un . . . courant d'air. Anouilh et lui savent que rien au monde n'a d'importance. Jamais le pessimisme d'Anouilh n'a accusé à ce point son caractère sceptique.

Il est étonnant qu'une telle philosophie n'empêche pas le théâtre d'Anouilh de multiplier les scènes drôles. L'acte qu'on va lire en donne un exemple. Dans les trois autres actes de la pièce le drame se mêlera à la comédie. Ils aboutiront d'ailleurs à la mort que le singulier héros méritait.

Premier Acte

Personnages

ORNIFLE
MACHETU, Son Ami
LA COMTESSE, Sa Femme
MADEMOISELLE SUPO, Sa Secrétaire
NÉNETTE, Sa Femme de Charge
LE PÈRE DUBATON
LE JOURNALISTE
LES PHOTOGRAPHES

Le bureau d'Ornifle.
En scène, faisant les cent pas,[1] *Ornifle dans une très belle robe de*
chambre. Au piano, Mademoiselle Supo l'accompagnatrice-secrétaire.
Quelques accords de Mademoiselle Supo qui le regarde extasiée.
Ornifle fredonne soudain sur l'air que vient de jouer Mademoiselle
Supo.

> Oisive jeunesse
> A tout asservie
> Par délicatesse
> J'ai perdu ma vie...

MADEMOISELLE SUPO, *extasiée* — Oh, comme c'est beau!

ORNIFLE — Oui. Malheureusement: c'est de Rimbaud.[2]

MADEMOISELLE SUPO, *navrée* — Quel dommage!

ORNIFLE — C'est toujours dommage de ne pas avoir de génie. Mais c'est
moins grave, en fin de compte, qu'on ne se l'imagine. Il suffit que
les autres croient qu'on en a; ce qui est une affaire de journalisme.[3]
A quelle heure viennent les photographes?

MADEMOISELLE SUPO — A midi.

ORNIFLE — Une double page en couleurs et la couverture.[4] Vous ne vous
en rendez pas très bien compte, Mademoiselle Supo, mais c'est
beaucoup plus important que l'inspiration.

MADEMOISELLE SUPO, *pincée* — Permettez-moi de ne pas être éblouie.
La couverture de la semaine dernière était consacrée à Mademoiselle Marie Tampon. Et quand je dis à Mademoiselle Marie Tampon, je devrais dire au derrière [5] de Mademoiselle Marie Tampon.

ORNIFLE — Mademoiselle Supo, ne dites pas du mal du derrière de
Mademoiselle Tampon. Il a du talent. La preuve c'est qu'il est
célèbre et qu'on le tire à quinze cent mille exemplaires. J'ajouterai
(car on est injuste avec lui) que c'est un derrière qui a un très
joli filet de voix.[6]

MADEMOISELLE SUPO, *aigre* — Ah! si Mademoiselle Marie Tampon était
laide!

ORNIFLE — Personne n'aurait remarqué son très joli filet de voix, je le
sais. Mais Mademoiselle Marie Tampon est merveilleusement
faite,[7] ce qui est une chose importante et nous devons remercier
le ciel qu'elle ait, en plus, une jolie voix. C'est vraiment de la

1. walking up and down   2. Arthur Rimbaud (1854-91), French poet
3. of having a good press
4. Ornifle is to have a two-page spread in color and his picture on the cover
of a weekly magazine.   5. backside
6. a pretty little voice (Miss Tampon is a singer in a show.)   7. built

conscience de sa part. Ce derrière chantant faux, la chose eût été immorale, je vous l'accorde. Il se trouve qu'il chante juste.[8]

MADEMOISELLE SUPO — Cela me fait mal de vous entendre parler ainsi!

ORNIFLE — Mademoiselle Supo, depuis dix ans que nous travaillons ensemble j'ai renoncé à dénombrer toutes les choses qui vous font mal. Votre vie doit être une perpétuelle névralgie.

MADEMOISELLE SUPO — J'ai le malheur d'être sensible. Et quand je vois un grand poète comme vous . . .

ORNIFLE *la coupe* [9] — Mademoiselle Supo, il n'y a plus strictement que vous, à Paris, pour croire encore que je suis un poète. Et quand bien même j'en serais un, c'est un grand honneur, pour la face d'un poète, de succéder sur la couverture de l'hebdomadaire le plus lu de Paris au derrière d'une jolie fille. Cet honneur insolite accordé à un visage vous prouve même — s'il en était besoin — le niveau relevé de cette publication. Grâce à elle, en tout cas, il y aura mercredi quinze cent mille imbéciles qui croiront, pendant une semaine, que j'ai du génie. Après, je le sais bien, je finirai comme les génies des semaines précédentes, écorné, dans des cabinets de dentistes, — si ce n'est dans des cabinets de campagne,[10] ayant servi à Dieu sait quoi. Mais cela m'aura fait gagner huit jours d'immortalité. C'est beaucoup.

MADEMOISELLE SUPO *crie soudain* — J'aurais horreur qu'on photographie mon derrière!

ORNIFLE — C'est une idée qui ne viendrait à personne, Mademoiselle Supo.

MADEMOISELLE SUPO *se dresse* — Comment pouvez-vous être aussi cruel? Vous ne l'avez jamais vu. Personne ne l'a jamais vu!

ORNIFLE — C'est bien pourquoi il ne viendrait à l'idée de personne de le photographier! Il faut être logique. Remarquez que je ne doute pas qu'il soit charmant. Reposez-le sur son tabouret,[11] Mademoiselle Supo, et n'ayez pas votre crise de larmes, cela nous ferait perdre beaucoup de temps. Rejouez-moi plutôt les dernières mesures.

Mademoiselle Supo, reniflant ses larmes, joue.

ORNIFLE *fredonne* —
Le jeune homme bonheur
Voulait danser

8. *chanter faux:* to sing out of tune; *chanter juste:* to sing in tune
9. cuts her short
10. dog-eared, in the waiting rooms of dentists—if not in the outhouses in the country   11. put it back on its stool

Le jeune homme honneur
Voulut passer . . .

MADEMOISELLE SUPO, *transportée* — Oh que c'est beau! Oh que c'est beau! . . .

ORNIFLE — C'est admirable. Mais c'est de Péguy.[12] Comment voulez-vous qu'on trouve encore quelque chose? Ils ont pris tout ce qu'il y avait de bon.

MADEMOISELLE SUPO, *éplorée* — Vous êtes bien sûr que ce n'est pas de vous? Quelquefois on a l'impression . . .

ORNIFLE — Ce n'est pas une impression hélas! C'est notoirement de lui.

MADEMOISELLE SUPO *s'écroule sanglotante sur son clavier, faisant une cacophonie épouvantable* — Oh! j'aurais voulu que ce fût de vous! . . .

ORNIFLE *se rapproche, gentil, et lui caresse les cheveux* — Moi aussi bien sûr . . . Allons, allons, Mademoiselle Supo . . . Je sais bien que vous m'aimez depuis dix ans en silence — ce qui est extrêmement inconfortable,[13] — mais de là à vous obstiner à vouloir que j'aie du génie . . .

MADEMOISELLE SUPO *se redresse, inondée de larmes* — Vous avez du génie! . . . Si je suis venue à vous après avoir lu vos premiers poèmes c'est parce que j'étais sûre que vous aviez du génie. J'ai pensé: je ne peux pas être sa muse, (je suis trop laide), je serai sa secrétaire . . .

ORNIFLE, *ennuyé* — Vous n'êtes pas laide, mon petit. Il ne faut rien exagérer. Vous avez des yeux ravissants.

MADEMOISELLE SUPO — C'est toujours ce qu'on dit aux filles laides. Je me suis offerte à vous le premier jour. Vous ne m'avez même pas touchée.

ORNIFLE — Vous êtes bien la première femme qui me le reproche. Vous étiez une jeune fille.

MADEMOISELLE SUPO — Je suis toujours une jeune fille.

ORNIFLE *se recule, sévère* — Vous êtes impossible, Supo! J'ai assez de responsabilités dans la vie. Ne me mettez pas celle-là [14] sur le dos, en plus. Après tout, il n'y a pas que moi.[15]

MADEMOISELLE SUPO *dans un cri* — Si. Il n'y a que vous!

ORNIFLE — Alors, attendez un peu. On ne peut pas tout faire, que diable! J'ai promis ces couplets à Machetu pour la fin de la ma-

12. Charles Péguy (1873-1914), French writer and poet
13. unpleasant (for her)   14. the responsibility of seducing her
15. After all, I am not the only man available.

tinée et il est bientôt midi. Les photographes vont être là, d'un
moment à l'autre.

MADEMOISELLE SUPO — Si vous vous leviez plus tôt!

ORNIFLE — Je me suis couché très tard.

MADEMOISELLE SUPO — Si vous vous couchiez moins tard!

ORNIFLE — Vous êtes toujours à faire des hypothèses. Si j'avais du talent, si je me levais à l'aube, si je vous aimais, si je ne fumais
plus . . .

Il prend une cigarette.

MADEMOISELLE SUPO — N'en prenez pas une autre!

ORNIFLE — Si.

MADEMOISELLE SUPO — Vous vous tuez!

ORNIFLE, *allumant sa cigarette* — On ne fait que cela depuis qu'on est
au monde, mais on met très longtemps. On fait durer le plaisir.

MADEMOISELLE SUPO — J'aurais pu faire de vous un autre homme! [16]

ORNIFLE — C'est bien ce qui m'a fait peur! Ayez la bonté de me rejouer
les premières mesures.

Elle joue; il fredonne:

Constructions légères
Vite démolies
Dans les toiles peintes [17]
J'ai passé ma vie . . .

MADEMOISELLE SUPO, *méfiante* — C'est de vous?

ORNIFLE — Mais oui, c'est de moi. Cela se voit, que diable! Notez donc!

*Mademoiselle Supo prend en sténo. Ornifle continue, marchant dans la
pièce.*

Constructions légères
Vite démolies
Dans les toiles peintes
J'ai passé ma vie . . .

O châteaux de toiles
Meubles en trompe l'œil [18]
O chambres nuptiales,
Dont gardait le seuil

16. That is to say, change your way of life
17. the painted décor of the stage
18. furniture that is only painted on the wall

Un vieux machiniste
Et son saucisson.[19]
Les choses — est-ce triste? —
Sont ce qu'elles sont.

Les voilà ses couplets à cette vieille canaille de Machetu! Tapez-les en double et faites-les porter chez lui. Je vais prendre un bain. Que je sois propre au moins sur cette photographie. (*Il regarde Mademoiselle Supo.*) Qu'est-ce que vous avez encore?

MADEMOISELLE SUPO, *tapant du pied, crie en larmes* — Je ne veux pas que les choses soient ce qu'elles sont!

ORNIFLE — Vous êtes insatiable! Qu'est-ce que vous voulez que j'y fasse, moi? Je ne suis pas le bon Dieu. Lui seul donne le désir.[20] D'ailleurs c'est un bon matin: je vous ai caressé les cheveux.

MADEMOISELLE SUPO — Les cheveux...

ORNIFLE — C'est beaucoup pour une jeune fille. Ne soyons pas trop osés. Je vais prendre mon bain. Faites patienter les photographes.

MADEMOISELLE SUPO *qui relit son bloc* [21] — C'est beau! C'est très beau! Et vous avez fait cela en deux minutes! Ah! si vous vouliez vous donner un peu de peine...

ORNIFLE — La vie ne vaut jamais la peine qu'on se donne pour elle, Mademoiselle Supo. Je crois, entre nous, qu'on lui accorde une importance exagérée. D'ailleurs, quand je me donne de la peine, je ne fais rien de bon. Je ne suis pas un homme de peine.[22] (*Il entr'ouvre son foulard, découvrant trois rangs de perles à son cou.*) Comment vont mes perles?

MADEMOISELLE SUPO — Elles rosissent. Mais c'est odieux!

ORNIFLE — Pourquoi est-ce odieux? On s'est aperçu que j'avais une peau qui faisait revivre les perles. Toutes les jolies femmes de Paris me confient leurs colliers et je les porte le matin. Moi je trouve cela charmant.

MADEMOISELLE SUPO — Ce n'est pas digne d'un homme.

ORNIFLE — Qui peut savoir ce qui est digne d'un homme, Mademoiselle Supo?

MADEMOISELLE SUPO *crie* — Moi!

ORNIFLE — C'est pour cela que vous n'en trouvez pas. Je vais prendre mon bain.

19. The old stage-hand who has a sausage for his meal.
20. the desire to love   21. her notebook
22. I am not a common laborer (a play on words with *peine,* above, meaning "effort")

Il sort.

Quand il est sorti, elle éclate en sanglots. Entre Nénette, la femme de charge, âge moyen, très digne, mais une ancienne jolie fille, avec le plateau de café.

NÉNETTE *dit simplement* — Encore! Économisez donc vos larmes, Mademoiselle Supo; après, un beau jour, on n'en a plus.

MADEMOISELLE SUPO *soupire, s'essuyant les yeux* — Cet homme me torture! Voilà dix ans que je souffre. Mais c'est tout de même délicieux!

NÉNETTE — Moi, cela fait près de vingt ans. D'ailleurs, voilà longtemps que je ne souffre plus. Malheureusement c'est à peu près à l'époque où j'ai cessé de souffrir que j'ai commencé avec mes rhumatismes. C'est la vie! On n'est jamais vraiment heureux.

MADEMOISELLE SUPO, *indignée* — Le comparer à des rhumatismes!

NÉNETTE — Je ne compare pas. Ils se sont succédé, voilà tout. Le rhumatisme, en quelque sorte, ça a été mon second. Seulement pour le rhumatisme on a trouvé le salicylate; [23] ça soulage un peu.

MADEMOISELLE SUPO — Il vous a fait vraiment souffrir — vous aussi?

NÉNETTE — J'étais entrée dans la maison comme aide femme de chambre. Ma souffrance, c'était limité, comme mon plaisir. J'avais toujours autre chose à faire.

MADEMOISELLE SUPO — Et Madame n'a jamais su?

NÉNETTE — Laquelle? J'en ai vu trois des madames. La madame actuelle, non. Quand elle est entrée ici, il y avait déjà longtemps qu'il ne m'arrêtait plus, quand il me rencontrait, dans les couloirs. La première madame, si. Ça a fait toute une histoire. J'ai dû me placer autre part pour un temps. Et puis quand la seconde madame est entrée en place, moi aussi je suis revenue.

MADEMOISELLE SUPO, *amère* — Il vous a prise dans ses bras, vous au moins.

NÉNETTE — Vous savez, moi, quand j'étais jeune, je n'avais pas beaucoup de conversation. C'était plutôt muet, nos entretiens. Et puis faite comme j'étais, ça m'aurait plutôt vexée qu'il pense à autre chose quand on était ensemble. Il faut dire aussi qu'on n'avait jamais beaucoup de temps. Mes amours à moi, ça toujours été l'oreille tendue et un œil sur la porte.

MADEMOISELLE SUPO — Quelle horreur!

NÉNETTE *hausse les épaules* — Pourquoi? Tout dépend des prétentions qu'on a. La madame de l'époque avec ses chemises de nuit de

23. a drug

dentelles et sa belle chambre en capiton,[24] elle n'obtenait pas beaucoup plus ... Vous savez, mon petit, quand on a été placée toute
sa vie chez les gens riches, on est revenu de bien des choses;[25]
l'argent on a vu à quoi ça servait. Nous autres, les domestiques,
on est les seuls pauvres au courant. Ah! je vais lui apporter son
café.

MADEMOISELLE SUPO — Il est dans son bain.

NÉNETTE — Qu'est-ce que ça fait? C'est mon garçon maintenant. Quelquefois c'est moi qui lui brosse le dos.

MADEMOISELLE SUPO — Je donnerais ma vie pour lui brosser le dos!

NÉNETTE, *sortant tranquille* — Gardez-la donc. Ça ne vaut pas ça.

Quand elle est sortie, entre la Comtesse.

LA COMTESSE — Bonjour, Mademoiselle Supo. Monsieur a fini ses couplets?

MADEMOISELLE SUPO — Oui, Madame. C'est très beau.

Elle déclame, son bloc à la main.

Constructions légères
Vite démolies
Dans les toiles peintes
J'ai passé ma vie ...

O châteaux de toiles
Meubles en trompe l'œil
O chambres nuptiales,
Dont gardait le seuil

Un vieux machiniste
Et son saucisson.
Les choses — est-ce triste? —
Sont ce qu'elles sont!

LA COMTESSE *sourit* — Quel incorrigible bébé! Les choses ne sont pas
ce qu'elles sont, Mademoiselle Supo. Les choses sont ce qu'on
veut qu'elles soient. Il est dans son bain, sans doute?

MADEMOISELLE SUPO — Oui, Madame.

LA COMTESSE — Les perles vont bien?

MADEMOISELLE SUPO — Oui, Madame. Toutes roses.

LA COMTESSE, *toujours souriante* — Alors, il doit être heureux?

MADEMOISELLE SUPO — Oui, Madame.

24. quilted   25. One has lost one's illusions.

LA COMTESSE — C'est donc une bonne journée pour nous toutes, n'est-ce pas? Vous lui direz que je n'ai pas voulu le déranger et que j'ai été acheter des fleurs.

Elle sort, souriante et menue, comme elle est entrée.
Mademoiselle Supo se jette sur sa machine et tape furieusement. Arrivée à la fin elle se relit.

MADEMOISELLE SUPO —
   Les choses — est-ce triste? —
   Sont ce qu'elles sont!

Elle tombe encore une fois, sanglotante, sur le clavier de sa machine. Entre Machetu — rond [26] *et vulgaire. Il a un terrible accent rocailleux du sud-ouest.*

MACHETU — Encore! Vous êtes la secrétaire la plus sanglotante que j'aie jamais vue, Mademoiselle Supo. Tous vos secrets doivent être tristes. Où est-il?

MADEMOISELLE SUPO — Dans son bain.

MACHETU — Mes couplets?

MADEMOISELLE SUPO *les lui jette presque, olympienne* [27] — Les voilà. C'est bien trop beau pour vous!

Machetu les lit en silence et dit simplement:

MACHETU — Bon. Meuble en trompe l'œil. Et l'S? C'est exprès ou c'est une faute de frappe? [28] Ça fait meuble-z-en trompe l'œil si on met l'S. Il y a un pied de trop. [29]

MADEMOISELLE SUPO — On le supprime. C'est une licence. [30]

MACHETU — Une licence! Au prix où je les lui paye, ses couplets, il pourrait m'en faire sans licence.

MADEMOISELLE SUPO — Vous êtes révoltant! Essayez donc d'en faire vous-même.

MACHETU — C'est son métier, pas le mien. Moi j'en vends. Qu'il essaye donc d'en vendre tout seul, lui!

MADEMOISELLE SUPO — Mais Monsieur Ornifle est un poète!

MACHETU — Les poètes ça crève la faim [31] et ça travaille gratis. Je les méprise mais je leur tire mon chapeau. [32] Votre patron est le pa-

26. short in stature and heavy   27. majestically   28. a typing mistake?
29. In the text of Ornifle, *meubles* ends with an *s*, causing an extra foot in the line. If the singer does not pronounce the *s*, the second syllable of *meuble* will elide before the *en* so that the line will have five feet like the others.
30. poetic license   31. they're dying of hunger   32. I take my hat off to them

rolier [33] le plus payé de Paris. Il y a une nuance.[34] Moi j'achète.
J'ai le droit de discuter ce que j'achète. C'est ça le commerce.

MADEMOISELLE SUPO, *hors d'elle* [35] — Le commerce! Parolier!

MACHETU — Parolier! Parfaitement. Le fabricant de paroles. Tout se
fabrique ici-bas. Et il faut bien qu'il y ait quelqu'un qui s'en
charge, des paroles. Mais au prix où je les paye, je les veux com-
plètes. Si je prenais une licence, moi, en signant son chèque, si
j'oubliais un zéro? Vous croyez qu'il serait content votre patron?

Entre Ornifle toujours en robe de chambre.

ORNIFLE — Comment vas-tu, vieille crapule? [36]

MACHETU — Je t'ai déjà dit que je n'aimais pas que tu m'appelles vieille
crapule.

ORNIFLE — C'est un mot d'amitié.

MACHETU — Avec moi, ça a l'air d'être vrai.

ORNIFLE — Tu as des pudeurs de jeune fille, Machetu.

MACHETU, *inquiet* — C'est encore un sous-entendu? [37]

ORNIFLE — Au fond tu aurais adoré être un gentleman.

MACHETU — Oui.

ORNIFLE — Moi j'aurais adoré être le poète intègre que je suis dans
l'imagination de Mademoiselle Supo. Et nous sommes deux vieilles
crapules qui vendons du vent. C'est parfait!

Il se frotte les mains allégrement.

MACHETU, *sombre* — Tu ne devrais pas me traiter de crapule devant le
monde.[38]

ORNIFLE — Mademoiselle Supo est fixée depuis longtemps. Et tu sais
bien que, devant le monde, comme tu dis, tu m'appelles « Maître »
et je t'appelle « Mon cher Directeur ». On sait vivre!

MACHETU — Toi tu signes « Ornifle ». Mais tu t'appelles en réalité Ornifle de Saint-Oignon. Ton papa était dans la cavalerie, il avait un
cul de singe, un stick, la Légion d'Honneur [39] et tu m'as raconté
qu'il saluait les femmes enceintes dans les rues. Il était colonel et

---

33. writer of song lyrics   34. a difference between that and a poet
35. beside herself   36. old crook
37. Machetu, who is not very smart, always fears that he may misunderstand
what is being said.
38. You should not call me an old crook in front of people.
39. Your father was in the cavalry, wore elegant trousers, had a riding crop,
and was decorated . . .

comte. Tu peux te permettre le gros mot. Moi je m'appelle Machetu, c'est mon vrai nom, mon père était dans la ferraille,[40] les
femmes enceintes, il avait plutôt tendance à leur cogner dessus
et mon premier million, je l'ai gagné comme ferblantier en gros.
Je dois toujours penser à la distinction.[41] Toujours des complets
sombres, le mot choisi. J'ai à rattraper, moi. Pas toi. C'est pourquoi
je te demande de ne pas m'appeler vieille crapule devant le monde.
Pour ceux qui m'ont connu avant la guerre ça peut leur donner à
penser.

ORNIFLE — Puissant comme tu es, tu aurais dû les faire supprimer.

MACHETU, *soucieux* — Les Cours de Justice en ont expédié quelques-
uns, à la Libération, mais il en reste. On ne peut jamais épurer
complètement.[42] Seulement, maintenant que j'ai trois théâtres à
Paris, — en plus de mon affaire de Saint-Ouen — maintenant que
je dîne avec des ministres, je dois, par mon attitude, les faire
douter que c'est bien moi qu'ils ont connu. Un exemple: à mon
bureau de Saint-Ouen, je peux crever de chaleur: jamais en bras
de chemise. C'est un principe. Et [43] « Mademoiselle » à mes secré-
taires.

ORNIFLE, *négligeant* — On dit en manches de chemise.[44]

MACHETU — Tu vois. On est toujours surpris par un détail. Il faut constamment être aux aguets. Alors ne m'appelle plus crapule en
public, c'est convenu?

ORNIFLE — Si je dois te parler poliment, je te coûterai encore plus cher.

MACHETU — Tu n'es pas amical avec moi.

ORNIFLE — Parce que je te parle d'argent? Je t'adore. Nous ne nous
quittons pas. Nous sommes comme cul et chemise.

MACHETU, *rougissant* — Tu vois, tu dis encore des gros mots exprès
pour me mettre mal à l'aise.

ORNIFLE — C'est une expression.[45]

MACHETU — Désobligeante. Elle contient un terme vulgaire et peut-
être un sous-entendu. Je n'aime pas les sous-entendus. Je les com-

40. tinman   41. watch my manners
42. These tribunals, set up after the war to punish collaborators, often satisfied
personal grudges and sent political adversaries to death. The word *épurer*
(purify, purge) said seriously by Machetu can only be amusing to Ornifle and
to the public.   43. and (I say)
44. Ornifle is mistaken. Both expressions are current usage.
45. A very familiar expression, literally meaning "back and shirt," but used
to designate people who are always together.

prends assez pour qu'ils m'inquiètent et pas assez pour les comprendre. Je le sais bien que tu es plus intelligent que moi!

ORNIFLE — Tu y crois, toi, à l'intelligence? C'est une apparence.

MACHETU *grommelle* — Apparence!... Tu fais exprès d'être obscur!... Tu trouves que je ne te donne pas assez d'argent? Je t'ai fait un contrat d'exclusivité de poule de luxe.[46] Au prix que je paye, j'avais droit à ton amitié.

ORNIFLE — Il me fait des complexes,[47] ce petit.

MACHETU — Je fais ce que je peux.

ORNIFLE — Et mes couplets, comment les trouves-tu?

MACHETU — Tu m'as fourré une licence dont je ne suis pas très content. Il me manque un S.

ORNIFLE — Un S?

MACHETU — Oui. Je ne sais pas grand'chose, mais je sais l'orthographe. Et les couplets que l'on chante chez moi, je veux qu'ils soient écrits avec l'orthographe. J'ai les moyens de m'offrir aussi l'orthographe, dans mes établissements.

MADEMOISELLE SUPO — J'ai expliqué à Monsieur Machetu que dans « meuble en trompe l'œil » la suppression de l'S était une licence.

MACHETU — Que tu te permettes des licences dans les couplets que tu écrivais pour les autres, d'accord, mais moi qui suis ton ami tu devrais me soigner.

ORNIFLE — Plains-toi.[48] Il y a longtemps que je n'ai pas écrit quelque chose d'aussi joli. N'est-ce pas, Supo?

MACHETU *les regarde tous deux, vaguement inquiet* — C'est un peu [49] littéraire pour moi mais, enfin, je sais que c'est le goût du jour. Tu penses bien que si Machetu te paie si cher c'est parce qu'il sait parfaitement que tu es le seul parolier de la place [50] qui soit considéré comme un écrivain. Un jour ils te foutront de l'Académie Française et je t'augmenterai en conséquence. En attendant, mon goût personnel ne m'intéresse pas. Autrefois, quand on vendait de la fesse, je vendais de la fesse.[51] Maintenant que c'est la littérature qui se vend, je vends de la littérature. Tu vois que je suis franc. Tu ne veux pas t'arranger pour me le remettre mon S? Tu en as pour une minute, toi qui es tellement intelligent.

ORNIFLE — Remets-le toi-même. Je ne retouche jamais ce que je fais, je gâcherais tout. Toutefois, si tu préfères les rendre, ces couplets?

46. a kept mistress   47. He makes me remorseful   48. You should complain.
49. *un peu trop*   50. Paris
51. When nude spectacles were profitable, I went into that business.

MACHETU — Non. Je les emporte. Je fais confiance à la marque.[52] Mais, la prochaine fois, soigne-moi mieux. Tu dînes avec moi, ce soir, chez Maxim's? Nous fêtons le ruban [53] de Pilu.

ORNIFLE — C'est toi qui lui as fait avoir ça à ce repris de justice? [54]

MACHETU — Oui. Quand tu as envie de la cravate,[55] tu me fais signe.[56] On [57] ne peut rien me refuser en ce moment.

ORNIFLE — Entendu. Vieille canaille.[58]

MACHETU — Tu vois, tu recommences!

ORNIFLE — Entre nous, on ne peut pourtant pas se dire Monsieur. Je te rends crapule, passe-moi canaille.

MACHETU — Monsieur le Comte Ornifle de Saint-Oignon, je ne suis qu'un ferblantier, c'est entendu, je n'ai pas inventé la poudre,[59] mais je vais te dire quelque chose: peut-être pas aussi canaille que toi.

Il sort.

ORNIFLE, *souriant pendant qu'il sort* — Peut-être pas.

MADEMOISELLE SUPO, *indignée* — Il vous insulte! Et il s'en va avec ce petit bijou [60] sans même savoir ce qu'il emporte. Vos amitiés mêmes sont indignes!

ORNIFLE *prend son journal et s'étend sur le canapé* — Supo, foutez-moi la paix!

MADEMOISELLE SUPO — Jamais vous ne pourrez me faire taire! Je suis la voix de votre conscience! Et on ne peut pas faire taire sa conscience!

ORNIFLE, *dans son journal* — Non. Mais on peut très bien s'habituer à ne pas l'entendre.

MADEMOISELLE SUPO — Oh!

Elle se jette sur sa machine, en larmes, et se met à taper férocement. Entre Nénette.

NÉNETTE — Monsieur, c'est un jeune homme qui veut vous voir.

ORNIFLE — Un journaliste?

52. the trademark, meaning the name of Ornifle
53. The red ribbon worn by the "chevaliers de la Légion d'Honneur."
54. A man who has been convicted several times
55. The name of the decoration that corresponds to the rank of "commandeur" in the Legion of Honor. In the hierarchy of the order, between *chevalier* and *commandeur,* there is the rank of *officier* whose insignia is called *la rosette.*
56. just let me know   57. The government   58. old rascal
59. I am neither educated nor intelligent
60. The poem that Ornifle has composed for him.

NÉNETTE — Non. Il est bien poli et il n'a pas d'appareil.[61]

ORNIFLE — Comment est-il?

NÉNETTE — Vêtu de noir, jeune, beau et triste. Il dit qu'il a quelque chose d'important à vous dire.

ORNIFLE *frissonne d'horreur* — Ce doit être un admirateur! Brrr! Mon Dieu, préservez-nous de l'admiration des jeunes gens! Dites-lui de repasser. J'attends des photographes.

NÉNETTE — Bien, Monsieur.

Elle sort.

MADEMOISELLE SUPO — Pourquoi décevoir la jeunesse?

ORNIFLE — Pour lui apprendre un peu la vie.

MADEMOISELLE SUPO — Ce garçon a peut-être lu vos premiers poèmes dans une bibliothèque de province, il vient, brûlant d'enthousiasme et d'espoir. Et vous le renvoyez!

ORNIFLE — Il vient trop tard. Ils ne sont plus de moi ces poèmes. J'ai horreur d'en entendre parler. C'est à l'époque que je les écrivais dans une mansarde de Saint-Michel où je croyais à la lune, qu'il fallait venir me féliciter. L'admiration m'aurait nourri. Personne n'est venu. Maintenant l'admiration m'embête. Qu'il aille se promener!

MADEMOISELLE SUPO — Mais ce pauvre jeune homme n'était peut-être pas né à l'époque!

ORNIFLE, *qui est devant une glace* — Il n'avait qu'à naître plus tôt! Aujourd'hui il serait vieux, comme moi, et il ne viendrait pas me brandir sa jeunesse et son enthousiasme. Ça lui aurait passé à lui aussi. Il serait en train de se regarder dans une glace. Ce n'est pas un titre d'être jeune.

MADEMOISELLE SUPO, *dans un cri* — Vous n'êtes pas vieux!

ORNIFLE, *doucement, se regardant* — C'est pire: ça [62] vient. Et ce n'est pas beau, pour un pitre, de vieillir.

MADEMOISELLE SUPO *se rapproche, haletante, un peu ignoble* [63] — Oh! vous êtes malheureux, n'est-ce pas?

ORNIFLE *la regarde* — Ça vous ferait plaisir, hein, pauvre fille? Même pas! [64] J'ai eu un ami, — mon seul ami peut-être — qui, lui, est mort jeune et qui me disait: « Dieu se détourne des hommes de plus de quarante ans ». Eh bien, si Dieu se détourne, je me détournerai aussi! Je compte être un vieillard ignoble. (*Il frissonne*

61. camera   62. old age
63. disgraceful (because she is too obvious about her love for Ornifle)
64. I am not even unhappy!

un peu.) Brrr! Je m'ennuie, ce matin. Je n'ai pas encore eu de plaisir. (*Il la regarde.*) Vous savez que tout compte fait vous avez une très jolie poitrine, Supo?

MADEMOISELLE SUPO, *haletante* — Oh, Monsieur...

ORNIFLE, *s'approchant doucement d'elle* — C'est cela que vous guettez, n'est-ce pas, depuis dix ans? La minute de désarroi où j'aurai trop peur d'être seul avec moi-même et où je n'aurai que vous sous la main.[65] Je suis tellement lâche. Et vous le savez.

MADEMOISELLE SUPO — Je vous aime.

ORNIFLE *murmure* — Je ne connais rien de plus ennuyeux que d'être aimé. Aimer est charmant, mais Dieu que c'est rare!

NÉNETTE *entre et annonce* — Mademoiselle Marie-Pêche.

ORNIFLE *se redresse* — Sauvé! Faites-la entrer dans le petit boudoir,[66] Nénette. Je vous laisse, Mademoiselle Supo. Préparez tout avec les photographes et ne venez m'appeler qu'au dernier moment.

MADEMOISELLE SUPO *grommelle, lui jetant un œil noir* [67] *pendant qu'il sort* — Cette petite putain!

ORNIFLE, *gentil, du seuil* — Le Ciel envoie parfois de petites putains aux hommes qui ont peur de s'ennuyer. Il réserve ses vierges guerrières pour des missions plus importantes.[68]

Il sort. On l'entend dans le vestibule allant au devant de Marie-Pêche.

VOIX D'ORNIFLE — Bonjour, mon petit chat. Alors, on vient pour son petit bout de rôle? Entrez donc, nous allons essayer ça.[69]

Mademoiselle Supo crache dans sa direction et crie soudain.

MADEMOISELLE SUPO — Vieux cochon!

Elle réalise soudain l'énormité de ce qu'elle a fait et se jette devant le portrait d'Ornifle, à genoux, clamant:

Pardon, mon maître! Pardon! Mais je ne sais plus ce que je dis! Je souffre trop!

NÉNETTE *entre et annonce* — Le Père Dubaton.

Entre un Père jésuite. Mademoiselle Supo se relève précipitamment.

LE PÈRE DUBATON, *qui l'a vue à genoux* — J'interromps une petite oraison?

65. available   66. a small private living room, a lady's sitting room
67. a mean look   68. A reference to Joan of Arc; *putain:* harlot
69. the small part that she is to play

MADEMOISELLE SUPO, *confuse* — Non, mon père. Mais quel honneur de vous voir ici ... Nous serions passés à l'Institut.[70] C'est si près.

LE PÈRE DUBATON — Bonjour, chère Mademoiselle Supo. Le Maître est-il visible?

MADEMOISELLE SUPO, *gênée* — Une audience importante. Je ne peux pas le déranger tout de suite, mais il n'en a pas pour très longtemps.

LE PÈRE DUBATON — En êtes-vous bien sûre? Il vaudrait peut-être mieux que je repasse, j'ai peu de temps.

MADEMOISELLE SUPO, *amère* — J'ai l'expérience. Ce genre d'audience dépasse rarement vingt minutes. Une petite question à régler sur laquelle ils seront très vite d'accord.

LE PÈRE DUBATON — On n'entre pas tout de suite dans le vif du sujet. Il y a les politesses, les préambules. Vous êtes certaine que je ne ferais pas mieux de repasser?

MADEMOISELLE SUPO — Le Maître a pour habitude de brusquer les préambules dans ce cas.[71] (*Elle éclate soudain en sanglots et tombe sur sa machine en hurlant.*) Oh! je suis trop malheureuse! ...

LE PÈRE DUBATON, *gêné* — Mademoiselle, je suis confus ... Si je peux vous être utile à quelque chose ...

MADEMOISELLE SUPO *se redresse et lui crie* — Il faut le sauver, mon Père!

LE PÈRE DUBATON — Sauver qui?

MADEMOISELLE SUPO — Le Maître! Il est en danger.

LE PÈRE DUBATON — Il est malade?

MADEMOISELLE SUPO — Son âme.

Un silence.

LE PÈRE DUBATON — Hélas, Mademoiselle. Ma présence ici, sous le prétexte d'une visite amicale, en voisin, n'a d'autre but que d'essayer de le sonder.[72] Les milieux catholiques se sont émus. Nous avons beaucoup misé sur lui quand il a bien voulu nous écrire cette Cantate sur la Bienheureuse Bernadette Soubirous.[73] Depuis, le ton a beaucoup changé. Je sais bien, il y avait les folies de jeunesse, prolongées un peu dans son âge mûr; nous en faisions la part, nous

---

70. the parochial school where Père Dubaton resides
71. There is, of course, an amusing misunderstanding between Mademoiselle Supo and the Père Dubaton on the meaning of the word *audience*.
72. sound him out
73. A young girl whose visions of the Virgin Mary in Lourdes led to the building of a church there, which has become a place of pilgrimage.

ne sommes pas des cagots.[74] Le fond [75] nous paraissait sain. Depuis quelque temps, je ne vous le cache pas, sa production nous pèse. Nous nous demandons si nous pouvons encore faire fonds sur lui.

MADEMOISELLE SUPO — Il faut m'aider, mon père, à le sauver!

LE PÈRE DUBATON — Oui, mais de quoi, au juste?

MADEMOISELLE SUPO — De sa facilité.[76]

LE PÈRE DUBATON *soupire* — Je crois bien que c'est le déguisement le plus redoutable du diable.

Entre Ornifle.

ORNIFLE — Quel bon vent vous amène, mon Père?

LE PÈRE DUBATON — Ah, mon cher Maître, quelle bonne surprise! Je savais que vous receviez quelqu'un et je vous croyais dans le vif du sujet.[77]

ORNIFLE — Oui. Mais cela a tourné court.[78]

LE PÈRE DUBATON — Il est vrai qu'il y a des jours ... Dans ces cas-là il faut savoir remettre.

ORNIFLE — C'est ce que j'ai fait.

LE PÈRE DUBATON — Les conjonctures favorables se présenteront peut-être dans quelque temps ...

ORNIFLE — Je m'en suis fait donner l'assurance.

MADEMOISELLE SUPO, *n'en pouvant plus, sort avec un long sanglot indigne* — Oh!

LE PÈRE DUBATON, *qui la regarde sortir* — Votre chère secrétaire me semble bien nerveuse.

ORNIFLE — Bien nerveuse, oui. Depuis dix ans. Et vous ne pouvez pas savoir quelles perturbations cela peut apporter à mon travail.

LE PÈRE DUBATON — Quelque chose sur le chantier [79] en ce moment?

ORNIFLE — Des broutilles. Quelques couplets qui se voudraient poétiques pour le nouveau spectacle de Machetu.

LE PÈRE DUBATON — Et la grande œuvre que nous attendons tous?

ORNIFLE — Je l'attends comme vous.

LE PÈRE DUBATON — Mon cher Maître, n'oubliez pas que nous misons gros sur vous.[80]

ORNIFLE — Je ne voudrais pas vous ruiner, mon Père. Jouez-moi placé.

---

74. religious hypocrites   75. *Le fond* [*de sa nature*] (Ornifle's)
76. From his gift for writing and enjoying life.
77. in the heart of the subject (This will be another misunderstanding of words between Ornifle and the Père Dubaton.)   78. stopped short
79. Something in progress ... ?   80. We are betting heavily on you.

Pas gagnant.[81] Je crains, tout bien pesé, de n'être qu'un homme de second plan.

LE PÈRE DUBATON — Le langage du turf m'échappe un peu. Mais ce que nous savons, c'est qu'il y avait dans certaines de vos œuvres antérieures un souffle... un souffle... qui emportait tout.

ORNIFLE — Oui. Ce grand vent est un peu tombé.

LE PÈRE DUBATON — Les grands sujets! Les grands sujets! Pourquoi n'abordez-vous pas franchement les grands sujets?

ORNIFLE — Je sais qu'ils sont à la mode, mais ils me paraissent futiles.

LE PÈRE DUBATON — Futiles! Je pourrais vous renvoyer le mot.[82] C'est précisément votre penchant actuel pour la futilité qui nous inquiète.

ORNIFLE — En prenant de l'âge, mon Père, c'est la seule chose qui me paraisse digne d'être prise au sérieux... Quand on fera les comptes — le jour que vous avez prévu [83] ou un autre — on s'apercevra que seuls ceux qui ont amusé les hommes leur auront rendu un véritable service sur cette terre. Je ne donne pas cher des réformateurs, ni des prophètes, mais il y aura quelques hommes futiles qu'on révérera à jamais. Eux seuls auront fait oublier la mort.

LE PÈRE DUBATON — Il ne faut pas craindre la mort.

ORNIFLE — Vous me faites rire; vous avez pris une assurance, vous! Pas moi. Je ne vous ai jamais caché que je n'avais pas la foi.

LE PÈRE DUBATON *sourit* — Un incrédule qui se prend pour un incroyant! [84] C'est une espèce d'homme sur laquelle nous misons volontiers.

ORNIFLE — Misez, mon Père, misez. Après tout, j'en vaux bien un autre, mais je vous le répète: misez placé, pas gagnant.

LE PÈRE DUBATON — Je ne veux pas faire l'hypocrite avec vous, je lis quelquefois la page des courses dans les journaux, en toute innocence. Parlons turf si vous voulez. Abandonnons nos bergers célestes toujours prêts à perdre la totalité du troupeau pour sauver une seule brebis. Il faut rajeunir un peu les paraboles. Disons — ce qui revient au même — que ce sont les outsiders qui nous intéressent. Les autres, mon Dieu, il en faut pour la course... Mais nous avons assez l'expérience des âmes, — je veux dire des chevaux — pour savoir que seuls les outsiders ont une vraie chance de gagner l'essentiel.

81. Play me to show, not to win.   82. I could apply the word to you.
83. Allusion to the Last Judgment
84. A sceptic who takes himself for an unbeliever!

ORNIFLE — Ne vous faites pas plus audacieux que vous n'êtes, mon Père. Vous misez aussi le favori. Vous avez toujours, en réserve, quelque grand romancier catholique surchargé d'honneurs terrestres.

LE PÈRE DUBATON *sourit* — C'est notre placement de pères de famille [85] ... Nous misons sagement le gros fonds sur lui. Mais nous ne sommes pas de vrais pères de famille — hommes humiliés sous nos robes — nous sommes des aventuriers. Notre argent de poche,[86] nous le misons toujours sur la brebis égarée... Je veux dire sur l'outsider. (*Il lui tend la main.*) Quelque chose me dit que nous reprendrons cette conversation.

ORNIFLE *sourit* — Moi aussi, mon Père. C'est une chose également mystérieuse, mais toute terrestre: la sympathie. (*Il lui demande, le reconduisant:*) Et, à part le salut de mon âme, y a-t-il quelque chose en quoi je puisse vous obliger, mon Père?

LE PÈRE DUBATON, *après une petite hésitation, il redevient un petit curé* — Je vais vous dire; nous organisons comme chaque année une petite fête pour nos enfants au moment de la Noël.

ORNIFLE *tire son chéquier* — Je me ferai un plaisir d'y contribuer.

LE PÈRE DUBATON *tend la main* — Vous êtes très généreux, je le sais. Merci. Nous sommes d'éternels mendiants. Mais nous osions espérer davantage qu'un chèque. Nos cantiques sont beaux mais rabâchés.[87] Il faut réveiller nos jeunes gens. Nous voudrions un cantique moderne, quelque chose qui soit davantage dans le goût poétique du jour.

ORNIFLE — Je vous promets d'y penser.

LE PÈRE DUBATON — C'est que je m'y prends tard... je sais que je suis très indiscret... Notre fête est pour mercredi prochain. Nos jeunes gens n'ont pas beaucoup d'oreille... Je sais bien que l'inspiration...

ORNIFLE — Vous auriez souhaité que je vous fasse ça tout de suite? Rien n'est plus facile. L'inspiration, c'est une invention des gens qui n'ont jamais rien créé. Nous [88] entretenons la légende pour nous faire valoir, mais entre nous, c'est un bluff. Le poète ne connaît que la commande.[89] (*Il va appeler.*) Mademoiselle Supo! Au piano! Vous pouvez rester, mon Père...

LE PÈRE DUBATON — Je vous avoue que je suis un peu ému qu'il me soit donné d'assister...

85. Meaning, a safe investment   86. pin money
87. everlastingly repeating the same tune and words   88. We poets
89. produces only on order

ORNIFLE, *gentil* — Oh! vous allez voir. Ce n'est pas la messe! [90] (*Il va appeler.*) Mademoiselle Supo, le Père Dubaton souhaiterait que je lui trousse un petit cantique de Noël. La commande est urgente. Nous allons nous y mettre tout de suite. Ils ont leur générale [91] dans trois jours.

LE PÈRE DUBATON — Je sens que j'abuse.

ORNIFLE — Pas du tout, mon Père, j'ai l'habitude. Les couplets, cela se fait toujours au dernier moment. Machetu vient m'en demander deux ou trois tous les matins. Je fais cela en me lavant les dents. Sur quel sujet?

LE PÈRE DUBATON *sourit* — Eh bien, mais ... toujours le même ...

ORNIFLE — C'est vrai, vous n'en avez qu'un, vous.[92] Et l'air?

LE PÈRE DUBATON — Oh, nous ne sommes pas très exigeants sur les airs. Nous chantons toujours les anciens. Un air très connu. Cela aidera nos garçons. Plutôt gai ... par exemple ... (*Il chante un air de cantique.*) Tra lalala lère ... tra la la la la ...

ORNIFLE, *reprenant* — Tra lalala lère ... Tra la la la la ... Vous connaissez, Mademoiselle Supo? Jouez-le moi une fois au piano ...

Elle joue l'air. Il cherche et commence.

> Jésus tu te caches
> Jésus où es-tu?
> Je vois bien la vache
> Et l'âne velu ...

> Je vois bien la Vierge
> Joseph prosterné
> Les trois beaux Rois Mages
> Les quatre bergers ...

> Mais vide est ton auge.
> Jésus où es-tu?
> — Dans le cœur des pauvres
> Qui ont tout perdu.

Second couplet!

LE PÈRE DUBATON — C'est ravissant! C'est ravissant! La grâce [93] est sur vous, mon fils.

90. There is nothing imposing about it!   91. dress rehearsal
92. you who belong to the Catholic Church   93. the grace of God

MADEMOISELLE SUPO, *entre ses dents* — La grâce! En sortant des bras de cette petite putain. C'est trop facile, à la fin!

ORNIFLE — Silence Supo! Second couplet.

MADEMOISELLE SUPO, *domptée* — Mais, je note, Monsieur!

Elle relit. Chantant.

> Mais vide est ton auge;
> Jésus où es-tu?

LE PÈRE DUBATON *achève avec Ornifle* —

> —Dans le cœur des pauvres
> Qui ont tout perdu...

LE PÈRE DUBATON, *enthousiasmé* — En une minute!... En une minute!...

ORNIFLE — Le temps qu'il faut pour le chanter. Pourquoi voulez-vous qu'on mette plus longtemps, mon Père? D'ailleurs, ne vendons pas la peau de l'ours,[94] il se peut que je ne trouve jamais le second couplet... Tant pis, je l'annonce. Second couplet! Je vous vends le secret: il faut commencer par dire n'importe quoi et après ça vient — ou ça ne vient pas, d'ailleurs.

NÉNETTE *entre* — Monsieur, c'est le journaliste et les photographes.

ORNIFLE — Ils m'embêtent! Dites-leur d'attendre. Je suis occupé.

MADEMOISELLE SUPO — Mais c'est très important!

ORNIFLE — Je m'amuse, en ce moment, c'est encore plus important! Vous voyez, mon Père, Dieu ne leur a pas donné à tous du talent, mais il a donné aux plus humbles des créateurs une joie charmante...

NÉNETTE — Ils disent que s'ils n'ont pas les photos à une heure ils ne seront pas prêts pour quand le journal doit tomber.[95]

ORNIFLE — Bon! Qu'ils entrent et qu'ils installent leurs appareils. Mais qu'ils ne fassent pas de bruit. Dites-leur que je suis en train de composer quelque chose. — Second couplet!

Les photographes vont entrer pendant la suite de la scène et tout préparer en silence.

Ornifle, composant, fera bonjour de la main à certains d'entre eux qu'il connaît, il leur volera une cigarette, les aidera à brancher un appareil.

94. Don't count your chickens before they are hatched!
95. come off the press

ORNIFLE, *chantant, pendant que Mademoiselle Supo note fébrilement —*

La Vierge Marie
T'a partout cherché
Dans la métairie
Auprès des vachers . . .

Saint Joseph s'inquiète,
L'étoile a pâli;
Balthazar lui-même
En est tout blanchi.

Tes bergers sanglotent
Jésus où es-tu?
— Au cœur de l'ilote [96]
Au gibet fourchu.

MADEMOISELLE SUPO *qui note —*

Tes bergers sanglotent
Jésus où es-tu?

LE PÈRE DUBATON et ORNIFLE, *ensemble —*

— Au cœur de l'ilote
Au gibet fourchu!

LE PÈRE DUBATON — Admirable! C'est admirable! . . . Je dirai même que c'est profond sous une apparente légèreté. Et vous n'y aviez jamais pensé avant?

ORNIFLE — Jamais.

LE PÈRE DUBATON — Mon fils, je vois là un signe.[97] Permettez-moi de vous embrasser!

ORNIFLE — Pas avant la fin, mon Père. Vous ne savez pas ce que c'est que le théâtre: nous risquons toujours un fiasco. — Troisième couplet!

Entre Machetu.

MACHETU — Dis donc, bougre d'animal! Les couplets de ce matin, ça va; mais pour les couplets d'hier, Marie Tampon proteste, elle dit qu'elle ne peut pas les chanter. Oh pardon, Monsieur le Curé.

ORNIFLE — Mets-toi dans un coin, vieille crapule, et ne bouge plus. Je compose.

96. man condemned to be hanged   97. a sign of divine interference

MACHETU — Tu composes, et qu'est-ce que tu composes, espèce de cochon?

ORNIFLE — Un cantique.

MACHETU — Un cantique? Et mon exclusivité? [98]

ORNIFLE — Dieu d'abord! N'est-ce pas, mon Père? (*Il présente.*) Monsieur Machetu, la célèbre crapule; le Père Dubaton. Assieds-toi là et ne dis plus rien.

MACHETU — Et mes couplets? Vous comprenez, mon Père, c'est très gentil votre petit cantique; seulement vous n'êtes pas du métier.[99] Et vous n'avez pas l'expérience des femmes. Moi, si je n'ai pas mes couplets rectifiés à deux heures, Marie Tampon me fait une scène et elle quitte la répétition. Et vous savez ce que ça coûte une répétition avec cent cinquante figurants?

LE PÈRE DUBATON — Je n'en ai aucune idée, Monsieur Machetu. Mais je ne veux pas en effet abuser . . .

MACHETU — C'est ça, n'abusez pas! Laissez-lui m'arranger mes couplets. Vous avez l'éternité devant vous, vous, pour chanter le bon Dieu. Quand passez-vous? [100]

LE PÈRE DUBATON — Le soir de Noël.

MACHETU — A la bonne heure! Vous vous y prenez encore plus tard que moi. Elle ne sera jamais au point votre messe. Vous avez du monde le premier soir?

LE PÈRE DUBATON, *un peu ahuri* [101] — Forcément.

MACHETU — Je vous prédis un four! [102] (*A Ornifle.*) Arrange-les moi, mes couplets. Toi qui es si intelligent, tu en as pour une minute. Après, tu t'occuperas du bon Père.

Il chante — faux — lisant sur un papier.

> Avec la petite Lison
> C'était pas pour la vie,
> Mais elle était jolie
> Et elle sentait bon.

Le début, ça va. Ça lui plaît.[103] C'est après qu'elle n'est pas contente.

98. Machetu has Ornifle under an exclusive contract.

99. I am willing to admit that you are in need of a Christmas carol, but you don't understand how the theatre works.

100. A theatrical expression meaning "when do you go on"?

101. bewildered (Machetu employs theatrical language.)

102. failure   103. She (Marie Tampon) likes it.

ORNIFLE — Et qu'est-ce qui ne lui plaît pas dans le second couplet?

MACHETU — Elle le trouve faible.

ORNIFLE — Mais il est faible! Je ne t'ai jamais caché qu'il était faible!

MACHETU — Tu me vends des couplets faibles, à moi?

ORNIFLE — Je te vends ce que je trouve. Je suis un pêcheur à la ligne. Quelquefois je ferre un brochet, quelquefois une vieille chaussure.[104] Tu es tombé sur un jour où j'avais retiré une vieille chaussure de l'eau, voilà tout!

MACHETU — Mais mes chèques, ils ne sont pas toujours les mêmes?

ORNIFLE — Ça serait malheureux.[105] N'importe quel imbécile peut signer.

MACHETU — Enfin, mon Père, il peut bien essayer de me l'arranger, ce couplet! Je vous fais juge.

ORNIFLE — J'ai horreur d'arranger.

LE PÈRE DUBATON, *levant un doigt* —
« Cent fois sur le métier remettez votre ouvrage,
Polissez-le sans cesse et le repolissez. » [106]

ORNIFLE — C'est comme ça qu'on fait les rédactions, ou même les vers de Boileau, mais pas les bonnes chansons, mon Père.

MACHETU — Insistez, Monsieur le Curé, insistez! Ça va me coûter une fortune à moi si j'ai une histoire avec ma vedette.[107] Vous ne vous doutez pas de ce que ça peut être, ces poupées-là!

LE PÈRE DUBATON, *conciliateur* — Nous pourrions peut-être l'entendre, ce second couplet...

MACHETU — C'est ça! Vous allez nous donner un bon conseil, Monsieur le Curé!

Il chante, lisant sur son papier.

O les jolis dimanches
Dans les bois de Meudon
Avec sa robe blanche
Et son petit chignon...

ORNIFLE *achève avec beaucoup plus de charme que Machetu* —
On rentrait à Montrouge
Dans le train surchauffé,
Mes joues zébrées de rouge
Et son chignon défait.

104. Sometimes I hook a pike, sometimes an old shoe.
105. ... *qu'ils ne soient pas toujours les mêmes.*
106. Famous lines of the *Art poétique* of the French poet Nicolas Boileau (1636-1711)   107. the star of the show

La Table servie

La Plaine entre Cannes et Mougins

Il demande au Père Dubaton.

Vous le trouvez faible, mon Père, ce couplet?

LE PÈRE DUBATON — Je le trouve charmant... Autant que je puisse être juge d'une inspiration toute profane.

ORNIFLE — Tu vois! Tu diras à Marie Tampon que le Père le trouve très bon, mon couplet! Qu'est-ce qu'elle voudrait au juste, cette folle? Remarquez que ce n'est pas une mauvaise fille, mon Père. Jusqu'à la ceinture, elle a du jugement.[108]

MACHETU — Elle voudrait quelque chose de plus piquant.

ORNIFLE, *au Père Dubaton* — Qu'est-ce que je pourrais bien lui trouver de plus piquant? [109]

LE PÈRE DUBATON, *un peu effrayé* — Je ne sais pas!...

LE JOURNALISTE, *qui a regardé sa montre à plusieurs reprises, s'avance* — Maître! Je m'excuse, mais si nous ne prenons pas les clichés immédiatement, nous ne pourrons pas vous consacrer la couverture de la semaine prochaine... Les ateliers sont fermés demain après-midi.

ORNIFLE — Allons bon! Je vous avais oubliés, vous! Allez-y pendant que je cherche. Pour une fois ça aura l'air vrai votre photo. (*A Machetu.*) Tu m'obliges à chercher, toi, je ne te le pardonnerai jamais! J'ai horreur des efforts.

LE JOURNALISTE *compose la scène* — Votre accompagnatrice au piano, s'il vous plaît... Vous, légèrement appuyé de ce côté... comme cela... en train de chercher précisément. Ayez bien l'air de chercher, Maître, ça donnera de la vie...

ORNIFLE, *qui regarde une petite aide-photographe qui est gentille* — Je ne fais que ça, mon vieux. Vous êtes nouvelle dans le métier, Mademoiselle?

LA JEUNE FILLE — Oui, Maître. C'est mon premier reportage.

ORNIFLE, *posant outrageusement* — Il faudra revenir. Je n'aime pas beaucoup poser, mais pour vous je ferai une exception.

LA JEUNE FILLE — Merci, Maître.

ORNIFLE, *au Père Dubaton* — Elle est charmante cette petite.

LE JOURNALISTE — Maître, vous savez qu'une légende court à Paris au sujet de vos colliers de perles. Nous avons pensé qu'il serait très intéressant pour nos lecteurs de les montrer sur le cliché. Ça peut donner un titre formidable.

108. The lower part of her body makes up for her lack of intelligence.
109. exciting, daring

ORNIFLE — Volontiers. C'est celui de mes petits talents dont je suis le plus fier. (*Il enlève son foulard et apparaît le cou entouré de trois rangs de perles. Le Père Dubaton, un peu surpris, met son lorgnon. Ornifle, tout en prenant la pose, lui explique:*) Figurez-vous, mon Père, qu'une jeune femme de mes amies s'est un jour aperçu — fortuitement d'ailleurs, dans un salon — que j'avais une peau qui redonnait leur orient [110] aux perles... C'est amusant, n'est-ce pas?

LE PÈRE DUBATON — C'est pour le moins curieux.

ORNIFLE — Alors, depuis, toutes ces dames me confient leurs colliers pour que je les porte le matin. Je ne pense pas que ce soit un péché?

LE PÈRE DUBATON, *hésitant* — Non... On [111] n'a, en tout cas, rien prévu d'aussi singulier... Peut-être sous la rubrique de la coquetterie...

ORNIFLE — Oh! mais je n'y mets aucune coquetterie... La perle guérie, je la rends à l'huître. [112]

Éclairs de magnésium.

NÉNETTE entre — Monsieur, c'est encore le jeune homme en noir qui a demandé à voir Monsieur. Il insiste. Il dit qu'il doit absolument être reçu — que c'est très important.

ORNIFLE — Répondez-lui de ma part qu'il est très jeune et que rien n'est aussi important qu'on le croit. Dites-lui qu'il revienne dans la soirée. Que je suis avec mon confesseur. (*Nénette sort.*) Cela pourrait être vrai, mon Père! Dans le siècle, [113] vous ne l'ignorez pas, nous sommes obligés de prendre quelques petits accommodements avec la vérité...

LE PÈRE DUBATON — Je le sais... Je le sais... Vous êtes, en quelque sorte, débordé... Et je suis confus d'ajouter par ma présence... Je crois qu'il vaut mieux que je revienne.

Éclairs de magnésium.

ORNIFLE *lui crie, gardant la pose* — Non! Ne partez pas, mon Père. J'ai trouvé!

MACHETU *bondit* — Mon couplet?

ORNIFLE — Non! La fin du cantique. Notez, Supo!

Il chante.

Les Mages et leur suite...

110. life, glow   111. the Church
112. Meaning, the woman to whom it belongs   113. in this day and age

A Machetu.

Tu vois, là aussi, il y a une licence. On supprime l'S et le Père ne proteste pas.

Il reprend.

Les Mages et leur suite,
Tout s'en est allé.
Les bergers en fuite
Partent désolés.

Tes fidèles pleurent
Et tous les Gentils
Disent: c'est un leurre,[114]
Ce n'était pas Lui!

Reviens à l'Étable!
Jésus où es-tu?
— Dans le cœur du Diable
Qui ne m'aimait plus!

LE PÈRE DUBATON, *sincèrement ému* — Merci. Merci, mon fils. Vous me faites un immense cadeau. Et je puis vous dire, sans trop m'avancer, qu'il vous sera beaucoup pardonné à cause de ce petit Noël si tendre, si naïf . . . et, il faut bien le dire, si peu conformiste.

ORNIFLE — J'en prends note, mon Père. Le jour venu j'en aurai certainement besoin!

Éclairs de magnésium. On le fait changer de pose.

MACHETU — Allez! A moi maintenant! Ne me refais pas le second si ça t'ennuie, mais rajoute-moi un quatrième couplet avec un peu plus d'allusions.[115] Quatre vers, bon Dieu! Tu peux bien faire quatre vers à un ami. Tu viens de faire tout un cantique au bon Père sans même t'en apercevoir.

ORNIFLE, *qui prend des poses de plus en plus bizarres sous la pression des photographes au cours d'un petit ballet silencieux et cocasse* — Le Père m'a donné une indulgence.[116] Toi, qu'est-ce que tu m'offres?

MACHETU — Je double ton chèque!

ORNIFLE — Merci. J'en aurai également besoin. (*Il crie sans se retourner.*) Supo, es-tu là?

114. lure   115. allusions to love
116. Forgiveness by the Catholic Church for sins committed

MADEMOISELLE SUPO — Oui, Maître!

ORNIFLE — Allons-y!

Elle joue, il chante.

> On rentrait à Montrouge
> Dans le train surchauffé,
> Mes joues zébrées de rouge
> Et son chignon défait.

> Au coin de la rue sombre,
> Nous disant au revoir
> Nous ne faisons qu'une ombre
> A deux dos, dans le soir!

MACHETU, *enthousiasmé* — Notez! Notez, Supo! Ça, c'est du couplet! Ça, c'est de l'allusion!

Les éclairs de magnésium se multiplient.
Ornifle et Machetu reprennent le couplet en chœur, en se tortillant et en dansant comme Marie Tampon.

ORNIFLE et MACHETU —

> Au coin de la rue sombre,
> Nous disant au revoir
> Nous ne faisions qu'une ombre
> A deux dos, dans le soir!

Le Père Dubaton, les bras levés au ciel, s'éclipse, navré.
Éclairs de magnésium, poses de plus en plus ridicules avec Machetu cette fois et auxquelles Ornifle se prête complaisamment.
Le journaliste, à la comtesse qu'il ne connaît pas et qui est entrée silencieusement avec une grosse botte de fleurs et regarde la scène avec un petit sourire un peu triste.

LE JOURNALISTE — Il est étonnant! Quel phénomène! Et il vous fait ce numéro-là [117] tous les jours?

LA COMTESSE, *doucement* — Tous les jours. Je suis sa femme.

Le rideau tombe brusquement.

117. And he puts on that act every day? (*Numéro* refers to an act in a vaudeville show.)

HENRY DE MONTHERLANT

Né à Paris le 21 avril 1896, Henry de Montherlant appartient à une famille de noblesse picarde. Sa mère, profondément janséniste, pratiquait une religion sévère. Son père, passionné d'équitation, conservait une tradition familiale de l'honneur.

Au collège Sainte-Croix de Neuilly, il fut un élève indiscipliné que les directeurs durent mettre à la porte et il prépara seul son baccalauréat de philosophie.

A quinze ans il était déjà descendu dans une arène de jeunes taureaux. Engagé volontaire pendant la guerre, il y récolta plusieurs blessures et des citations, en attendant le coup de corne qu'il devait recevoir dans une arène espagnole en 1925. Dans l'intervalle, il a pratiqué les sports avec zèle.

Montherlant avait vingt ans quand il écrivit *La Relève du matin* qui décrit avec dévotion la vie adolescente dans la communauté du collège et qu'il publia en 1920. *Le Songe* (1922) raconte sa guerre avec une virilité noble mais arrogante. Il a ensuite transporté l'esprit et les vertus de guerre dans la pratique des sports. Il a ainsi repris la tradition antique du *mens sana in corpore sano*. Deux essais, *Le Paradis à l'ombre des épées* et *Les Onze devant la porte dorée*, réunis dans *Les Olympiques* (1924) rendent compte de cette attitude. L'œuvre est un véritable évangile d'une religion du Stade.

Cette religion se prolonge dans *Les Bestiaires* (1926) par le culte du taureau et de la taureaumachie. Ici l'intrigue n'est qu'un prétexte pour faire vivre le lecteur dans l'atmosphère taurine d'Espagne, et Montherlant y mêle l'atmosphère de la Rome antique, de la semaine sainte à Séville, et même toute une mythologie sur le taureau et le dieu Mithra.

Montherlant a subi l'influence de Barrès et a tenu comme lui à voyager dans les pays méditerranéens. Il y a cherché un assouvissement impossible de ses désirs sensuels et poétiques et a pratiqué l'alternance, c'est-à-dire qu'il s'est plu à renoncer après s'être assouvi, à fuir après avoir désiré. Il a fait la théorie de cette méthode dans *Aux Fontaines du désir* (1927) et il l'a romancée, sur un mode mi-lyrique mi-analytique, dans *La Petite Infante de Castille* (1929).

Rentré en France, il a publié *Les Célibataires* (1934), satire plus apitoyée que cruelle d'une aristocratie déchue, et les quatre romans qui forment un cycle fameux: *Les Jeunes Filles* (1936), *Pitié pour les femmes* (1936), *Le Démon du bien* (1937), *Les Lépreuses* (1939), livres chaotiques où le romancier, sous le nom de Pierre Costals lutte contre l'attrait féminin avec une clairvoyance cynique, défend sa liberté contre la tentation du mariage, échappe finalement à ces femmes avec qui il a joué plus ou moins cyniquement. Il a savamment dessiné et peint ces femmes dans leur diversité de cœur et d'esprit. Mais sa misogynie méprisante a indigné tout un public.

Il existe en Montherlant un penseur qui, ayant amalgamé la leçon de Nietzsche avec celles des rhéteurs romains, a proposé aux Français, entre les deux guerres, un programme de lucidité, de courage civique, de générosité sociale, dans *Service inutile* (1935) et dans *L'Équinoxe de septembre* (1939). Il devait poursuivre dans ce sens avec *Solstice de juin* (1940) et aller, dans *Les Chevaleries* (1941), jusqu'à rêver d'ordres stoïciens fondés par les élites. Dans la suite, sa pensée a incliné davantage vers un détachement des biens terrestres, vers une acceptation païenne du destin quotidien, pensée exprimée en des pages magnifiques dans *Le Fichier parisien* (1952). A cette série d'essais rattachons les *Cahiers*, publiés en 1959, dans lesquels Montherlant a rassemblé toutes ses reflexions de moraliste que ses ouvrages antérieurs n'avaient pas utilisées. Ils composent un miroir de sa personne et une somme de ses pensées qui étonnent souvent par ce qu'elles offrent de contradictoire et par la désinvolture avec laquelle elles passent de la plus haute noblesse à des vulgarités surprenantes.

La prose de Montherlant n'apparaît pas moins belle dans son théâtre que dans ses autres productions. Quelle place occupe le théâtre dans son œuvre? On a le droit d'affirmer qu'il la domine, car il rassemble dans une unité puissante ses dons, ses tendances, ses idées.

La Reine morte (1942), conflit de l'amour et de la raison d'État, *Fils de personne* (1944), drame d'un père qui rejette son fils, *Le Maître de Santiago* (1948), drame de l'aspiration à l'absolu, *Malatesta* (1948), « le drame de l'homme pour l'idée qu'il se fait de soi et qu'il veut imposer aux autres », *Demain il fera jour* (1949), *Celles qu'on prend dans ses bras* (1950), *Port-Royal* (1954), *Le Cardinal d'Espagne* (1960), ces pièces se comportent chacune avec une complète autonomie; mais dans des situations et avec des personnages sans ressemblance entre eux, elles incarnent toutes une même lutte entre les sentiments humains les plus répandus en ce monde et une conception cornélienne de la vie, c'est-à-dire fière, héroïque, hautaine. Les plus nombreuses se situent dans des milieux historiques, les autres dans des milieux bourgeois d'aujourd'hui.

Essais, romans, pièces de théâtre, les œuvres de Montherlant sont d'un grand écrivain dont la fougue ne compromet jamais la solidité et dont les deux faces, la romantique et la classique, appartiennent bien à une même figure.

BIBLIOGRAPHIE

Bordonove, Georges. *Henry de Montherlant.* Paris: Éditions universitaires, 1954.

Faure-Biguet, J. N. *Montherlant, homme de la Renaissance.* Paris: Sagittaire, 1947.

Mohrt, Michel. *Montherlant, homme libre.* Paris: Gallimard, 1943.

Sipriot, Pierre. *Montherlant par lui-même.* Paris: Seuil, 1953.

LE CARDINAL D'ESPAGNE

Le Cardinal d'Espagne, c'est François Jiménez de Cisneros, le confesseur de la reine Isabelle, le gouverneur de Castille à la mort de la reine, l'extraordinaire Franciscain en qui luttèrent l'orgueil du pouvoir dont s'accompagnait sa toute-puissance et la volonté d'humilité qui le conduisit par deux fois au cloître.

Dans la scène que nous avons choisie, le cardinal affronte la nouvelle reine, la reine Jeanne au caractère pur, la mystique qui s'est laissée appeler « la folle ». Il se reconnaît en elle, il reconnaît en elle sa propre force de renoncement, mais totale, absolue, définitive. Il est le tricheur malgré lui, elle est l'être de vérité. La grandeur désespérée de cette rencontre touche au sublime.

Personnages

LE CARDINAL FRANCISCO XIMENEZ DE CISNEROS, archevêque de Tolède, primat des Espagnes, Grand Chancelier de Castille, Grand Inquisiteur de Castille et de Leon, régent de Castille, 82 ans.

JEANNE, REINE DE CASTILLE, de Leon, d'Aragon, etc., dite « Jeanne la Folle », mère du roi Charles Ier de Castille et de Leon (le futur Charles-Quint), 38 ans.

DUQUE DE ESTRADA, gouverneur de la maison de la reine.

LUIS CARDONA, capitaine commandant la garde du cardinal, petit-neveu du cardinal, 33 ans.

DOÑA INÈS MANRIQUE, dame d'honneur de la reine.

La scène se passe à Madrid, en novembre 1517.

ACTE II

La chambre de la reine Jeanne, dans son château de Madrid. Sans être précisément tendue de noir,[1] la pièce est tout entière dans une tonalité de noir et de gris. Une petite fenêtre grillée. Un lit à baldaquin, très simple, un fauteuil à dossier droit, très haut, monté sur une

---

1. draped in black

246

estrade de trois marches, une chaise, un tabouret. Impression de vé-
tusté morose.[2]

Dans les deux premières scènes, on apprend que la reine a des crises de folie
pendant lesquelles elle s'enferme dans sa chambre sans vouloir boire ou
manger. Elle refuse aussi de signer des papiers d'État.

SCÈNE III

LA REINE. LE CARDINAL CISNEROS *et* SA SUITE,
puis LA REINE *et* CISNEROS *seuls.*

La reine est vêtue d'une large robe de drap noir; autour du visage, une
coiffe blanche. Elle est enveloppée de la tête aux pieds d'un long voile
noir. Son aspect est celui d'une religieuse. Elle a la face émaciée et
blême, les yeux cernés, le regard tantôt dur, tantôt douloureux et tan-
tôt absent. Elle tiendra souvent les mains cachées dans les manches
de sa robe. Parfois, durant la scène, quand elle prendra la parole, elle
les crispera, dans son effort pour parler, sur les bras de son fauteuil.
Il n'est malheureusement pas possible de montrer au spectateur (au-
delà du troisième rang de l'orchestre) que ses ongles sont noirs.

Des valets ouvrent la porte. Duque de Estrada entre et dit: « Madame,
le Cardinal d'Espagne. » *Le cardinal paraît; il est en grande tenue*
cardinalice (coiffé du grand chapeau), quoique avec les pieds nus
comme au premier acte. Il est précédé d'un diacre portant la haute
croix d'argent qui désigne le Primat des Espagnes, entouré de six
moines franciscains, et suivi de plusieurs seigneurs, qui s'arrêtent aux
entours de la porte, sauf Cardona, qui entre. Aussitôt que le cardinal
est entré, la reine a baissé davantage son voile. Tout le monde, sauf le
cardinal, met un genou en terre.

La reine descend de son estrade, va d'un pas vers le cardinal et
esquisse la révérence. Elle fait le geste de lui baiser l'anneau; lui, il
fait le geste de lui baiser la main, mais la reine retire vivement la
main, l'essuie à sa robe, et ensuite la lui tend. Le double baisement de
l'anneau par la reine et de la main par le cardinal n'est qu'ébauché de
façon confuse, comme pour ne pas appuyer sur un protocole délicat.
La reine remonte à son fauteuil, où elle s'assied. Estrada fait signe
qu'on apporte une chaise au cardinal, et le cardinal s'assied sur la
chaise devant la reine, Cardona restant toujours un genou en terre.
Estrada fait signe que les autres personnages se retirent, ainsi que les

---

2. That is, a gloomy impression of deterioration

valets maures, et se retire lui-même. Seuls demeurent la reine, le cardinal et Cardona.

LA REINE — Le chapeau, Cardinal.

Un instant interdit,[3] le cardinal fait tomber en arrière son chapeau (retenu par des brides).

CISNEROS — Madame, il y a un an que Votre Majesté m'a interdit l'entrée de son palais...

LA REINE, *désignant Cardona* — Qui est cet homme?

CISNEROS — Le capitaine Cardona, mon petit-neveu, pour qui le service du royaume...

LA REINE — Qu'il sorte. (*Un silence. A Cardona*) Sors. (*au cardinal*) Je n'aime pas les visages. (*Cardona se retire, mais on sentira sa présence, dans la pièce d'entrée, contre la porte entrebâillée[4] de la chambre royale.*)

CISNEROS — Madame, la présence du capitaine Cardona avait été acceptée par Votre Majesté...

LA REINE — Vous avez voulu me parler. Qu'avez-vous à me dire?

Un silence.

CISNEROS — Madame, depuis un an vous avez refusé de me donner audience. Pourtant vous le faites enfin, et j'en rends grâces à Votre Majesté. C'est que la circonstance est de poids.[5] Le roi votre fils sera dans quelques jours à Madrid.

LA REINE — Toujours des faits! Toujours des faits!

CISNEROS — Vous recevrez le roi, n'est-ce pas, comme vous l'avez promis?

LA REINE — Non.

CISNEROS — Comment! le fils du grand roi qui a été l'unique affection de votre vie!

LA REINE — Oui, je le recevrai. Quel âge a-t-il? Il doit bien avoir trente ans.

CISNEROS — Il a dix-sept ans.

LA REINE — L'âge où je me suis mariée. Le roi en avait dix-huit.

CISNEROS — Madame, il faut que vous...

LA REINE — Il « faut que je »?

CISNEROS — Il est très souhaitable, dans l'intérêt de l'État, que vous receviez le roi entourée d'une certaine pompe, que vous usiez de cet événement pour vous montrer au peuple, même si vous refusez de participer aux affaires. Les petites gens se prennent avec de l'ostentation.

3. taken aback   4. half-opened   5. is important, grave

LA REINE — C'est pour cela que vous avez les pieds nus? Avec un saphir au doigt.

CISNEROS — J'ai les pieds nus parce que je suis moine franciscain. J'ai un saphir au doigt parce que je suis cardinal, et que le pape m'a ordonné de paraître comme un cardinal doit paraître.

LA REINE — C'est juste.

CISNEROS — Il y a onze ans que Votre Majesté n'assiste plus à aucune cérémonie, qu'elle ne se laisse plus voir par personne. Je sais que Votre Majesté a ses raisons ...

LA REINE — Mes raisons sont que cela me plaît ainsi.

CISNEROS — Vous ne gouvernez pas, et vous ne sortez pas. Mais on ne vous reproche pas de ne pas gouverner. On vous reproche de ne pas sortir.

LA REINE — Autrefois, je voulais sortir, et on ne me permettait pas de sortir.

CISNEROS — Aujourd'hui vous vous cachez tellement qu'il y en a qui croient que vous êtes morte.

LA REINE — J'aime beaucoup que l'on me croie morte. Vous ne posez jamais le regard sur moi: mon visage vous fait peur? Vous voyez ces marques? Ce sont les chauves-souris. Elles sont sans cesse autour de ma tête. Je ne veux pas me montrer parce que mon visage fait peur. Et je ne veux pas parler parce que, quand je parle, je ne peux plus cacher que je suis folle. Un peu de douceur me guérirait, mais je sais que c'est demander beaucoup.

CISNEROS — Personne n'a jamais dit que vous étiez ...

LA REINE —Si, vous, avant quiconque. Nul n'a voulu avec plus d'âpreté que vous que je sois prisonnière ici. Et vous avez tout fait pour qu'il soit déclaré solennellement par les Cortès [6] que j'étais folle, et incapable. Et ç'a été votre premier acte quand vous avez eu les pleins pouvoirs. Aujourd'hui, tantôt on dit que je suis folle, tantôt que j'ai tout mon sens, selon les intérêts politiques du moment. En réalité je suis folle; les gamins qui jouent sous ma fenêtre le crient toute la journée. En mai je le serai davantage encore, avec les premières chaleurs. La chaleur tourne le vin et les cerveaux. La chaleur est horrible. Le froid est horrible. Tout est horrible. Si on savait contre quoi j'ai à lutter, on trouverait déjà admirable que je sois ici à m'entretenir avec vous. Pourquoi êtes-vous venu me voir?

CISNEROS — Parce que cela me plaît ainsi. (*plus doucement*) Madame, que Votre Majesté me croie, il vaudrait la peine de ...

6. The consultative body which was to evolve eventually into the parliament of the nineteenth century

LA REINE — Rien ne « vaut la peine de ».

CISNEROS — Le roi et la reine règnent ensemble...

LA REINE, *se redressant avec vivacité, et rejetant en arrière son voile* — La reine et le roi règnent ensemble. Dans les actes, je suis nommée la première.

CISNEROS — Votre Majesté a raison d'être très stricte sur les égards.

LA REINE — Tout est blessure, quand on est blessé.

CISNEROS — Eh bien! que la reine et le roi règnent ensemble, cela doit être montré à tous de façon éclatante.

LA REINE, *s'effondrant soudain* — Je suis fatiguée. Ne me laissez pas me jeter sur mon lit. Si je m'y jetais, je ne pourrais plus me relever. (*Elle boit dans un bol de terre.*) Je ne peux plus faire un geste, que boire un peu d'eau passée dans de la neige, quand je souffre trop. C'est cette petite eau qui me maintient en vie toute la journée. Il faut que je vive au moins jusqu'au moment où je boirai ma petite eau. Jadis je mourais ainsi tant que je n'avais pas vu le roi Philippe.[7] C'est lui qui était ma petite eau. Il y a onze ans — depuis sa mort — que je regarde les choses d'ici-bas comme les regarde celui qui sait que dans quelques jours il aura cessé d'être: avec une indifférence sans rivages et sans fond. (*Elle boit encore.*) Pourquoi ferais-je d'autres actes que celui de boire, puisque je n'ai pas envie de ce qu'ils me feraient obtenir? Aussi je ne les fais pas, ou, si je les fais, c'est avec une telle souffrance... Et, au-delà de cet acte fait, il y a une autre souffrance, parce qu'il n'y a plus d'acte à faire, et alors c'est le vide.

CISNEROS — Tout cela, Madame, doit vous donner des journées bien longues.

LA REINE — Mourir est très long. Mais d'aventure, la nuit, dans un de mes sommes intermittents et brefs, j'ai un beau rêve — toujours avec mon roi Philippe — qui rachète mille heures de mes journées, et je ne me couche jamais sans dire: « Seigneur, rendez-moi dans mes rêves ce que vous m'avez retiré dans la vie. »

CISNEROS — Dieu ne s'occupe pas de nos rêves. La Puissance des Ténèbres s'en occupe.

LA REINE — Ne m'épouvantez pas sur le peu de bonheur qui me reste ici-bas.

CISNEROS — La plupart des bonheurs doivent être attentivement surveillés.

7. Philip the Fair of Flanders (1478-1506), her husband, whom she married in 1496

LA REINE — S'il m'arrive quelque chose de trop cruel, je songe à mon mari, et pour un moment le monde m'est rendu tolérable. Il y a dans ma vie un souvenir et c'est cela qui me permet de supporter cette vie. Rien d'autre ne me le permettrait. Il y a un souvenir, et rien. Et, quand je souhaite trop la mort, je me dis que, morte, je ne me souviendrai plus, et je n'ai plus envie de mourir.

CISNEROS, *après avoir réprimé un mouvement d'impatience* — Eh bien! Madame, voilà des pensées qui ne vous portent pas au règne.

LA REINE — Il y avait un roi qui s'appelait Philippe. Sa peau sentait bon. Ses cheveux sentaient bon...

CISNEROS — Allons! le roi vous frappait, il vous enfermait à clef des jours et des jours, il vous trompait avec n'importe qui,[8] votre foyer était un enfer. Pardonnez-moi, ce sont là des faits qui ont couru toute l'Europe. — Mais « que serait-ce, n'est-ce pas, qu'être fidèle, si on n'était fidèle qu'à ceux qui vous aiment »?

LA REINE — Oui, voilà qui est bien dit.

CISNEROS — Quelqu'un le disait hier en ma présence.

LA REINE — Parfois, l'été, il dormait nu...

CISNEROS — Madame, je vous en prie!

LA REINE — Alors sa poitrine était comme les montagnes. Ses jambes étaient comme les racines quand elles s'étendent au pied des arbres. Sa toison [9] était comme la toison des bêtes...

CISNEROS — Madame, il ne me faut pas moins que la plus forte prière intérieure pour chasser les images affreuses que vous évoquez. Je vous conjure de ne pas continuer.

LA REINE — Dans toute ma famille, et tout ce qui m'approche, et cela depuis que j'existe, je n'ai connu personne que moi qui aimât. J'en ai vu prendre des mines horrifiées parce que j'avais baisé les pieds de mon roi mort. C'est qu'ils n'avaient jamais aimé. Il y a toujours deux mondes impénétrables l'un pour l'autre. Le monde des prisonniers et le monde des hommes libres. Le monde des malades et le monde des bien-portants. Le monde des vainqueurs et le monde des vaincus. Le monde de ceux qui aiment et le monde de ceux qui n'aiment pas. Je suis du monde de ceux qui aiment, et ne suis même que de ce monde-là. Vous n'êtes pas de ce monde, et n'avez pas notion de ce qu'il est.

CISNEROS, *rompant brutalement* — Lorsque le roi viendra, Madame, ne le recevrez-vous donc qu'ici?

LA REINE — Oui, je ne le recevrai qu'ici.

8. He was unfaithful to you with anybody
9. fleece (meaning the hair on his body)

CISNEROS — Dans cette chambre tellement... si peu...

LA REINE — Toujours les apparences.

CISNEROS — Et pendant que Madrid sera en fête...

LA REINE — La joie des autres me fait peur. Les vivats [10] et les musiques seront pour moi des rugissements de bêtes fauves. Je demeurerai immobile dans l'ombre, couchée sur le souvenir de celui que j'aimais, comme une chienne sur le tombeau de son maître; et je hurlerai quelquefois à la mort, en moi-même.

CISNEROS — Maintenant le monde est en pleine lumière. Vous seule vous êtes restée dans les ténèbres.

LA REINE — Les ténèbres me plaisent; avec la fin du jour je suis mieux. En me dérobant tout objet, l'obscurité me permet de ne penser qu'à ma peine. Je suis morte de chagrin le jour que mon époux est mort.

CISNEROS — On ne meurt pas de chagrin en Castille. Peut-être qu'à Naples ou aux Flandres on meurt de chagrin. Mais notre race est d'un autre métal, et on ne meurt pas de chagrin chez nous.

LA REINE — Vous ne savez donc pas, vous, ce qu'est la souffrance?

CISNEROS — Mon grand âge et mon amour de Dieu m'ont mis au-delà de toute souffrance.

LA REINE — Si la douleur poussait de la fumée comme la flamme, la terre vivrait dans une éternelle nuit. Et vous cependant vous lui échappez!

CISNEROS — Votre douleur, Madame, ne peut pas être entière, puisque l'Infante vit auprès de vous.

LA REINE, *avec une soudaine frénésie* — Où est ma petite fille, mon ange? Qu'on me donne ma petite fille, je veux l'avoir tout de suite! Elle a des dents mauvaises, comme son père; c'est pour cela que je l'aime. Elle montera sur moi, elle me frappera la gorge avec ses petits poings... Ma fille! Je veux ma fille! Je la veux à tout prix! [11]

DOÑA INÈS, *entrant timidement dans la pièce, et faisant signe aux trois demoiselles d'honneur, qui allaient la suivre, de ne pas le faire* — Madame, l'Infante est en train de déjeuner. Elle viendra aussitôt que Sa Seigneurie sera partie. A moins que... (*Elle se tourne vers Cisneros, qui ne dit rien, l'air glacial.*) Oh! je m'excuse d'avoir osé pénétrer... Mais Sa Majesté me semblait si... J'ai cru... (*Elle se retire à reculons, avec confusion.*)

10. the hurrahs   11. at any price

Un silence.

CISNEROS — Dans quelques instants, Madame, vous retrouverez l'Infante. Vous pourrez lui apprendre, entre autres choses, que lorsqu'on a des devoirs, et lorsqu'on a la foi, on n'a que peu de raisons de souffrir. Ceci pour répondre à cet étonnement que vous faisiez paraître, parce que vous pensiez que j'échappe à la douleur. Mais vous, Madame, vous écartez les devoirs et vous écartez la foi. Les devoirs? Vous voulez régner, vous ne voulez pas gouverner. Penser que, tandis que vous êtes confinée ici dans la solitude, l'Espagne est à vous, et les Flandres, et le royaume de Naples, et ce nouveau continent, les Indes, ce don glorieux de la Providence...

LA REINE — Il faut mettre de l'ordre dans les Indes, quand on n'est pas capable de mettre de l'ordre chez soi!

CISNEROS — Jadis, Gonzalve de Cordoue [12] a sollicité de vous une audience, Christophe Colomb a écrit pour vous proposer ses services. En vain. Si alors vous aviez reçu ces hommes supérieurs...

LA REINE — A quoi bon? Je n'avais rien à leur dire.

CISNEROS — Ils vous apportaient sans doute de grandes idées.

LA REINE — Les idées, cela n'est pas sérieux. Les choses dont ils m'auraient parlé ne m'intéressent pas. Ce sont des nuages qui changent de forme et enfin se dissipent. On me demande pourquoi je vis entourée de chats, malgré les peines qu'ils me causent. Parce que les chats ne s'occupent ni des idées ni des Empires. Cela fait un lien entre eux et moi.

CISNEROS — Je comprendrais, Madame, qu vous refusiez le monde afin de vous donner complètement à Dieu. Mais, au contraire, cette répugnance qu'a Votre Majesté pour tout acte de religion, et cela depuis si longtemps, depuis près de vingt années... Et vous n'aviez pas dix-sept ans, que déjà vous n'aimiez pas la sainte Inquisition,[13] que vous condamniez ses prétendus abus...

LA REINE — On vous a dit que je n'allais pas à la messe. On ne vous a pas dit que je vais quelquefois à ma chapelle quand il n'y a pas la messe. Quand il n'y a rien, comme dans ma vie.

12. A famous Castilian general (1453-1515), who defeated the French at Cérignoles and conquered the kingdom of Sicily (1503)
13. A tribunal of the Holy Office established for the discovery of heresy and the punishment of heretics. The Spanish Inquisition, as reorganized and put under state control in 1480, conducted its proceedings from the beginning through the sixteenth century with extreme severity.

CISNEROS — Dans votre chapelle il n'y a jamais rien. Il y a Dieu, toujours.

LA REINE — Dieu est le rien.[14]

CISNEROS — Madame! Si j'avais l'honneur d'être le directeur de votre conscience, comme je l'ai été de celle de la reine catholique [15] ...

LA REINE — Vous ne me dirigeriez pas, car je ne vais nulle part. Et d'ailleurs je ne me confesse guère, vous devez le savoir par vos espions.

CISNEROS — Mes espions! Vous croyez qu'on vous persécute.

LA REINE — Tous ceux qui croient qu'on les persécute sont en effet persécutés. — Je ne vais nulle part, je suis immobile. Mais vous, où allez-vous? Comment pouvez-vous faire un acte?

CISNEROS — Je sais très bien où je vais, et j'ai des actes parce que l'Église a besoin d'eux.

LA REINE — L'Église n'a pas besoin de vos actes. Le moulin tournera toujours, avec ou sans vous.

CISNEROS, se levant — Madame, avez-vous pensé à ce que vous dites, et savez-vous bien à qui vous parlez?

LA REINE — Je parle au Cardinal d'Espagne, archevêque de Tolède, primat des Espagnes, régent et chancelier de Castille, Grand Inquisiteur de Castille et de Leon, qui n'est que poussière comme son bouffon et comme nous tous.

CISNEROS — Madame, le frère Hernando de Talavera [16] a refusé de s'agenouiller devant la reine Isabelle pour recevoir sa confession, comme c'était la coutume; il lui a dit qu'il représentait Dieu, qui ne s'agenouille pas. Et moi, le frère François, je refuse d'entendre parler comme vous parlez de la sainte Église et de moi-même. En moi aussi c'est Dieu que vous offensez.

LA REINE — Et moi, quand vous m'offensez, c'est moi. (Un silence. Puis la reine semble chercher quelque chose.) Je croyais que j'avais mis là ma petite eau, mais comme je ne sais pas ce que je

14. La formule "Dieu est le rien" est courante dans Maître Eckhart, introduit en Espagne dès le début du XVIe siècle, et répandu surtout dans le milieu des suspects alumbrados. Or, Cisneros a été soupçonné lui-même de sympathie pour les alumbrados, et c'est pour cela qu'il sursaute. (Note de Montherlant)/ Eckhart was a German philosopher (1260?-1327?) whose mystic and pantheistic theories were condemned by the Pope. The alumbrados claimed to be recipients of a special revelation which rendered them free and independent of all ecclesiastical guidance.

15. Her mother, Isabella the Catholic (1451-1504), queen of Castile

16. A monk (1428?-1509) who was the confessor of Isabella the Catholic. He became very powerful and was finally made archbishop of Granada.

fais... (*Elle retrouve de bol d'eau.*) Ah! (*Elle boit un peu d'eau.
Silence.*)

CISNEROS — Votre Majesté n'emploie pas les formes qui sont d'usage
quand on parle à ce que je suis. Personne ne m'a jamais parlé
comme Votre Majesté me parle.

LA REINE — Cela est naturel.

CISNEROS — Votre volonté est tendue contre Dieu Notre Seigneur.

LA REINE — L'affront que Dieu m'a fait en m'enlevant mon mari...
Supposé que ce soit Dieu qui me l'ait enlevé.

CISNEROS — Et qui donc serait-ce, sinon Lui?

LA REINE — La mort, simplement.

CISNEROS — La volonté divine... (*La reine rit.*) Pourquoi riez-vous?
Est-ce que... est-ce que vous ne croyez pas à la volonté divine?
Dites au moins une fois devant moi, avant que je me retire: « Mon
Dieu, que votre volonté soit faite, et non la mienne. »

LA REINE — Mon Dieu, faites-moi la grâce que je fasse toute ma vie
ma volonté et non la vôtre. Non, mon Dieu, je ne ferai jamais la
vôtre.

CISNEROS, *frémissant* — Madame, ceci est blasphémer! Et vous n'allez
pas à la messe, et vous n'avez pas d'images pieuses sur vos murs,
et vous ne prenez pas les Sacrements! Savez-vous qu'il y a de vos
sujets qui sont brûlés pour moins que cela?

LA REINE, *précipitamment* — Ce sont mes dames d'honneur qui ren-
versent l'autel et arrachent les images des murs [17]...

CISNEROS — Je vais ordonner une enquête, et si vos dames d'honneur
font ce que vous dites, je les ferai déférer au tribunal de l'Inquisition.

LA REINE, *précipitamment* — Je crois tous les articles de la foi, Monseigneur, et je suis prête à me confesser et à communier...
D'ailleurs, j'ai été deux fois à la messe ces temps-ci. Je suis bonne
chrétienne, Monseigneur. Et je n'ai pas blasphémé, non, je n'ai
pas blasphémé! Mais je suis si habituée à être seule — et aussi je

---

17. Je me suis inspiré pour ce mouvement de la lettre où saint François de
Borgia (Rodriguez Villa, *Bosquejo de la reina Juana*) raconte que la reine, dans
les derniers jours de sa vie, lui dit que ce sont ses duègnes qui retirent les
objets saints, et où Borgia répond que s'il en est ainsi elles seront livrées à
l'Inquisition. « Il mit en avant à dessein, écrit Gachard, le mot d'Inquisition,
sachant que le Saint-Office inspirait une grande crainte à la reine » (Bulletin de
l'Académie royale des sciences, lettres et beaux-arts de Belgique, tome 29,
pp. 297 et 199). Aussitôt la reine dit qu'elle croyait les articles de foi et était
prête à se confesser et à communier. (Note de Montherlant)

dors si peu — que je ne suis plus bien maîtresse de ce que je dis.
Et puis, quoi que je dise, cela est toujours tourné contre moi.
Tout ce que je fais est mal...

CISNEROS — Madame, avec votre permission, je vous baise les mains et
je me retire. Je me retire de votre royale présence, mais non pas
du service du royaume, comme j'en eus l'envie naguère quand
Votre Majesté m'interdit l'entrée de son palais. L'Église peut se
passer de moi peut-être; l'État, cela est moins sûr. Il faut bien
que quelqu'un la porte, cette Espagne que vous vous refusez à
porter. Et le roi n'y est pas prêt, pour un temps encore.

LA REINE — J'ai toujours cru que l'entrée dans les ordres [18] était une
mort au monde. Vous avez conçu cela différemment. Dieu et
César ensemble: comment accordez-vous cela?

CISNEROS — La grâce de Dieu l'accorde.

LA REINE — Et à votre âge! A votre âge, s'efforcer n'est plus une vertu,
c'est une manie. Être habile à quatre-vingt-deux ans! Ce n'est pas
sur son lit de mort qu'on doit découvrir la vanité des choses; c'est
à vingt-cinq ans, comme je l'ai fait.

CISNEROS — L'œuvre que Dieu a accomplie à travers moi en Espagne,
le combat que j'ai mené...

LA REINE, *ricanant, haussant les épaules* — Le combat que vous avez
mené! Mener un combat! Lutter contre les hommes, c'est leur
donner une existence qu'ils n'ont pas. Et puis, quoi qu'on y gagne,
cela ne dure qu'un instant infime de cette éternité dont les prêtres
parlent mieux que personne. Alors... Vous croyez que je vis loin
de tout cela parce que je ne peux pas le comprendre. Je vis loin
de tout cela parce que je le comprends trop bien. L'œuvre de ma
mère est ruinée par Jeanne la Folle. D'autres ruineront la vôtre.
L'Espagne est à la veille de tragédies. Tout s'engouffrera. Le
royaume qui est l'envie du monde en sera la pitié.

CISNEROS, *revenant, avec émotion* — Quelles tragédies? Que voulez-vous
dire? Que savez-vous?

LA REINE — Il y a toujours des tragédies.

CISNEROS — J'en ai prévenu quelques-unes.

LA REINE — Elles renaîtront. Je serai emportée comme un fétu [19] sur
le flot de ce qui s'approche.

CISNEROS — Qu'aurais-je dû faire?

LA REINE — Rester dans une cellule, sur votre couchette, les bras en
croix, comme je fais.

18. entering a religious order   19. a straw

CISNEROS — Cela est la mort, si ce n'est pas offert.

LA REINE — C'est le royaume qui est la mort. C'est faire quelque chose qui est la mort.

CISNEROS — Eh, Madame, rester dans un cellule, n'en ai-je pas assez rêvé? Ne connaissez-vous pas ma vie? Ne vous souvenez-vous pas de toutes mes fuites vers des cloîtres?

LA REINE — Ce n'est pas ma mémoire qui est mauvaise, c'est mon indifférence qui est bonne. Vous vous êtes enfui vers des cloîtres?

CISNEROS — Une fois, pour trois ans, quand j'étais jeune. Une fois, quand j'ai été nommé confesseur de la reine catholique, — quand on m'a infligé ce supplice, d'être le confesseur de la reine. Une fois, quand j'ai été nommé archevêque. On me nommait ceci et cela, mais mon âme exigeait le contraire.

LA REINE — Vous vous êtes enfui vers des cloîtres parce que vous aimiez trop le pouvoir.

CISNEROS — Je me suis enfui au couvent parce que j'aimais trop Dieu. Vous me parlez de ma perpétuelle tentation. Vous me parlez de mon abîme.

LA REINE — Cette tentation n'a été pour vous, le plus souvent, qu'une tentation. Ce que vous avez aimé par-dessus tout, c'est de gouverner; sinon, vous seriez resté tranquille. Vous, vous composez; moi, je ne compose pas. Vous, vous vivez dans la comédie; moi, je n'y vis pas.

CISNEROS — Je vis dans la comédie!

LA REINE — Vous vivez parmi les superbes.[20] Vous manœuvrez parmi eux. Le superbe n'est pas seul à être impur; sont impurs tous ceux qui approchent de lui par goût.

CISNEROS — Je n'aime que les humbles.

LA REINE — Mais vous vivez parmi les superbes. Et parmi les canailles.[21] Vous passez votre vie comme les païens et les Turcs. On ne fréquente pas des gens méprisables, si on les méprise autant qu'on le doit.

CISNEROS — On surmonte son mépris quand il y a derrière eux quelque chose à atteindre.

LA REINE — Qui vous a obligé...? (*Elle s'arrête de parler et regarde fixement un point non éloigné d'elle.*) Voilà une mouche qui est trop confiante, beaucoup trop confiante, qui a l'air de vouloir me narguer,[22] moi, la reine. (*Elle saisit très cauteleusement un fichu* [23]

20. the proud ones   21. the scoundrels   22. flout me
23. She cautiously picks up a small shawl

à portée de sa main, s'approche toujours très cauteleusement de
la mouche, puis frappe du fichu. Elle regarde la mouche morte,
et son visage s'irradie. Elle écrase du pied la mouche.) Je vous
disais que nul ne vous a obligé à être le confesseur de ma mère.
Quand la reine catholique vous a choisi pour son confesseur, vous
n'aviez qu'à refuser.

CISNEROS — Refuser à la reine!

LA REINE — Il vous suffisait de dire que vous vouliez n'être qu'à Dieu.
Même la reine aurait eu peur de vous retirer à Dieu. Il vous
suffisait d'être ferme; vous l'êtes quand vous le voulez. Mais là
vous n'avez pas voulu l'être. Et cependant la reine n'attendait de
vous qu'une couverture pour sa politique. Lorsqu'on médite quelque bon coup, on fait appel à des hommes de piété. Je suis si peu
folle que j'ai découvert cela.

CISNEROS — Voilà encore une parole, Madame, qui montre comme vous
êtes disposée à l'égard de notre sainte religion.

LA REINE — Je suis très bien avec la religion, et c'est à cause de cela
même que je sais que nombre d'hommes qui, s'ils étaient restés
hommes privés, auraient sauvé leur âme, vont en enfer parce
qu'ils ont été hommes d'État. L'ambition pour autrui, que ce soit
une créature, ou une nation, ou un ordre religieux, est aussi fatale
à l'union avec Dieu que l'est l'ambition personnelle. Cela tombe
sous le sens.[24]

CISNEROS — Je serais prêt à courir le risque d'aller en enfer, si à ce prix
je faisais du bien à l'État. Mais les desseins de Dieu et les desseins
du gouvernement de Castille ont toujours été identiques. Au surplus, vous ignorez sans doute que j'ai une méthode d'oraison
mentale qui me permet d'annihiler devant Dieu mes actions
politiques au fur et à mesure que je les accomplis. (*Rire de la*
reine.) Vous êtes pure, Madame, vous êtes pure! Il est facile d'être
pur quand on n'agit pas, et qu'on ne voit personne.

LA REINE — Agir! Toujours agir! La maladie des actes. La bouffonnerie
des actes. On laisse les actes à ceux qui ne sont capables de rien
d'autre.[25]

CISNEROS — Et vous aussi, cependant, vous faites quelques actes, comme
tout le monde.

LA REINE — Je ne fais pas d'actes, je fais les gestes d'actes. — Et les
vôtres en apparence toujours saints ou raisonnables, et qui en
réalité ne sont faits que dans la passion.

24. falls under the same heading
25. to those who are capable of nothing else

CISNEROS — Si nous ne faisions pas les choses dans la passion, nous ne ferions rien.

LA REINE — C'est justement ce qu'il faudrait.

CISNEROS — Il y a une exaltation qui vient de Dieu. Et il y a une exaltation qui vient de la terre. Dois-je me reprocher la terre, quand depuis trente ans je n'ai cessé de faire servir la terre à Dieu? J'ai fait servir Dieu à la terre,[26] et j'ai fait servir la terre à Dieu. J'ai été de Dieu et j'ai été de la terre. D'un côté abrupt vers Dieu, de l'autre à l'aise avec la terre, oui, comme ma ville de Tolède,[27] d'un côté en nid d'aigle au-dessus du fleuve, de l'autre de plain-pied avec la plaine. J'ai été un chrétien et j'ai été un homme. J'ai fait tout ce que je pouvais faire.

LA REINE — Vous sursautez si je dis que Dieu est le rien. Le rien n'est pas Dieu, mais il en est l'approche, il en est le commencement. Quand mon roi Philippe était aux Flandres, et moi ici, j'allais à Medina del Campo [28] pour être un peu plus près de la mer où il était; je respirais mon mari d'un côté à l'autre de la mer: ainsi je respire Dieu quand je suis dans le rien. Vous l'avez dit vous-même: il y a deux mondes, le monde de la passion, et le monde du rien: c'est tout. Aujourd'hui je suis du monde du rien. Je n'aime rien, je ne veux rien, je ne résiste à rien (est-ce que vous ne voyez pas que les chats me dévorent vivante, sans que je me défende?), plus rien pour moi ne se passera sur la terre, et c'est ce rien qui me rend bonne chrétienne, quoi qu'on dise, et qui me permettra de mourir satisfaite devant mon âme, et en ordre devant Dieu, même avec tout mon poids de péchés et de douleur. Chaque acte que je ne fais pas est compté sur un livre par les anges.

CISNEROS — Madame, le moine que je suis entend bien ce langage; croyez que je l'entends très singulièrement et très profondément. Mais . . .

LA REINE, se levant, allant à la fenêtre et ouvrant le rideau — Il n'y avait pas de nuages. Maintenant il y en a. Ils vont changer d'aspect. Ils vont se dissiper, puis se reconstruire d'autre façon. Tout cela est sans importance. Des nuages noirs étalés sur Madrid

26. Cisneros écrit, l'été 1516: "Il convient à son royal service [de Charles] que le pouvoir temporel soit appuyé du pouvoir spirituel." (*Biblioteca de autores españoles*. Tome II, p. 249.) (Note of Montherlant)

27. Toledo was the capital of Spain until 1560. It is located southwest of Madrid on the Tagus river.

28. This town, located near Segovia, with its world-famous fairs, was the financial and commercial center of all Castile.

comme de gros crapauds. Et, au-dessous, ces espèces d'êtres qui
font des choses, qui vont vers des choses... Et rien de sérieux
dans tout cela que les chevaux qu'on mène boire au fleuve. Moi
aussi j'aurais pu faire des choses, et même de celles que vous
appelez « de grandes choses ». Mais il aurait fallu tenir compte
de cela. J'ai préféré être ce que je suis. Les enfants qui jouent en
bas disent entre eux: « Vous voulez jouer avec nous? » Moi, je dis:
« Je ne joue pas avec vous. » (*Elle regarde encore, avec horreur.*)
Quel est cet univers auquel on voudrait que je prenne part? [29]
Quand je le regarde, mes genoux se fondent.[30] Quelle est cette
voix qui forme dans ma bouche des mots qui ne me concernent
pas? Quel est cet homme qui me fait face et qui veut me persuader
qu'il existe? Comment pouvez-vous croire à ce qui vous entoure,
vous qui n'êtes plus de ce qui vous entoure, quand moi je n'y
crois pas, qui suis, paraît-il, en vie? Et vous voulez manier [31]
cela, jouer avec cela, dépendre de cela? Et vous êtes un intelligent,
et un chrétien! A ces deux titres vous devriez faire le mort, comme
je fais la morte. (*Elle lance les oreillers de son lit à travers la
pièce, se jette sur le lit, et s'y étend à plat, sur le dos, bras en
croix, bouche entr'ouverte.*)

CISNEROS — Votre Majesté est-elle souffrante? Veut-elle que j'appelle
ses dames?

LA REINE — Je ne suis pas souffrante. Je suis bien, je suis enfin bien.
(*Un temps.*) Non, je ne suis pas bien, voici le mal qui monte:
c'est parce que j'étais bien. Mes yeux sont pleins de plomb
fondu,[32] ma bouche est pleine de terre, mes nerfs se tordent
comme des reptiles. — Oh! une chauve-souris contre mes tempes!
— Ma grand-mère [33] a été à demi folle pendant quarante-deux
ans. Le roi Henri [34] mon oncle était à demi fou. Mon père est mort
de tristesse. Eux aussi ils se tordent en moi. Oh! que je boive,
que je boive ma petite eau! (*Elle se lève et va boire au bol. Puis
elle le tend au cardinal.*) Vous en voulez? (*Le cardinal fait non
de la tête.*) Alors, allez-vous en. Laissez-moi sortir de ce songe
que vous êtes et qu'est tout ce que vous représentez: il n'y a que
moi qui ne sois pas un songe pour moi. (*Esquissant des pas de
danse.*) Mais, auparavant, dansons un peu! Vous ne voudriez pas
que je me mette à danser seulement quand vous serez parti, de
la joie de vous voir disparu. (*Le cardinal a reculé. Il appelle vers*

29. participate   30. get weak   31. handle   32. melted lead
33. Isabella, second wife of John II of Castile (1406-54)
34. Henri IV (1454-74), son of John II

la porte du fond: « Messieurs! Messieurs! » *Des gens du palais, et parmi eux Cardona, se massent à la porte et entrent même dans la chambre, mais sans oser trop pénétrer. On entend des voix:* « Monseigneur, exorcisez-la! » [35] — « Qu'on fasse entrer doña Inès! » — « Jetez sur elle un peu d'eau bénite! ») Je danse souvent avec le perroquet que Joaquin m'a rapporté des Indes; il est tout rouge comme vous, cardinal, mais il ne sait pas dire des *ave.*[36] Dansons, dansons un peu! dansons en nous accompagnant du rire des larmes. Il y a le rien et il y a l'être: ils sont faits pour danser ensemble. Le oui et le non sont pour moi comme deux mouches quand elles dansent accouplées: on ne distingue pas l'une de l'autre . . .

Pendant que la reine continue de faire des pas en chantonnant, Doña Inès et les demoiselles d'honneur, venues de la chambre voisine, l'entourent, la prennent avec douceur et respect sous les bras, et l'entraînent vers la chambre. Avant de sortir, la reine dit à Doña Inès, en désignant le cardinal:

LA REINE — On causerait bien volontiers avec lui, plus longuement. Mais on ne peut pas: il est fou!

35. cast out the devil in her   36. Hail Marys

JEAN GENÊT

Enfant de l'Assistance publique, né en 1909, Jean Genêt commit dans son jeune âge un vol assez anodin. Mais à cause de son origine, il a tout de suite été classé comme voleur et s'est vu enfermé dans un bagne d'enfants. Révolté, acceptant dès lors, par une sorte de défi, sa condition d'enfant perdu, il est devenu pendant quelques années un gibier de prison. Avec lui, on entre dans l'envers de la société, or c'est une voix d'innocent qui vous parle, car l'étrange garçon se meut dans ce monde interlope avec une absence totale et bien-heureuse de pudeur, de remords ou de honte.

Il n'en est pas moins certain qu'en prison Genêt s'est corrompu au contact de la vraie canaille. Il lui est aussi arrivé de fréquenter les grands ports où il a connu des marins voyous. *Le Journal du voleur* (1945) raconte sa vie d'homme fait. Or, a-t-il dit, « la délation, le vol et l'homosexualité sont les sujets essentiels de ce livre ». Le livre est d'une ignominie fondamentale, et pourtant, par extraordinaire, le style en est pur et la valeur littéraire incontestable.

Notre-Dame des Fleurs (1948) est le nom que les prisonniers de droit commun donnent au Palais de Justice. Le livre qui porte ce titre est une autobiographie qui fait suite à celle du *Journal du voleur*. Les scènes de prostitution l'occupent presque en entier; les dialogues y sont constamment obscènes; et néanmoins là encore on ne sait quelle étrange pureté poétique se dégage.

Devenu écrivain, reçu dans les bureaux d'édition et dans quelques salles de rédaction, Jean Genêt a erré dans les cafés de Saint-Germain-des-Prés. Il y a trainé un pauvre corps fragile, un air effacé, un visage triste. Chose curieuse, depuis que Sartre lui a consacré un essai dans lequel il le traite comme un saint, Genêt mène une existence discrète.

Il serait toutefois resté un producteur de littérature pornographique et cachée s'il ne s'était découvert une vocation d'auteur dramatique. Des pièces de théâtre lui ont fait toucher le grand public. *Les Bonnes* (1947), *Le Balcon* (1956), *Les Nègres* (1958) sont des drames satiriques qui dévoilent un envers de la société, qui peignent une humanité refoulée, humiliée, maudite. Genêt y exprime avec originalité sa révolte contre l'ordre établi qu'il souhaiterait voir renversé.

La pièce *Les Nègres* a porté à la scène des thèmes anti-colonialistes. *Le Balcon* représente une maison close (brothel) pour maniaques et sadiques, déchets d'une bourgeoisie perdue. Les personnages se déguisent en juges, évêques, généraux, reines, et la pièce est le symbole de l'illusion qu'est la vérité et des chercheurs d'illusions que sont les hommes. *Les Bonnes* est une pièce qui symbolise l'esclavage des deshérités, leur mise hors de la société, leur découragement profond.

BIBLIOGRAPHIE

Sartre, Jean-Paul. *Saint Genêt, comédien et martyr*. Paris: Gallimard, 1951.

LES BONNES

extrait

Les Bonnes sont deux sœurs au service d'une femme richement entretenue dont l'amant vient d'avoir des ennuis avec la justice; ce sont leurs lettres anonymes qui l'ont fait arrêter. Cette vengeance n'ayant pas suffi à satisfaire leur haine d'esclaves pour les maîtres, elles décident de tuer leur maîtresse soit par étranglement soit par empoisonnement. En fin de compte, elles s'en montrent incapables, car la dame leur en impose et le respect qu'elles éprouvent malgré elles les paralyse.

L'auteur s'est proposé pour objet principal de les représenter mimant les gestes qu'elles ne pourront jamais faire pour leur compte: mettre de belles robes, parler avec élégance, donner des ordres. Aussi des poussées de leur désespoir et de la haine qu'elles se vouent l'une à l'autre interrompent-elles à plusieurs reprises leur petite soirée de gala et leur préparation d'un crime.

Nous avons choisi de donner ici le début de la pièce, où, pendant l'absence de leur maîtresse, les deux filles jouent à la maîtresse et à la domestique. C'est pourquoi Claire donne à Solange le nom de Claire et, parlant de Monsieur, l'entreteneur de Madame, dit « Mon amant », comme le dirait Madame.

La chambre de Madame. Meubles Louis XV. Dentelles. Au fond, une fenêtre ouverte sur la façade de l'immeuble en face. A droite, le lit. A gauche, une porte et une commode. Des fleurs à profusion. C'est le soir.

CLAIRE (*debout, en combinaison, tournant le dos à la coiffeuse.[1] Son geste — le bras tendu — et le ton, seront d'un tragique exaspéré*) — Et ces gants! Ces éternels gants! Je t'ai dit assez souvent de les laisser à la cuisine. C'est avec ça, sans doute, que tu espères séduire le laitier. Non, non, ne mens pas, c'est inutile. Pends-les au-dessus de l'évier.[2] Quand comprendras-tu que cette chambre ne doit pas être souillée? Tout, mais tout! ce qui vient de la cuisine est crachat.[3] Sors. Et remporte tes crachats! Mais cesse!

(*Pendant cette tirade, Solange jouait avec une paire de gants de caoutchouc, observant ses mains gantées, tantôt en bouquet, tan-*

1. standing, wearing a slip, and turning her back to the dressing table
2. kitchen sink   3. spit

tôt en éventail.) [4] Ne te gêne pas, fais ta biche.[5] Et surtout ne te presse pas, nous avons le temps. Sors! (*Solange change soudain d'attitude et sort humblement, tenant du bout des doigts les gants de caoutchouc. Claire s'assied à la coiffeuse. Elle respire les fleurs, caresse les objets de toilette, brosse ses cheveux, arrange son visage.*) Préparez ma robe. Vite, le temps presse. Vous n'êtes pas là? (*Elle se retourne.*) Claire! Claire! (*Entre Solange.*)

SOLANGE — Que Madame m'excuse, je préparais le tilleul [6] (*elle prononce tillol*) de Madame.

CLAIRE — Disposez mes toilettes.[7] La robe blanche pailletée. L'éventail, les émeraudes.

SOLANGE — Bien, Madame. Tous les bijoux de Madame?

CLAIRE — Sortez-les. Je veux choisir. Et naturellement les souliers vernis. Ceux que vous convoitez depuis des années. (*Solange prend dans l'armoire quelques écrins qu'elle ouvre et dispose sur le lit.*) Pour votre noce sans doute. Avouez qu'il vous a séduite! Que vous êtes grosse! [8] Avouez-le! (*Solange s'accroupit sur le tapis, et, crachant dessus, cire des escarpins vernis.*) Je vous ai dit, Claire, d'éviter les crachats. Qu'ils dorment en vous, ma fille, qu'ils y croupissent. Ah! ah! (*Elle rit nerveusement.*) Que le promeneur égaré s'y noie.[9] Ah! ah! vous êtes hideuse, ma belle. Penchez-vous davantage et vous regardez dans mes souliers. (*Elle tend son pied que Solange examine.*) Penses-vous qu'il me soit agréable de me savoir le pied enveloppé par les voiles de votre salive? Par la brume de vos marécages? [10]

SOLANGE (*à genoux et très humble.*) — Je désire que Madame soit belle.

CLAIRE — Je le serai. (*Elle s'arrange dans la glace.*) Vous me détestez, n'est-ce pas? Vous m'écrasez sous vos prévenances,[11] sous votre humilité, sous les glaïeuls et le réséda. (*Elle se lève et d'un ton plus bas.*) On s'encombre inutilement. Il y a trop de fleurs. C'est mortel. (*Elle se mire encore.*) Je serai belle. Plus que vous ne le serez jamais. Car, ce n'est pas avec ce corps et cette face que vous séduirez Mario. Ce jeune laitier ridicule nous méprise, et s'il vous a fait un gosse [12]...

SOLANGE — Oh! mais, jamais je n'ai ...

---

4. alternately folded like a bouquet and spread fanwise
5. That is, make yourself beautiful and desirable   6. linden-blossom tea
7. lay out my clothes   8. pregnant   9. Let the lost wayfarer drown in it.
10. *par les ... marécages?* by the veils of your saliva? By the mist of your swamps?   11. You crush me with your attentions
12. and if he made you pregnant

CLAIRE — Taisez-vous, idiote! Ma robe!

SOLANGE (*Elle cherche dans l'armoire, écartant quelques robes.*) — La robe rouge. Madame mettra la robe rouge.

CLAIRE — J'ai dit la blanche, à paillettes.

SOLANGE (*dure*) — Je regrette. Madame portera ce soir la robe de velours écarlate.

CLAIRE (*naïvement*) — Ah? Pourquoi?

SOLANGE (*froidement*) — Il m'est impossible d'oublier la poitrine de Madame sous le drapé de velours. Quand Madame soupire et parle à Monsieur de mon dévouement! Une toilette noire servirait mieux votre veuvage.

CLAIRE — Comment?

SOLANGE — Dois-je préciser?

CLAIRE — Ah! tu veux parler... Parfait. Menace-moi. Insulte ta maîtresse. Solange, tu veux parler, n'est-ce pas, des malheurs de Monsieur. Sotte.[13] Ce n'est pas l'instant de le rappeler, mais de cette indication je vais tirer un parti magnifique.[14] Tu souris? Tu en doutes?

SOLANGE — Ce n'est pas encore le moment d'exhumer [15]...

CLAIRE — Mon infamie? Mon infamie! D'exhumer! Quel mot!

SOLANGE — Madame!

CLAIRE — Je vois où tu veux en venir.[16] J'écoute bourdonner déjà tes accusations, depuis le début tu m'injuries, tu cherches l'instant de me cracher à la face.

SOLANGE (*pitoyable*) — Madame, Madame, nous n'en sommes pas encore là. Si Monsieur...

CLAIRE — Si Monsieur est en prison, c'est grâce à moi, ose le dire! Ose! Tu as ton franc-parler,[17] parle. J'agis en dessous, camouflée par mes fleurs,[18] mais tu ne peux rien contre moi.

SOLANGE — Le moindre mot vous paraît une menace. Que Madame se souvienne que je suis la bonne.

CLAIRE — Pour avoir dénoncé Monsieur à la police, avoir accepté de le vendre, je vais être à ta merci? Et pourtant j'aurais fait pire. Mieux. Crois-tu que je n'aie pas souffert? Claire, j'ai forcé ma main, tu entends, je l'ai forcée, lentement, fermement, sans erreur,

---

13. stupid   14. *mais de... magnifique.* but I am going to make use of the misfortunes of Monsieur to torture Madame.   15. to unearth
16. I see what you are driving at.   17. You can be blunt
18. Meaning protected by a hypocritical politeness

sans ratures,[19] à tracer cette lettre [20] qui devait envoyer mon amant au bagne.[21] Et toi, plutôt que me soutenir, tu me nargues? Tu parles de veuvage! Monsieur n'est pas mort, Claire. Monsieur, de bagne en bagne, sera conduit jusqu'à la Guyane [22] peut-être, et moi, sa maîtresse, folle de douleur, je l'accompagnerai. Je serai du convoi. Je partagerai sa gloire. Tu parles de veuvage. La robe blanche est le deuil des reines, Claire, tu l'ignores. Tu me refuses la robe blanche!

SOLANGE (*froidement*) — Madame portera la robe rouge.

CLAIRE (*simplement*) — Bien. (*Sévère.*) Passez-moi la robe. Oh! je suis bien seule et sans amitié. Je vois dans ton œil que tu me hais.

SOLANGE — Je vous aime.

CLAIRE — Comme on aime sa maîtresse, sans doute. Tu m'aimes et me respectes. Et tu attends ma donation, le codicille en ta faveur ...

SOLANGE — Je ferais l'impossible ...

CLAIRE (*ironique*) — Je sais. Tu me jetterais au feu. (*Solange aide Claire à mettre la robe.*) Agrafez. Tirez moins fort. N'essayez pas de me ligoter.[23] (*Solange s'agenouille aux pieds de Claire et arrange les plis de la robe.*) Évitez de me frôler. Reculez-vous. Vous sentez le fauve.[24] De quelle infecte soupente où la nuit les valets vous visitent rapportez-vous ces odeurs? La soupente! La chambre des bonnes! La mansarde! (*Avec grâce.*) C'est pour mémoire que je parle de l'odeur des mansardes, Claire. Là ... (*Elle désigne un point de la chambre.*) Là, les deux lits de fer séparés par la table de nuit. Là, la commode en pitchpin [25] avec le petit autel à la Sainte-Vierge. C'est exact, n'est-ce pas?

SOLANGE — Nous sommes malheureuses. J'en pleurerais.

CLAIRE — C'est exact. Passons sur nos dévotions à la Sainte-Vierge en plâtre, sur nos agenouillements. Nous ne parlerons même pas des fleurs en papier ... (*Elle rit.*) En papier! Et la branche de buis bénit! (*Elle montre les fleurs de la chambre.*) Regarde ces corolles ouvertes en mon honneur! Je suis une Vierge plus belle, Claire.

SOLANGE — Taisez-vous ...

CLAIRE — Et là, la fameuse lucarne, par où le laitier demi-nu saute jusqu'à votre lit!

19. without scratching out anything   20. to pen this letter
21. penitentiary
22. Devil's Island of French Guiana (formerly a deportation colony for French convicts)   23. Don't try to tie me up.   24. You smell like an animal.
25. chest of drawers made of yellow pine

SOLANGE — Madame s'égare, Madame...

CLAIRE — Vos mains! N'égarez pas vos mains. Vous l'ai-je assez murmuré! elles empestent l'évier.[26]

SOLANGE — La chute!

CLAIRE — Hein?

SOLANGE (*arrangeant la robe*) — La chute. J'arrange votre chute d'amour.[27]

CLAIRE — Écartez-vous, frôleuse! (*Elle donne à Solange sur la tempe un coup de talon Louis XV.*[28] *Solange accroupie vacille et recule.*)

SOLANGE — Voleuse, moi? Oh!

CLAIRE — Je dis frôleuse. Si vous tenez à pleurnicher,[29] que ce soit dans votre mansarde. Je n'accepte ici, dans ma chambre, que des larmes nobles. Le bas de ma robe, certain jour en sera constellé, mais de larmes précieuses. Disposez la traîne, traînée![30]

SOLANGE — Madame s'emporte!

CLAIRE — Dans ses bras parfumés, le diable m'emporte. Il me soulève, je décolle, je pars... (*Elle frappe le sol du talon.*)... et je reste. Le collier? Mais dépêche-toi, nous n'aurons pas le temps. Si la robe est trop longue, fais un ourlet[31] avec des épingles de nourrice.[32] (*Solange se relève et va pour prendre le collier dans un écrin, mais Claire la devance et s'empare du bijou. Ses doigts ayant frôlé ceux de Solange, horrifiée, Claire recule.*) Tenez vos mains loin des miennes, votre contact est immonde.[33] Dépêchez-vous.

SOLANGE — Il ne faut pas exagérer. Vos yeux s'allument. Vous atteignez la rive.

CLAIRE — Vous dites?

SOLANGE — Les limites. Les bornes. Madame. Il faut garder vos distances.

CLAIRE — Quel langage, ma fille. Claire. Tu te venges, n'est-ce pas? Tu sens approcher l'instant où tu quittes ton rôle...

SOLANGE — Madame me comprend à merveille. Madame me devine.[34]

CLAIRE — Tu sens approcher l'instant où tu ne seras plus la bonne. Tu vas te venger. Tu t'apprêtes? Tu aiguises tes ongles? La haine te réveille? Claire, n'oublie pas. Claire, tu m'écoutes? Mais Claire, tu ne m'écoutes pas?

26. they smell of the kitchen sink
27. I am fixing your dress so that it hangs well.
28. with her Louis-Quinze heel   29. whimper   30. you streetwalker
31. make a hem   32. safety pins   33. disgusting
34. You are guessing what I think.

SOLANGE (*distraite*) — Je vous écoute.

CLAIRE — Par moi, par moi seule, la bonne existe. Par mes cris et par mes gestes.

SOLANGE — Je vous écoute.

CLAIRE (*elle hurle*) — C'est grâce à moi que tu es, et tu me nargues! Tu ne peux savoir comme il est pénible d'être Madame, Claire, d'être le prétexte à vos simagrées![35] Il me suffirait de si peu et tu n'existerais plus. Mais je suis bonne, mais je suis belle et je te défie. Mon désespoir d'amante m'embellit encore!

SOLANGE (*méprisante*) — Votre amant!

CLAIRE — Mon malheureux amant sert encore ma noblesse, ma fille. Je grandis davantage pour te réduire et t'exalter. Fais appel à toutes tes ruses. Il est temps!

SOLANGE — Assez! Dépêchez-vous. Vous êtes prête?

CLAIRE — Et toi?

SOLANGE (*doucement d'abord*) — Je suis prête, j'en ai assez d'être un objet de dégoût. Moi aussi je vous hais...

CLAIRE — Doucement, mon petit, doucement... (*Elle tape doucement l'épaule de Solange pour l'inciter au calme.*)

SOLANGE — Je vous hais! Je vous méprise. Vous ne m'intimidez plus. Réveillez le souvenir de votre amant, qu'il vous protège. Je vous hais! Je hais votre poitrine pleine de souffles embaumés. Votre poitrine... d'ivoire! Vos cuisses... d'or! Vos pieds... d'ambre! (*Elle crache sur la robe rouge.*) Je vous hais!

CLAIRE (*suffoquée*) — Oh! oh! mais...

SOLANGE (*marchant sur elle*) — Oui Madame, ma belle Madame. Vous croyez que tout vous sera permis jusqu'au bout? Vous croyez pouvoir dérober la beauté du ciel et m'en priver? Choisir vos parfums, vos poudres, vos rouges à ongles, la soie, le velours, la dentelle, et m'en priver? Et me prendre le laitier? Avouez! Avouez le laitier! Sa jeunesse, sa fraîcheur vous troublent,[36] n'est-pas? Avouez le laitier. Car Solange vous emmerde![37]

CLAIRE (*affolée*) — Claire! Claire!

SOLANGE — Hein?

CLAIRE (*dans un murmure*) — Claire, Solange, Claire.

SOLANGE — Ah! oui, Claire. Claire vous emmerde! Claire est là, plus claire que jamais. Lumineuse! (*Elle gifle Claire.*)

CLAIRE — Oh! oh! Claire... vous... oh!

35. pretenses   36. excite you   37. annoys you

SOLANGE — Madame se croyait protégée par ses barricades de fleurs, sauvée par un exceptionnel destin, par le sacrifice. C'était compter sans la révolte des bonnes. La voici qui monte, Madame. Elle va crever et dégonfler votre aventure.[38] Ce Monsieur n'était qu'un triste voleur et vous une...

CLAIRE — Je t'interdis!

SOLANGE — M'interdire! Plaisanterie! Madame est interdite.[39] Son visage se décompose.[40] Vous désirez un miroir? (*Elle tend à Claire un miroir à main.*)

CLAIRE (*se mirant avec complaisance*) — J'y suis plus belle! Le danger m'auréole, Claire, et toi tu n'es que ténèbres [41]...

SOLANGE — ... infernales! Je sais. Je connais la tirade. Je lis sur votre visage ce qu'il faut vous répondre. J'irai donc jusqu'au bout. Les deux bonnes sont là — les dévouées servantes! Devenez plus belle pour les mépriser. Nous ne vous craignons plus. Nous sommes enveloppées, confondues [42] dans nos exhalaisons, dans nos fastes, dans notre haine pour vous. Nous prenons forme, Madame. Ne riez pas. Ah! surtout ne riez pas de ma grandiloquence...

CLAIRE — Allez-vous en.

SOLANGE — Pour vous servir, encore, Madame! Je retourne à ma cuisine. J'y retrouve mes gants et l'odeur de mes dents. Le rot silencieux de l'évier.[43] Vous avez vos fleurs, j'ai mon évier. Je suis la bonne. Vous au moins vous ne pouvez pas me souiller. Mais vous ne l'emporterez pas en paradis.[44] J'aimerais mieux vous y suivre que de lâcher ma haine à la porte. Riez un peu, riez et priez vite, très vite! Vous êtes au bout du rouleau,[45] ma chère! (*Elle tape sur les mains de Claire qui protège sa gorge.*) Bas les pattes [46] et découvrez ce cou fragile. Allez, ne tremblez pas, ne frissonnez pas, j'opère vite et en silence. Oui, je vais retourner à ma cuisine, mais avant je termine ma besogne. (*Soudain, un réveil-matin [47] sonne. Solange s'arrête. Les deux actrices se rapprochent, émues, et écoutent, pressées l'une contre l'autre.*) Déjà?

CLAIRE — Dépêchons-nous. Madame va rentrer. (*Elle commence à dégrafer sa robe.*) [48] Aide-moi. C'est déjà fini, et tu n'as pu aller jusqu'au bout.

38. She is going to put an end to what you imagined.   39. speechless
40. is becoming upset   41. you dwell in darkness   42. merged
43. The silent belch of the kitchen sink.   44. But you won't get away with it.
45. You are at your wit's end   46. Down with your hands
47. alarm clock   48. undo her dress

SOLANGE (*l'aidant. D'un ton triste*) — C'est chaque fois pareil. Et par ta faute. Tu n'es jamais prête assez vite. Je ne peux pas t'achever.[49]

CLAIRE — Ce qui nous prend du temps, c'est les préparatifs. Remarque...

SOLANGE (*elle lui enlève la robe*) — Surveille la fenêtre.[50]

CLAIRE — Remarque que nous avons de la marge. J'ai remonté le réveil de façon qu'on puisse tout ranger. (*Elle se laisse avec lassitude tomber sur le fauteuil.*)

SOLANGE — Il fait lourd,[51] ce soir. Il a fait lourd toute la journée.

CLAIRE — Oui.

SOLANGE — Et cela nous tue, Claire.

CLAIRE — Oui.

SOLANGE — C'est l'heure.

CLAIRE — Oui. (*Elle se lève avec lassitude.*) Je vais préparer la tisane.[52]

SOLANGE — Surveille la fenêtre.

CLAIRE — On a le temps (*Elle s'essuie le visage*).

SOLANGE — Tu te regardes encore... Claire, mon petit...

CLAIRE — Je suis lasse.

SOLANGE (*dure*) — Surveille la fenêtre. Grâce à ta maladresse, rien ne serait à sa place. Et il faut que je nettoie la robe de Madame. (*Elle regarde sa sœur.*) Qu'est-ce que tu as? Tu peux te ressembler, maintenant. Reprends ton visage. Allons, Claire, redeviens ma sœur...

CLAIRE — Je suis à bout.[53] Cette lumière m'assomme. Tu crois que les gens d'en face...

SOLANGE — Qu'est-ce que cela peut nous faire? Tu ne voudrais pas qu'on... qu'on s'organise dans le noir? Ferme les yeux. Ferme les yeux, Claire. Repose-toi.

CLAIRE (*elle met sa petite robe noire*) — Oh! quand je dis que je suis lasse, c'est une façon de parler. N'en profite pas pour me plaindre. Ne cherche pas à me dominer.

SOLANGE — Je voudrais que tu te reposes. C'est surtout quand tu te reposes que tu m'aides.

CLAIRE — Je te comprends, ne t'explique pas.

SOLANGE — Si. Je m'expliquerai. C'est toi qui as commencé. Et d'abord, en faisant cette allusion au laitier. Tu crois que je ne t'ai pas devinée? Si Mario...

49. I can't finish you off. (I can't finish dressing you like Madame and killing you.)
50. Watch [the street from] the window. (to see if their mistress is coming)
51. sultry   52. herb tea   53. I am exhausted.

CLAIRE — Oh!

SOLANGE — Si le laitier me dit des grossièretés [54] le soir, il t'en dit autant. Mais tu étais bien heureuse de pouvoir...

CLAIRE (*elle hausse les épaules*) — Tu ferais mieux de voir si tout est en ordre. Regarde, la clé du secrétaire était placée comme ceci. (*Elle arrange la clé.*) Et sur les œillets et les roses, il est impossible, comme dit Monsieur, de ne pas...

SOLANGE (*violente*) — Tu étais heureuse de pouvoir tout à l'heure mêler tes insultes...

CLAIRE — ... découvrir un cheveu de l'une ou de l'autre bonne.

SOLANGE — Et les détails de notre vie privée avec...

CLAIRE (*ironique*) — Avec? Avec? Avec quoi? Donne un nom? Donne un nom à la chose! La cérémonie? D'ailleurs, nous n'avons pas le temps de commencer une discussion ici. Elle, elle, elle va rentrer. Mais, Solange, nous la tenons, cette fois. Je t'envie d'avoir vu sa tête [55] en apprenant l'arrestation de son amant. Pour une fois, j'ai fait du beau travail. Tu le reconnais? Sans moi, sans ma lettre de dénonciation, tu n'aurais pas eu ce spectacle: l'amant avec les menottes [56] et Madame en larmes. Elle peut en mourir. Ce matin elle ne tenait plus debout.[57]

SOLANGE — Tant mieux. Qu'elle en claque! [58] Et que j'hérite, à la fin! Ne plus remettre les pieds dans cette mansarde sordide, entre ces imbéciles, entre une cuisinière et un valet de chambre.

CLAIRE — Moi je l'aimais notre mansarde.

SOLANGE — Ne t'attendris pas. Tu l'aimes pour me contredire. Moi qui la hais. Je la vois telle qu'elle est, sordide et nue. Dépouillée, comme dit Madame. Mais quoi, nous sommes des pouilleuses.[59]

CLAIRE — Ah! non, ne recommence pas. Regarde plutôt à la fenêtre. Moi je ne peux rien voir, la nuit est trop noire.

SOLANGE — Que je parle. Que je me vide.[60] J'ai aimé la mansarde parce que sa pauvreté m'obligeait à de pauvres gestes. Pas de tentures à soulever, pas de tapis à fouler, de meubles à caresser... de l'œil ou du torchon, pas de glaces, pas de balcons. Rien ne nous forçait à un geste trop beau. (*Sur un geste de Claire.*) Mais rassure-toi, tu pourras continuer en prison à faire ta souveraine, ta Marie-Antoinette, te promener la nuit dans l'appartement...

54. indecent things   55. I envy you for having seen the expression on her face
56. handcuffs   57. she couldn't stand up anymore (she was worn out)
58. May she die of it!   59. wretched creatures
60. Let me get it off my chest.

CLAIRE — Tu es folle! Jamais je ne me suis promenée dans l'appartement.

SOLANGE (*ironique*) — Oh! mademoiselle ne s'est jamais promenée! Enveloppée dans les rideaux ou le couvre-lit de dentelle, n'est-ce pas? Se contemplant dans les miroirs, se pavanant au balcon et saluant à deux heures du matin le peuple accouru défiler sous ses fenêtres.[61] Jamais, non, jamais?

CLAIRE — Mais, Solange . . .

SOLANGE — La nuit est trop noire pour épier Madame. Sur ton balcon, tu te croyais invisible. Pour qui me prends-tu? N'essaie pas de me faire croire que tu es somnambule. Au point où nous en sommes, tu peux avouer.

CLAIRE — Mais Solange, tu cries. Je t'en prie, parle plus bas. Madame peut rentrer en sourdine [62]. . .

(*Elle court à la fenêtre et soulève le rideau.*)

SOLANGE — Laisse les rideaux, j'ai fini. Je n'aime pas te voir les soulever de cette façon. Ton geste me bouleverse. Laisse-les retomber. Le matin de son arrestation, quand il épiait les policiers, Monsieur faisait comme toi.

CLAIRE — Le moindre geste te paraît un geste d'assassin qui veut s'enfuir par l'escalier de service. Tu as peur maintenant.

SOLANGE — Ironise, afin de m'exciter. Ironise, va! Personne ne m'aime! Personne ne nous aime!

CLAIRE — Elle, elle nous aime. Elle est bonne. Madame est bonne! Madame nous adore.

SOLANGE — Elle nous aime comme ses fauteuils. Et encore! Comme la faïence rose de ses latrines . . . Et nous, nous ne pouvons pas nous aimer. La crasse [63]. . .

CLAIRE — Ah! . . .

SOLANGE — . . . N'aime pas la crasse. Et tu crois que je vais en prendre mon parti,[64] continuer ce jeu et, le soir, rentrer dans mon lit-cage. Pourrons-nous même le continuer, le jeu. Et moi, si je n'ai plus à cracher sur quelqu'un qui m'appelle Claire, mes crachats vont m'étouffer! Mon jet de salive, c'est mon aigrette de diamants.[65]

61. *Se contemplant . . . fenêtres.* Looking at herself in the mirror, strutting on the balcony at two in the morning and greeting the populace hurrying by beneath her windows.   62. secretly   63. filth
64. And you think that I am going to make the best of it
65. *Mon jet . . . diamants.* My spurt of saliva is like [Madame's] spray of diamonds.

CLAIRE *(elle se lève et pleure)* — Parle plus doucement, je t'en prie. Parle ... parle de la bonté de Madame.

SOLANGE — Sa bonté! C'est facile d'être bonne, et souriante, et douce. Ah! sa douceur! Quand on est belle et riche! Mais être bonne quand on est bonne! [66] On se contente de parader pendant qu'on fait le ménage ou la vaisselle. On brandit un plumeau comme un éventail.[67] On a des gestes élégants avec la serpillière.[68] Ou bien, on va comme toi, la nuit s'offrir le luxe d'un défilé historique dans les appartements de Madame.

CLAIRE — Solange! Encore! Que cherches-tu? Tu crois que ce sont tes accusations qui vont nous calmer? Sur ton compte je pourrais en raconter de plus belles.[69]

SOLANGE — Toi? Toi?

CLAIRE — Parfaitement, moi. Si je voulais. Parce qu'enfin, après tout ...

SOLANGE — Tout? Après tout? Qu'est-ce que tu insinues? C'est toi qui as parlé de cet homme. Claire, je te hais.

CLAIRE — Je te le rends bien.[70] Mais je n'irai pas chercher le prétexte d'un laitier pour te menacer.

SOLANGE — De nous deux, qui menace l'autre? Hein? Tu hésites?

CLAIRE — Essaie d'abord. Tire la première.[71] C'est toi qui recules, Solange. Tu n'oses pas m'accuser du plus grave, mes lettres à la police. La mansarde a été submergée sous mes essais d'écritures ... sous des pages et des pages. J'ai inventé les pires histoires et les plus belles dont tu profitais. Hier soir, quand tu faisais Madame [72] dans la robe blanche, tu jubilais, tu jubilais, tu te voyais déjà montant en cachette sur le bateau des déportés, sur le ...

SOLANGE — Le Lamartinière.

CLAIRE — Tu accompagnais Monsieur, ton amant ... Tu fuyais la France. Tu partais pour l'Île du Diable, ou la Guyane, avec lui: un beau rêve! Parce que j'avais le courage d'envoyer mes lettres anonymes, tu te payais le luxe d'être une prostituée de haut vol, une hétaïre.[73] Tu étais heureuse de ton sacrifice, de porter la croix du mauvais larron, de lui torcher [74] le visage, de le soutenir, de te livrer aux chiourmes [75] pour que lui soit accordé un léger soulagement.

66. But to be good when one is a maid!   67. a feather duster like a fan
68. dust cloth   69. I could tell some better stories about you.
70. I feel the same way about you.   71. Go ahead, start.
72. when you were imitating Madame
73. A female paramour of the better class in ancient Greece
74. clean   75. convicts

SOLANGE — Mais toi, tout à l'heure, quand tu parlais de le suivre...

CLAIRE — Je ne le nie pas, j'ai repris l'histoire où tu l'avais lâchée. Mais avec moins de violence que toi. Dans la mansarde déjà, au milieu des lettres, le tangage te faisait chalouper.[76]

SOLANGE — Tu ne te voyais pas.

CLAIRE — Oh! si! Je peux me regarder dans ton visage et voir les ravages qu'y fait notre victime! Monsieur est maintenant derrière les verrous.[77] Réjouissons-nous. Au moins nous éviterons ses moqueries. Et tu seras plus à ton aise pour te prélasser sur sa poitrine, tu inventeras mieux son torse et ses jambes, tu épieras sa démarche. Le tangage te faisait chalouper! Déjà tu t'abandonnais à lui. Au risque de nous perdre...

SOLANGE — Comment?

CLAIRE — Je précise. Perdre. Pour écrire mes lettres de dénonciation à la police, il me fallait des faits, citer des dates. Qu'est-ce que j'ai fait? Hein? Souviens-toi. Ma chère, votre confusion rose est ravissante.[78] Tu as honte. Tu étais là pourtant! J'ai fouillé dans les papiers de Madame et j'ai découvert la fameuse correspondance...

(*Un silence.*)

SOLANGE — Et après?

CLAIRE — Oh! mais tu m'agaces, à la fin! Après? Eh bien après tu as voulu conserver les lettres de Monsieur. Et hier soir encore dans la mansarde, il restait une carte de Monsieur adressée à Madame! Je l'ai découverte.

SOLANGE (*agressive*) — Tu fouilles dans mes affaires, toi!

CLAIRE — C'est mon devoir.

SOLANGE — A mon tour de m'étonner de tes scrupules...

CLAIRE — Je suis prudente et non scrupuleuse. Alors que je risquais tout en m'agenouillant sur le tapis, pour forcer la serrure du secrétaire,[79] pour façonner une histoire avec des matériaux exacts, toi, enivrée par le thème de ton amant coupable, criminel et banni, tu m'abandonnais!

SOLANGE — J'avais placé un miroir de façon à voir la porte d'entrée. Je faisais le guet.[80]

76. you swayed back and forth with the pitching of the boat (metaphor: you hesitated before the seriousness of your enterprise)   77. behind bars
78. your blushing is charming (She is imitating the language of Madame.)
79. to force the lock of the writing desk   80. I was on the watch.

CLAIRE — Ce n'est pas vrai! Je remarque tout et je t'observe depuis longtemps. Avec ta prudence coutumière, tu étais restée à l'entrée de l'office, prête à bondir au fond de la cuisine à l'arrivée de Madame!

SOLANGE — Tu mens, Claire. Je surveillais le corridor . . .

CLAIRE — C'est faux! Il s'en est fallu de peu [81] que Madame ne me trouvât au travail! Toi, sans t'occuper si mes mains tremblaient en fouillant les papiers, toi, tu étais en marche, tu traversais les mers, tu forçais l'équateur [82]. . .

SOLANGE (*ironique*) — Mais toi-même? Tu as l'air de ne rien savoir de tes extases! Claire, ose dire que tu n'as jamais rêvé précisément de celui-là! Ose dire que tu ne l'as pas dénoncé justement — justement, quel beau mot! — afin qu'il serve ton aventure secrète.

CLAIRE — Je sais tout cela et davantage. Je suis la plus lucide. Mais l'histoire, c'est toi qui l'as inventée. Tourne ta tête. Ah! si tu te voyais, Solange. Le soleil de la forêt vierge illumine encore ton visage. Tu prépares l'évasion de ton amant. (*Elle rit nerveusement.*) Comme tu travailles! Mais rassure-toi, je te hais pour d'autres raisons. Tu les connais.

SOLANGE (*baissant la voix*) — Je ne te crains pas. Je ne doute pas de ta haine, de ta fourberie, mais fais bien attention. C'est moi l'aînée.[83]

CLAIRE — Qu'est-ce que cela veut dire, l'aînée? Et la plus forte? Tu m'obliges à te parler de cet homme pour mieux détourner mes regards. Allons donc! Tu crois que je ne t'ai pas découverte? Tu as essayé de la [84] tuer.

SOLANGE — Tu m'accuses?

CLAIRE — Ne nie pas. Je t'ai vue. (*Un long silence.*) Et j'ai eu peur. Peur, Solange. Quand nous accomplissons la cérémonie, je protège mon cou. C'est moi que tu vises [85] à travers Madame, c'est moi qui suis en danger.

(*Un long silence. Solange hausse les épaules.*)

SOLANGE (*décidée*) — Oui, j'ai essayé. J'ai voulu te délivrer. Je n'en pouvais plus. J'étouffais de te voir étouffer, rougir, verdir, pourrir dans l'aigre et le doux [86] de cette femme. Tu as raison, reproche-le moi. Je t'aimais trop. Tu aurais été la première à me dénoncer si je l'avais tuée. C'est par toi que j'aurais été livrée à la police.

CLAIRE (*elle la prend aux poignets*) — Solange . . .

81. It was a near thing   82. you were crossing the equator
83. I am the older.   84. Madame   85. I am the one you're after
86. bittersweet

SOLANGE (*se dégageant*) — Que crains-tu? Il s'agit de moi.

CLAIRE — Solange, ma petite sœur. J'ai tort. Elle va rentrer.

SOLANGE — Je n'ai tué personne. J'ai été lâche, tu comprends. J'ai fait mon possible, mais elle s'est retournée en dormant. Elle respirait doucement. Elle gonflait les draps: c'était Madame.

CLAIRE — Tais-toi.

SOLANGE — Pas encore. Tu as voulu savoir. Attends, je vais t'en raconter d'autres. Tu connaîtras comme elle est faite, ta sœur. De quoi elle est faite. Ce qui compose une bonne: j'ai voulu l'étrangler . . .

CLAIRE — Pense au ciel. Pense au ciel. Pense à ce qu'il y a après.

SOLANGE — Il n'y a rien. J'en ai assez de m'agenouiller sur des bancs. A l'église, j'aurais eu le velours rouge des abbesses ou la pierre des pénitentes,[87] mais au moins, noble serait mon attitude. Vois, mais vois comme elle souffre bien, elle, comme elle souffre en beauté. La douleur la transfigure, l'embellit encore. En apprenant que son amant était un voleur, elle tenait tête à la police.[88] Elle exultait. Maintenant, c'est une abandonnée magnifique, soutenue sous chaque bras par deux servantes attentives et désolées par sa peine. Tu l'as vue? Sa peine étincelante des feux de ses bijoux, du satin de ses robes, des lustres! Claire, la beauté de mon crime devait racheter la pauvreté de mon chagrin. Après, j'aurais mis le feu.

CLAIRE — Calme-toi, Solange. Le feu pouvait ne pas prendre. On t'aurait découverte. Tu sais ce qui attend les incendiaires.

Puis Madame rentre et cette rentrée les affole. Elles cachent d'abord à leur maîtresse que Monsieur vient de téléphoner pour annoncer sa mise en liberté provisoire; une des deux filles finit par le lui dire et lui annonce que Monsieur attend Madame dans une boîte de nuit. Elle s'échappe pour le rejoindre, laissant les deux apprenties criminelles à leur sort.

87. I would have been an abbess and knelt on red velvet or a penitent and knelt on the ground.   88. she stood up to the police

EUGÈNE IONESCO

Ionesco, né à Bucarest en 1914, de mère française, a grandi en France et est retourné à treize ans dans son pays d'origine où il a fréquenté l'université de Bucarest et a enseigné le français dans cette ville. De retour à Paris en 1938, il y a préparé une thèse. Cette thèse n'a jamais été écrite, mais elle portait sur le thème de la mort dans la poésie française contemporaine, et ce thème-là, toute l'œuvre de Ionesco l'a plus d'une fois repris, développé, enrichi.

La première pièce, *La Cantatrice chauve*, est de 1949 et fut jouée pour la première fois au Théâtre des Noctambules, le 11 mai 1950. Depuis plus de dix ans, elle se joue au Théâtre de la Huchette. *La Leçon* fut représentée l'année suivante, tout d'abord avec insuccès; mais le public n'a guère tardé à faire un sort heureux à la nouveauté apportée par Ionesco. *Les Chaises* en 1952 a remporté un triomphe. D'*Amédée ou comment s'en débarrasser* (1954) à *Tueur sans gages* (1959) et au *Piéton de l'air* (1963), Ionesco n'a cessé de consolider sa réputation. Il est à présent un des soutiens les plus fermes du théâtre français et un des ses représentants les mieux acceptés à l'étranger.

La plupart de ses pièces dénoncent le vide du langage d'aujourd'hui et la difficulté qu'ont les humains de communiquer entre eux. Ce vide est sans doute un vide de l'âme, si profond qu'il n'y a plus pour nous de vie véritable, mais seulement un simulacre de vie. Qu'est-ce que *La Cantatrice chauve?* Quelque chose qui n'a rien à voir avec le titre, lequel est une attrape pour le spectateur: il s'agit d'un vieux ménage qui s'étonne de découvrir dans ses derniers jours qu'il a mené une vie constamment commune. Qu'est-ce qu'*Amédée ou comment s'en débarrasser?* La cocasserie macabre d'un cadavre qu'on n'a pas déclaré à l'état-civil, qui se met à grandir dans l'appartement et à menacer la ville d'étouffement. Ainsi de suite. L'absurdité est totale. On rit avec un certain malaise, on pressent dans ce burlesque une parodie de notre propre existence. Cette existence est néant; on risque de s'en apercevoir de plus en plus, au fur et à mesure que les hystéries totalitaires mordront sur nous. C'est ce que veut annoncer *Le Rhinocéros* (1959).

Un tel théâtre est donc triste et tragique en son fond, mais comique et bouffon dans son aspect de surface. Théâtre humoristique, mais théâtre dont on dirait qu'il pressent la fin du monde. Dans *Le Roi se meurt* (1962), nous voyons un royaume en désagrégation qui figure évidemment notre planète et un souverain agonisant qui, d'abord sceptique au sujet de sa mort annoncée comme imminente, se révolte bientôt contre elle, s'épouvante, demande un refuge à la tendresse, et enfin, résigné, pleure sur un anéantissement qui doit être celui de tous les hommes.

Ionesco oscille entre deux influences, celle de Claudel et celle d'*Ubu roi*. Il se souvient aussi du romantisme allemand et du surréalisme français. Mais il s'applique à ne jamais se répéter, donc à ne jamais répéter autrui. Il prend ses points de départ dans ses rêves. Les sièges vides qui s'entassent sur la scène dans *Les Chaises,* le cadavre dont on ne saura que faire dans *Amédée* sont, ainsi qu'il l'a déclaré dans un interview, des images de rêves. Du point de départ au dénouement, son imagination a travaillé avec une logique dont il faut laisser le spectateur décider si elle est de surréel ou de sous-réel.

BIBLIOGRAPHIE

Cob, Richard N. *Ionesco.* London: Oliver and Boyd, 1961.
Tulane Drama Review, Vol. VII, No. 3 (Spring 1963). Special issue on Ionesco.

LA LEÇON

extrait

C'est dans *La Leçon* que le théâtre de Ionesco reste le plus amusant. Les deux personnages de la pièce (si nous omettons la bonne) s'entendent d'abord avec un mélange de mutuelle complaisance tout-à-fait ridicule. Puis ils se désaccordent, l'élève révêlant son ignorance et sa bêtise aggravée d'étourderie, le professeur débitant gravement des absurdités, sans que l'on sache s'il devient fou ou s'il s'amuse aux dépens de l'élève. Enfin professeur et élève s'exaspèrent, et la leçon devient un duel tellement insensé que l'auteur a bien l'air d'avoir voulu composer une parodie de l'enseignement en même temps qu'une farce pour faire rire.

Nous donnons ici le début de la pièce.

Personnages

LE PROFESSEUR, 50 à 60 ans
LA JEUNE ÉLÈVE, 18 ans
LA BONNE, 45 à 50 ans

DÉCOR

Le cabinet de travail, servant aussi de salle-à-manger, du vieux professeur.

A gauche de la scène, une porte donnant dans les escaliers de l'immeuble; au fond, à droite de la scène, une autre porte menant à un couloir de l'appartement.

Au fond, un peu sur la gauche, une fenêtre, pas très grande, avec des rideaux simples; sur le bord extérieur de la fenêtre, des pots de fleurs banales.

On doit apercevoir, dans le lointain, des maisons basses, aux toits rouges: la petite ville. Le ciel est bleu gris. Sur la droite, un buffet rustique. La table sert aussi de bureau: elle se trouve au milieu de la pièce. Trois chaises autour de la table, deux autres des deux côtés de la fenêtre, tapisserie claire, quelques rayons avec des livres.

Au lever du rideau, la scène est vide, elle le restera assez longtemps. Puis on entend la sonnette de la porte d'entrée. On entend la:

VOIX DE LA BONNE, *en coulisse* [1] — Oui. Tout de suite.

1. off stage

Précédant la bonne elle-même, qui, après avoir descendu, en courant, des marches, apparaît. Elle est forte; [2] *elle a de 45 à 50 ans, rougeaude, coiffe paysanne.*

LA BONNE *entre en coup de vent,* [3] *fait claquer derrière elle la porte de droite, s'essuie les mains sur son tablier, tout en courant vers la porte de gauche, cependant qu'on entend un deuxième coup de sonnette —* Patience. J'arrive. (*Elle ouvre la porte. Apparaît la jeune élève, âgée de 18 ans. Tablier gris, petit col blanc, serviette* [4] *sous le bras.*) Bonjour, Mademoiselle.

L'ÉLÈVE — Bonjour, Madame. Le Professeur est à la maison?

LA BONNE — C'est pour la leçon?

L'ÉLÈVE — Oui, Madame.

LA BONNE — Il vous attend. Asseyez-vous un instant, je vais le prévenir. [5]

L'ÉLÈVE — Merci, Madame.

Elle s'assied près de la table, face au public; à sa gauche, la porte d'entrée; elle tourne le dos à l'autre porte par laquelle, toujours se dépêchant, sort la Bonne, qui appelle:

LA BONNE — Monsieur, descendez, s'il vous plaît. Votre élève est arrivée.

VOIX DU PROFESSEUR, *plutôt fluette —* Merci. Je descends . . . dans deux minutes . . .

La Bonne est sortie; l'Élève, tirant sous elle ses jambes, sa serviette sur ses genoux, attend, gentiment; un petit regard ou deux dans la pièce, sur les meubles, au plafond aussi; puis elle tire de sa serviette un cahier, qu'elle feuillette, puis s'arrête plus longtemps sur une page, comme pour répéter la leçon, comme pour jeter un dernier coup d'œil sur ses devoirs. Elle a l'air d'une fille polie, bien élevée, mais bien vivante, gaie, dynamique; un sourire frais sur les lèvres; au cours du drame qui va se jouer, elle ralentira progressivement le rythme vif de ses mouvements, de son allure, elle devra se refouler; [6] *de gaie et souriante,* [7] *elle deviendra progressivement triste, morose; très vivante au début, elle sera de plus en plus fatiguée, somnolente; vers la fin du drame sa figure* [8] *devra exprimer nettement une dépression nerveuse; sa façon de parler s'en ressentira, sa langue se fera pâteuse,* [9] *les mots reviendront difficilement dans sa mémoire et sortiront, tout aussi difficilement, de sa bouche; elle aura l'air vaguement paralysée, début d'aphasie;* [10] *volontaire au début, jusqu'à en paraître presque agressive,*

2. stout   3. dashes in   4. brief case   5. I'll tell him you're here.
6. she will become withdrawn   7. at first gay and smiling   8. face
9. thick   10. loss of the power to use or understand speech

*elle se fera de plus en plus passive, jusqu'à ne plus être qu'un objet
mou et inerte, semblant inanimée, entre les mains du Professeur; si
bien que lorsque celui-ci en sera arrivé à accomplir le geste final,
l'Élève ne réagira plus; insensibilisée [11] elle n'aura plus de réflexes;
seuls ses yeux, dans une figure immobile, exprimeront un étonnement
et une frayeur indicibles; le passage d'un comportement [12] à l'autre
devra se faire, bien entendu, insensiblement.[13]*

*Le Professeur entre. C'est un petit vieux à barbiche blanche; il a des
lorgnons,[14] une calotte noire, il porte une longue blouse noire de
maître d'école, pantalons et souliers noirs, faux col [15] blanc, cravate
noire. Excessivement poli, très timide, voix assourdie par la timidité,
très correct, très professeur. Il se frotte tout le temps les mains; de
temps à autre, une lueur lubrique dans les yeux,[16] vite réprimée.*

*Au cours du drame, sa timidité disparaitra progressivement, insen-
siblement; les lueurs lubriques de ses yeux finiront par devenir une
flamme dévorante, ininterrompue; d'apparence plus qu'inoffensive au
début de l'action, le Professeur deviendra de plus en plus sûr de lui,
nerveux, agressif, dominateur, jusqu'à se jouer [17] comme il lui plaira
de son élève, devenue, entre ses mains, une pauvre chose. Évidemment
la voix du Professeur devra elle aussi devenir, de maigre et fluette, de
plus en plus forte, et, à la fin, extrêmement puissante, éclatante, clairon
sonore, tandis que la voix de l'Élève se fera presque inaudible, de très
claire et bien timbrée qu'elle aura été au début du drame. Dans les
premières scènes, le Professeur bégayera, très légèrement, peut-être.[18]*

LE PROFESSEUR — Bonjour, Mademoiselle... C'est vous, c'est bien vous,
n'est-ce pas, la nouvelle élève?
L'ÉLÈVE, *se retourne vivement, l'air très dégagée,[19] jeune fille du monde;
elle se lève, s'avance vers le Professeur, lui tend la main* — Oui,
Monsieur. Bonjour, Monsieur. Vous voyez, je suis venue à l'heure.
Je n'ai pas voulu être en retard.
LE PROFESSEUR — C'est bien, Mademoiselle. Merci, mais il ne fallait pas
vous presser. Je ne sais comment m'excuser de vous avoir fait
attendre... Je finissais justement... n'est-ce pas de... Je m'excuse
... Vous m'excuserez...
L'ÉLÈVE — Il ne faut pas, Monsieur. Il n'y a aucun mal, Monsieur.

11. anesthetized   12. mode of behavior   13. imperceptibly
14. pince-nez (eyeglasses)   15. detachable collar
16. a lustful gleam came into his eyes   17. as to treat
18. That is, if the actor wants to do so   19. very self-assured

LE PROFESSEUR — Mes excuses . . . Vous avez eu de la peine [20] à trouver la maison?

L'ÉLÈVE — Du tout . . . Pas du tout. Et puis j'ai demandé. Tout le monde vous connaît ici.

LE PROFESSEUR — Il y a trente ans que j'habite la ville. Vous n'y êtes pas depuis longtemps! Comment la trouvez-vous?

L'ÉLÈVE — Elle ne me déplaît nullement. C'est une jolie ville, agréable, un joli parc, un pensionnat, un évêque, de beaux magasins, des rues, des avenues . . .

LE PROFESSEUR — C'est vrai, Mademoiselle. Pourtant j'aimerais autant vivre autre part. A Paris, ou au moins à Bordeaux.

L'ÉLÈVE — Vous aimez Bordeaux?

LE PROFESSEUR — Je ne sais pas. Je ne connais pas.

L'ÉLÈVE — Mais vous connaissez Paris?

LE PROFESSEUR — Non plus, Mademoiselle, mais, si vous me le permettez, pourriez-vous me dire, Paris, c'est le chef-lieu [21] de . . . Mademoiselle?

L'ÉLÈVE, *cherche un instant, puis, heureuse de savoir* — Paris, c'est le chef-lieu de . . . la France?

LE PROFESSEUR — Mais oui, Mademoiselle, bravo, mais c'est très bien, c'est parfait. Mes félicitations. Vous connaissez votre géographie nationale sur le bout des ongles.[22] Vos chefs-lieux.

L'ÉLÈVE — Oh! je ne les connais pas tous encore, Monsieur, ce n'est pas si facile que ça, j'ai du mal [23] à les apprendre.

LE PROFESSEUR — Oh, ça viendra . . . Du courage . . . Mademoiselle . . . Je m'excuse . . . de la patience . . . doucement, doucement . . . Vous verrez, ça viendra . . . Il fait beau aujourd'hui . . . ou plutôt pas tellement . . . Oh! si quand même. Enfin, il ne fait pas trop mauvais, c'est le principal . . . Euh . . . euh . . . Il ne pleut pas, il ne neige pas non plus.

L'ÉLÈVE — Ce serait bien étonnant, car nous sommes en été.

LE PROFESSEUR — Je m'excuse, Mademoiselle, j'allais vous le dire . . . mais vous apprendrez que l'on peut s'attendre à tout.[24]

L'ÉLÈVE — Évidemment, Monsieur.

LE PROFESSEUR — Nous ne pouvons être sûrs de rien, Mademoiselle, en ce monde.

L'ÉLÈVE — La neige tombe l'hiver. L'hiver, c'est une des quatre saisons. Les trois autres sont . . . euh . . . le prin . . .

LE PROFESSEUR — Oui?

20. trouble   21. principal city of a department   22. on your finger tips
23. I have trouble   24. one can expect anything

L'ÉLÈVE — ... temps, et puis l'été ... et ... euh ...

LE PROFESSEUR — Ça commence comme automobile, Mademoiselle.

L'ÉLÈVE — Ah, oui, l'automne ...

LE PROFESSEUR — C'est bien cela, Mademoiselle, très bien répondu, c'est parfait. Je suis convaincu que vous serez une bonne élève. Vous ferez des progrès. Vous êtes intelligente, vous me paraissez instruite, bonne mémoire.

L'ÉLÈVE — Je connais mes saisons, n'est-ce pas, Monsieur?

LE PROFESSEUR — Mais oui, Mademoiselle ... ou presque. Mais ça viendra. De toute façon, c'est déjà bien. Vous arriverez à les connaître, toutes vos saisons, les yeux fermés.[25] Comme moi.

L'ÉLÈVE — C'est difficile.

LE PROFESSEUR — Oh, non. Il suffit d'un petit effort, de la bonne volonté, Mademoiselle. Vous verrez. Ça viendra, soyez-en sûre.

L'ÉLÈVE — Oh, je voudrais bien, Monsieur. J'ai une telle soif de m'instruire. Mes parents aussi désirent que j'approfondisse mes connaissances. Ils veulent que je me spécialise. Ils pensent qu'une simple culture générale, même si elle est solide, ne suffit plus, à notre époque.

LE PROFESSEUR — Vos parents, Mademoiselle, ont parfaitement raison. Vous devez pousser [26] vos études. Je m'excuse de vous le dire, mais c'est une chose nécessaire. La vie contemporaine est devenue très complexe.

L'ÉLÈVE — Et tellement compliquée ... Mes parents sont assez fortunés,[27] j'ai de la chance. Ils pourront m'aider à travailler, à faire des études très supérieures.

LE PROFESSEUR — Et vous voudriez vous présenter ...

L'ÉLÈVE — Le plus tôt possible, au premier concours de doctorat.[28] C'est dans trois semaines.

LE PROFESSEUR — Vous avez déjà votre baccalauréat,[29] si vous me permettez de vous poser la question.

L'ÉLÈVE — Oui, Monsieur, j'ai mon bachot [30] sciences, et mon bachot lettres.

25. even with your eyes closed   26. go on with   27. fairly rich
28. The real *doctorat* is the highest degree granted by French universities. This *premier concours de doctorat* as well as the *doctorat partiel* which is mentioned later are pure inventions of the student.
29. First university degree, granted at the end of the completion of the lycée and awarded after a state examination. There are several types, according to the field of major preparation, such as sciences, humanities, etc.
30. Familiar word for *baccalauréat*.

LE PROFESSEUR — Oh, mais vous êtes très avancée, même trop avancée pour votre âge. Et quel doctorat voulez-vous passer? Sciences matérielles ou philosophie normale?

L'ÉLÈVE — Mes parents voudraient bien, si vous croyez que cela est possible en si peu de temps, ils voudraient bien que je passe mon doctorat total.

LE PROFESSEUR — Le doctorat total? . . . Vous avez beaucoup de courage, Mademoiselle, je vous félicite sincèrement. Nous tâcherons, Mademoiselle, de faire de notre mieux. D'ailleurs, vous êtes déjà assez savante. A un si jeune âge.

L'ÉLÈVE — Oh, Monsieur.

LE PROFESSEUR — Alors, si vous voulez bien me permettre, mes excuses, je vous dirais qu'il faut se mettre au travail.[31] Nous n'avons guère de temps à perdre.

L'ÉLÈVE — Mais au contraire, Monsieur, je le veux bien. Et même je vous en prie.

LE PROFESSEUR — Puis-je donc vous demander de vous asseoir . . . là . . . Voulez-vous me permettre, Mademoiselle, si vous n'y voyez pas d'inconvénients,[32] de m'asseoir en face de vous?

L'ÉLÈVE — Certainement, Monsieur. Je vous en prie.

LE PROFESSEUR — Merci bien, Mademoiselle. (*Ils s'assoient l'un en face de l'autre, à table, de profil à la salle.*) Voilà. Vous avez vos livres, vos cahiers?

L'ÉLÈVE, *sortant des cahiers et des livres de sa serviette* — Oui, Monsieur. Bien sûr, j'ai là tout ce qu'il faut.

LE PROFESSEUR — Parfait, Mademoiselle. C'est parfait. Alors, si cela ne vous ennuie pas . . . pouvons-nous commencer?

L'ÉLÈVE — Mais oui, Monsieur, je suis à votre disposition, Monsieur.

LE PROFESSEUR — A ma disposition? . . . (*Lueur dans les yeux vite éteinte, un geste, qu'il réprime.*) Oh, Mademoiselle, c'est moi qui suis à votre disposition. Je ne suis que votre serviteur.

L'ÉLÈVE — Oh, Monsieur . . .

LE PROFESSEUR — Si vous voulez bien . . . alors . . . nous . . . . nous . . . je je commencerai par faire un examen sommaire de vos connaissances passées et présentes, afin de pouvoir en dégager la voie future[33] . . . Bon. Où en est votre perception de la pluralité?

L'ÉLÈVE — Elle est assez vague . . . confuse.

LE PROFESSEUR — Bon. Nous allons voir ça.

---

31. we must get to work   32. if you have no objections
33. so that we may plan our future work

Il se frotte les mains. La Bonne entre, ce qui a l'air d'irriter le Professeur; elle se dirige vers le buffet, y cherche quelque chose, s'attarde.

LE PROFESSEUR — Voyons, Mademoiselle, voulez-vous que nous fassions un peu d'arithmétique, si vous voulez bien...

L'ÉLÈVE — Mais oui, Monsieur. Certainement, je ne demande que ça.

LE PROFESSEUR — C'est une science assez nouvelle, une science moderne, à proprement parler, c'est plutôt une méthode qu'une science... C'est aussi une thérapeutique.[34] (*A la Bonne.*) Marie, est-ce que vous avez fini?

LA BONNE — Oui, Monsieur, j'ai trouvé l'assiette. Je m'en vais...

LE PROFESSEUR — Dépêchez-vous. Allez à votre cuisine, s'il vous plaît.

LA BONNE — Oui, Monsieur. J'y vais.

Fausse sortie [35] de la Bonne.

LA BONNE — Excusez-moi, Monsieur, mais attention, je vous recommande le calme.

LE PROFESSEUR — Vous êtes ridicule, Marie, voyons. Ne vous inquiétez pas.

LA BONNE — On dit toujours ça.

LE PROFESSEUR — Je n'admets pas vos insinuations. Je sais parfaitement comment me conduire.[36] Je suis assez vieux pour cela.

LA BONNE — Justement, Monsieur. Vous feriez mieux de ne pas commencer par l'arithmétique avec Mademoiselle. L'arithmétique ça fatigue, ça énerve.

LE PROFESSEUR — Plus à mon âge. Et puis de quoi vous mêlez-vous?[37] C'est mon affaire. Et je la connais. Votre place n'est pas ici.

LA BONNE — C'est bien, Monsieur. Vous ne direz pas que je ne vous ai pas averti.

LE PROFESSEUR — Marie, je n'ai que faire de vos conseils.[38]

LA BONNE — C'est comme Monsieur veut.

Elle sort.

LE PROFESSEUR — Excusez-moi, Mademoiselle, pour cette sotte interruption... Excusez cette femme... Elle a toujours peur que je me fatigue. Elle craint pour ma santé.

L'ÉLÈVE — Oh, c'est tout excusé, Monsieur. Ça prouve qu'elle vous est dévouée. Elle vous aime bien. C'est rare, les bons domestiques.

34. a cure   35. starts to leave and stops   36. behave
37. What business is it of yours?   38. I don't need your advice.

LE PROFESSEUR — Elle exagère. Sa peur est stupide. Revenons à nos moutons arithmétiques.[39]

L'ÉLÈVE — Je vous suis, Monsieur.

LE PROFESSEUR, *spirituel.* — Tout en restant assise!

L'ÉLÈVE, *appréciant le mot d'esprit* — Comme vous, Monsieur.

LE PROFESSEUR — Bon. Arithmétisons donc un peu.

L'ÉLÈVE — Oui, très volontiers, Monsieur.

LE PROFESSEUR — Cela ne vous ennuierait pas de me dire...

L'ÉLÈVE — Du tout, Monsieur, allez-y.

LE PROFESSEUR — Combien font un et un?

L'ÉLÈVE — Un et un font deux.

LE PROFESSEUR, *émerveillé par le savoir de l'Élève* — Oh, mais c'est très bien. Vous me paraissez très avancée dans vos études. Vous aurez facilement votre doctorat total, Mademoiselle.

L'ÉLÈVE — Je suis bien contente. D'autant plus que c'est vous qui le dites.

LE PROFESSEUR — Poussons plus loin: combien font deux et un?

L'ÉLÈVE — Trois.

LE PROFESSEUR — Trois et un?

L'ÉLÈVE — Quatre.

LE PROFESSEUR — Quatre et un?

L'ÉLÈVE — Cinq.

LE PROFESSEUR — Cinq et un?

L'ÉLÈVE — Six.

LE PROFESSEUR — Six et un?

L'ÉLÈVE — Sept.

LE PROFESSEUR — Sept et un?

L'ÉLÈVE — Huit.

LE PROFESSEUR — Sept et un?

L'ÉLÈVE — Huit... *bis.*[40]

LE PROFESSEUR — Très bonne réponse. Sept et un?

L'ÉLÈVE — Huit *ter.*

LE PROFESSEUR — Parfait. Excellent. Sept et un?

L'ÉLÈVE — Huit *quater.* Et parfois neuf.

LE PROFESSEUR — Magnifique. Vous êtes magnifique. Vous êtes exquise. Je vous félicite chaleureusement, Mademoiselle. Ce n'est pas la peine de continuer. Pour l'addition, vous êtes magistrale.[41] Voyons

39. Let's get back to our arithmetic.
40. *bis* (Latin): second time; *ter* (Latin): third time; *quater* (Latin): fourth time
41. excellent

la soustraction. Dites-moi, seulement, si vous n'êtes pas épuisée,[42] combien font quatre moins trois?

L'ÉLÈVE — Quatre moins trois?... Quatre moins trois?

LE PROFESSEUR — Oui. Je veux dire: retirez trois de quatre.

L'ÉLÈVE — Ça fait... sept?

LE PROFESSEUR — Je m'excuse d'être obligé de vous contredire. Quatre moins trois ne font pas sept. Vous confondez: quatre plus trois font sept, quatre moins trois ne font pas sept... Il ne s'agit plus d'additionner, il faut soustraire maintenant.

L'ÉLÈVE, *s'efforce de comprendre* — Oui... oui...

LE PROFESSEUR — Quatre moins trois font... Combien?... Combien?

L'ÉLÈVE — Quatre?

LE PROFESSEUR — Non, Mademoiselle, ce n'est pas ça.

L'ÉLÈVE — Trois, alors.

LE PROFESSEUR — Non plus, Mademoiselle... Pardon, je dois le dire ... Ça ne fait pas ça... mes excuses.

L'ÉLÈVE — Quatre moins trois... Quatre moins trois... Quatre moins trois?... Ça ne fait tout de même pas dix?

LE PROFESSEUR — Oh, certainement pas, Mademoiselle. Mais il ne s'agit pas de deviner, il faut raisonner. Tâchons de le déduire ensemble. Voulez-vous compter?

L'ÉLÈVE — Oui, Monsieur. Un..., deux..., euh...

LE PROFESSEUR — Vous savez bien compter? Jusqu'à combien savez-vous compter?

L'ÉLÈVE — Je puis compter... à l'infini.

LE PROFESSEUR — Cela n'est pas possible, Mademoiselle.

L'ÉLÈVE — Alors, mettons jusqu'à seize.

LE PROFESSEUR — Cela suffit. Il faut savoir se limiter. Comptez donc, s'il vous plaît, je vous en prie.

L'ÉLÈVE — Un..., deux..., et puis après deux, il y a trois... quatre ...

LE PROFESSEUR — Arrêtez-vous, Mademoiselle. Quel nombre est plus grand? Trois ou quatre?

L'ÉLÈVE — Euh... trois ou quatre? Quel est le plus grand? Le plus grand de trois ou quatre? Dans quel sens le plus grand?

LE PROFESSEUR — Il y a des nombres plus petits et d'autres plus grands. Dans les nombres plus grands il y a plus d'unités que dans les petits...

L'ÉLÈVE — ... Que dans les petits nombres?

42. worn out

LE PROFESSEUR — A moins que les petits aient des unités plus petites. Si elles sont toutes petites, il se peut qu'il y ait plus d'unités dans les petits nombres que dans les grands . . . s'il s'agit d'autres unités . . .

L'ÉLÈVE — Dans ce cas, les petits nombres peuvent être plus grands que les grands nombres?

LE PROFESSEUR — Laissons cela. Ça nous mènerait beaucoup trop loin: sachez seulement qu'il n'y a pas que des nombres . . . il y a aussi des grandeurs,[43] des sommes,[44] il y a des groupes, il y a des tas, des tas de choses telles que les prunes, les wagons, les oies, les pépins,[45] etc. Supposons simplement pour faciliter notre travail, que nous n'avons que des nombres égaux, les plus grands seront ceux qui auront le plus d'unités égales.

L'ÉLÈVE — Celui qui en aura le plus sera le plus grand? Ah, je comprends, Monsieur, vous identifiez la qualité à la quantité.

LE PROFESSEUR — Cela est trop théorique, Mademoiselle, trop théorique. Vous n'avez pas à vous inquiéter de cela. Prenons notre exemple et raisonnons sur ce cas précis. Laissons pour plus tard les conclusions générales. Nous avons le nombre quatre et le nombre trois, avec chacun un nombre toujours égal d'unités; quel nombre sera le plus grand, le nombre plus petit ou le nombre plus grand?

L'ÉLÈVE — Excusez-moi, Monsieur . . . Qu'entendez-vous par le nombre le plus grand? Est-ce celui qui est moins petit que l'autre?

LE PROFESSEUR — C'est ça, Mademoiselle, parfait. Vous m'avez très bien compris.

L'ÉLÈVE — Alors, c'est quatre.

LE PROFESSEUR — Qu'est-ce qu'il est, le quatre? Plus grand ou plus petit que trois?

L'ÉLÈVE — Plus petit . . . non, plus grand.

LE PROFESSEUR — Excellente réponse. Combien d'unités avez-vous de trois à quatre? . . . ou de quatre à trois, si vous préférez?

L'ÉLÈVE — Il n'y a pas d'unités, Monsieur, entre trois et quatre. Quatre vient tout de suite après trois; il n'y a rien du tout entre trois et quatre!

LE PROFESSEUR — Je me suis mal fait comprendre. C'est sans doute ma faute. Je n'ai pas été assez clair.

L'ÉLÈVE — Non, Monsieur, la faute est mienne.

43. magnitudes   44. totals
45. heaps of things such as prunes, railroad cars, geese, seeds

LE PROFESSEUR — Tenez. Voici trois allumettes. En voici encore une, ça
fait quatre. Regardez bien, vous en avez quatre, j'en retire une,
combien vous en reste-t-il?

*On ne voit pas les allumettes, ni aucun des objets, d'ailleurs, dont il
est question; le Professeur se lèvera de table, écrira sur un tableau
inexistant avec une craie inexistante, etc.*

L'ÉLÈVE — Cinq. Si trois et un font quatre, quatre et un font cinq.

LE PROFESSEUR — Ce n'est pas ça. Ce n'est pas ça du tout. Vous avez
toujours tendance à additionner. Mais il faut aussi soustraire. Il
ne faut pas uniquement intégrer. Il faut aussi désintégrer. C'est
ça la vie. C'est ça la philosophie. C'est ça la science. C'est ça le
progrès, la civilisation.

L'ÉLÈVE — Oui, Monsieur.

LE PROFESSEUR — Revenons à nos allumettes. J'en ai donc quatre. Vous
voyez, elles sont bien quatre. J'en retire une, il n'en reste plus
que . . .

L'ÉLÈVE — Je ne sais pas, Monsieur.

LE PROFESSEUR — Voyons, réfléchissez. Ce n'est pas facile, je l'admets.
Pourtant, vous êtes assez cultivée pour pouvoir faire l'effort intellectuel demandé et parvenir à comprendre. Alors?

L'ÉLÈVE — Je n'y arrive pas, Monsieur. Je ne sais pas, Monsieur.

LE PROFESSEUR — Prenons des exemples plus simples. Si vous aviez eu
deux nez, et je vous en aurais arraché un . . . combien vous en
resterait-il maintenant?

L'ÉLÈVE — Aucun.

LE PROFESSEUR — Comment aucun?

L'ÉLÈVE — Oui, c'est justement parce que vous n'en avez arraché aucun,
que j'en ai un maintenant. Si vous l'aviez arraché, je ne l'aurais
plus.

LE PROFESSEUR — Vous n'avez pas compris mon exemple. Supposez que
vous n'avez qu'une seule oreille.

L'ÉLÈVE — Oui, après?

LE PROFESSEUR — Je vous en ajoute une, combien en auriez-vous?

L'ÉLÈVE — Deux.

LE PROFESSEUR — Bon. Je vous en ajoute encore une. Combien en auriez-vous?

L'ÉLÈVE — Trois oreilles.

LE PROFESSEUR — J'en enlève une . . . Il vous reste . . . combien d'oreilles?

L'ÉLÈVE — Deux.

LE PROFESSEUR — Bon. J'en enlève encore une, combien vous en reste-
t-il?

L'ÉLÈVE — Deux.

LE PROFESSEUR — Non. Vous en avez deux, j'en prends une, je vous en mange une, combien vous en reste-t-il?

L'ÉLÈVE — Deux.

LE PROFESSEUR — J'en mange une . . . une.

L'ÉLÈVE — Deux.

LE PROFESSEUR — Une.

L'ÉLÈVE — Deux.

LE PROFESSEUR — Une!

L'ÉLÈVE — Deux!

LE PROFESSEUR — Une! ! !

L'ÉLÈVE — Deux! ! !

LE PROFESSEUR — Une! ! !

L'ÉLÈVE — Deux! ! !

LE PROFESSEUR — Une! ! !

L'ÉLÈVE — Deux! ! !

LE PROFESSEUR — Non. Non. Ce n'est pas ça. L'exemple n'est pas . . . n'est pas convaincant. Écoutez-moi.

L'ÉLÈVE — Oui, Monsieur.

LE PROFESSEUR — Vous avez . . . vous avez . . . vous avez . . .

L'ÉLÈVE — Dix doigts! . . .

LE PROFESSEUR — Si vous voulez. Parfait. Bon. Vous avez donc dix doigts.

L'ÉLÈVE — Oui, Monsieur.

LE PROFESSEUR — Combien en auriez-vous, si vous en aviez cinq?

L'ÉLÈVE — Dix, Monsieur.

LE PROFESSEUR — Ce n'est pas ça!

L'ÉLÈVE — Si, Monsieur.

LE PROFESSEUR — Je vous dis que non!

L'ÉLÈVE —Vous venez de me dire que j'en ai dix . . .

LE PROFESSEUR — Je vous ai dit aussi, tout de suite après, que vous en aviez cinq!

L'ÉLÈVE — Je n'en ai pas cinq, j'en ai dix!

LE PROFESSEUR — Procédons autrement . . . Limitons-nous aux nombres de un à cinq, pour la soustraction . . . Attendez, Mademoiselle, vous allez voir. Je vais vous faire comprendre.

La malheureuse comprendra de moins en moins et la leçon s'enfoncera dans le saugrenu, un saugrenu impayable qui déchaine les rires des spectateurs, jusqu'au tragique de la fin, qui sera d'ailleurs encore un tragique de farce.

IV
ESSAYISTES

ANDRÉ MALRAUX

Né en 1901, de riches armateurs du Nord, André Malraux a étudié au Lycée Condorcet et a completé ses études à l'École des langues orientales.

Il accéda à la littérature par de curieuses fictions surréalistes, *Lunes en papier* (1921) et *Royaume farlelu* (1928). Mais l'esprit d'aventure le possédait et en 1923 il partit, avec sa jeune femme pour le Cambodge, chargé d'une mission archéologique, et se livra à l'étude des ruines laissées par l'empire des Kmers, tout en rêvant les livres qu'il a écrits un peu plus tard, *Les Conquérants* (1928) et *La Voie royale* (1930) qui ont été les initiateurs d'une littérature de l'héroïsme.

Passé en Chine après une série obscure d'ennuis et de difficultés, il se mêla, pendant les années suivantes, aux événements révolutionnaires qui agitaient ce pays. Il revint en France en 1927, l'année où Tchang Kaï-chek écrasait les révolutionnaires communistes. De ce séjour, il tira *La Condition humaine* (1933) qui obtint le Prix Goncourt. Ce livre orientait l'héroïsme de Malraux vers une grandeur de pitié collective et, relatant les combats engagés par des hommes pour d'autres hommes, il recommandait ce moyen d'échapper à l'angoisse qu'inspire une destinée aboutissant au néant.

Hanté par le souvenir de la reine de Saba, il survole le désert séoudite à la recherche de la mystérieuse capitale Toubat-El-Khali. Puis, il se mêle à la politique internationale, accouru avec Gide à Berlin, à la suite de l'incendie du Reichstag, participant à Moscou au premier Congrès des écrivains soviétiques en 1934, et finalement se lançant dans la guerre d'Espagne du côté des républicains à la tête d'une escadrille.

Malraux personnifie à cette époque le type de l'écrivain engagé et il a poursuivi par la parole son action dans le même sens. Blessé, il fait une tournée de conférences en Amérique pour la cause des républicains espagnols, qu'il dépeint comme se battant pour rendre à l'homme une dignité perdue. Le roman de *L'Espoir* (1937) porte ces tendances à leur plus haute expression; elles y incarnent de beaux récits de combats, coupés de discussions et de méditations.

La guerre mondiale de 1940 devait fournir à Malraux une occasion nouvelle d'agir. Soldat, il fut fait prisonnier, s'évada, s'engagea dans la Résistance. Les Allemands l'arrêtèrent, les Résistants le délivrèrent. Enfin, à la tête d'une brigade, il est entré glorieusement en Alsace. Un dernier livre du genre romanesque, *Les Noyers de l'Altenburg* (1943) s'inspire des spectacles de cette guerre pour résumer les thèses principales de l'auteur, ou plutôt pour dessiner leurs suprêmes figures.

La paix a retrouvé Malraux parmi les fidèles les plus ardents du général de Gaulle. Il a dirigé son journal, il est devenu ministre de l'Information, puis, à la seconde prise de pouvoir par le général, son ministre des Affaires culturelles. A ce titre, il s'est dévoué au nettoyage des monuments de Paris, qui s'en trouve singulièrement rajeuni.

Une connaissance admirable de l'art a permis à Malraux d'entreprendre une série de grands ouvrages d'esthétique comme *Les Voix du silence* (1951), *Le Musée imaginaire de la sculpture mondiale* (1952), *La Métamorphose des dieux* (1957), et de mener cette tâche à bien. On y voit Malraux chercher dans les créations de l'art universel des preuves de cette grandeur que l'homme porte en lui sans toujours le savoir.

C'est des *Voix du silence* que nous avons extrait les belles pages qu'on va lire. On y admirera une pensée originale, inventive, et un style éclatant.

BIBLIOGRAPHIE

Blumenthal, Gerda. *André Malraux.* Baltimore, Md.: The Johns Hopkins Press, 1960.
Boisdeffre, Pierre de. *André Malraux.* Paris: Éditions universitaires, 1952.
Frohock, W. M. *André Malraux and the Tragic Imagination.* Stanford, Cal.: Stanford University Press, 1952.
Gaëtan, Picon. *Malraux par lui-même.* Paris: Le Seuil, 1953.

LES VOIX DU SILENCE

L'Art est un anti-destin

Une civilisation ne survit — ou ne revit — pas par sa nature: elle nous intrigue par la part de l'homme qu'elle nous révèle, ou nous assiste par les valeurs qu'elle nous transmet. Sans doute ces valeurs nous sont-elles transmises par une métamorphose; d'autant plus marquée que, si les civilisations de jadis ressentirent comme une totalité leur notion de l'homme (celui du XIIIᵉ siècle, le Grec de Périclès,[1] le Chinois des Tang,[2] ne furent pas, pour eux-mêmes, hommes-d'un-temps-particulier, mais hommes tout court), la fin de chaque époque nous révèle la part de l'homme qu'elle cultiva.

Une culture, dans la mesure où elle est héritage, comprend à la fois une somme de connaissances dans laquelle les arts tiennent une faible place, et un passé légendaire. Toute culture est plutarquienne,[3] en ce qu'elle transmet une image exemplaire de l'homme si elle est puissante, des éléments exemplaires de l'homme si elle ne l'est pas. A l'épitaphe des morts des Thermopyles:[4] « Passant, va dire à Lacédémone — Que ceux qui sont tombés ici sont morts dans sa loi »,[5] à l'inscription funéraire chinoise en l'honneur des héros ennemis: « Dans votre prochaine

1. *Pericles* (c. 490-429 B.C.), Athenian statesman. Under his rule, Athens reached the zenith of its greatness.
2. The *Tang* dynasty (A.D. 618-905). In the seventh century, the empire, after a period of division, was consolidated under the great Tang dynasty, which lasted for three hundred years. This was undoubtedly the period of China's greatest art.
3. Plutarch (c. A.D. 46-120), Greek biographer and philosopher. The work which has immortalized Plutarch's name is his *Parallel Lives* of Greeks and Romans. His design was the publication of authentic biographies in pairs, taking together a Greek and a Roman celebrated for the same qualities or working under similar conditions. His other writings, more than sixty in number, are placed under the general title of *Moralia*, or ethical works. Their merit consists in the soundness of his views on the ordinary events of human life.
4. Thermopylae, a Greek pass leading from Locris into Thessaly between Mount Oeta and the Maliac Gulf is famous chiefly for the heroic defense by the Spartan king, Leonidas, with three hundred soldiers against the Persian army of Xerxes advancing upon Greece in 480 B.C.
5. "Go tell the Spartans, thou who passest by, That here obedient to their laws we lie." (Herodotus, Book VII, 228) Lacedaemon, also called Sparta.

vie — Faites nous l'honneur de renaître chez nous! » [6] répondent des images auxquelles le sang ne donne pas son insatiable prestige: pensée et sainteté, le prince Siddharta [7] quittant le palais de son père lorsqu'il découvre la douleur humaine, et le monologue de Prospero: [8] « Nous sommes faits de l'étoffe des songes . . . » Toute culture entend maintenir, enrichir, ou transformer sans l'affaiblir, l'image idéale de l'homme reçue par ceux qui l'élaborent. Et si nous voyons les pays passionnés d'avenir: Russie, Amérique entière, de plus en plus attentifs au passé, c'est que la culture est l'héritage de la qualité du monde.

Qualité qui n'est pas toujours atteinte par les mêmes voies, et dans laquelle les arts ne jouent pas toujours le même rôle. La culture du Moyen Age n'est pas la connaissance du *Roman d'Alexandre*,[9] ni même celle d'Aristote,[10] considérée alors comme celle d'une technique de la pensée; elle se fonde sur les textes sacrés, les Pères [11] et les saints: elle est culture de l'âme. L'art y appartient tout entier au présent. La Renaissance connaît le prestige de l'artiste, et n'est plus enfermée dans un présent que ne connaît que l'éternité. Du passé, elle attend une épopée du profane, des formes d'épanouissement qui ne s'opposent pas toujours aux formes religieuses, mais que la foi ne donnait pas à celles-ci: d'une part, ce qui sépare Vénus d'Agnès Sorel,[12] d'autre part,

6. "In your next life, Do us the honor of being reborn in our midst." There is also a Chinese compliment saying "Next time may you be born Chinese."

7. Siddhartha (also Siddhattha) is from the Sanskrit for "wish-fulfilling," "having attained one's goal," or "the efficient one." The last of the Buddhas of the past, Gotama (Gautama), had the personal name Siddhartha. It was selected by his father Suddhodana, King of the Sakyas, because the birth of his son had fulfilled the wish of the hitherto barren royal family. Siddhartha married, left his home to become an ascetic, attained Enlightenment, and founded the order of wandering monks, the Early Buddhists.

8. In Shakespeare's *The Tempest*

9. Based on several previous poems about Alexander the Great, the material was rehandled at the end of the twelfth century by Alexandre de Bernay and others, using a line of twelve syllables, which was later known, because of this, as the *alexandrin*.

10. Aristotle (384-322 B.C.), Greek philosopher, was a pupil of Plato and the teacher of the young Alexander the Great. His works, which treated of almost all the subjects of human knowledge cultivated in his time, have exercised a powerful influence upon the human mind.

11. *Les Pères* de l'Église, the doctors whose writings were law in matters of faith

12. *Vénus*, originally a Latin goddess of the spring, was identified later with Aphrodite, the Greek goddess of beauty and love, whom the Romans called Venus. *Agnès Sorel* (1422-1450), called "la Dame de Beauté" was the favorite of King Charles VII of France.

ce qui sépare Alexandre et Cincinnatus [13] d'un chevalier. Quand cette grande et trouble image ne sera plus qu'un décor, le XVIᵉ siècle en deviendra esclave et affaiblira son art: peut-être la longue éclipse de la poésie française tient-elle à ce que Ronsard [14] préféra le décor de Théocrite [15] au fond féérique sur lequel s'appuyèrent Spenser [16] et Shakespeare. La Renaissance, au fond du passé limité qu'elle fouille avec une fièvre joyeuse, semble chercher tout ce qui affaiblira le démon (et Dieu peut-être du même coup) et trouve son apogée dans le patriciat de Titien,[17] dans les visites de l'empereur et des rois à ce marchand de bois inspiré, — toutes fenêtres ouvertes sur un fond de nudités et de voiles. Les sens deviennent la Cour du sens artistique, qui les fonde en qualité: le nu voluptueux, une des formes du sublime... La culture du XVIIᵉ siècle est d'abord culture de l'esprit. Plusieurs de ses plus grands peintres lui sont étrangers: qu'a de commun Rembrandt avec Racine,[18] avec les valeurs dont Racine se réclame? La prospection du passé tend alors à une mise en ordre de l'homme et du monde; toute culture est faite d'« humanités ».[19] Au XVIIIᵉ, la connaissance scientifique entre dans la culture générale, qui se veut connaissance et non conscience, et croit, malgré son obsession de Rome, abandonner le passé pour l'avenir. Si élémentaire que soit un tel schéma, il sug-

13. Alexander the Great (356-323 B.C.), king of Macedonia (336-323 B.C.). He studied under Aristotle, became a great conqueror, defeated the Greeks among others. He died of a fever at the age of thirty-three. *Cincinnatus* (c. 500-430 B.C.), a legendary hero of Rome, led an austere and exemplary life. Twice he was called to the dictatorship of Rome (458 and 439). In 458 he defeated the Aequians in a single day and after entering Rome in triumph with abundant spoils, returned to his small farm.
14. The outstanding French poet of the Renaissance, *Ronsard* (1524-1584) was also the leader of the group of poets known as La Pléiade.
15. Greek poet born around 310 or 300 B.C. His pastoral poems are a mixture of realism based on observation and of fantasy.
16. *Edmund Spenser* (1552-1599), English poet of the Elizabethan age, known for the misty, languid quality of his poetry, its imaginative appeal, and its use of allegory
17. Titian (c. 1477-1576), leading master of the Venetian School and one of the greatest painters of all time
18. *Rembrandt* (1606-1669), Dutch painter and etcher, considered the greatest of the northern countries and one of the masters of world art. Between five hundred and six hundred paintings have been attributed to him. *Racine* (1639-1699), one of the great French dramatists of the seventeenth century, is known for the effective simplicity of his poetic style and his psychological portrayals of the passions of his characters.
19. *"Humanités"* means essentially the study of the Latin and Greek languages and literatures.

gère en quel sens les cultures des civilisations disparues nous semblent moins différentes, que cultures de parties différentes de la même plante. Mais leur succession ne se syncrétise pas en quelque théosophie culturelle, parce que l'humanité se continue selon la plus profonde des métamorphoses, et non grâce à des adjonctions, ni même à une croissance: Athènes n'est pas l'enfance de Rome — Sumer [20] moins encore. Nous pouvons unir la connaissance des Pères de l'Église à celle des grands penseurs de l'Inde, non l'expérience chrétienne des premiers à l'expérience hindouïste des seconds; nous pouvons tout unir, sauf l'essentiel.

Notre culture n'est donc pas faite de passés conciliés, mais de parts inconciliables de passé. Nous savons qu'elle n'est pas un inventaire, que l'héritage est métamorphose, et que le passé se conquiert; que c'est en nous, par nous, que devient vivant le dialogue des ombres où se plaisait la rhétorique. Qu'échangeraient, au bord du Styx,[21] Aristote et les prophètes d'Israël,[22] sinon des injures? Pour que pût naître le dialogue du Christ et de Platon, il fallait que naquît Montaigne.[23] Or, notre résurrection n'est pas au service d'un humanisme préconçu; comme Montaigne, elle appelle un humanisme pas encore conçu.

Devant le charnier [24] des valeurs mortes, nous découvrons que les valeurs vivent et meurent en liaison avec le destin. Comme les types humains qui expriment les plus hautes d'entre elles, les valeurs suprêmes sont des défenses de l'homme. Chacun de nous éprouve que le saint, le sage, le héros, sont des conquêtes sur la condition humaine. Pourtant les saints du bouddhisme ne ressemblent, ne peuvent ressembler, ni à saint Pierre, ni à saint Augustin; pas plus que Léonidas

20. *Sumer,* an ancient region of lower Mesopotamia, near the Persian Gulf, is the birthplace of one of the most ancient civilizations.

21. The chief river of Hell which is said to encircle the underworld seven times

22. What common ground would Aristotle have had with the prophets? (The Old Testament has seventeen prophetic books, from Isaiah to Malachi, and the major prophets are Amos, Hosea, Isaiah, Jeremiah, Ezekiel, Zechariah, and Jonah.)

23. *Plato,* Greek philosopher (429-347 B.C.). *Montaigne* (1533-92), French moralist, author of the famous *Essais.* (According to Malraux, the past is made up of epochs that are incompatible with one another, but their harmonious relationship is established by man in his own mind: "Le passé se conquiert." Thus, the *Dialogues des morts* of ancient literature (cf. Fénelon) are not possible outside of the human mind. Examples of such dialogues that could not take place: Aristotle and the prophets of Israel; Christ and Plato, whose harmonization was begun in Montaigne's mind.)

24. cemetery

à Bayard ou Socrate à Gandhi.[25] Et la succession des valeurs éphémères dont chacune accompagne une civilisation: la conscience du tao,[26] la soumission hindouiste au cosmos, l'interrogation grecque, la communion médiévale, la raison, l'histoire, nous montrent, plus clairement encore, comment les valeurs déclinent lorsqu'elles cessent d'être salvatrices.

Celles qu'incarne ou engendre le génie artistique, (le génie, et non la représentation d'une époque) déclinent elles aussi, pour les communautés auxquelles elles s'adressent: chrétienté ou chapelle, lorsqu'elles cessent de les défendre, et renaissent lorsqu'elles semblent en défendre d'autres. Mais nous ne cherchons pas en certaines d'entre elles la préfiguration des nôtres; nous sommes moins héritiers de telle ou de telle en particulier, ou de toutes juxtaposées, que de leur ensemble et singulièrement de la coulée profonde qui les suscita. Nous avons pris enfin conscience de leur nature propre, comme l'hégélianisme [27] prit conscience, non de valeurs oubliées, mais de l'histoire; et

25. *Saint Pierre,* the leader of the Apostles and the first pope of the Roman Catholic Church. Born about 10 B.C. he died around A.D. 67. *Saint Augustin* (A.D. 354-450), the most famous of the Church fathers, theologian, philosopher, moralist, dialectician, he sought to reconcile platonism with the church dogma and intelligence with faith. *Leonidas,* king of Sparta from 491 to 480 B.C., hero of Thermopylae (see note 4). *Bayard* (Pierre du Terrail, seigneur de) illustrious French soldier, born about 1473, he died in battle in 1524. His bravery made him known as "le chevalier sans peur et sans reproche." *Socrates* (c. 470-399 B.C.), great Athenian philosopher who concerned himself with the ethics of conduct and character. He did not lecture but taught by asking his students questions to motivate their quest for knowledge. His philosophy is known through the writings of Plato and others. *Gandhi,* patriot and philosopher of India, was born in 1869 and was assassinated in 1948. He was the motivating spirit in the liberation of India, basing his political action on the philosophy of non-violence and passive resistance.

26. Taoism, popular religion and philosophy of the Chinese, traditionally founded by Lao-tzu (c. 604-531 B.C.), advocated frugality, simplicity, and the joys of the peasant life in contact with the soil. *L'interrogation grecque:* the search for truth by the Greek thinkers. *La communion médiévale:* the Christian beliefs of the Middle Ages. *La raison:* classical humanism. *L'histoire:* the understanding of the past. (According to Malraux, each of the concepts corresponds to a historical epoch, giving it its reason for being and allowing it to fulfill its destiny. Each has had a set of values proper to its own time but not fitted for future historical periods, thus each has given way to another set of values, and so on.)

27. *L'hégélianisme,* the philosophy of Friedrich Hegel (1770-1832), German philosopher who identified being and thought as one principle, the idea which develops in three stages: thesis, antithesis, and synthesis.

c'est l'art dans sa totalité, délivré par le nôtre, que notre civilisation, la première, dresse contre le destin. La Renaissance n'a pas préféré, aux statues alexandrines, les quelques grandes œuvres grecques qu'elle entrevit, et n'eût pas préféré au *Laocoön* la *Koré d'Euthydikos*.[28] C'est nous, et non la postérité, qui révélons le trésor des siècles, depuis que la création est devenue pour nos artistes une valeur suprême; nous qui arrachons au passé de la mort le passé vivant du musée. Ici encore notre sensibilité à la statue mutilée, au bronze de fouilles, est révélatrice. Nous ne collectionnons ni les bas-reliefs effacés ni les oxydations: ce n'est pas la présence de la mort qui nous retient, c'est celle de la survie. La mutilation est la trace du combat, le temps tout à coup apparu: le temps qui fait partie des œuvres du passé autant que leur matière, et surgit de la cassure comme de la menaçante obscurité où s'unissent chaos et dépendance: tous les musées du monde ont pour symbole le torse mutilé d'Hercule.[29]

Le nouvel adversaire d'Hercule, la dernière incarnation du destin, c'est l'histoire; mais, bien qu'il soit créé par elle, l'homme du musée est à peine plus historique que les dieux légendaires. Il naît à la fois d'œuvres liées à leur temps comme celles de Grünewald,[30] et d'œuvres qui lui échappent: il y a un Michel-Ange [31] baroque, mais *la Pietà* [32] *Roncalli*, la *Nuit* [33] même font penser à un Bourdelle [34] qui serait

28. *Laocoön*, Trojan priest of the Thymbraean Apollo. He tried in vain to dissuade his countrymen from drawing into the city the wooden horse of the Greeks. As he was preparing to sacrifice a bull to Poseidon, two fearful serpents swam out of the sea, coiled around Laocoön and his two sons, and destroyed them. His death forms the subject of a magnificent work of ancient art found in 1506 and now preserved in the Vatican. This group of statuary is generally assigned to the first century B.C. Eutichides was a Greek sculptor of the latter part of the fourth century. The statue of Kore, meaning maiden, is in the Acropolis at Athens.
29. The most famous is the Hercules Farnese by Lycippus which is in Naples. There are many other representations of Hercules.
30. *Matthias Grünewald* (c. 1485-1530), the last and greatest representative of German Gothic. His great masterpiece, the Isenheim altarpiece, hangs in the Colmar Museum.
31. *Michelangelo Buonarroti* (1475-1564), primarily a sculptor, painted the ceiling of the Sistine Chapel. He concentrated on the human figure.
32. A representation of the Virgin holding the body of the dead Christ. Michelangelo created four of them and the most famous is in St. Peter's in Rome.
33. Night, a reclining nude, is one of the two symbolic figures adorning the tomb of Giuliano de Medici in the new sacristy of San Lorenzo, Florence.
34. *Émile-Antoine Bourdelle* (1861-1929), French sculptor

Nature morte aux noix

Sur les rochers

Michel-Ange plus qu'aux sculpteurs italiens; le *Brutus* [35] n'est pas une tête florentine; il y a un Rembrandt baroque, mais les *Trois Croix*,[36] les *Pèlerins d'Emmaüs*,[37] ne sont ni du XVIIᵉ siècle, ni hollandais. Racine couronne comme un fronton de temple la civilisation dont il naît, Rembrandt couronne celle où il naît, comme le frémissant rougeoiement d'un incendie. L'histoire, en art, a une limite, qui est le destin lui-même; car elle n'agit nullement sur l'artiste parce qu'elle suscite des clientèles successives, mais parce que chaque époque implique une forme du destin collectif, et l'impose à ce qui lutte contre lui; pour que cette action s'affaiblisse, il suffit qu'elle rencontre d'autres formes de destin. Les «lumières» ne prévalent pas sur la maladie de Goya,[38] ni l'éclat de Rome sur l'angoisse de Michel-Ange, ni la Hollande du XVIIᵉ siècle sur la Révélation de Rembrandt. L'immense domaine d'art qui monte pour nous du passé n'est ni éternel, ni au-dessus de l'histoire; il est lié à celle-ci et lui échappe à la fois, comme Michel-Ange à Buonarroti. Son passé n'est pas un temps révolu, mais un *possible;* il n'impose pas une fatalité, il établit un lien. Les bodhisattvas [39] des Weï [40] et ceux de Nara,[41] les sculptures khmère et javanaise, la peinture Song,[42] n'expriment pas la même communion cosmique qu'un

35. *Brutus*, famous for having stabbed Caesar. The sculpture of his head is now in the National Museum of Naples.
36. An etching by Rembrandt done in 1653, representing Christ on the cross between the two thieves
37. This painting, done in 1648, is now in the museum of the Louvre. The apostles, silent, look at the face of the unknown Pilgrim and are suddenly struck by the superhuman goodness which radiates from it. They recognize their resurrected Christ. Emmaüs is a small town of Judea, near Jerusalem, where Jesus appeared for the first time to his disciples after his resurrection.
38. *Goya* (1746-1828), was the official painter of the Spanish court. After an illness toward the end of his life, he became almost deaf and it is interesting to note that some of his best painting was done after this illness. His series of etchings, later entitled *Miseries of the War*, rank as one of the most forceful indictments against war in modern art.
39. The majestic twelfth-century fresco of the three bodhisattvas, now in the British Museum, presumably preserves the Tang tradition. From it we may infer the grander and more magnificent creations of Wu Tao-tzu and his followers.
40. *Weï*, the Japanese dynasty that produced a splendid period of art from the end of the seventh through the eighth century
41. *Nara*, a town in Japan, a favored metropolis during the seven consecutive Weï reigns (709-784), where several imposing shrines and temples were built during that time
42. *Song* was the nineteenth Chinese dynasty (960-1280).

tympan [43] roman, qu'une danse de Civa,[44] que les cavaliers du Parthé-
non; [45] toutes ces œuvres, pourtant, en expriment une; et même la
Kermesse de Rubens.[46] Il suffit de regarder n'importe quel chef-d'œuvre
grec pour voir que, si triomphant qu'il soit du sacré oriental, il fonde
son triomphe, non sur la raison, mais sur « le sourire innombrable des
flots ». Le grondement déjà lointain de la foudre antique orchestre
sans la couvrir l'immortelle évidence d'Antigone: [47] « Je ne suis pas
née pour partager la haine, mais pour partager l'amour. » L'art grec
n'est pas un art de solitude, mais celui d'une communion avec le
cosmos dont il fut amputé par Rome. Quand le devenir ou le destin
se substitue à l'être, l'histoire se substitue à la théologie, et l'art apparaît dans sa pluralité et dans sa métamorphose; les absolus métamorphosés par les arts ressuscités, rétablissent alors, avec un passé qu'ils
modèlent, le lien des dieux grecs et du cosmos. Au sens où Amphitrite
fut la déesse de la mer, la figure qui rendit secourables les flots, l'art
grec est notre dieu de la Grèce: c'est lui, et non les personnages de
l'Olympe,[48] qui nous l'exprime dans sa part la plus haute, victorieuse
du temps et fraternelle, puisque c'est à travers lui seul qu'elle nous
atteint à l'âme. Il exprime ce qui, à travers la Grèce et inséparable
d'elle, fut la forme particulière d'un pouvoir divin dont tout art est
le témoignage. L'Homme que suggère la multiplicité de ces pouvoirs
est l'acteur de la plus vaste aventure, et aussi la souche profonde
d'où montent les surgeons qui tour à tour s'enchevêtrent et s'ignorent;
telle victoire qu'il remporta jadis sur les démons de Babylone [49] retentit sourdement en quelque coin secret de notre âme. De la *Nais-*

43. A unit of space in architecture, usually triangular, over a doorway, which
holds sculpture or decoration
44. *Civa*, third person of the Hindu trinity, destructive and life-giving god
45. temple in Athens dedicated to Athena Parthenos and decorated by Phidias,
greatest sculptor of Greece, born about 431 B.C.
46. Flemish painter (1577-1640). His Flemish Kermess (carnival) at the Louvre,
represents the eating, drinking, and love-making of the villagers.
47. *Antigone*, daughter of Œdipus, sister of Eteocles and Polynices. She was
condemned to death for having, against the order of King Creon of Thebes,
buried her brother Polynices.
48. Name of several mountains of ancient Greece where, according to legend,
the gods lived.
49. Babylon, one of the most famous cities of antiquity, situated on the Hilla
branch of the river Euphrates, just north of the modern town of Hilla in Iraq.
The reference here is to the statues of winged monsters, bulls with men's heads,
monsters with eagle heads and so forth, which were part of the Assyro-Babylonian
mythology.

sance d'Aphrodite [50] au *Saturne* de Goya,[51] au crâne aztèque de cristal, les archétypes radieux ou funèbres qu'il apporte répondent aux sursauts du grand sommeil troublé que l'humanité poursuit en nous, et chacune de ces voix devient l'écho d'un pouvoir humain tantôt maintenu, tantôt obscur, et souvent disparu. En lui, le délire épars du monstre de rêves s'ordonne en images souveraines, et le cauchemar saturnien prend figure de rêve secourable et pacifié. Il plonge dans le temps aussi profondément que l'homme du sang, et c'est lui qui nous fait rêver de la première nuit glacée où une sorte de gorille se sentit mystérieusement le frère du ciel étoilé. Il est l'éternelle revanche de l'homme. Presque toutes les grands œuvres du passé ont en commun leur soumission au dialogue altier ou recueilli que chacune poursuit avec ce qu'un artiste crut porter de plus haut en son âme; mais dans ces dialogues liés pour nous aux religions mortes qui les suscitèrent comme à Béatrix Portinari la *Vita Nuova*,[52] à Juliette Drouet la *Tristesse d'Olympio*,[53] les religions sont seulement les plus hauts domaines et l'humain, car ceux qui croient l'art chrétien suscité par le Christ ne croient pas l'art bouddhique suscité par le Bouddha, les formes civaïtes suscitées par Civa. L'art ne délivre pas l'homme de n'être qu'un accident de l'univers; mais il est l'âme du passé au sens où chaque religion antique fut une âme du monde. Il assure pour ses spectateurs, quand l'homme est né à la solitude, le lien profond qu'abandonnent les dieux qui s'éloignent. Si nous introduisons dans notre civilisation tant d'éléments ennemis, comment ne pas voir que notre avidité les fond en un passé devenu celui de sa plus profonde défense, séparé du vrai par sa nature même? Sous l'or battu des masques de Mycènes,[54] là où l'on chercha la poussière de la beauté, battait de sa pulsation millénaire un pouvoir enfin réentendu jusqu'au fond du temps. A la petite plume de Klee,[55] au bleu des

50. See note 12. The representation of Aphrodite varies according to the character in which she was envisaged. One, The Birth of Aphrodite, a bas relief, is in the Terne Museum in Rome.

51. A fresco of Saturn devouring his son, painted by Goya in his villa, Quinta del Sordo. A late work, it is one of his so-called black paintings.

52. *Vita Nuova*, a collection of prose and poetry, contains the history of Dante's love for Beatrice, whom he had met as a child, himself a child. Dante (1265-1321), is the greatest of Italian poets.

53. Poem by Victor Hugo (1802-88), dedicated to his young mistress, Juliette Drouet

54. Ancient Greek city, in the Peloponnesus, where important archeological diggings have taken place

55. *Paul Klee* (1879-1940), Swiss painter whose work in abstractions is fine and delicately nuanced

raisins de Braque,[56] répond du fond des empires le chuchotement des statues qui chantaient au lever du soleil. Toujours enrobé d'histoire, mais semblable à lui-même depuis Sumer jusqu'à l'école de Paris, l'acte créateur maintient au long des siècles une reconquête aussi vieille que l'homme. Une mosaïque byzantine et un Rubens, un Rembrandt et un Cézanne [57] expriment des maîtrises distinctes, différemment chargées de ce qui fut maîtrisé; mais elles s'unissent aux peintures magdaléniennes [58] dans le langage immémorial de la conquête, non dans un syncrétisme de ce qui fut conquis. La leçon des Bouddhas de Nara ou celle des Danses de Mort civaïtes n'est pas une leçon de bouddhisme ou d'hindouïsme; et le Musée Imaginaire [59] est la suggestion d'un vaste possible projeté par le passé, la révélation de fragments perdus de l'obsédante plénitude humaine, unis dans la communauté de leur présence invaincue. Chacun des chefs-d'œuvre est une purification du monde, mais leur leçon commune est celle de leur existence, et la victoire de chaque artiste sur sa servitude rejoint, dans un immense déploiement, celle de l'art sur le destin de l'humanité.

L'art est un anti-destin.

Les Voix du silence, pp. 629-37.
Librairie Gallimard, tous droits réservés

56. *Georges Braque,* French painter born in 1882, one of the great contemporary painters of still life
57. *Paul Cézanne* (1839-1906), French Post-Impressionist painter
58. The caves of the Madeleine in Dordogne (France) have revealed interesting prehistoric "monuments."
59. This is the title of the first part of *Voices of Silence,* a book in which Malraux achieves his goal of collecting the great works of art in photographic reproductions.

GABRIEL MARCEL

Fils d'un ambassadeur devenu directeur des Beaux-Arts et directeur de la Bibliothèque nationale, Gabriel Marcel est né le 7 décembre 1889 à Paris. Ayant fait brillamment ses études secondaires au lycée Carnot, il voyagea dans toute l'Europe, puis entreprit des études supérieures en Sorbonne. Elles aboutirent à l'Agrégation de philosophie en 1910.

De santé fragile, Marcel n'a été professeur que par intermittences, à Vendôme, à Paris au lycée Condorcet, puis, après la guerre de 1914, à Sens. Pendant la guerre, il n'a pu se dévouer qu'à la direction du service de la recherche des soldats disparus. Là, il a achevé d'aiguiser une sensibilité de nature profondément humaine.

Depuis des années déjà, il écrivait des pièces de théâtre et des essais de philosophie. A partir de 1923, il se consacra entièrement à la littérature et à la pensée. Il écrivit pour le théâtre le *Quatuor en fa dièze* (1920), *L'Icono-claste* (1923), *Un Homme de Dieu* (1925), et parallèlement à cette œuvre dramatique, il tint son *Journal métaphysique* qu'il devait publier en 1927, non sans assurer en même temps une rubrique de critique littéraire à *L'Europe nouvelle* et une autre de critique théâtrale aux *Nouvelles littéraires*.

Gabriel Marcel fut toujours de pensée spiritualiste et s'occupa même de métapsychie, encouragé dans ce domaine par Bergson. Mais il avait été élevé sans religion et il restait à l'écart d'une croyance déterminée. Il évolua. L'influence de Mauriac agit fortement sur lui et, le 23 mars 1929, il reçut le baptême. C'est dans la suite, en 1935, qu'il composa l'important ouvrage philosophique qu'est *Être et Avoir* et, dans les années 1931-38, ses pièces de théâtre les plus importantes, *La Chapelle ardente* (1931), *Le Monde cassé* (1932), *Le Chemin de Crète* (1935), et *Le Dard* (1936).

Philosophiquement, Gabriel Marcel a développé sa pensée dans le sens d'un réalisme de vie intérieure et d'une importance primordiale accordée à l'expérience. Il a été existentialiste avant Sartre, mais son existentialisme n'a rien de commun avec l'existentialisme sartrien; il se réfère de préférence à Kierkegaard, à Jaspers et surtout à lui-même. Aussi a-t-il fini par protester contre « l'affreux vocable d'existentialisme ». Avec raison: car il croit profondément que l'âme humaine aura une survie, et son univers s'achève dans une transfiguration spirituelle. Il n'y a donc pas à s'étonner que son œuvre proprement philosophique se double d'une œuvre de pensée morale qui va de l'essai intitulé *Les Hommes contre l'humain* (1951) à l'essai *Le Déclin de la sagesse* (1954). Le premier s'inquiète des hommes d'aujourd'hui possédés et obsédés par les techniques, par là deshumanisés, affaiblis dans leur puissance créatrice; le second signale la répercussion de cette situation dans le domaine de l'éthique, sous l'aspect des doctrines de force, de la démesure en toutes choses, de l'abandon des valeurs universelles.

Métaphysicien de la personne concrète, être de chair, soumise aux conditions terrestres, Gabriel Marcel, homme de théâtre, l'a portée à la scène, chargée de tout le tragique des batailles livrées en elle, batailles de l'âme avec le corps, de l'amour avec l'égoïsme, de l'héroïsme brimé par toutes sortes de jougs. En conséquence, il nous fait spectateurs de consciences déchirées, de familles menacées. Représentant l'existence dans sa réalité même quotidienne, il fait toujours entrevoir un au-delà, afin d'exhausser la condition de l'homme mortel jusqu'à la région d'une espérance où cet homme n'aura pas de déception.

On voit quelle ampleur et quelle diversité offre l'œuvre considérable de Gabriel Marcel. Le texte qui va en rendre témoignage ici est extrait de l'essai *Le Déclin de la sagesse*. Nous l'avons choisi parce que ces pages sont de celles qui pouvaient le mieux approcher l'auteur de nous. Écrites il y a quelques années, elles signalent ce qui est devenu aujourd'hui un sérieux souci pour notre civilisation.

BIBLIOGRAPHIE

Chenu, J. *Le Théâtre de Gabriel Marcel et sa signification métaphysique.* Paris: Éditions Montaigne, 1948.

LE DÉCLIN DE LA SAGESSE

L'Éclatement de la notion de sagesse

...Le sage se présente à nous comme l'homme raisonnable. Mais la signification du mot raisonnable est-elle tout à fait dépourvue d'ambiguïté? Je ne le crois pas. L'homme raisonnable est peut-être avant tout et fondamentalement celui qui perçoit les limites du raisonnement. On se rappelle ce qu'a écrit Chesterton au début d'*Orthodoxie:* [1] l'homme insane est celui chez qui la raison est sans racines [2] et fonctionne à vide.[3] Il ajoute que c'est le mystère qui maintient l'esprit humain en santé. Tant que vous avez le mystère, dit-il, vous avez la santé; que vous détruisiez le mystère et vous tombez dans le morbide. Laissons de côté cette affirmation, que je crois d'ailleurs foncièrement vraie: ce qui est évident, c'est que la raison, chez l'homme vraiment raisonnable, comporte un élément de freinage; [4] et là où cet élément fait défaut,[5] il n'y a pas de place pour la sagesse. Sans doute, fera-t-on observer non sans raison que l'emploi du mot sagesse au singulier ne doit pas nous faire illusion et qu'il existe des modes ou des types de sagesse très divers. Il y a une sagesse que certains jugeront terre-à-terre [6] et qui reste étroitement solidaire du sens commun. C'est par exemple celle que nous trouvons chez un Molière.[7] A l'extrémité opposée de cette sorte de clavier,[8] il existe une sagesse qui semble bien au contraire faire fi [9] du sens commun ou même le mépriser: celle des cyniques,[10] par exemple. Entre ces types de sagesse pouvons-nous trouver un dénominateur commun? Il me semble que c'est là une façon inexacte de poser le problème. J'aimerais mieux pour ma part le formuler en termes dynamiques. L'unité porte vraiment sur [11] la direction, sur l'aimantation.[12] Peut-être faudrait-il ajouter que celle-ci porte sur une même volonté de libération. On peut dire d'une façon générale que la sagesse est l'apanage de l'homme libre et, inverse-

---

1. An essay published in 1908 by Gilbert Keith Chesterton (1874-1936), English journalist and author   2. without roots   3. in a void
4. That is, it imposes moderation upon itself   5. is lacking
6. commonplace, earthy
7. Molière (1622-73), great French comic dramatist of the seventeenth century
8. keyboard (scale)   9. scorn, despise
10. Philosophers who despise and defy conventions and conformity. The Greek Diogenes (412?-323 B.C.) is the most famous of them.
11. The common denominator is found in ...   12. magnetization

ment, que c'est toujours la liberté authentique que le sage s'efforce d'atteindre. Cette liberté-là, il nous est sûrement plus facile de la définir négativement [13] que d'en dégager les attributs positifs. Le sage est en tout premier lieu celui qui a réussi à imposer silence à ses passions, ou tout au moins à les apprivoiser, à les domestiquer. C'est aussi celui qui a su se rendre indépendant de l'opinion, des préjugés, celui qui, en toutes circonstances, sait résister aux entraînements collectifs.[14] Peut-être faut-il ajouter que d'une certaine manière cette indépendence lui donne la paix et, pour autant que ce mot garde un sens, le bonheur, à condition d'ailleurs bien entendu de distinguer celui-ci du plaisir. Même les hédonistes [15] sont obligés d'établir une hiérarchie dens le plaisir, et par là même en quelque manière de le dépasser.[16] Il n'en reste pas moins qu'il paraît difficile de concevoir que le sage puisse renoncer absolument à un certain état d'équilibre harmonieux qui ne peut pas ne pas être ressenti comme bonheur. A cet égard certaines pages célèbres de Montaigne présentent sûrement une importance et une valeur significative qui dépassent leur auteur. « L'âme qui loge la philosophie doit par sa santé rendre sain encore le corps; elle doit faire luire jusques au dehors son contentement, son repos et son aise, doit former à son moule le corps extérieur, et le garnir par conséquent d'une gracieuse fierté, d'un maintien actif et allègre et d'une contenance rapide et débonnaire.[17] La plus expresse marque de la sagesse, c'est une esjouissance constante.[18] Son état est comme des choses [19] au-dessus de la lune: toujours serein. » [20]

De toute manière, la notion de sagesse implique ce qu'on peut appeler des valeurs aristocratiques, étant bien entendu que ce mot doit être pris dans un sens tout à fait général, et qu'il n'y a pas à faire appel ici à l'idée d'une aristocratie qui serait à proprement parler une classe. Ce que je veux dire, c'est qu'il n'y a de sagesse que là où est reconnue une certaine hiérarchie des modes de vie, là où a cours une idée de la vie meilleure,[21] sans que celle-ci soit forcément référée à [22] un absolu de caractère métaphysique ou religieux. Il faut bien se garder ici du reste de procéder à des conclusions trop rapides et trop

13. That is, by stating what it opposes or stands against
14. collective impulses
15. Those who believe that pleasure is the immediate purpose of life
16. transcend it   17. responsive and cheerful   18. constant rejoicing
19. *comme des choses* for *comme celui des choses*
20. Montaigne, *Les Essais*, livre I, chapitre 26, « De l'institution des enfants ».
21. where the idea of a better life prevails
22. *sans que celle-ci ait besoin de chercher ses principes dans*

sommaires. Il existe à n'en pas douter des types de démocraties qui sont encore compatibles, au moins provisoirement, avec l'idée d'un primat de la qualité. Il en a été certainement ainsi pour la démocratie anglaise, au moins jusqu'à la guerre de 1914, mais il est vrai que cette démocratie restait suspendue à l'existence d'une aristocratie considérée comme exemplaire. L'idée si difficilement analysable du gentleman présente ici une signification exemplaire. Il a pu en être de même, bien que de façon beaucoup plus indistincte, pour la démocratie française aussi longtemps que celle-ci a résisté, dans des conditions d'ailleurs confuses et peu cohérentes, à l'entraînement égalitaire.[23] La question se pose en des termes encore plus compliqués et indistincts pour les démocraties fédérales de la Suisse et des États-Unis. Mais ce qu'on peut affirmer en revanche, c'est que partout où l'égalitarisme prévaut, cet égalitarisme qui est toujours à base[24] d'envie et de ressentiment, le sens de la qualité tend à disparaître. Il est certes désolant, mais parfaitement logique et compréhensible. que nous assistions aujourd'hui à peu près partout à une disqualification[25] massive des activités de l'esprit au bénéfice des besognes matérielles. Il faut même ajouter que le travail artisanal,[26] qui, sur tant de points, communique directement avec l'activité proprement artistique, est lui aussi systématiquement découragé. Il est d'ailleurs très difficile, il me semble, de formuler un principe positif au nom duquel on prétendrait justifier cette sorte de discrédit.[27] Il est probable qu'il a des racines assez différentes les unes des autres. Une de ses racines apparaîtra plus loin. On n'aura d'ailleurs aucune peine à convenir[28] qu'au cours du dix-neuvième siècle des abus rigoureusement contraires[29] ont été la règle, et la condition qui fut celle du prolétariat pendant les premières décades de la révolution industrielle[30] reste une honte pour la société qui en fut responsable. Mais ce qui est certain, c'est que le renversement[31] peut-être inévitable qui s'est poursuivi depuis lors ne pouvait pas ne pas avoir pour conséquence la suppression, non seulement en fait mais en droit,[32] de tout ce qui pouvait ressembler à une aristocratie. Il est trop clair que le parti unique dans les pays à régime totalitaire n'a rien à voir avec[33] une aristocratie, il en est la négation plus encore que la caricature.

23. against the drag of equalitarianism   24. rooted as it is in
25. a loss of esteem   26. craftsmanship   27. devaluation
28. easy enough to agree   29. *des abus contraires aux abus d'aujourd'hui*
30. That is, the power suddenly acquired by industry
31. Meaning, the complete reversal of this condition
32. in practice as well as through laws   33. has nothing to do with

Mais, demandera-t-on, est-il certain qu'un type determiné de sagesse ne puisse pas subsister là même où le sens de la qualité est en voie de disparition? [34] Ici prenons bien garde: [35] il a sans doute existé par le passé, et très particulièrement dans des pays tels que la France et l'Italie, une sagesse populaire. Mais n'était-elle pas liée à une tradition artisanale ou familiale et plus profondément encore à une continuité qui est en voie de disparition, si même elle n'a pas tout à fait disparu? Le rôle de l'habitat [36] en ce domaine a été des plus considérables: même là où n'existait sans doute rien qui ressemble au sentiment poétique et cosmique qui, pendant tant de siècles, a prévalu en Chine, l'individu avait à tout le moins conscience d'appartenir à un certain milieu profondément humanisé. Relisons Péguy: [37] personne n'aura mieux montré comment dans le peuple l'intelligence et le travail restaient articulés l'un à l'autre; [38] mais le peuple dont il est question, c'est un peuple essentiellement artisan. Or, cette articulation est rompue, le monde est désaccordé.[39] Ce qui est étrange, d'ailleurs, c'est que l'intellectuel, pour des raisons qui relèvent [40] d'une certaine psychanalyse, tend à flagorner [41] le peuple dans la mesure précise où sa pensée à lui s'est désincarnée et flotte dans un élément indéterminé; [42] si je parle ici de psychanalyse, c'est dans la mesure où l'intellectuel souffre d'un complexe d'infériorité d'ailleurs inséparable d'une très grande prétention: nous sommes ici dans l'ambivalent. Mais ce peuple flagorné, endoctriné, soumis à toutes les propagandes, est condamné à perdre le bon sens qui était autrefois son apanage. Il faudrait aussi parler ici du rôle joué par le cinéma de mauvaise qualité, et de tout ce que celui-ci véhicule.[43] Des êtres qui, en raison même de leur pauvreté et de ce qu'il y a de profondément réel dans leur activité et dans leur goût, étaient autrefois en contact permanent et authentique avec ce qu'on peut appeler le fond [44] de l'existence, sont aujourd'hui faussés [45] par l'intervention d'un élément qui n'est certes pas la culture mais sa pire contrefaçon.[46] Or, cette sagesse populaire, à laquelle les philosophes dignes de ce nom ont de tout temps témoigné un respect justifié, se confond en réalité avec le sens commun. Mais la disparition

34. on the way to vanishing   35. Here let us consider carefully:
36. environment   37. French writer and poet (1873-1914)
38. geared together, inter-related
39. *Or, cette . . . désaccordé.* Today this relationship is broken up, the world is in discord.   40. pertain to   41. flatter
42. That is, according to Gabriel Marcel, the thinking of the intellectual has become disembodied and floats about in vague abstractions.
43. communicates   44. essence   45. perverted   46. counterfeit

du sens commun apparaît comme un phénomène d'une gravité in-
calculable et qui ne peut pas ne pas transformer radicalement le climat
des esprits.[47] Il y a là une transformation qu'on ne peut comparer qu'à
celle qui semble se produire à certaines époques sur le plan météoro-
logique, et je serais enclin à proposer ici le terme de météorologie
mentale pour désigner un changement qui est peut-être trop profond
pour être aisément discerné. Non pas seulement trop profond, mais
trop général — si général qu'il se produit sans aucun doute en chacun
de nous. En sorte qu'il faut un effort soutenu de la réflexion pour
arriver à en prendre conscience.[48] Là où le sens commun tend à se
perdre, il est à croire que la sagesse elle-même est vouée à disparaître,
ou tout au moins à devenir l'apanage d'une infime minorité. Mais il
est permis de se demander si par là même elle ne change pas de nature
et ne tend pas vers la sainteté. C'est là un point important sur lequel
je me réserve de revenir plus loin. Ce que nous avons à reconnaître
ici, c'est que le sens commun n'est peut-être pas en dernière analyse
d'une essence absolument différente de la sagesse. Je serais tenté de
dire: c'est comme un dépôt, au sens physique de ce mot, que la sagesse,
au lieu de rester en suspens, laisse dans la moyenne des êtres, mais
seulement si certaines conditions d'ordre sociologique sont sauvegardées.[49] Or, le mot commun lui-même nous renseigne sur la nature
de ces conditions. Il n'y a et il ne peut y avoir de sens commun que là
où il y a une vie et des notions communes, c'est-à-dire là où existent
encore des groupements organiques tels que la famille, le village, etc.
... Mais ce qu'il importe de constater c'est que la collectivisation, à
laquelle nous assistons dans tous les domaines, s'opère aux dépens,
on peut même dire au mépris, de ces groupements organiques.[50] Ceci
peut surprendre au premier abord, mais s'éclaire tout à fait à la
réflexion.[51] Il semble que nous soyons en présence d'énormes agglo-
mérations qui prennent un caractère[52] de plus en plus mécanique,
en sorte qu'entre les individus se créent des relations qui ne sont peut-
être pas foncièrement[53] différentes de celles qui lient les pièces d'une
machine. C'est là, semble-t-il, une des plus terribles conséquences de

47. minds   48. *En sorte ... conscience.* So that it requires a sustained effort
of deep thought to become aware of it.
49. *Je serais ... sauvegardées.* I would be tempted to say that wisdom, instead
of remaining in suspense, leaves a kind of deposit in the average being, provided
that certain sociological conditions are safeguarded.
50. *s'opère ... organiques* is happening at the cost of, one can even say in
contempt of, these organic groups   51. becomes obvious if we think about it
52. which are becoming   53. fundamentally

l'étatisme et de l'étatisation.[54] On pourrait dire que dès le moment où
le sens commun cesse d'être dans les institutions, dans les rapports
constitutifs,[55] il ne peut plus non plus être dans les esprits. Ici d'innombrables exemples pourraient être fournis: je songe en particulier
à l'évolution non seulement de l'enseignement, mais de la vie scolaire
de plus en plus alourdie par des examens dont les programmes sont
le plus souvent établis au rebours[56] du bon sens. La sélection indispensable tend à se faire par les voies les plus artificielles, dans
bien des cas sans aucune référence[57] aux qualités proprement humaines qui devraient cependant être considérées avant toutes les
autres. Un autre exemple très différent nous est fourni par ce fait
que les petites entreprises, c'est-à-dire celles qui sont vraiment à
l'échelle de l'homme,[58] sont systématiquement paralysées au profit
d'entreprises gigantesques et déshumanisées. Évoquons aussi ce que
risque de devenir une profession comme la profession médicale si elle
se fonctionnarise[59] comme elle risque de le faire du fait de la sécurité
sociale, etc., etc.

Je veux seulement attirer l'attention sur l'incidence[60] que tout cela
ne peut manquer d'avoir sur la mentalité. Je reconnais d'ailleurs qu'il
est difficile de se prononcer d'une façon absolument catégorique sur
une évolution en cours. Mais l'observation de ceux qui nous entourent
nous force à reconnaître, comme j'ai tenté de le montrer ailleurs, que
l'esprit d'abstraction s'empare peu à peu des êtres, qu'il les rend de
plus en plus étrangers au sentiment de la vie et des réalités vivantes,
et que, du même coup, il fait d'eux un terrain dangereusement favorable au développement des idéologies totalitaires.

Mais il saute aux yeux[61] que ces idéologies sont incompatibles avec
la sagesse telle que je me suis efforcé de la définir précédemment. Ne
serait-ce que parce qu'elles excluent toute notion de mesure et de
relativité. Du même coup,[62] ces mêmes idéologies tendent invincible-
ment à se muer en[63] fanatisme. Mais du point de vue de la sagesse,
d'une sagesse quelconque, le fanatisme, c'est très exactement la dé-
mence. Je n'ai pas encore eu l'occasion de prononcer le mot de tolérance, mais il se présente ici tout naturellement, et c'est peut-être
dans cette perspective[64] qu'apparaît le plus clairement l'espèce de

54. *étatisme*, the state interferes in the economic life of a country; *étatisation*,
the state runs the economic life of a country   55. civic relationships
56. contrary to   57. without taking into account   58. on a human scale
59. is organized as a civil service   60. effect   61. it is obvious
62. For the same reason   63. turn into
64. from the point of view of tolerance

régression qui s'est produite depuis un demi-siècle. Il ne suffit vraisemblablement pas de dire que la tolérance n'est plus pratiquée, il semble
que la plupart des gens ne comprennent même plus ce qu'elle peut
être.

Sans doute y a-t-il lieu de signaler les redoutables équivoques que
comporte l'expression à la mode de *pensée engagée*. Nous sommes ici
en présence d'une confusion dont les conséquences sont funestes et
que la réflexion se doit de dénoncer à tout prix. Les champions [65] de
la pensée engagée partent de cette idée vraie que l'homme est un être
en situation et qu'il ne lui est donné de penser qu'à partir de la situation concrète qui est la sienne.[66] Ils ont d'ailleurs raison de condamner
une sorte de dilettantisme abstentionniste [67] qui est peut-être, qui est
même certainement, un péché de l'esprit. Mais ce qu'ils risquent toujours d'oublier, c'est que l'homme se définit justement par la relation
proprement *tensorielle* [68] qui s'établit entre cette situation toujours
singulière qui est la sienne et des valeurs universelles qui lui sont pro-
posées sans qu'il ait jamais à proprement parler [69] à les créer, et qu'il
lui appartient [70] non pas seulement d'affirmer dans l'abstrait, mais
d'incarner dans sa conduite et dans ses œuvres. Il faut même dire
catégoriquement que, si la notion de l'engagement a un sens, ce ne
peut être qu'en connexion avec un universel qui est d'abord à reconnaître. Pour peu qu'on mette au contraire [71] l'accent, non pas sur
cet universel à reconnaître, mais sur un acte créateur ou prétendu tel
par lequel la liberté *engendrerait* elle-même ses valeurs,[72] c'est l'anarchie qui prend la place de la raison. Et comme l'anarchie est intenable,
on cherchera un chemin détourné [73] et quelque chose comme un pro-

---

65. Sartre and his followers
66. Sartre says in his essay *L'Existentialisme est un humanisme:* « L'existentialisme
athée, que je représente, est plus cohérent. Il déclare que si Dieu n'existe pas,
il y a au moins un être chez qui l'existence précède l'essence, un être qui existe
avant de pouvoir être défini par aucun concept, et que cet être c'est l'homme. . . .
Qu'est-ce que signifie ici que l'existence précède l'essence? Cela signifie que
l'homme existe d'abord, se recontre, surgit dans le monde, et qu'il se définit
après. L'homme, tel que le conçoit l'existentialiste, s'il n'est pas définissable,
c'est qu'il n'est d'abord rien. Il ne sera qu'ensuite, et il sera tel qu'il se sera fait.
Ainsi, il n'y a pas de nature humaine, puisqu'il n'y a pas de Dieu pour la
concevoir. L'homme est seulement, non seulement tel qu'il se conçoit, mais tel
qu'il se veut, et comme il se conçoit après l'existence, comme il se veut après
cet élan vers l'existence; l'homme n'est rien d'autre que ce qu'il se fait. »
67. a way of considering things without taking a real interest in them
68. requiring an effort   69. strictly speaking
70. and that it is up to him   71. If the emphasis is placed on the contrary,
72. This is another allusion to Sartrian existentialism.   73. roundabout path

cédé frauduleux pour en sortir.[74] C'est ici qu'interviendra la notion de l'histoire et d'un sens de l'histoire appelée à servir de critère et à se substituer aux valeurs traditionnelles qu'on entend déprécier une fois pour toutes.

Mais ici encore nous sommes en présence d'une sorte de novation qui paraît strictement incompatible avec ce qu'on a toujours entendu par sagesse. Si en effet toute sagesse implique une maturation, elle comporte inévitablement une attitude de respect par rapport au passé. Je ne veux certes pas parler ici de rien qui ressemble à un conservatisme aveugle ou à un traditionalisme superstitieux. Avoir le respect du passé n'empêche certes nullement de reconnaître et même de ressentir douloureusement les erreurs qui ont été commises par nos devanciers, et dont nous avons pu être nous-mêmes en quelque façon complices.[75] Mais il me semble que cette reconnaissance, qui doit être aussi lucide que possible, ne saurait exclure ce que j'appellerais volontiers une certaine piété de l'intelligence, sans laquelle le sens des nuances et par là même de l'équité se perd inéluctablement.[76] Mais aujourd'hui, toujours sans doute sous l'influence de la pensée engagée, on se plaît au contraire à porter les jugements les plus sommaires, les plus massifs, les plus iniques aussi, et partant [77] les plus absurdes sur des périodes entières de l'histoire, sur des « classes » [78] qu'on aperçoit à travers le miroir déformant de l'esprit d'abstraction. En revanche, toujours au nom de ce même esprit d'abstraction, ceux qui font preuve de cette sévérité là où il s'agit du passé,[79] témoigneront une indulgence surprenante aux abus qui se sont multipliés de nos jours et y verront comme les matrices de l'histoire.[80] Il ne suffit pas de dire que de telles façons de penser sont déraisonnables, il faut dire hautement qu'elles sont contraires à toute sagesse possible. Car d'un côté nous avons malgré tout l'immense patrimoine historique que l'humanité semble, il est vrai,[81] s'évertuer à dilapider, et de l'autre, du côté de ce que l'on [82] appelle l'histoire, nous n'avons affaire qu'à des possibilités informes et indéterminées.

De tout cet ensemble de considérations qui pourrait encore être développé de bien des manières se dégage distinctement, me semble-t-il, le fait suivant qui me paraît d'une importance extrême: nous

74. to get out of it
75. For example, in failing to admit the errors of the past   76. inevitably
77. judgments are made in the most summary, general, and iniquitous way, and consequently   78. social classes
79. those who censor the past in such a strict manner   80. the womb of history
81. unfortunately   82. on: those who believe in historic determinism

assistons en vérité à une espèce de dislocation massive de quelque chose qui ne se laisse plus guère voir ni nommer, mais qui a été la sagesse. De cette sagesse, il ne reste donc plus que les *membra disjecta*.[83] Voici ce que je veux dire: il est bien évident que les techniques, qui depuis un demi-siècle se sont développées et spécialisées de façon si prodigieuse, sont orientées vers un aménagement [84] rationnel de toutes les ressources dont l'homme peut disposer. Du même coup tout un corps de prescriptions tend à s'édifier quant à la façon détaillée dont cet aménagement doit s'opérer.[85] Mais si on s'interroge sur les connexions qui peuvent exister entre ce corps de prescriptions susceptibles de donner lieu à d'innombrables manuels et ce que par le passé on a nommé la sagesse, on ne peut manquer de s'apercevoir que ce n'en est là que le résidu ou le déchet.[86] On pourrait exprimer ceci en disant que cette énorme multiplication des moyens mis à la disposition de l'homme et des recettes portant sur l'utilisation de ces mêmes moyens, que cette multiplication, dis-je, s'opère, aux dépens des fins mêmes qu'ils sont censés servir, ou si l'on veut des valeurs qu'il s'agit pour l'homme [87] de servir ou de sauver. Tout se passe très exactement comme si l'homme, encombré du poids de ses techniques, savait de moins en moins à quoi s'en tenir [88] sur ce qui est important et sur ce qui ne l'est pas, sur ce qui est précieux et sur ce qui est vil.[89]

Mais alors et corrélativement,[90] en opposition avec ces techniques on verra se développer une sorte d'ascèse [91] presque toujours inspirée plus ou moins directement des pratiques initiatiques de l'Orient. Il suffit de penser à la récente évolution de Aldous Huxley [92] pour voir en quoi cette ascèse peut consister. J'admets volontiers qu'on est en droit de la désigner sous le nom de sagesse, je crois cependant qu'on risque par là de méconnaître une différence de perspective qui me paraît très importante. En dernière analyse en effet, de semblables conceptions ne peuvent réellement prendre corps [93] que dans une mystique. Je laisse d'ailleurs ici de côté la question de savoir si cette mystique doit inévitablement rester tributaire d'une certaine religion définie par des dogmes précis ou si elle peut se constituer, comme Huxley par exemple

83. (Latin) scattered limbs   84. planning
85. The detailed planning of this tends to build up at the same time a body of prescriptions.   86. the leftovers, scraps   87. that man is called upon
88. where he stands   89. worthless   90. as a corollary
91. a type of asceticism (doctrine that one can discipline oneself, through self-torture or self-denial, for spiritual or intellectual gains)
92. English novelist, journalist, and essayist, Aldous Huxley (1894-1963) became interested later in his career in Indian mysticism and supernaturalism.
93. come to life

semble le croire, par-delà tout dogmatisme quel qu'il soit. C'est là assurément un problème très important, mais qui tombe en dehors du champ d'investigation qui est ici le nôtre. Il ne s'agit d'ailleurs nullement dans mon esprit de vouloir déprécier de quelque façon que ce soit une semblable mystique. J'irai plus loin: il n'est pas impossible après tout que dans les siècles passés les plus hautes sagesses [94] que l'humanité a connues aient été au moins la plupart du temps suspendues à [95] une mystique: il n'en reste pas moins que tout se passait au niveau de l'expérience comme si la sagesse avait une existence indépendante. Il y avait un *sensorium commune* [96] — l'expression latine est ici plus forte et caractéristique que les mots français que en dérivent — et ce *sensorium commune* pouvait constituer quelque chose comme un terrain de rencontre du profane et du sacré. Mais le fait nouveau c'est que ce terrain de rencontre précisément s'est effondré, et que le monde est cassé comme il ne l'a peut-être jamais été à aucune époque connue. Ceci est manifeste dans tous les domaines, même dans celui de la philosophie proprement dite. Quiconque a fréquenté les congrès internationaux de philosophie a pu se rendre compte qu'il existe dans le monde actuel (et en laissant même de côté le marxisme et tout ce qui en dérive) deux types généraux de pensée entre lesquels ne s'établit aucune communication vivante: je veux parler d'une part du néo-positivisme logicomathématique qui triomphe dans les pays anglo-saxons et dans une partie de la Scandinavie, et les doctrines d'inspiration métaphysique, existentielles ou non,[97] qui ont cours [98] en Allemagne, en France, en Italie, en Espagne, et d'une façon générale dans les pays sud-américains.

Mais il faut aller beaucoup plus loin: comme j'avais eu l'occasion tout récemment de souligner publiquement, le fait que la musique atonale [99] apparaît très souvent et même le plus souvent informe et vidée de tout contenu affectif ou autre à ceux qui ont été formés par une musique toute différente, un mathématicien qui était dans l'assistance vint me trouver et me dit: l'irréductibilité [100] n'existe plus seulement en art, nous la trouvons même dans les sciences les plus abstraites. La situation est actuellement la suivante: un savant très spécialisé ne communique plus guère qu'avec ceux qui sont engagés dans le même

94. the highest forms of wisdom   95. dependent on   96. common sense
97. Doctrines of Kierkegaard, Husserl, Heidegger, Sartre, and their disciples
98. are current
99. Music written without reference to the tonal rules of harmony
100. incommunicability

type particulier de recherches, son œuvre tend à devenir lettre close [101] pour d'autres savants engagés dans des recherches différentes.

On est évidemment en droit de penser qu'il peut se trouver demain un savant de génie pour abattre ces cloisons,[102] pour établir ces correspondances entre ces irréductibles. Il n'en reste pas moins que la multiplication du langage hermétique, au sens non-ésotérique de ce mot, tend à créer une situation proprement *babélienne* [103] comportant d'ailleurs une contrepartie: l'universel est maintenant du côté de la technique, du côté des procédés mis en œuvre pour réaliser certaines fins pratiques. Mais on peut se demander si ce déplacement de l'universel de la sphère théorique vers la sphère pratique ne constitue pas un phénomène d'une extraordinaire gravité et qui annoncerait le crépuscule de la civilisation.

Le lien entre ce phénomène et celui que j'ai cherché à analyser précédemment est d'ailleurs évident. Car il ne peut pas y avoir de sagesse sans une certaine présence au moins voilée de l'universel. Dans la mesure où celui-ci se retire ou se dégrade,[104] la sagesse tend inévitablement à s'éclipser et à faire place à un ensemble de techniques imbriquées [105] les unes dans les autres, mais dont la complication a pour contrepartie l'indigence des fins poursuivies.[106]

Il resterait à poser un problème qui en un certain sens est le plus grave de tous.

Aucune question n'est plus complexe et ne demanderait à être traitée avec plus de précautions que celle qui porte sur les rapports entre le christianisme proprement dit et la sagesse entendue au sens traditionnel [107] auquel je me suis référé jusqu'à présent. Tout dépend ici en dernière analyse de la façon dont les accents sont placés sur les aspects divers du message chrétien et aussi bien entendu sur l'interprétation qu'on adopte quant à cette sagesse qui peut, nous l'avons vu, être entendue de façon très diverse. Je m'explique. Si l'on considère par exemple des phrases telles que celle-ci: « celui qui cherche à sauver sa vie la perdra »,[108] ou encore: « si vous ne vous faites pas pareils

101. a closed book   102. overthrow these partitions
103. *hermétique* difficult to understand; *ésotérique* understood only by the specially initiated; *non-ésoterique* among those who are not specialized; *babélienne* confusion of languages such as occurred at the tower of Babel, according to the Bible
104. to the extent that the universal is driven out or debased
105. tightly fitted   106. the poverty of the ends it serves
107. existing already before Christianity   108. Luke 17:33

à ces petits enfants, vous n'entrerez pas dans le royaume des cieux »,[109] il semble bien qu'elle soit expressément dirigée contre l'idée courante que nous sommes forcés de nous former de la sagesse. Ceci est peut-être encore plus apparent dans le deuxième exemple que dans le premier. Devenir pareils à de petits enfants, n'est-ce pas renoncer à toutes ces expériences acquises, à cette maturité sans laquelle il ne paraît pas possible d'accéder à la sagesse, tout au moins telle que nous sommes accoutumés à la concevoir? Ou tout au moins cette prescription, ou si l'on veut ce précepte, ne nous oblige-t-il pas à reconnaître qu'il y a pour le moins deux sagesses irréductibles l'une à l'autre: [110] une sagesse selon le monde, une sagesse selon le Christ? Mais nous pressentons aussitôt qu'il ne sera pas facile de trouver un dénominateur commun à ces deux sagesses opposées. Je reviendrai sur ce point dans un instant. Si nous passons au premier exemple, nous aurons à nous demander ce que veulent dire au juste [111] les mots « vouloir sauver sa vie et la perdre ». Ici encore nous sommes en présence d'une dualité ou d'un antagonisme absolu. Vouloir sauver sa vie, cela ne veut sûrement pas dire essentiellement ou même principalement chercher le moyen de prolonger son existence. Sauver sa vie, c'est l'établir sur ce que du point de vue naturel on regarde comme des bases solides; et cet établissement implique la mise en jeu de notre faculté de prévoir.[112] Mais ce que l'Evangile extend nous révéler c'est que lorsque nous procédons de la sorte nous partons d'une appréciation fausse [113] de l'essentiel et de l'inessentiel, nous nous appliquons à sauvegarder ce qui est en réalité le moins important, et par là même sans nous en douter nous compromettons ce qui est en réalité le plus précieux.

De tels exemples pris parmi une infinité d'autres montrent aussi clairement que possible que ce que l'Evangile apporte avec lui c'est ce que Nietzsche appellera plus tard une transvaluation. Cette transvaluation est même si radicale que ce qui sur un des deux plans [114] se présente comme sagesse, sur l'autre apparaîtra comme folie.

Il me paraît d'autre part certain que si nous considérons l'évolution de la pensée morale dans le christianisme, elle a tendu à atténuer progressivement ce paradoxe, à lui retirer son caractère scandaleux. Il est non moins sûr que périodiquement il s'est trouvé de grands spirituels [115] pour rouvrir violemment la brèche qu'on avait cherché à refermer, et pour dénoncer le travail de colmatage plus ou moins conscient auquel

109. Matthew 18:3   110. lacking a common denominator
111. exactly   112. foresight   113. faulty evaluation   114. levels
115. Thinkers devoted to religious thought and its progress

s'étaient livrés les docteurs de l'époque antérieure.[116] Je précise. D'une façon tout à fait générale pour bien nous faire comprendre que le christianisme ne nous demande rien après tout qui soit contraire à la raison, on mettra l'accent sur les implications de l'idée de salut: [117] le salut étant présenté comme l'exaucement des exigences de notre cœur, il deviendra relativement facile de montrer qu'en se conformant aux prescriptions évangéliques, même là où elles paraissent de prime abord [118] déconcertantes, l'homme agit en réalité de la façon la plus sage qui soit: la sagesse ne consiste-t-elle pas avant tout dans une appropriation réfléchie des moyens à une certaine fin indiscutablement reconnue comme bonne? Dès lors il ne sera pas difficile de faire comprendre que l'homme se conduirait au contraire en insensé,[119] s'il conformait ses actes à un ensemble de règles centré [120] sur une fin secondaire telle que le bonheur en ce monde. Et quand j'emploie les mots fin secondaire, il se peut que je me rende coupable d'une erreur ou d'une trahison: ne devrait-on pas reconnaître en effet que la poursuite du bonheur terrestre est incompatible avec la doctrine du Christ, puisque celle-ci est une vie et un chemin . . . un chemin qui passe par la Croix?

Il est bien clair que tout ceci demanderait à être nuancé à l'infini et même dans une large mesure contrepesé.[121] On pourra dire par exemple:

1⁰ Que plus l'accent sera mis sur la corruption de la nature résultant du péché, plus on sera conduit à juger suspecte et même en dernière analyse condamnable une éthique, c'est-à-dire une sagesse, qui se réfère essentiellement à la reconnaissance d'un ordre naturel.

2⁰ Plus le caractère eschatologique [122] de l'affirmation chrétienne fondamentale sera mis en avant, plus on sera conduit à proclamer l'urgence de l'action sanctificatrice, cela en opposition avec cette philosophie de la maturation sans laquelle, je le répète, il paraît bien difficile de parler de sagesse.

Mais il me semble que pour comprendre la situation présente, pour

116. *et pour . . . antérieure*   and to denounce the closing-up, done consciously or unconsciously, by the teachers of the preceding epoch
117. salvation   118. at first sight
119. *que l'homme . . . insensé*   that man would act in a senseless way on the contrary   120. directed
121. *à être . . . contrepesé* to be infinitely shaded and even to a large extent qualified
122. eschatological (pertaining to the last or final things, such as death, resurrection, immortality, judgment)

discerner la fissure très profonde qui s'est créée aussi dans ce domaine, il est tout à fait nécessaire de faire la remarque qui suit:

J'ai dit que si la réconciliation entre les deux sagesses semblait pouvoir s'effectuer c'était en fonction de l'idée du salut, du primat du salut. Mais de quel salut s'agit-il? Il est à craindre qu'on ne soit ici en présence d'une conception au fond étroitement individualiste du salut, qui risque, par son durcissement même, de méconnaître certains aspects fondamentaux du message chrétien. Nous avons sûrement à nous inscrire en faux sans la moindre hésitation contre [123] une sorte d'utilitarisme spirituel qui prétendrait nous enseigner les moyens les plus sûrs pour chacun de nous d'arriver à la béatitude. Comment ne pas évoquer ici l'admirable roman de Franz Werfel: [124] « *Les cieux perdus et regagnés* », où nous voyons une servante soucieuse de se préparer le mieux possible ce qu'elle conçoit au fond comme une sorte de villégiature céleste, et pour cette raison assumant tous les frais d'entretien et d'études [125] d'un jeune neveu qui devra être prêtre, célébrer des messes à son intention, et être en somme le meilleur intercesseur possible auprès de Celui qui préside à l'aménagement de la vie éternelle.

Il est trop clair que l'intercession ici est conçue en un sens purement profane. Le prêtre se présente comme quelqu'un qui a *le bras assez long* [126] pour nous procurer des avantages que nous ne saurions obtenir si nous étions réduits à nos seules ressources.

Mais du point de vue spirituel, tout cela est proprement scandaleux, et l'erreur fondamentale consiste à s'imaginer que chacun doit avoir son lot dans une sorte de lotissement céleste.[127] Et de quelque façon que nous cherchions à concevoir le ciel c'est précisément cette idée de lotissement que nous avons à exclure une fois pour toutes.

Tout ceci est d'ailleurs très fortement ressenti par les consciences chrétiennes d'aujourd'hui. On peut dire que les plus vivantes d'entre elles ont sans aucun doute abjuré cette erreur traditionnelle. Reste à savoir [128] si ce n'est pas pour verser [129] dans une autre erreur peut-être encore plus grave. Ce qui tend à se substituer à l'utilitarisme individualiste dont j'ai parlé, c'est une sorte d'historicisme [130] contaminé par des doctrines comme le marxisme qui n'ont en elles-mêmes absolument

123. *inscrire . . . contre* denounce as false without any hesitation
124. Austrian poet, novelist, and playwright, born in 1890 at Prague. During the war he escaped to the U.S.A. where he died in 1945.
125. undertaking to pay for the keep and education   126. enough influence
127. celestial allotment   128. But one must ask   129. fall
130. A conception which interprets the divine word in a purely human meaning

rien à voir avec le message chrétien, cet historicisme tentant — vainement d'ailleurs — de se sacraliser.[131]

Mais dans la perspective qui a été la mienne au cours de cette étude, il convient de remarquer que cette contamination par l'histoire est vraisemblablement de nature à saper [132] les bases d'une sagesse chrétienne quelle qu'elle soit. Ceci tient à une raison profonde que nous avons déjà pu entrevoir chemin faisant: [133] c'est que la référence à un avenir imaginé, et imaginé dans l'abstrait, est précisément contraire aux implications mêmes de l'idée de sagesse. Je ne citerai qu'un exemple, mais qui illustre, je crois, très clairement ce que je veux dire. J'ai pu entendre de mes propres oreilles un religieux d'ailleurs fort connu qui semblait poser [134] en principe que les régimes des pays soviétisés étaient dans le sens de l'histoire — une histoire qu'en somme il n'hésitait pas à canoniser. Et comme on attirait son attention sur les millions de victimes qui gémissent dans les prisons ou dans les camps de travail forcé, il s'exclama: « Qu'est-ce que cela en regard de [135] tout le reste? » Dans cette aberration se conjuguent [136] d'ailleurs deux types d'erreurs en principe distinctes: car à l'erreur proprement historiciste vient s'en joindre une autre, celle du savant habitué à jongler avec les nombres, et qui profite [137] en quelque sorte de l'énormité même de ces nombres pour ne plus chercher à rien se représenter du tout. Mais il est extrêmement intéressant de remarquer que pécher contre le bon sens c'est ici en même temps pécher contre la justice et contre la charité.

Dira-t-on que c'est là un cas isolé? Je ne le crois pas du tout. Il est impossible de ne pas reconnaître que nous sommes ici en présence d'un mal qui est très littéralement un vertige.[138] Pour des raisons extrêmement complexes et dans le détail desquelles je ne puis entrer, nous voyons aujourd'hui d'innombrables chrétiens qui ont la tête littéralement tournée par l'histoire, le souci de se conformer à l'histoire, c'est-à-dire à quelque chose qui nous est par essence même impénétrable.

Dans ces conditions il n'est que juste de reconnaître que, même sur le terrain du christianisme,[139] le phénomène que j'ai voulu analyser, phénomène d'éclatement ou de dissolution [140] de la sagesse, se poursuit et s'aggrave sous nos yeux. Il est bien évident en effet que cette espèce de délire risque de susciter en face de lui un contre-délire,[141] c'est-à-

131. to assume a religious value   132. destroy   133. as we went along
134. laying down   135. in comparison with   136. are combined
137. takes advantage   138. like a vertigo   139. even among Christians
140. the breaking up or dissolution
141. *cette espèce . . . délire* this type of frenzy runs the risk of creating another

dire une réaction intégriste,[142] un retour aux formules les plus vé-
tustes [143] et les plus sclérosées [144] de la théologie. Rien ne peut être plus
éloigné d'une sagesse digne de ce nom. Reste il est vrai aux âmes très
hautes la ressource de s'évader en quelque sorte par en haut, c'est-à-
dire de s'enfoncer dans l'espoir qu'elles atteindront à l'union mystique.[145]
C'est peut-être là et c'est même là sans doute le don ou la réalisation
suprême, mais par rapport à la sagesse c'est un au-delà.[146] Et il est
difficile au surplus de se défendre ici d'une grave appréhension: la
sainteté ou la mystique, qui d'ailleurs ne se confondent pas, mais entretiennent l'une avec l'autre des relations extrêmement complexes,
ne doivent-elles pas s'élever sur un certain soubassement [147] de morale
naturelle et de sagesse? Mais là où ce soubassement menace ruine,[148]
n'est-il pas à craindre qu'un élément d'erreur ou tout au moins d'illusion
ne s'introduise au cœur de ces activités très hautes et très pures?

J'en ai assez dit pour faire mesurer [149] le caractère infiniment tragique
de la situation spirituelle du monde contemporain. Ce qui est peut-être
le plus grave, quand on y réfléchit, c'est le fait que cette sagesse, ou ce
sens commun désaffecté,[150] ou si j'ose dire désamarré,[151] risque d'être
pris en apparence en charge [152] par une propagande singulièrement
habile et parfaitement capable d'utiliser à son profit pendant une
période transitoire ces dispositions qui perdent toute consistance dès
le moment où elles ne sont plus rapportées à un ordre stable, à une
vérité. Mais, nous l'avons vu,[153] cet ordre stable ou cette vérité sont
mortellement compromis à partir du moment où c'est la volonté de
puissance qui triomphe et où le monde se transforme en chantier. Dès
lors, par un paradoxe qui n'est qu'apparent, il faudra reconnaître que
le problème pratique et le problème métaphysique tendent à se confondre. Je veux dire par là qu'il ne saurait suffire d'exhumer tel ou tel
principe général autrefois mis en lumière [154] par un penseur profane
ou par un père de l'Église. Ce principe ne présentera une valeur
reconstructrice qu'a condition de s'incarner, et cette incarnation, je
l'ai dit, ne peut s'effectuer qu'au plus humble et au plus intime de
l'existence humaine, là où quelques hommes de bonne volonté se rencontrent pour faire œuvre commune. Je dis œuvre commune: car il

142. The position taken by those who oppose any change in their religion to
adopt it to present-day thinking and needs   143. antiquated   144. rigid
145. An individual's direct communion with God through contemplation, vision,
an inner light, or the like   146. That is, because wisdom is of this world
147. foundation   148. threatens to collapse   149. show
150. transferred   151. unmoored   152. in tow
153. In another essay in the same book *Le Déclin de la sagesse*   154. elucidated

ne saurait s'agir [155] en aucun cas de rédiger quelques programmes ambitieux et utopiques. Une douloureuse expérience nous enseigne en effet non seulement que ces programmes sont voués à l'échec,[156] mais, ce qui est plus fâcheux encore, que de tels échecs, par un choc en retour, semble-t-il, inévitable, contribuent à aggraver la situation même qui y a initialement donné lieu. Je reconnais que ce rappel à l'humilité a quelque chose de décevant à une époque telle que la nôtre où l'étiquette « mondial » [157] est en quelque sorte de mise chaque fois qu'on prétend mettre sur pied une organisation quelconque. Mais justement cette habitude ou cette prétention est la marque d'une des illusions les plus pernicieuses qui soient. On ne saurait trop résolument s'inscrire en faux [158] contre l'idée d'après laquelle on ne peut penser valablement aujourd'hui qu'à l'échelle mondiale ou planétaire. Ici comme partout ailleurs c'est le sens du prochain qu'il faut réveiller — seule sauvegarde possible contre des calamités qui, elles, seront sûrement — mondiales.

Le Déclin de la sagesse.

155. it could not be a question   156. failure
157. the label "world-wide"   158. protest

ROGER CAILLOIS

Né à Reims en 1913, ancien élève de l'École normale supérieure, agrégé de grammaire et diplômé de l'École pratique des hautes études, Roger Caillois a commencé sa carrière par une année de travail à la Recherche scientifique. La guerre étant survenue, le Comité de libération de Londres le chargea d'une mission culturelle en Amérique latine et il fonda à Buenos Aires un Institut français.

Il appartient aujourd'hui aux services de l'UNESCO et il dirige *Diogène*, revue internationale de la philosophie et des sciences humaines, qui parait en cinq éditions, française, anglaise, espagnole, allemande, italienne. En outre, Caillois a aux éditions Julliard la responsabilité d'une collection d'auteurs sud-américains, *La Croix du Sud*.

Tout jeune, il a débuté dans la sociologie. En 1938, dans *Le Mythe et l'homme*, il s'inquiétait de l'anarchie dont souffrent les pays occidentaux et il souhaitait la formation d'une société capable d'unir les humains, un ordre nouveau dans lequel puissent revivre certaines valeurs essentielles.

Il s'est spécialisé quelque temps dans les problèmes de littérature. En une série d'essais clairs, même un peu secs et assez hautains, notamment dans *Les Impostures de la poésie* (1945), il se prononçait pour une esthétique sévère, ne croyant pas aux hasards et aux délires de la pure inspiration. Il prenait ainsi position contre le surréalisme et se rangeait dans la tradition de Valéry. Il a très sévèrement condamné l'art d'aujourd'hui dans *Le Vocabulaire esthétique* (1946), un peu comme l'avait déjà fait Julien Benda, mais de façon beaucoup plus souple. *L'Art poétique* (1947) raille le vers libre, l'hermétisme, l'image arbitraire. Caillois n'est pas de ceux qui veulent séparer du commun des hommes la littérature. Généralisant ses vues dans *Babel* (1948), il accuse les modernes de s'intéresser de plus en plus à la sensation, de ne plus faire place à la conscience. Il n'ignore pas les forces d'instinct et de vertige, mais il se donne pour mission de maintenir contre elles la primauté de l'intelligence et de la volonté.

La curiosité d'esprit est inlassable chez Caillois, il s'est imposé dans les domaines les plus divers. *Les Jeux et les hommes* (1953) est d'un moraliste qui s'explique longuement sur les dangers qu'affronte la société avec les développements qu'elle laisse prendre au hasard, par exemple dans la rage des loteries. *Ponce Pilate* publié plus tard (1961) est d'un historien doublé d'un philosophe ironique.

Curieux par surcroît de géologie et d'histoire naturelle autant que de littérature et de beaux-arts, Caillois a écrit *Méduse et compagnie* (1959) pour montrer que l'origine de l'art est dans la nature, où l'on voit papillons, fleurs, coquillages tendre à créer des formes qui semblent sœurs des tableaux et des sculptures, quoique obéissant à des fatalités confuses. C'est dans la nature que l'homme a découvert le beau.

Caillois groupe les résultats de ses différentes enquêtes dans *Une Esthétique généralisée* (1962). L'intérêt considérable de ce livre tient à sa synthèse de la nature et de la culture. L'auteur y étudie les formes jugées belles dans tout l'univers; mais il s'en prend à la folie qui consiste pour l'homme à faire abandon de son pouvoir de création méditée et de la dignité de son espèce. Cependant il se résigne à l'évolution qui réduit à rien l'intelligence et la volonté dans les modes du temps présent. Il croit à une fatigue de l'être humain, lequel cherche un repos dans la simplicité primitive de la nature.

Roger Caillois est un des esprits les plus attentifs et les plus lucides de l'époque, un de ceux qui obligent le plus leurs lecteurs à réfléchir.

Le texte que nous donnons de lui ci-après est tiré de son essai *Le Mythe et l'homme*. On y trouvera réunies quelques-unes de ses grandes préoccupations.

A voir, Bibliographie générale.

LE MYTHE ET L'HOMME

Mythe littéraire de Paris

Il existe une représentation fantasmagorique [1] de Paris, plus généralement de la grande ville, *assez puissante sur les imaginations pour que jamais en pratique ne soit posée la question de son exactitude,* [2] créée de toutes pièces par le livre, [3] assez répandue néanmoins pour faire maintenant partie de l'atmosphère mentale collective et posséder par suite une certaine force de contrainte. [4] On reconnaît là déjà les caractères de la représentation mythique.

Cette promotion du décor urbain à la qualité épique, plus exactement cette exaltation subite, dans le sens du fantastique, de la peinture réaliste d'une cité bien définie, la plus intégrée qui fût dans l'existence même des lecteurs, [5] n'a pas échappé à l'attention des historiens de la littérature. On la constate dans la première moitié du xixe siècle, où soudain le ton s'élève [6] sitôt que Paris est mis en scène. Il semble alors que la grandeur et l'héroïsme ne soient plus obligés, pour réclamer ou obtenir l'attention, de revêtir le costume des Grecs de Racine ou des Espagnols de Hugo; le recul du temps et de l'espace n'est plus nécessaire au milieu tragique [7] pour qu'il apparaisse tel. La conversion est totale; le monde des suprêmes grandeurs et des inexpiables déchéances, [8] des violences et des mystères ininterrompus, le monde où, à tout instant, tout est partout possible, parce que l'imagination y a délégué d'avance et y situe aussitôt ses sollicitations [9] les plus extraordinaires, ce monde n'est plus lointain, inaccessible et autonome; c'est celui où chacun passe sa vie.

Ce phénomène, contemporain des débuts de la grande industrie et de la formation du prolétariat urbain, est lié d'abord, pour commencer par le plus apparent, à la transformation du roman d'aventures en roman policier. Il faut tenir pour acquis que cette métamorphose de la Cité tient à la transposition dans son décor, de la *savane* et de la

---

1. weird, fantastic   2. the question of its accuracy is never raised
3. created by books out of nothing   4. In the minds of people
5. intimately involved in the lives of the readers   6. voices are raised
7. That is to say, tragedy no longer requires a historical setting of the past.
8. downfalls   9. desires and quests

forêt de Fenimore Cooper,[10] où toute branche cassée signifie une inquiétude ou un espoir, où tout tronc dissimule le fusil d'un ennemi ou l'arc d'un invisible et silencieux vengeur. Tous les écrivains, Balzac le premier, ont nettement marqué cet emprunt et ont rendu loyalement à Cooper ce qu'ils lui devaient. Les ouvrages du type des *Mohicans de Paris* d'A. Dumas, au titre significatif entre tous,[11] sont des plus fréquents. Cette transposition est dûment établie, mais nul doute que le Roman Noir [12] n'ait joué quelque rôle de son côté; les *Mystères de Paris* se souviennent parfois en effet des *Mystères du Château d'Udolphe*.[13] Rapidement, la structure mythique se développe: à la cité innombrable s'oppose le Héros légendaire destiné à la conquérir. De fait, il n'est guère d'ouvrages du temps qui ne contiennent quelque invocation inspirée à la capitale, et le cri célèbre de Rastignac [14] est d'une discrétion inaccoutumée, encore que l'épisode comporte tous les traits habituels du thème. Les héros de Ponson du Terrail [15] sont plus lyriques dans leurs inévitables discours à la « Babylone moderne » (on ne nomme plus Paris autrement),[16] qu'on lise par exemple celui d'Armand de Kergaz dans les *Drames de Paris*, celui surtout du génie du mal, le faux Sir Williams, dans *Le Club des Valets de Cœur:*

O Paris, Paris! Tu es la vraie Babylone, le vrai champ de bataille des intelligences, le vrai temple où le mal a son culte et ses pontifes, et je crois que

10. The first American novelist (1789-1851) to achieve fame outside of the United States
11. This title was the name of a secret society which played a large part in the novel of Dumas.
12. Name given to a series of English novels at the end of the eighteenth century, among which the best known is perhaps *The Mysteries of Udolpho*
13. Notamment par l'importance prépondérante des caves et des souterrains. (Note de Caillois)/ We have inserted in our notes the ones that Caillois gives to his own text. All of these appear in French and hereafter no reference will be made to Caillois. *Les Mystères du Château d'Udolphe* (1794), French title of *The Mysteries of Udolpho,* a novel by Mrs. Ann Radcliffe (1764-1823). *Les Mystères de Paris* (1842), novel by Eugène Sue (1804-57), a writer of sensational novels of Parisian low life, which show a fertile imagination and strong dramatic sense.
14. At the end of Balzac's novel, *Le Père Goriot,* Rastignac cries out to Paris, from the top of the Père-Lachaise cemetery: « A nous deux maintenant! »
15. *Ponson du Terrail* (1829-71), author of *Les Exploits de Rocambole* and many sequels
16. Il faut sans doute rechercher l'origine de cette appellation dans les sermons des prédicateurs effrayés des innombrables dangers de perdition de la grande ville. Il y aurait ainsi toute une recherche à faire sur le rôle de l'Église dans la création du mythe de Paris et la façon dont celui-ci a hérité d'une représentation elle-même en partie mythique de Babylone.

le souffle de l'archange des ténèbres passe éternellement sur toi comme les brises sur l'infini des mers. O tempête immobile, océan de pierre, je veux être au milieu de tes flots en courroux cet aigle noir qui insulte à la foudre et dort souriant sur l'orage, sa grande aile étendue; je veux être le génie du mal, le vautour des mers, de cette mer la plus perfide et la plus tempétueuse, de celle où s'agitent et déferlent les passions humaines.

Dans ces lignes où les hellénistes reconnaitront avec surprise une des images les plus connues de Pindare,[17] on croit percevoir *les paroles insensées, quoique pleines d'une infernale grandeur* du comte de Lautréamont.[18] M. Regis Messac l'a déjà signalé. En effet, c'est bien du même Paris qu'il s'agit, celui dont Eugène Sue avait décrit les tapis francs[19] et peuplé les souterrains labyrinthiques de personnages aussitot célèbres: le Chourineur, le prince Rodolphe, Fleur de Marie, le Maître d'École. Le décor de la ville participe au mystère; on se rappelle la lampe divine au bec d'argent, aux lueurs « blanches comme la lumière électrique » qui, dans les *Chants de Maldoror*,[20] descend lentement la Seine en traversant Paris. Plus tard, à l'autre extrémité du cycle, dans *Fantômas*,[21] la Seine connaitra aussi, vers le Quai de Javel, d'inexplicables lueurs errant dans ses profondeurs. Ainsi les mystères de Paris se perpétuent identiques à eux mêmes: les mythes ne sont pas si fuyants qu'on croit.

Cependant, il paraît sans cesse de nouvelles œuvres dont la ville est le personnage essentiel et diffus, et le nom de Paris qui figure presque toujours dans le titre avertit assez que le public aime qu'il en soit ainsi.[22] Comment, dans ces conditions, ne se développerait-il pas en

17. The eagle insulting the thunderbolt; Pindar (522?-443 B.C.), Greek poet
18. Je ne veux marquer ici que la communauté du style, de langage dans le lyrisme. Les rapports des *Chants de Maldoror* et du roman feuilleton sont trop connus d'autre part pour qu'il soit nécessaire d'y insister ici. Leur étude sérieuse reste cependant à entreprendre.   19. Cabarets where thieves would gather
20. *Les Chants de Maldoror* (1868) of the comte de Lautréamont, the pseudonym of Isidore Ducasse (1846-70) and the name by which he is remembered
21. Serialized novel of two authors, Allain and Souvestre
22. Il faut citer quelques titres. Je les extrais de la bibliographie de M. Messac: 1841, H. Lucas, *Les Prisons de Paris;* 1842-43, E. Sue, *Les Mystères de Paris;* 1844, Vidocq, *Les Vrais Mystères de Paris;* 1848, M. Alhoy, *Les Prisons de Paris;* 1852-56, X. de Montépin, *Les Viveurs de Paris;* 1854, A. Dumas, *Les Mohicans de Paris;* 1862, P. Bocage, *Les Puritains de Paris;* 1864, J. Claretie, *Les Victimes de Paris;* 1867, Gaboriau, *Les Esclaves de Paris;* 1874, X. de Montépin, *Les Tragédies de Paris;* 1876, F. de Boisgobey, *Les Mystères du nouveau Paris;* 1881, J. Claretie, *Le Pavé de Paris;* 1888, G. Aymard, *Les Peaux-Rouges de Paris*, etc. Il faudrait naturellement ajouter les titres du type *Les Mystères du Grand Opéra* de Léo Lespès (1843), où le nom de Paris n'est que suggéré et

chaque lecteur la conviction intime, qu'on perçoit encore aujourd'hui, que le Paris qu'il connaît n'est pas le seul, n'est pas même le véritable, n'est qu'un décor brillamment éclairé, mais trop *normal*, dont les machinistes ne se découvriront jamais, et qui dissimule un autre Paris, le Paris réel, un Paris fantôme, nocturne, insaisissable, d'autant plus puissant qu'il est plus secret, et qui vient à tout endroit et à tout moment se mêler dangereusement à l'autre? Les caractères de la pensée enfantine, l'artificialisme en premier lieu, régissent cet univers étrangement présent; rien ne s'y passe qui ne soit prémédité de longue date, rien n'y répond aux apparences, tout y est préparé pour être utilisé au bon moment par le héros tout puissant qui en est le maître. On a reconnu le Paris des livraisons de *Fantômas*. M. Pierre Véry en a brillamment rendu l'atmosphère. Le héros-type, selon lui, est l'Homme-aux-verres-fumés: [23] « le génie du crime, l'empereur de l'épouvante, le maître des transformations saugrenues,[24] celui qui modifie à volonté son visage et dont le costume, perpétuellement changeant, défie toute description; celui à qui ne s'applique aucun signalement..., celui sur qui les balles ne portent pas, sur qui s'émoussent les lames, qui absorbe les poisons comme d'autres le lait ».[25] Et voici une page de sa vie selon le même auteur:

Il était celui dont la demeure, truquée, communique par d'inimaginables ascenseurs avec le cœur de la terre. Au milieu d'un champ, il reparaît. Passe une fille de ferme, une gardeuse d'oies qui est, qui ne peut être qu'un limier déguisé.[26] L'autre flaire le danger, rentre sous le sol. Le long de souterrains fermés, tous les cent mètres, de portes de triple acier qu'il actionne du petit doigt au moyen d'un bouton, il traverse des repaires bourrés d'armes et de bijoux, des laboratoires garnis de cornues,[27] de bombes, de machines infernales: enfin, il ressurgit à la surface. A Notre-Dame,[28] la nuit. Un autel pivote. Voici l'homme aux verres fumés, il a les clefs de la sacristie et le bedeau,[29] qui est son complice, l'éclaire avec un cierge. Au Musée du Louvre. Le portrait de la Joconde [30] s'écarte, l'homme aux verres fumés se montre.

---

ceux du type *Les Mystères de Londres* (Paul Féval, 1844), où il est seulement transposé.   23. the man with the colored glasses
24. absurd, preposterous
25. one that bullets cannot penetrate, on whom blades become blunted, and who drinks poison as others drink milk   26. a sleuth in disguise
27. retorts (distillation bottles)   28. the cathedral of Notre-Dame de Paris
29. official who takes care of the interior of a church building
30. *La Joconde,* masterpiece of Leonardo da Vinci (1452-1519), said to be the portrait of Mona Lisa, wife of the Florentine, Francesco del Giocondo. It hangs in the Louvre, famous museum of Paris, formerly a palace.

Il a les clefs de la porte et celles de la grille, le gardien, qui lui est devoué, l'éclaire avec une lanterne sourde. Dans les caves de la Préfecture,[31] maintenant. C'est lui, toujours. Les agents, qui sont ses créatures, feignent de dormir sur son passage. Là encore il a les clefs. Il a toutes les clefs.

Puis il est dans un café, il commande un bock : [32] le garçon, qui est son âme damnée,[33] glisse un billet sous la soucoupe. Paisiblement l'homme aux verres fumés gagne la porte. (Il était temps. Dans son dos, une troupe d'inspecteurs, revolver au poing, fait irruption dans le débit; ceux-ci ne sont pas de sa bande). Lui, cependant, etc . . .[34]

On excusera cette longue citation, mais son allure de dithyrambe, particulièrement adaptée au sujet, la laisse difficilement couper. Elle répond, au surplus, comme on le verra, aux arrière-pensées des créateurs du genre. Enfin, elle consacre un *nouveau progrès* dans la description mythique de la capitale: la fissure idéale qui séparait le Paris des apparences du Paris des mystères est comblée. Les deux Paris qui, au début, coexistaient sans se confondre sont maintenant réduits à l'unité. Le mythe s'était d'abord contenté des facilités de la nuit et des quartiers périphériques, des ruelles inconnues et des catacombes inexplorées. Mais il a gagné rapidement la pleine lumière et le cœur de la cité. Il *occupe* les édifices les plus fréquentés, les plus officiels, les plus rassurants. Notre-Dame, le Louvre, la Préfecture sont devenus ses terres d'élection. Rien n'a échappé à l'épidémie, le mythique a partout contaminé le réel.

Qu'on soit redevable avant tout au roman policier de cette transfiguration de la vie moderne, Chesterton le signalait déjà en 1901: « Cette conception de la grande cité elle-même comme une chose d'une étrangeté frappante a trouvé certainement dans le roman policier son Iliade.[35] Personne n'a pu s'empêcher de remarquer, que, dans ces histoires, le héros ou l'enquêteur traversent Londres avec une insouciance de leurs congénères et une liberté d'allures comparables à celles d'un prince de légende voyageant au pays des elfes. Au cours de cet aventureux voyage, le banal omnibus revêt les apparences ante-

31. headquarters of the Paris police   32. a glass of beer
33. who is a mere tool of his
34. Pierre Véry, *Les Métamorphoses*, N.R.F., 1931, pp. 178-179. On doit également à M. Véry, outre de nombreux romans policiers, un remarquable article publié peu de temps auparavant, dans la *Revue Européenne* (mai-juin 1930), où il montre une exceptionnelle compréhension de l'imagination moderne et qui vaut d'être signalé.
35. *Iliade,* epic poem attributed to Homer (fl. 850 B.C.), Greek poet

diluviennes d'un navire enchanté. Voici que les lumières de la ville brillent comme les yeux d'innombrables farfadets, etc...» [36]

On est ainsi en présence d'une poétisation de la civilisation urbaine, d'une adhésion réellement profonde de la sensibilité à la ville moderne, qui naît d'ailleurs au même moment à son aspect actuel. Il faut maintenant chercher si ce phénomène n'est pas significatif d'une révolution de l'esprit d'un caractère plus général. Car, si cette transfiguration de la ville est bien un mythe, elle doit être, comme les mythes, susceptible d'interprétation et révélatrice de destins.

On tient déjà le substrat social et démographique: accroissement considérable de la concentration industrielle, de l'exode rural, de la surpopulation urbaine, débuts des grands magasins (*La fille mal gardée, Les deux magots, Le diable boiteux,* etc.), de la haute finance (Rothschild, Fould, les frères Péreire, etc...), des sociétés par actions, etc. En 1816, à la Bourse, 7 valeurs sont cotées, plus de 200 en 1847. La construction des chemins de fer est activement poussée. La prolétarisation produit ses premiers drames [37] et les sociétés politiques secrètes pullulent.

On comprend qu'un changement si radical ait provoqué quelque enivrement dans les consciences déjà troublées par le Romantisme. Mais, cette fois, le choc était en sens inverse: c'est un appel impérieux, mais non moins lyrique, de la réalité et de l'actuel. De fait, l'élection de la vie urbaine à la qualité de mythe signifie immédiatement pour les plus lucides un parti pris aigu de *modernité*.[38] On sait quelle place tient chez Baudelaire ce dernier concept: on ne s'étonnera pas de rencontrer en lui un partisan décidé, passionné, de la nouvelle orientation. Il s'agit là, pour lui, dit-il, de la question « principale et essentielle », celle de savoir si son temps possède « une beauté particulière, inhérente à des passions nouvelles ». On connait sa réponse: c'est la conclusion même de son écrit théorique le plus considérable, au moins par son étendue:

« Le merveilleux nous enveloppe et nous abreuve comme l'atmosphère: mais nous ne le voyons pas... Car les héros de l'Iliade ne vont qu'à votre cheville, ô Vautrin, ô Rastignac, ô Birotteau, — et vous,

36. G. K. Chesterton, "Defence of the Detective Story," *The Defendant,* London, 1901, p. 158. Cf. R. Messac, *op. cit.,* p. 11./ *farfadets:* goblins
37. related in *Les Mystères de Paris*
38. « La modernité, c'est le transitoire, le fugitif, le contingent, la moitié de l'art dont l'autre moitié est l'éternel et l'immuable. » Baudelaire, *Le Peintre de la vie moderne,* chap. IV, « La Modernité ».

ô Fontanarès,[39] qui n'avez pas osé raconter au public vos douleurs
sous le frac funèbre et convulsionné que nous endossons tous; — et
vous, ô Honoré de Balzac, vous le plus héroïque, le plus singulier, le
plus romantique et le plus poétique parmi tous les personnages que
vous avez tirées de votre sein. » [40]

C'est ainsi un premier état d'une sorte de théorie du caractère
épique de la vie moderne, aux conséquences encore imprévisibles, mais
que Baudelaire emploiera sa vie entière à developper [41] et dont les
Fleurs du Mal ne sont qu'une insuffisante illustration, un pis aller aux
yeux mêmes de leur auteur peut-être, qui songe alors à écrire des
romans (dont il n'a laissé que les titres) et qui confie à sa mère en décembre 1847: [42] « A partir du jour de l'an, je commence un nouveau
métier — c'est-à-dire la création d'œuvres d'imagination pure — le Roman. Il est inutile que je vous démontre la gravité, la Beauté et le
côté infini de cet art-là... » Plus tard, il envisagera de jurer que les
Fleurs du Mal sont un « livre d'art pur », mais il prévient en même
temps que, ce faisant, il mentira « comme un arracheur de dents ».[43]
On comprend alors dans quel esprit il invoque Balzac qui développe
plus qu'un autre le mythe de Paris dans le sens baudelairien. Victor
Hugo cède au courant à son tour et écrit les *Misérables,* épopée de
Paris pour une notable part, après l'exotisme clinquant des *Orientales*
et de *Han d'Islande* (qu'on mesure le chemin parcouru).[44] Lui, non
plus, ne voit pas un réaliste dans Balzac: « Tous ses livres, dit-il dans
son discours sur la tombe du romancier, ne forment qu'un livre, livre
vivant, lumineux, profond, ou l'on voit aller et venir, marcher et se
mouvoir, avec je ne sais quoi d'éffaré et de terrible mêlé au réel, toute

39. All of these characters are found in the works of Balzac. Vautrin and
Rastignac: *Le Père Goriot* (1834); Birotteau: *Histoire de la grandeur et de la
décadence de César Birotteau* (1838); Fontanarès: *Les Ressources de Quinola*
(1842), a less-known play by Balzac.
40. Baudelaire, *Salon de 1846,* chap. XVIII, « De l'héroïsme de la vie moderne »
41. Cf. "Le Peintre de la vie moderne" and "L'École païenne," works of
Baudelaire (1821-67), famous French writer and poet. His greatest poetical
work, *Les Fleurs du mal,* appeared in 1857.
42. C'est-à-dire dix ans avant les *Fleurs du Mal:* on voit combien peu celles-ci,
malgré la légende représentent la vocation tyrannique de toute une vie.
43. *Lettres,* Paris, 1905, p. 522
44. Plus tard, dans *L'Homme qui rit,* Victor Hugo s'attachera à décrire
l'atmosphère d'une ville la nuit: « le petit errant subissait la pression indéfinissable
de la ville endormie. Ces silences de fourmillières paralysées dégagent du vertige.
Toutes ces léthargies mêlent leurs cauchemars, ces sommeils sont une foule,
etc.... »/ Victor Hugo (1802-85), the greatest poet of nineteenth-century
France, also novelist, dramatist, and leader of the romantic movement.

Une Grandmère

Homme lisant

notre civilisation contemporaine. » Baudelaire ne changera pas d'opinion à ce sujet: « J'ai maintes fois été étonné que la grande gloire de Balzac fut de passer pour un observateur. Il m'a toujours semblé que son principal mérite était d'être un visionnaire, et un visionnaire passionné. » [45] Quand il établit pour son compte la théorie de l'héroïsme moderne, c'est bien d'ailleurs au Paris de Sue et de Balzac qu'il pense, mieux c'est déjà au fait divers qu'il fait appel: « Le spectacle de la vie élégante et des milliers d'existences flottantes qui circulent dans les souterrains de la grande ville — criminels et filles entretenues, — la *Gazette des Tribunaux* et le *Moniteur* nous prouvent que nous n'avons qu'à ouvrir les yeux pour connaître notre héroïsme. » [46] Ce goût de la modernité va si loin que Baudelaire comme Balzac l'étend aux plus futiles détails de la mode et de l'habillement. Tous deux les étudient en eux-mêmes et en font des questions morales et philosophiques,[47] car ils représentent la réalité immédiate dans son aspect le plus aigu, le plus agressif, le plus irritant peut-être, mais aussi le plus généralement vécu.[48] En outre, comme l'a fortement marqué E. R. Curtius, ces détails vestimentaires manifestant « la transposition sur le mode capricieux et souriant de la lutte pathétique et violente que se livrent les forces nouvelles de l'époque ».[49]

Il n'est pas difficile d'apercevoir que cette attention systématique à la vie contemporaine signifie d'abord une opposition aux caractères extérieurs du Romantisme: goût de la couleur locale, du pittoresque

45. Article on Théophile Gautier, chap. IV.
46. *Salon de 1846*, chap. XVIII. Il faut se rappeler que les *Mystères de Paris* sont de 1843 et remarquer que « les millions d'existences flottantes qui circulent dans les souterrains d'une grande ville » sont pour un esprit aussi critique que Baudelaire un *objet de croyance*. Ceci prouve déjà à soi seul le caractère mythique de la représentation de Paris. Il restera tel pour le poète toute sa vie durant: qu'on pense aux « Tableaux Parisiens » des *Fleurs du Mal*, et surtout au *Salon de 1859* où Baudelaire regrette longuement l'absence de peintures représentant la solennité naturelle d'une ville immense, la *noire majesté de la plus inquiétante* des capitales, que seul un officier de marine a réussi à bien rendre (chap. VIII)./ The naval officer mentioned was an artist by the name of Charles Méryon.
47. Baudelaire rompt des lances en faveur de l'habit noir (cf. ci-dessus) et Balzac écrit une *Physiologie de la cravate et du cigare*, une *Théorie du gant*, un *Traité de la vie élégante*.
48. De plus, pour Baudelaire, ces préoccupations rejoignent son importante théorie du *Dandysme* dont précisément il fait une question de morale et de modernité./ *Dandysme* was an undue attention to dress among the young contemporaries of Baudelaire.
49. E. R. Curtius, *Balzac*, trad. franc., pp. 194-5

exotique, du gothique, des ruines et des fantômes. Mais elle suppose aussi, plus profondément, une rupture radicale avec le mal du siècle, en tout cas la réforme du concept du héros maladif, rêveur et inadapté. En effet, en face de la ville mythique, *creuset des passions*, qui exalte et broie tour à tour les caractères bien trempés, il faut un héros animé de volonté de puissance, pour ne pas dire de césarisme. « La destinée d'un homme fort est le despotisme », écrit Balzac et un de ses meilleurs analystes remarque qu'il a peint « des êtres qui, sortis des troubles et des confusions de la vie sentimentale, délivrés du dégoût paralysant de la vie, ont retrouvé le chemin de la responsabilité morale, de l'activité efficace, de la foi qui rompt tous les obstacles ».[50] Tels de ses romans sont ainsi des réponses caracterisées à *René* ou à *Obermann*.[51] De fait, le rêve et ses succédanés ne jouent pas grand rôle dans la vie des personnages de Balzac. Pour un peu, sans doute, ils le traiteraient avec le mépris de D. H. Lawrence qui le compare aux ordures des poubelles et considère comme une étrange aberration, non qu'on s'y intéresse, mais qu'on y attribue une *valeur*.[52] Cependant, pour être délibérément attachés à l'action, les personnages de la Comédie humaine n'en sont pas moins romantiques, soit qu'il entre nécessairement dans la nature du héros une part de romantisme qui tienne à la fonction sociologique de la notion, soit, comme l'indique Baudelaire, ici comme toujours le complice de Balzac dans cette aventure de la modernité, que le romantisme demeure une « grâce, céleste ou infernale » dispensatrice de « stigmates éternels ».[53]

Le Mythe et l'homme, pp. 184-98.
Librairie Gallimard, tous droits réservés

50. E. R. Curtius, *op. cit.*, p. 303
51. A work of Chateaubriand (1768-1848), *René*, a tale first included in *Le Génie du christianisme* (1802), incarnates all the vague, unsatisfied yearnings, the world-weariness, the passion for nature in its most melancholy aspects. *Obermann* (1804) by Sénancour (1770-1846) is an autobiographical work in which the hero is eaten away by melancholy without hope.
52. « Il est au-dessous de notre dignité d'accorder à ce ramassis une importance réelle. Il est toujours au-dessous de notre dignité de dégrader l'intégrité individuelle en allant fouiller et remuer l'ordure de l'accident et de l'inférieur, le ramassis des coincidences mécaniques et des automatismes. Seuls ont un sens les événements qui concernent une âme dans sa pleine intégrité, soit qu'ils en sortent, soit qu'ils la modifient. » *Fantaisie de l'inconscient* (Psychoanalysis and the Unconscious) p. 202-3./ D. H. Lawrence (1885-1930), English writer.
53. *Salon de 1859*, chap. VI

PIERRE TEILHARD DE CHARDIN

Le Révérend Père Teilhard de Chardin naquit en Auvergne en 1881 de bonne bourgeoisie et décida tout jeune d'entrer dans les Ordres. Il se destinait à la Compagnie de Jésus qui l'accueillit dans sa dix-neuvième année et il fut ordonné prêtre le 24 août 1911.

Il fut un brancardier d'élite pendant la guerre de 1914-18 et c'est de cette époque que date son premier essai, *La Vie cosmique* (1916). D'autres suivirent tout aussitôt, essais plutôt mystiques que scientifiques mais qui annonçaient les grandes directions de l'œuvre future.

De retour à Paris à la fin de 1919, Teilhard y achève ses études et passe son doctorat ès sciences en 1922. Après quelque temps d'enseignement, il s'embarque dans de nombreuses expéditions qui alternent avec des séjours à Paris. Il se rend en Chine, aux Indes, en Asie et en 1939, à la déclaration de la guerre, se trouve bloqué à Pékin où il sera immobilisé pendant plusieurs années.

En 1947, il est de retour en France et on lui offre une chaire au Collège de France, mais Rome s'opposera à sa candidature. En 1950, il est élu membre de l'Académie des Sciences.

C'est à New York que Teilhard de Chardin décide de se fixer en 1951, séjour qui sera encore interrompu par de nombreux voyages à la recherche du passé humain; et c'est dans cette ville qu'il trouvera la mort en 1955.

La pensée du Père Teilhard de Chardin est partie du principe d'évolution dans sa signification la plus moderne, c'est-à-dire qu'il a conçu l'univers comme une unité dynamique, obéissant à une force interne de croissance. De la base de l'évolution à son niveau actuel, il n'a jamais douté de l'unité organique de l'univers, et de bonne heure il a décelé dans la suite des espèces une unité de structure que lui a confirmé sa fameuse découverte du sinanthrope (préhominidé fossile découvert près de Pékin, en Chine) en 1929.

Les études de Teilhard sur la biosphère (couche idéale que forme autour de l'écorce terrestre l'ensemble des êtres vivants) et la parthénogénèse (reproduction à partir d'une ovule ou d'une oosphère non fécondées) l'ont conduit à ce qu'il a appelé « le phénomène humain ». Selon lui, le développement croissant du psychisme, c'est-à-dire d'une immanence croissante de l'esprit,

ESSAYISTES

a fait passer le centre de gravité de l'histoire cosmique dans le système nerveux de l'homme. « En l'homme, une volonté de vivre universelle a convergé et s'est hominisée. » Alors a commencé l'épopée de l'*Homo sapiens* qui a abouti à la réflexion collective, au psychisme généralisé de la noosphère (zone terrestre contenant la Vie), à la socialisation. Chaque jour davantage l'homme devient flèche montante de la grande synthèse biologique. Teilhard de Chardin l'imagine s'élevant à la rencontre de Dieu et profitant de la médiation du Christ au point de jonction de l'immanence constatée par la science et de la transcendance apprise de la religion. Alors sera atteint le « point Omega ».

Le *Phénomène humain* (1955), *L'Apparition de l'homme* (1956), *La Vision du passé* (1957), *Le Milieu divin* (1957), *L'Avenir de l'homme* (1959), sont les principaux ouvrages dans lesquels le Père Teilhard de Chardin a exposé sa doctrine. Ils ont paru en éditions posthumes, étant tout d'abord passés de main en main sous forme polycopiée, car leurs conceptions contrarient sur bien des points l'enseignement de l'Église et l'autorité ecclésiastique s'opposait à leur publication normale.

Elle a fini par céder aux instances de la gloire. La pensée de Teilhard de Chardin a obtenu l'audience mondiale. Il existe un Comité scientifique sous le patronage duquel l'œuvre teilhardienne est publiée avec lenteur mais dévotion.

Assurément cette gloire posthume ne veut pas dire que Teilhard de Chardin échappe à toute objection. Si la valeur du savant ne fait pas de doute, si sa foi de Chrétien inspire le respect, le philosophe a édifié à coups d'hypothèses plus que de certitudes une construction qui est une vue de l'esprit aussi aventureuse que magnifique à contempler pour son étendue harmonieuse. Mais l'œuvre est importante et tout le monde instruit doit la connaître dans ses grandes lignes parce qu'elle présente un ensemble complet et parce qu'à une époque où tant d'intellectuels font croire à une absurdité de la vie, Teilhard proclame, ayant médité sur la sienne, que l'existence humaine a une signification. Il aide ainsi à la lutte contre le désespoir.

De *L'Avenir de l'homme* nous avons choisi un essai qui apporte une lueur d'espoir et des paroles réconfortantes à un monde troublé et inquiété par les menaces de la bombe atomique.

BIBLIOGRAPHIE

Chauchard, P. *L'Être humain selon Teilhard de Chardin*. Paris: Gabalda, 1959.
Cuénot, C. *Pierre Teilhard de Chardin. Les Grandes Étapes de son évolution*. Paris: Plon, 1958.
Grenet, P. *Teilhard de Chardin, un évolutionniste chrétien*. Paris: Seghers, 1961.
Tresmontant, C. *Introduction à la pensée de Teilhard de Chardin*. Paris: Éditions du Seuil, 1956.

L'AVENIR DE L'HOMME

Quelques réflexions sur le retentissement spirituel de la bombe atomique

Il y a un peu plus d'un an, au petit jour,[1] dans « les mauvaises terres » de l'Arizona, une lueur éblouissante, d'un éclat insolite,[2] illumine les cimes les plus lointaines, éteignant les premiers rayons du soleil levant. Puis, un ébranlement [3] formidable . . . C'est fait. Pour la première fois sur terre un feu atomique venait de brûler l'espace d'une seconde, industrieusement allumé par la science de l'homme.

Or, le geste une fois accompli, son rêve une fois réalisé de créer une foudre nouvelle, l'homme, étourdi par son succès, s'est bientôt retourné sur soi; et, à la lumière de l'éclair qu'il venait de faire jaillir de sa main, il a cherché à comprendre ce que son œuvre avait fait de lui-même. Son corps était sauf. Mais, à son âme, que venait-il d'arriver? [4]

Je ne m'attarderai pas ici à discuter ni à justifier la moralité essentielle de l'acte consistant à libérer l'énergie atomique. Au lendemain de l'expérience faite en Arizona, on a bien osé soutenir que les physiciens auraient dû, parvenus au terme de leurs recherches, étouffer et détruire le fruit dangereux né de leur esprit d'invention. Comme si le devoir de tout homme ne consistait pas en définitive à pousser jusqu'au bout toutes les puissances créatives de la connaissance et de l'action! Comme si, du reste, aucune force au monde était capable d'arrêter la pensée humaine dans aucune ligne sur laquelle elle s'est une fois engagée!

Je ne m'étendrai pas non plus, dans ces pages, à discuter les problèmes économiques et politiques soulevés par l'intrusion de l'énergie nucléaire dans le jeu des sociétés humaines. Comment, de cette redoutable puissance, contrôler et organiser l'usage? Aux techniciens de la terre le soin de répondre.[5] Qu'il me suffise ici de rappeler la condition générale à laquelle doit satisfaire le problème pour être soluble: être posé à une échelle internationale. Comme le notait, avec une remarquable clairvoyance, dès le 18 août 1945, un fameux hebdomadaire américain: « Seule une énergie politique dirigée vers la réalisation

1. at dawn   2. unusual   3. shock
4. But what had just happened to his soul?
5. Let the technicians of the earth give the answer.

d'une structure universelle est capable d'équilibrer l'apparition dans le monde des forces atomiques. » [6]

L'objet des réflexions ici présentées — plus limité à chacune de nos âmes, mais peut-être aussi plus profond — est simplement de rechercher quel a été, dans le cas de la bombe atomique, le contrecoup [7] de l'invention sur l'inventeur, du fait même de la découverte. Chacun de nos gestes, plus ce geste est nouveau, retentit profondément sur toute la suite de notre orientation interne.[8] S'envoler, engendrer, tuer pour la première fois: c'en est assez, nous le savons, pour transformer une vie. Pareillement, en libérant de façon massive, une première fois tout justement, l'énergie des atomes, l'homme n'a pas seulement changé la face de la terre. Inévitablement, au cœur même de son être, il se trouve avoir amorcé, *ipso facto*,[9] une longue chaîne de réactions qui, dans le bref intervalle d'une explosion matérielle, ont fait de lui, au moins virtuellement, un être nouveau, qui ne se connaissait pas.

C'est de cette chaîne que je vais essayer de distinguer, au moins en première approximation, les principaux anneaux.

1⁰ A l'instant critique où allait se produire (ou ne pas se produire...) l'explosion attendue, les premiers expérimentateurs de la bombe atomique s'étaient couchés sur le sol du désert. Quand ils se relevèrent, après l'éclatement, c'est l'homme qui se redressait en eux, animé d'un *nouveau* sentiment de puissance. Cette puissance, certes, l'homme l'avait sentie bien des fois déjà émaner de lui, par larges pulsations, au cours de son histoire: dans la nuit des temps paléolithiques,[10] par exemple, quand il avait osé capter, ou su par hasard faire jaillir, une première fois, le feu; — ou, au cours du néolithique,[11] quand il s'est avisé qu'il pouvait, en cultivant de maigres épis, les transformer en riz, en millet ou en blé; [12] — ou beaucoup plus tard, enfin, à l'aurore de notre ère industrielle, quand il se découvrit capable de harnacher et d'atteler, non plus seulement une monture sauvage,

6. "Political plans for the new world, as shaped by the statesmen, are not fantastic enough. The only conceivable way to catch up with atomic energy is with political energy directed to a universal structure." — *The New Yorker*. (Note of Teilhard de Chardin)   7. consequence
8. *Chacun de ... interne*. Each action we take, the more novel it is, has a profound repercussion on all our future inner orientation.
9. (Latin) by that very fact
10. The prehistoric period characterized by the use of rough stone instruments
11. The period following the paleolithic, with more advances in culture such as cultivation
12. *épis*, ear of corn, head of grain; *riz*, rice; *millet*, small-seeded cereal or forage grass; *blé*, wheat

mais l'énergie infatigable de la vapeur et de l'éctricité. Extensivement et intensivement, chacune de ces nouvelles conquêtes signifiait, pour lui et pour la terre, un remaniement total de la vie, un changement d'âge, — mais, à tout prendre, sans le faire essentiellement *changer de plan*, au fond de sa conscience.[13] Car, dans chacun de ces cas d'invention (même le plus favorable, celui de l'électricité), à quoi sa conquête aboutissait-elle, sinon à canaliser et utiliser simplement l'une ou l'autre des puissances librement errantes autour de lui dans la nature? Adresse et sagacité, plus que création. Rien de plus, chaque fois, qu'une voile [14] nouvelle tendue pour un vent nouveau. Tout autre se présente, et tout autrement par suite réagit sur son âme la découverte et la libération des forces de l'atome. Ici, en effet, plus question d'une simple mainmise [15] sur ce qui existait déjà, tout préparé et servi dans le monde. Mais, cette fois, une porte est décidément forcée, donnant accès sur un autre compartiment, réputé inviolable, de l'univers. L'homme jusqu'ici, se servait de la matière. Maintenant il est parvenu à saisir et à manier les conduites [16] commandant la genèse même de cette matière: ressorts si profonds qu'il lui devient possible de reproduire à son usage ce qui paraissait le privilège des puissances sidérales; [17] — ressorts si puissants qu'il lui faut regarder à deux fois avant de se permettre un geste qui pourrait faire sauter la terre. Comment, en face de ce succès, ne se sentirait-il pas exalté, comme jamais depuis sa naissance? quand surtout cet événement prodigieux se présente, non pas comme le produit accidentel d'une chance sans lendemain, mais comme le résultat longuement préparé d'un effort savamment concerté?

2^0 Sentiment nouveau de puissance, donc; mais, plus encore, sentiment d'une puissance *indéfiniment développable*. Ce qui, une minute avant l'explosion, serait le cœur des hardis expérimentateurs de l'Arizona, c'était bien moins, sans doute, l'attente des destructions escomptées que le « test » crucial auquel se trouvait soumise, à cet instant solennel, la pyramide de théories et d'hypothèses qui avaient servi à tout préparer. Une fin accélérée de la guerre, les milliards dépensés: qu'était-ce, cela, quand la valeur même de la science était en suspens? L'énorme et subtil édifice de géométries, d'expériences et d'interprétations entrelacées qui, depuis cinquante ans, s'élevait, à une échelle infinitésimale, dans les laboratoires supporterait-il l'agran-

---

13. *mais, à ... conscience.* but, everything considered, without affecting essentially his very life, in the depth of his consciousness. 14. sail 15. seizure 16. manipulate the controls 17. power relating to the stars

dissement qui le rendrait, aux dimensions moyennes, tangible, efficace, incontestable? Rêve ou réalité? Hésitation tragique. Encore une seconde et l'on saurait . . .

Or, au point et au temps marqués, la flamme a véritablement jailli, l'énergie a réellement débordé de ce qui, pour le sens commun, était substance inerte et ininflammable. Et, à ce moment, l'homme s'est trouvé sacré [18] non seulement dans sa force présente, mais dans une méthode qui lui permettrait de maîtriser toutes les autres forces autour de lui. D'abord, il venait d'acquérir pleine et définitive confiance dans l'instrument d'analyse mathématique que depuis un siècle il s'était forgé. Non seulement la matière était géométrisable, mais elle était « conquérable » par la géométrie. Et puis, plus important encore peut-être que cela, il découvrait, dans l'unanimité irréfléchie du geste auquel l'avaient forcé les circonstances, un nouveau secret pour parvenir à la toute-puissance. Pour la première fois dans l'histoire, par suite de la conjonction non fortuite entre une crise d'ampleur mondiale et un progrès inouï des moyens de communication, un effort scientifique « planné », employant comme unité la centaine, ou même le millier d'hommes, venait de se réaliser. Et le résultat ne s'était pas fait attendre. En trois ans une technique avait été mise au point [19] que n'eût peut-être pas trouvé un siècle d'efforts isolés. La plus grande découverte jamais faite par l'homme était justement celle où le plus grand nombre d'intelligences eussent jamais eu la possibilité de s'associer en un seul organisme, à la fois plus compliqué et plus centré, pour la recherche. Simple coïncidence? ou plutôt, là comme dans d'autres domaines, ne s'avérait-il pas que rien ne résiste dans l'univers à l'ardeur convergente d'un nombre suffisamment grand d'esprits suffisamment groupés et organisés?

Et dès lors, si bouleversante et grisante [20] fût-elle, la libération, enfin réalisée, de l'énergie nucléaire n'apparaissait déjà plus si énorme. N'était-elle pas simplement le premier acte, ou même un simple prélude, dans une série d'événements fantastiques qui, après nous avoir donné accès au cœur de l'atome, nous conduiraient à forcer, une à une, tant d'autres citadelles déjà plus ou moins encerclées par notre science? Vitalisation de la matière, par édification de super-molécules. Modelage de l'organisme humain, au moyen des hormones. Contrôle de l'hérédité et des sexes, par le jeu des gènes et des chromosomes. Réajustement et libération internes de notre propre âme par action

18. man found himself godlike   19. perfected
20. so bewildering and exalting

directe des ressorts peu à peu mis à nu par la psychanalyse. Éveil et capture des insondables puissances intellectuelles et affectives[21] encore dormantes dans la masse humaine... Toute espèce d'effets ne peut-elle pas être provoquée par un arrangement convenable de matière? et, à partir des résultats obtenus dans le domaine nucléaire, ne sommes-nous pas en droit d'espérer pouvoir arranger, tôt ou tard, toute espèce de matière?

3⁰ Et c'est ainsi que, de proche en proche, au fil de ses ambitions grandissantes,[22] l'homme, éveillé à la conscience de sa force par un premier succès, se trouve conduit à élever son regard au-dessus de toute amélioration mécanique de la terre, et au-dessus de tout accroissement de ses propres richesses externes pour ne plus songer qu'à *se grandir et s'achever biologiquement* lui-même. Un énorme effort d'investigation historique et de rétablissement mental le lui avait déjà appris. Depuis des millions d'années un flot de connaissance n'a pas cessé de monter obstinément vers lui à travers l'étoffe cosmique; et en lui ce qu'il appelle son « moi » n'est rien autre que cette marée se réfléchissant atomiquement sur elle-même.[23] Cela, il le savait; mais sans pouvoir bien apprécier encore dans quelle mesure, au mouvement de la vie qui le traversait, il était à même d'apporter une aide efficace. Or maintenant (c'est-à-dire depuis le fameux lever de soleil sur l'Arizona), le doute ne lui est plus permis. De toute nécessité organique, non seulement il peut, mais il doit, à l'avenir, collaborer à sa propre genèse. Au cours d'une première phase, formation de l'intelligence par le travail obscur, instinctif, des forces vitales; puis, dans un deuxième cas, rebondissement et accélération du mouvement ascensionnel par le jeu réfléchi de cette intelligence même, seul principe au monde capable de combiner et d'utiliser pour la vie, *à une échelle planétaire*,[24] les énergies encore disséminées ou assoupies de la matière et de la pensée: tel se dessine désormais à nos yeux, dans ses lignes majeures, le grand schème dans lequel, par l'existence, nous nous trouvons engagés.

Et de ce chef voici, en chacun de nous, l'homme ouvert au sens, à la responsabilité et aux espoirs de sa fonction cosmique dans l'univers, c'est-à-dire transformé, qu'il le veuille ou non, en un autre homme, jusqu'au tréfonds de lui-même.[25]

21. *affectives* emotions, passions, feelings
22. step by step, in line with his growing ambitions
23. *et en lui ... sur elle-même.* and within himself what he calls his "self" is nothing else but this tide curling back atomically upon itself.
24. on a planetary scale   25. in the deepest stratum of his soul

4⁰ Le grand ennemi, « l'ennemi n⁰ 1 », du monde moderne, c'est *l'ennui*. Aussi longtemps que la vie n'a pas pensé, et surtout n'a pas eu *le temps de penser*, — aussi longtemps, veux-je dire, qu'elle a progressé, absorbée dans son effort instantané pour se maintenir et avancer, — pour elle, tout ce temps-là, aucune question ne s'est posée touchant la valeur et l'intérêt de l'action. C'est seulement à partir de l'instant où une frange de loisirs réfléchis a commencé à se former entre l'œuvre et l'opération que l'ouvrier a pu éprouver les premières atteintes d'un *taedium vitae*.[26] Or, de nos jours, la frange a démesurément grandi, au point d'envahir notre ciel tout entier. A une vitesse inquiétante en ce moment (grâce aux machines automatiques sur lesquelles nous nous déchargeons de plus en plus du soin, non seulement de produire, mais de calculer) la quantité d'énergie humaine vacante monte en nous et autour de nous; et, dès le jour prochain où les forces nucléaires auront pu être attelées à une besogne utile, le phénomène va atteindre son paroxysme.[27] Je le répète: malgré les apparences, l'humanité s'ennuie. Et voilà peut-être bien la source secrète de tous nos maux. Nous ne savons plus que faire. De là, par le monde, cette agitation désordonnée des individus à la poursuite de fins disparates ou égoïstes; et de là, entre nations, ce prurit des luttes armées où se décharge destructivement, faute de mieux, l'excès des puissances accumulées. — « L'oisiveté, mère de tous les vices. »

Eh bien! ce sont ces lourdes vapeurs d'orages que vient dissiper, en se levant, dans la conscience humaine, *le sens de l'évolution*. Quels que doivent être demain les retentissements économiques (sur ou sous-estimés) de la bombe atomique, il reste que, pour avoir étendu notre main jusqu'au centre même de la matière, nous avons découvert à l'existence un intérêt suprême: l'intérêt de pousser plus loin, jusqu'au bout, les forces de la vie. En faisant éclater les atomes, nous avons mordu au fruit de la grande découverte. C'en est assez pour qu'un goût soit entré dans nos bouches que rien désormais ne saurait effacer: le goût de la super-création. Et c'en est assez par suite, pour que, du même coup, le spectre des combats sanglants s'évanouisse aux rayons de quelque montante unanimité. On nous dit que, enivrée par sa force, l'humanité court à sa perte, — qu'elle va se brûler au feu imprudemment allumé par elle. Il me semble au contraire que, par la bombe atomique, c'est la guerre qui peut se trouver à la veille d'être doublement et définitivement tuée. Tuée d'abord (cela, chacun de nous l'entrevoit et l'espère) dans son exercice par excès même des

---

26. distaste, weariness of life   27. greatest intensity, climax

forces de destruction mises entre nos mains, et qui vont rendre toute lutte impossible. Mais tuée surtout (à cela nous pensons moins) à sa racine dans nos cœurs, parce que, en comparaison des possibilités de conquête que la science nous découvre, batailles et héroïsme guerriers ne devraient bientôt plus nous sembler que choses fastidieuses et périmées.[28] Parce qu'un véritable objectif vient de nous apparaître, un objectif que nous ne pouvons atteindre qu'en nous arcboutant tous à la fois dans un effort commun, nos activités ne peuvent plus, à l'avenir, que se rapprocher et converger dans une atmosphère de sympathie: de sympathie, je dis bien, puisque c'est inévitablement commencer à s'aimer que de regarder tous ensemble, passionnément, une même chose. En nous ouvrant une issue biologique, « phylétique », vers le haut, le choc qui semblait devoir consommer notre perte a pour résultat de nous orienter, de nous dynamiser,[29] et finalement (dans certaines limites) de nous unanimiser.[30] L'ère atomique: ère, non pas de la destruction, mais de l'union dans la recherche. Malgré leur appareil militaire, les récentes explosions de Bikini signaleraient ainsi la venue au monde d'une humanité intérieurement et extérieurement pacifiée. Elles annonceraient l'avènement d'un *Esprit de la Terre*.

5⁰ Et nous voici parvenus au point précis où, afin d'équilibrer jusqu'au bout l'ébranlement psychique suscité en nous par la secousse atomique, il nous faudra tôt ou tard (bientôt?) prendre position sur une option de fond, où nos luttes reprendront peut-être, et âprement, mais avec d'autres moyens, et sur un autre plan.

L'Esprit de la Terre, ai-je dit. Mais que faut-il entendre sous ce terme ambigu?

S'agit-il ici de l'esprit prométhéen ou faustien:[31] esprit d'autonomie et de solitude; l'homme se dressant, par ses propres forces et pour lui-même, sur un univers hostile et aveugle; la montée de conscience se terminant sur un acte de possession?

S'agit-il au contraire de l'esprit chrétien: esprit de service et de don: l'homme luttant, comme Jacob,[32] pour conquérir et rejoindre un foyer

---

28. out of date   29. to vitalize, activate us
30. to bring us together in a global effort
31. *Prometheus* in Greek mythology was the Titan who stole fire from the heavens and gave it to man; he is considered a great benefactor of man. *Faust* was a sixteenth-century German scholar who, according to legend, sold his soul to the Devil who agreed to fulfill all his wishes; he has become a symbol of man's great urge for knowledge and power.
32. Ancestor of the Hebrews, who fought successfully against an angel and hence received the name of Israel, meaning "strong against God"

suprême de conscience qui l'attire; l'évolution de la terre se fermant dans un acte d'union?

Esprit de force ou esprit d'amour? Où placer le véritable héroïsme? Où trouver la vraie grandeur? Où reconnaître l'objective vérité?

Il serait trop long (et hors de propos dans ces pages) de discuter la valeur comparée de deux formes antagonistes d'adoration, dont la première a bien pu séduire les poètes, mais dont la seconde se révèle seule capable, je pense, à la réflexion, de conférer à l'univers en mouvement sa pleine cohérence spirituelle, sa pleine consistance à travers la mort, et enfin son plein attrait sur nos cœurs.[33]

Ce qui importe ici, en revanche, c'est d'observer que l'humanité ne saurait aller beaucoup plus loin sur la route où elle se trouve engagée par ses dernières conquêtes sans avoir à se décider — ou à se diviser intellectuellement — sur le choix du sommet qu'il lui faut atteindre.

En fin de compte le dernier effet de la lumière projetée par le feu atomique dans les profondeurs psychiques de la terre est d'y faire surgir, ultime et culminante, la question d'un terme à l'évolution, c'est-à-dire le problème de Dieu.

L'Avenir de l'homme, pp. 179-87.
Éditions du Seuil, tous droits réservés

33. Dans l'angoisse des dernières secondes, au moment de l'expérience d'Arizona, les témoins se sont surpris, dans le fond de leur cœur, à *prier.* — Rapport officiel, Annexes. (Note of Teilhard de Chardin)

BIBLIOGRAPHIE GÉNÉRALE

Beigbeder, Marc. *Le Théâtre en France depuis la libération*. Paris: Bordas, 1959.

Boisdeffre, Pierre de. *Une Histoire vivante de la littérature d'aujourd'hui (1938-58)*. Paris: Le Livre contemporain, 1958.

Brée, G., and Guiton, M. *An Age of Fiction*. New Brunswick, N.J.: Rutgers University Press, 1957.

Brodin, Pierre. *Présences contemporaines*. 3 vols. Paris: Debresse, 1954-57.

Clouard, Henri. *Histoire de la littérature française du symbolisme à nos jours*, Vol. 2. Paris: Albin Michel, 1962.

Guicharnaud, Jacques. *Modern French Theatre*. New Haven: Yale University Press, 1961.

Mauriac, Claude. *Hommes et idées d'aujourd'hui*. Paris: Albin Michel, 1953.

Nadeau, Maurice. *Littérature présente*. Paris: Corrêa, 1952.

Nathan, J. *Histoire de la littérature contemporaine*. Paris: F. Nathan, 1954.

Peyre, Henri. *The Contemporary French Novel*. New York: Oxford University Press, 1955.

Picon, Gaëtan. *Panorama de la nouvelle littérature française*. Paris: Gallimard, 1958.

Pingaud, Bernard. *Écrivains d'aujourd'hui (1940-60)*. Paris: Grasset, 1960.

Rousselot, Jean. *Panorama critique des nouveaux poètes français*. Paris: Seghers, 1952.

Roy, Claude. *Descriptions critiques*. 4 vols. Paris: Gallimard, 1949-58.